Y0-ABF-377

ВЕЛИКИЕ ИСТОРИКИ

СЕРГЕЙ СОЛОВЬЕВ

ИСТОРИЯ РОССИИ

с древнейших времен

ТОМ

II

САНКТ-ПЕТЕРБУРГ / АМФОРА / 2015

УДК 94(470+571)
ББК 63.3(2)
С 60

12+
Издание не рекомендуется детям младше 12 лет

Соловьев С.

С 60 История России с древнейших времен. Том второй / Сергей Соловьев. — СПб. : ООО «Торгово-издательский дом «Амфора», 2015. — 478 с. — (Серия «Великие историки»).

ISBN 978-5-367-03646-6 (Серия)
ISBN 978-5-367-03648-0 (Вып. 2)

Эта книга включает в себя второй том «Истории России с древнейших времен» — главного труда жизни С. М. Соловьева. Второй том охватывает события от конца правления Ярослава I до конца правления Мстислава Торопецкого.

УДК 94(470+571)
ББК 63.3(2)

ISBN 978-5-367-03646-6 (Серия)
ISBN 978-5-367-03648-0 (Вып. 2)

ГЛАВА ПЕРВАЯ

О княжеских отношениях вообще

Завещание Ярослава I. — Нераздельность рода. — Значение старшего в роде, или великого князя. — Права на старшинство. — Потеря этих прав. — Отчина. — Отношение волости младшего князя к старшему

По смерти Ярослава I осталось пять сыновей да внук от старшего сына его Владимира; в Полоцке княжили потомки старшего сына Владимира Святого Изяслава; все эти князья получают известные волости, размножаются, отношения их друг к другу являются на первом месте в рассказе летописца. Какого же рода были эти отношения?

В Западной латино-германской Европе господствовали в это время феодальные отношения; права и обязанности феодальных владельцев относительно главного владельца в стране нам известны; в других славянских странах между старшим князем и меньшими господствуют те же самые отношения, какие и у нас на Руси, но ни у нас, ни в других славянских землях не осталось памятника, в котором бы изложены были все права и обязанности князей между собою и к главному князю; нам остается одно средство — узнать что-нибудь о междукняжеских отношениях, искать в летописях, нет ли там каких-нибудь указаний на эти права и обязанности князей, послушать, не скажут ли нам чего-нибудь сами князья о тех правах, которыми они руководились в своих отношениях.

Общим родоначальником почти всех княжеских племен (линий) был Ярослав I, которому приписывают первый письменный устав гражданский, так называемую Русскую Правду; посмотрим, не дал ли он какого-нибудь устава и детям своим, как вести себя относительно друг друга? К счастью, летописец исполняет наше желание: у него находим предсмертные слова, завещание Ярослава своим сыновьям. По словам летописца, Ярослав перед смертью сказал следующее: «Вот я отхожу от этого света, дети мои! Любите друг друга, потому что вы братья родные, от одного отца и от одной матери. Если будете жить в любви между собою, то Бог будет с вами. Он покорит вам всех врагов, и будете жить в мире; если же станете ненавидеть друг друга, ссориться, то и сами погибнете и погубите землю отцов и дедов ваших, которую они приобрели трудом своим великим. Так живите же мирно, слушаясь друг друга; свой стол — Киев поручаю вместо себя старшему сыну моему и брату вашему Изяславу; слушайтесь его, как меня слушались: пусть он будет вам вместо меня». Раздавши остальные волости другим сыновьям, он наказал им не выступать из пределов этих волостей, не выгонять из них друг друга и, обратясь к старшему сыну, Изяславу, прибавил: «Если кто захочет обидеть брата, то ты помогай обиженному».

Вот все наставления, все права и обязанности! Князья должны любить друг друга, слушаться друг друга, слушаться старшего брата, как отца; ни слова о правах младших братьев, об их обязанностях как подчиненных владельцев, относительно старшего как государя всей страны; выставляются на вид одни связи родственные, одни обязанности родственные; о государственной связи, государственной подчиненности нет помину. Любите друг друга и не ссорьтесь, говорит Ярослав сыновьям, потому что вы дети одного отца и одной матери; но когда князья не будут больше детьми одного отца и одной матери, когда они будут двоюродные, троюродные, четвероюродные и т. д. братья, то по каким побуждениям будут они любить друг друга и не ссориться? Когда связь кровная, родственная ослабеет, исчезнет, то чем заменится она? Замены нет, но зато родовая связь крепка: не забудем, что Ярославичи владеют среди тех племен, которые так долго жили под формами родового быта, так недавно стали освобождаться от этих форм. Пройдет век, полтора века, князья размножатся, племена (линии) их разойдутся, и, несмотря на то, все будут называть себя братьями без различия степеней родства; в летописных известиях о княжеских отношениях мы не встретим названий — двоюродный или троюродный брат; русский язык до сих пор не выработал особых названий для этих степеней родства, как выработали языки других народов. Князья не теряют понятия о единстве, нераздельности своего рода; это единство, нераздельность выражались тем, что все князья имели одного старшего князя, которым был всегда старший член в целом роде, следовательно, каждый член рода в свою очередь мог получать старшинство, не остававшееся исключительно ни в одной линии. Таким образом, род князей русских, несмотря на все свое разветвление, продолжал представлять одну семью — отца с детьми, внуками и т. д. Теперь из слов летописца, из слов самих князей, как они у него записаны, нельзя ли получить сведения об отношениях князей к их общему старшему, этому названному отцу? Старший князь, как отец, имел обязанность блюсти выгоды целого рода, думать и гадать о Русской земле, о своей чести и о чести всех родичей, имел право судить и наказывать младших, раздавал волости, выдавал сирот-дочерей княжеских замуж. Младшие князья обязаны были оказывать старшему глубокое уважение и покорность, иметь его себе отцом вправду и ходить в его послушаньи, являться к нему по первому зову, выступать в поход, когда велит. Для обозначения отношений младших князей к старшему употреблялись следующие выражения: младший ездил подле стремени старшего, имел его господином, был в его воле, смотрел на него.

Но все эти определения прав и обязанностей точно такого же рода, как и те, какие мы видели в завещании Ярослава: младший должен был иметь старшего отцом вправду, слушаться его, как отца, старший обязан был любить младшего, как сына, иметь весь род, как душу свою; все права и обязанности условливались родственным чувством, родственною любовью с обеих сторон, родственною любовью между четвероюродными, например. Но как скоро это условие исчезало, то вместе рушилась всякая связь, всякая подчиненность, потому что никакого другого отношения, кроме родового, не было; младшие слушались старшего до тех пор, пока им казалось, что он поступает с ними, как отец; если же замечали противное, то вооружались: «Ты нам брат старший, — говорили они тогда, — но если ты нас обижаешь, не даешь волостей, то мы сами будем искать их»; или говорили: «Он всех нас старше, но с нами не умеет жить». Однажды старший князь, раздраженный непослушанием младших, приказал им выехать из волостей, от него полученных; те послали сказать ему: «Ты нас гонишь из Русской земли без нашей вины... Мы до сих пор чтили тебя, как отца, по любви; но если ты прислал к нам с такими речами не как к князьям, но как к подручникам и простым людям, то делай, что замыслил, а Бог за всеми», — и прибегают к суду Божию, т. е. к войне, к открытому сопротивлению. В этих словах выразилось ясно сознание тех отношений, каких наши древние князья хотели между собою и своим старшим, потому что здесь они противополагают эти отношения другим, каких они не хотят: обращайся с нами, как отец с детьми, а не как верховный владетель с владетелями, подчиненными себе, с подручниками; здесь прямо и ясно родовые отношения противополагаются государственным. Так высказывали сами князья сознание своих взаимных отношений; теперь посмотрим, как выражалось понятие о княжеских отношениях в остальном народонаселении, как выражал его летописец, представитель своих грамотных современников. Однажды младший князь не послушался старшего, завел с ним вражду; летописец, осуждая младшего, говорит, что он не исполнил своих обязанностей; но как же понимает он эти обязанности: «Дурно поступил этот князь, — говорит он, — поднявши вражду против дяди своего и потом против тестя своего». В глазах летописца, князь дурно поступил, потому что нарушил родственные обязанности относительно дяди и тестя — и только.

В случаях когда выгоды младших не затрагивались, то они обходились очень почтительно с старшим; если старший спрашивал совета у младшего, то последний считал это для себя большою честью и говорил: «Брат! ты меня старше: как решишь, так пусть и будет, я готов исполнить твою волю; если же ты делаешь мне честь, спрашиваешь моего мнения, то я бы так думал» — и проч. Но другое дело, когда затрагивались выгоды младших князей; если бы старший вздумал сказать: вы назвали меня отцом, и я, как отец, имею право наказывать вас, — то, разумеется, младший отвечал бы ему: разве хороший отец наказывает без вины детей своих? Объяви вину и тогда накажи. Так, узнавши об ослеплении Василька, Мономах и Святославичи послали сказать Святополку, своему старшему: «Зачем ты ослепил своего брата? Если б даже он был виноват, то и тогда ты должен был обличить его перед нами и, доказав вину, наказать его». Старший раздавал волости младшим; когда он был действительно отец, то распоряжался этою раздачею по произволу, распоряжался при жизни, завещевал, чтобы и по смерти его было так, а не иначе; но когда старший был только отец названный, то он не мог распоряжаться по произволу, потому что при малейшей обиде младший считал себя вправе вооруженною рукою доставить себе должное; вообще старший не предпринимал ничего без совета с младшими, по крайней мере с ближайшими к себе по старшинству; этим объясняются множественные формы в летописи: *посадили, выгнали* и проч., которыми означаются распоряжения целого рода; обыкновенно старший князь по занятии главного стола *делал ряд* с младшею братьею касательно распределения волостей. Князья собирались также думать вместе о земских уставах, определяли известные правила, с которыми должны были сообразоваться в своем поведении. После, когда права разных князей на старшинство запутались, то иногда князья уславливались: если кто-нибудь из них получит старшинство, то должен отдать другому какую-нибудь волость.

Единство княжеского рода поддерживалось тем, что каждый член этого рода, в свою очередь, надеялся достигнуть старшинства и соединенного с старшинством владения главным столом киевским. Основанием старшинства было старшинство физическое, причем дядя имел преимущество пред племянниками, старший брат — пред младшими, тесть — пред зятем, муж старшей сестры — пред младшими шурьями, старший шурин — пред младшими зятьями; и хотя во время господства родовых отношений между князьями встречаем борьбу племянников от старшего брата с младшими дядьми, однако племянники при этом никогда не смели выставлять своих родовых прав, и притязания их, основывавшиеся на случайных обстоятельствах, должны были, исключая только одного случая, уступать правам дядей самых младших. Но мы видим иногда, что некоторые князья и целые племена (линии) княжеские исключаются из родового старшинства и это исключение признается правильным. Каким же образом могло произойти подобное явление? Для решения этого вопроса должно посмотреть, каким образом князь достигал старшинства, приближался к нему. Первоначально род состоял из отца, сыновей, внуков и т. д.; когда отец умирал, его место для рода заступал старший брат; он становился отцом для младших братьев, следовательно, его собственные сыновья необходимо становились братьями дядьям своим, переходили во второй, высший ряд, из внуков в сыновья, потому что над ними не было более деда, старшина рода был для них прямо отец: и точно, дядья называют их братьями; но другие их двоюродные братья оставались по-прежнему внуками малолетними (внук-унук, юнук, малолетний по преимуществу), потому что над ними по-прежнему стояли две степени: старший дядя считался отцом их отцам, следовательно, для них самих имел значение деда; умирал этот старший, второй брат заступал его место, становился отцом для остальных младших братьев, и его собственные дети переходили из внуков в сыновья, из малолетних — в совершеннолетние, и таким образом мало-помалу все молодые князья чрез старшинство своих отцов достигали совершеннолетия и приближались сами к старшинству. Но случись при этом, что князь умирал, не будучи старшиною рода, отцом для своих братьев, то дети его оставались навсегда на степени внуков несовершеннолетних: для них прекращался путь к дальнейшему движению; отсюда теперь понятно, почему сын не мог достигнуть старшинства, если отец его никогда не был старшиною рода; так понимали князья порядок восхождения своего к старшинству; они говорили: «Как прадеды наши лествицею восходили на великое княжение киевское, так и нам должно достигать его лествичным восхождением». Но когда в этой лестнице вынималась одна ступень, то дальнейшее восхождение становилось невозможным; такие исключенные из старшинства князья считались в числе *изгоев*.

Каждый член рода княжеского при известных условиях мог достигать старшинства, получать старший стол киевский, который, таким образом, находился в общем родовом владении; но другие волости оставались ли постоянно в наследственном владении известных племен княжеских, или, соответствуя различным степеням старшинства, переходили к князьям различных племен при их движении к старшинству лествичным восхождением? Для решения этого вопроса посмотрим, как поступали князья вначале, когда различные случайные обстоятельства не нарушали еще чистоты их отношений. Когда умер четвертый сын Ярослава, Вячеслав, княживший в Смоленске, то эта волость не перешла в наследство к его сыновьям, но отдана была братьям — пятому Ярославичу, Игорю, княжившему прежде на Волыни: ясный знак отсутствия наследственности волостей и движения князей из одной волости в другую по старшинству, лествичным восхождением; потом, когда Святослав Ярославич по изгнании брата получил старшинство вместе с главным столом киевским, то следующий по нем брат, Всеволод, княживший прежде в Переяславле, переходит на место Святослава в Чернигов. Известная волость могла сделаться наследственным достоянием какой-нибудь одной княжеской линии только в том случае, когда князь по вышеизложенным причинам терял возможность двигаться к старшинству лествичным восхождением; тогда, получив от родичей какую-нибудь волость, он и потомство его принуждены были навсегда ею ограничиться, потому что переход из одной волости в другую условливался возможностью движения к старшинству, несуществовавшею для изгоев; так образовались особые волости — Полоцкая, Галицкая, Рязанская, после Туровская; линия второго Ярославича, Святослава, известная больше под племенным названием Ольговичей, также вследствие известных обстоятельств подверглась было тяжкой для князей участи изгойства, и по этому самому Черниговская волость принимала было характер особного выделенного княжества, но Ольговичам удалось наконец принудить Мономаховичей признать свои права на старшинство, и необходимым следствием этого признания было восстановление родовой общности приднепровских волостей для обеих линий: Ольгович сел в Киеве, а Мономахович — на его место в Чернигове.

Несмотря на то, однако, мы встречаем в летописи слово *отчина*: князья, не исключенные из старшинства, употребляют это слово для означения отдельных волостей; в каком же смысле они употребляют его? В настоящем ли его смысле, как наследственного владения, или в другом каком-либо? В 1097 году князья, внуки Ярославовы, собрались вместе и решили, чтобы каждый из них держал свою отчину: Святополк — волость отца своего Изяслава — Киев, Владимир Мономах — отцовскую волость — Переяславль, Святославичи — Чернигов; но мы никак не поймем этого распоряжения, если станем принимать слово *отчина* в смысле наследственного владения для одной линии, потому что Киев был столько же отчиною Святополка, сколько и отчиною всех остальных князей: и Всеволод и Святослав княжили в нем; но если здесь Киев называется отчиною Святополка не в смысле наследственного владения исключительно для него и для потомства его, то не имеем никакого права и Переяславль и Чернигов считать отчинами Мономаха и Святославичей в другом смысле. Еще пример на восточной стороне Днепра: в 1151 году Ольговичи — дядя Святослав Ольгович и племянник Святослав Всеволодович говорят Изяславу Давыдовичу: «У нас две отчины, одна — моего отца Олега, а другая — твоего отца Давыда; ты, брат, Давыдович, а я, Ольгович; так ты, брат, возьми отца своего Давыдово, а что Ольгово, то нам дай, мы тем и поделимся», вследствие чего Давыдович остался в Чернигове, а Ольговичам отдал Северскую область. Но для Святослава Всеволодовича Чернигов был точно так же отчиною, как и для Давыдовича, потому что отец его, Всеволод Ольгович, княжил в Чернигове, и когда Давыдович получил Киев, то Чернигов, отчину свою, уступил Святославу Ольговичу. Итак, что же такое разумелось под отчиною? Отчиною для князя была та волость, которою владел отец его и владеть которою он имеет право, если на родовой лествице занимает ту же степень, какую занимал отец его, владея означенною волостью, потому что владение волостями условливалось степенью на родовой лествице, родовыми счетами.

Теперь остается вопрос: в каком отношении находились волости младших князей к старшему? Мы видели, что отношения между старшим и младшими были родовые, младшие князья хотели быть названными сыновьями и нисколько не подручниками старшего, а такое воззрение должно было определять и отношения их к последнему по волостям: не допуская подручничества, они никак не могли допустить дани, как самого явственного знака его, не могли допустить никакого государственного подчинения своих областей старшему в роде князю; последний поэтому не мог иметь значения главы государства, верховного владыки страны, князя всея Руси, который выделял участки земли подчиненным владельцам во временное или наследственное управление. Волости находятся в совершенной независимости одна от другой и от Киева, являются отдельными землями и в то же время составляют одно нераздельное целое вследствие родовых княжеских отношений, вследствие того, что князья считают всю землю своею отчиною, нераздельным владением целого рода своего.

ГЛАВА ВТОРАЯ

События при жизни сыновей Ярослава I (1054–1093)

Линии Рюрикова рода, Изяславичи и Ярославичи. — Распоряжения последних насчет своих волостей. — Движения Ростислава Владимировича и гибель его. — Движения Всеслава полоцкого и плен его. — Нашествие половцев. — Поражение Ярославичей. — Восстание киевлян и бегство великого князя Изяслава из Киева. — Возвращение его и вторичное изгнание. — Вторичное возвращение Изяслава и смерть его в битве против обделенных племянников. — Характер первых усобиц. — Княжение Всеволода Ярославича в Киеве. — Новые движения обделенных князей. — Усобицы на Волыни. — Борьба с Всеславом полоцким. — Смерть великого князя Всеволода Ярославича. — Печальное состояние Руси. — Борьба с половцами, торками, финскими и литовскими племенами, болгарами, поляками. — Дружина Ярославичей

По смерти Ярослава I княжение целым родом надолго утвердилось в Руси; в то время области, занятые первыми варяго-русскими князьями, разделялись между двумя линиями, или *племенами* Рюрикова рода: первую линию составляло потомство Изяслава, старшего сына Владимира Святого. Мы видели, что этому Изяславу отец отдал Полоцкое княжество, волость деда его по матери Рогволода. Изяслав умер при жизни отца, не будучи старшим в роде, или великим князем, следовательно, потомство его не могло двигаться к старшинству, менять волость и потому должно было ограничиться одною Полоцкою волостью, которая утверждена за ним при Ярославе. Вторую линию составляло потомство Ярослава Владимировича, которое и начало владеть всеми остальными русскими областями. По смерти Ярослава осталось пять сыновей: старший из них, Изяслав, стал к прочим братьям в *отца место*; младшие братья были: Святослав, Всеволод, Вячеслав, Игорь; у них был еще племянник Ростислав, сын старшего Ярославича, Владимира; этот Ростислав также вследствие преждевременной смерти отца не мог надеяться получить старшинство; он сам и потомство его должны были ограничиться одною какою-нибудь волостью, которую даст им судьба или старшие родичи. Ярославичи распорядились так своими родовыми волостями: четверо старших поместились в области Днепровской, трое — на юге: Изяслав — в Киеве, Святослав — в Чернигове, Всеволод — в Переяславле, четвертый, Вячеслав, поставил свой стол в Смоленске, пятый, Игорь — во Владимире-Волынском. Что касается до отдаленнейших от Днепра областей на севере и востоке, то видим, что окончательно Новгород стал в зависимости от Киева; вся область на восток от Днепра, включительно до Мурома с одной стороны и Тмутаракани — с другой, стала в зависимости от князей черниговских; Ростов, Суздаль, Белоозеро и Поволжье — от князей переяславских*. Мы сказали окончательно, потому что Белоозеро, например, принадлежало одно время Святославу; Ростов также не вдруг достался Всеволоду переяславскому: Ярославичи отдали его сперва племяннику своему, Ростиславу Владимировичу. Так владело русскими областями Ярославово потомство. Но еще был жив один из сыновей Владимира Святого Судислав, 22 года томившийся в темнице, куда был посажен братом Ярославом. Племянники в 1058 году освободили забытого, как видно, бездетного и потому неопасного старика, взявши, однако, с него клятву не затевать ничего для них предосудительного. Судислав воспользовался свободою для того только, чтобы постричься в монахи, после чего скоро и умер, в 1063 году.

Ярослав, завещевая сыновьям братскую любовь, должен был хорошо помнить поступки брата своего Святополка и как

---

* По всей вероятности, отвага Брячислава всего более содействовала тому, что Ярослав согласился оставить Полоцкое княжество в его владении.

будто приписывал вражду между Владимировичами тому, что они были от разных матерей; последнее обстоятельство заставило Владимира предпочитать младших сыновей, а это предпочтение и повело к ненависти и братоубийству. Ярославичи были все от одной матери; Ярослав не дал предпочтения любимцу своему, третьему сыну Всеволоду, увещевал его дожидаться своей очереди, когда Бог даст ему получить старший стол после братьев правдою, а не насилием, и точно, у братьев долго не было повода к ссоре. В 1056 году умер Вячеслав; братья перевели на его место в Смоленск Игоря из Владимира, а во Владимир перевели из Ростова племянника Ростислава Владимировича*. В 1053 году умер в Смоленске Игорь Ярославич; как распорядились братья его столом, неизвестно; известно только то, что не был доволен их распоряжениями племянник их, *изгой*, Ростислав Владимирович. Без надежды получить когда-либо старшинство Ростислав, быть может, тяготился всегдашнею зависимостью от дядей; он был добр на рати, говорит летописец; его манила Тмутаракань, то застепное приволье, где толпились остатки разноплеменных народов, из которых храброму вождю можно было набрать себе всегда храбрую дружину, где княжил знаменитый Мстислав, откуда с воинственными толпами прикавказских народов приходил он на Русь и заставил старшего брата поделиться половиною отцовского наследства. Заманчива была такая судьба для храброго Ростислава, изгоя, который только оружием мог достать себе хорошую волость и нигде, кроме Тмутаракани, не мог он добыть нужных для того средств. По смерти Вячеслава Ярославичи перевели Игоря в Смоленск, а на его место во Владимир-Волынский перевели племянника Ростислава; но теперь Игорь умер в Смоленске: Ростислав мог наде-

---

* Об этом сказано только в Татищевском своде; но мы имеем право принять известие, основываясь, во-первых, на том, что хотя в некоторых списках летописи и говорится, что Ростислав убежал в Тмутаракань из Новгорода, зато в других не означено вовсе места, откуда убежал. Во-вторых, по смерти Ростислава дети его живут во Владимире Волынском: летописец указывает нам их здесь; здесь они стараются утвердиться, враждуют с теми князьями, которые также здесь ищут себе волостей.

яться, что дядья переведут его туда, но этого не последовало; Ростислав мог оскорбиться. Как бы то ни было, в 1064 году он убежал в Тмутаракань, и не один — с ним бежали двое родовитых известных людей — Порей и Вышата, сын Остромира, посадника новгородского: Изяслав, оставляя Новгород, посадил здесь вместо себя этого Остромира*. Порей и Вышата были самые известные лица; но, как видно, около Ростислава собралось немалое число искателей счастья или недовольных; он имел возможность, пришедши в Тмутаракань, изгнать оттуда двоюродного брата своего, Глеба Святославича, и сесть на его место. Отец Глеба, Святослав, пошел на Ростислава; тот не хотел поднять рук на дядю и вышел из города, куда Святослав ввел опять сына своего; но как скоро дядя ушел домой, Ростислав вторично выгнал Глеба и на этот раз утвердился в Тмутаракани. Он стал ходить на соседние народы, касогов и других, и брать с них дань. Греки испугались такого соседа и подослали к нему корсунского начальника (котопана). Ростислав принял котопана без всякого подозрения и честил его, как мужа знатного и посла. Однажды Ростислав пировал с дружиною; котопан был тут и, взявши чашу, сказал Ростиславу: «Князь! хочу пить за твое здоровье», тот отвечал: «Пей». Котопан выпил половину, другую подал князю, но прежде дотронулся до края чаши и выпустил в нее яд, скрытый под ногтем; по его расчету князь должен был умереть от этого яда в осьмой день. После пира котопан отправился назад в Корсунь и объявил, что в такой-то день Ростислав умрет, что и случилось: летописец прибавляет, что этого котопана корсунцы побили камнями**. Ростислав, по свидетельству того же летописца, был добр на рати, высок ростом, красив лицом и милостив к убогим. Место его в Тмутаракани занял опять Глеб Святославич.

---

* Что заставило Порея и Вышату бежать вместе с Ростиславом? Страсть ли к подвигам, приключениям, личная ли привязанность к молодому князю или, наконец, какие-нибудь также неудовольствия? Может быть, все это вместе.

** У Татищева приведена причина: они боялись мщения русских.

Греки и русские князья избавились от храброго изгоя; но когда нечего было бояться с юго-востока, встала рать с северо-запада: там поднялся также потомок изгоя, Всеслав, князь полоцкий, немилостивый на кровопролитье, о котором шла молва, что рожден был от волхвованья. Еще при жизни Ростислава, быть может пользуясь тем, что внимание дядей было обращено на юг, Всеслав начал враждебные действия: в 1065 году осаждал безуспешно Псков; в 1066 году, по примеру отца, подступил под Новгород, полонил жителей, снял колокола и у св. Софии: «Велика была беда в тот час! — прибавляет летописец. — И паникадила снял!» Ярославичи — Изяслав, Святослав и Всеволод собрали войско и пошли на Всеслава в страшные холода. Они пришли к Минску, жители которого затворились в крепости; братья взяли Минск, мужчин изрубили, жен и детей отдали на щит (в плен) ратникам и пошли к реке Немизе, где встретили Всеслава в начале марта; несмотря на сильный снег, произошла злая сеча, в которой много пало народу; наконец Ярославичи одолели, и Всеслав бежал. Летом, в июле, Изяслав, Святослав и Всеволод послали звать Всеслава к себе на переговоры, поцеловавши крест, что не сделают ему зла; Всеслав поверил, переехал Днепр, вошел в шатер Изяслава и был схвачен; Изяслав привел его в Киев и посадил в заключение вместе с двумя сыновьями*.

Казалось, что Ярославичи, избавившись от Ростислава и Всеслава, надолго останутся теперь спокойны; но вышло иначе. На небе явилась кровавая звезда, предвещавшая кровопролитие, солнце стояло как месяц, из реки Сетомли выволокли рыбаки страшного урода; не к добру все это, говорил народ, и вот пришли иноплеменники. В степях к востоку от Днепра произошло в это время обычное явление, господство одной кочевой орды сменилось господством дру-

---

* По Татищеву, Ярославичи после битвы при Немизе разорили Полоцкую волость; Всеслав прислал просить мира; Ярославичи зазвали его для переговоров и захватили по совету Святослава.

гой; узы, куманы или половцы*, народ татарского происхождения и языка, заняли место печенегов, поразивши последних. В первый год по смерти Ярослава половцы с ханом своим Болушем показались в пределах Переяславского княжества; но на первый раз заключили мир со Всеволодом и ушли назад в степи. Ярославичи, безопасные пока с этой стороны и не занятые еще усобицами, хотели нанести окончательное поражение пограничным варварам, носившим название торков; до смерти Ярослава I летописец не упоминал о неприязненных столкновениях наших князей с ними; раз только мы видели наемную конницу их в походе Владимира на болгар. Но в 1059 году Всеволод уже ходил на торков и победил их; потом в 1060 году трое Ярославичей вместе с Всеславом полоцким собрали, по выражению летописца, войско бесчисленное и пошли на конях и в лодьях на торков. Торки, услыхавши об этом, испугались и ушли в степь, князья погнались за беглецами, многих побили, других пленили, привели в Русь и посадили по городам; остальные погибли в степях от сильной стужи, голода и мора**. Но степи скоро выслали мстителей за торков. В следующий же год пришли половцы воевать на Русскую землю; Всеволод вышел к ним навстречу, половцы победили его, повоевали землю и ушли. То было первое зло от поганых и безбожных врагов, говорит летописец. В 1068 году опять множество половцев пришло на Русскую землю; в этот раз все три Ярославича вышли к ним навстречу, на реку Альту, потерпели поражение и побежали: Изяслав и Всеволод — в Киев, Святослав — в Чернигов. Киевляне, возвратившись в свой город, собрали (15 сентября) вече на торгу и послали сказать князю: «Половцы расселялись по земле: дай нам, князь, оружие и коней***, хотим

---

* Половцы — русский перевод татарского «кипчак».

** Известие о поселении пленных торков по городам находится только у Татищева, но мы внесли его в текст как достоверное, потому что иначе откуда же бы взялись торки, о которых так часто будет речь впоследствии.

*** Я решился внести в текст это место, которое находится только у Татищева, потому что оно совершенно верно обстоятельствам: на тысяцкого всего прежде народ должен был обратить свой ропот как на предводителя городовых полков.

еще биться с ними». Изяслав не послушался; тогда народ стал против тысяцкого Коснячка: воевода городских и сельских полков, он не умел дать им победы; теперь не принимает их стороны, не хочет идти с ними на битву, отговаривает князя дать им оружие и коней. Толпа отправилась с веча на гору, пришла на двор Коснячков, но не нашла тысяцкого дома; отсюда пошли ко двору Брячиславову, остановились здесь подумать, сказали: «Пойдем, высадим своих* из тюрьмы» — и пошли, разделившись надвое: половина отправилась к тюрьме, а другая — по мосту ко двору княжескому. Изяслав сидел на сенях с дружиною, когда толпа народу подошла и начала спор с князем; народ стоял внизу, а Изяслав разговаривал с ним из окна. Как видно, слышались уже голоса, что надобно искать себе другого князя, который бы повел народ биться с половцами, потому что один из бояр — Туки, брат Чудинов, сказал Изяславу: «Видишь, князь, люди взвыли: пошли-ка, чтоб покрепче стерегли Всеслава». В это время другая половина народа, отворивши тюрьму, пришла также ко двору княжескому; тогда дружина начала говорить: «Худо, князь! пошли к Всеславу, чтоб подозвали его обманом к окошку и закололи». Изяслав на это не согласился, и чего боялась дружина, то исполнилось: народ с криком двинулся к Всеславовой тюрьме. Изяслав, увидав это, побежал с братом Всеволодом с своего двора; а народ, выведши Всеслава из тюрьмы, поставил его середи двора княжеского, т. е. провозгласил князем, причем имение Изяслава все пограбили, взяли бесчисленное** множество золота и серебра. Изяслав бежал в Польшу.

---

* *Своих*, т. е. киевлян, посаженных в тюрьму Изяславом. Из летописи видно ясно, что сначала хотели отворить и действительно отворили только одну общую тюрьму, где содержались простые граждане; потом уже, после спора с Изяславом, решили, что с последним делать нечего, нужно себе добыть другого князя, вследствие чего и был освобожден Всеслав. Следовательно, не нужно вместе с Арцыбашевым предполагать, что выпущенные прежде из тюрьмы были сообщники Всеслава.

** Не забудем, что это выражение — *бесчисленное* — мы должны принимать относительно.

Между тем половцы опустошали Русь, дошли до Чернигова; Святослав собрал несколько войска и выступил на них к Сновску*; половцев было очень много, но Святослав не оробел, выстроил полки и сказал им: «Пойдемте в битву! нам некуда больше деться». Черниговцы ударили, и Святослав одолел, хотя у него было только три тысячи, а у половцев 12 000; одни из них были побиты, другие потонули в реке Снове, а князя их русские взяли руками.

Уже семь месяцев сидел Всеслав в Киеве, когда весною 1069 года явился Изяслав вместе с Болеславом, королем польским, в русских пределах. Всеслав пошел к ним навстречу; но из Белгорода ночью, тайком от киевлян, бежал в Полоцк, вероятно боясь стать между двух огней, потому что остальные Ярославичи не могли ему благоприятствовать в борьбе с Изяславом. Так, этому чародею удалось только дотронуться копьем до золотого стола киевского, и, «обернувшись волком, побежал он ночью из Белгорода, закутанный в синюю мглу»**. Киевляне, оставшись без князя, возвратились в свой город, собрали вече и послали сказать Святославу и Всеволоду*** Яро-

---

* Река Снов впадает в Десну с правой стороны в Черниговском уезде; где находился на ней город Сновск — неизвестно.

** См. Слово о полку Игореве.

*** Летописец молчит о судьбе Всеволода после бегства его из Киева вместе с Изяславом: видно, что он не пошел с ним в Польшу. Не могут ли дополнить нам это известие слова Мономаха в завещании: «Первое к Ростову идох, сквозе Вятиче, посла мя отець, а сам иде Курьску, и пакы второе к Смолиньску со Ставком Скордятичем, той пакы и отъиде к Берестию со Изяславом, а мене посла Смолиньску; то и Смолиньска идох Володимерю. Тое же зимы то и посласта Берестию брата на головне, иде бяху пожгли, то и ту блюд город тих. То идох Переяславлю отцю, а по велице дни из Переяславля же Володимерю, на Сутейску мира творит с Ляхы. Оттуда пакы на лето Володимерю опять»? Можно думать, что Всеволод по изгнании Изяслава искал убежища в волостях Святославовых, именно в Курске, опасаясь жить в Переяславле, а сына послал на север, в Ростов, потом Мономах отправился в Смоленск со Ставком Скордятичем, который из Смоленска отправился к Бресту с Изяславом: здесь намек на удаление Изяслава в Польшу через Брест, ибо мы не *знаем* никакого другого похода Изяслава к этому городу. Потом, когда половцы после поражения при Сновске очистили Русь, Всеволод возвратился в Переяславль; что же касается до мира с поляками на Сутейску, то можно думать, что Святослав и Всеволод славичам: «Мы дурно сделали, что прогнали своего князя, а вот он теперь ведет на нас Польскую землю; ступайте в город отца вашего! если же не хотите, то нам нечего больше делать: зажжем город и уйдем в Греческую землю». Святослав отвечал им: «Мы пошлем к брату: если пойдет с ляхами губить вас, то мы пойдем против него ратью, не дадим изгубить отцовского города; если же хочет придти с миром, то пусть приходит с малою дружиною». Киевляне утешились, а Святослав и Всеволод послали сказать Изяславу: «Всеслав бежал; так не води ляхов к Киеву, противника у тебя нет; если же не перестанешь сердиться и захочешь погубить город, то знай, что нам жаль отцовского стола». Выслушавши речи братьев, Изяслав повел с собою только Болеслава да небольшой отряд поляков, а вперед послал в Киев сына своего Мстислава. Мстислав, вошедши в город, велел избить тех, которые освободили Всеслава, всего семьдесят человек, других ослепить, некоторые при этом погибли невинно. Когда сам Изяслав приблизился к городу, то киевляне встретили его с поклоном, и опять сел он на своем столе (2 мая). Поляки Болеслава II подверглись такой же участи, как и предки их, приходившие в Русь с Болеславом I: их распустили на покорм по волостям, где жители начали тайно убивать их, вследствие чего Болеслав возвратился в свою землю. С известием о возвращении Изяслава летописец, по-видимому, связывает известие о том, что этот князь перевел торг с Подола на гору.

Казнивши тех киевлян, которые вывели из тюрьмы Всеслава, Изяслав не медлил вооружиться против последнего: выгнал его из Полоцка, посадил там сына своего Мстислава, а когда тот умер, то послал на его место другого сына, Святополка. Всеслав, сказано в летописи, бежал, но не прибавлено куда; впрочем, это объясняется из следующего известия, что Всеслав в 1069 году явился перед Новгородом с толпами фин-

---

посылали Мономаха договариваться с Болеславом и Изяславом насчет Киева. Что касается до Сутейска, то, по Ходаковскому, есть и теперь село Сутиски на левом берегу Восточного Буга, Подольской губернии в Винницком повете, и деревня Сутеск, в Красноставском повете.

ского племени води, или вожан*, среди которых, следовательно, нашел он убежище и помощь**. В это время в Новгороде княжил Глеб, сын Святослава черниговского, которого мы видели в Тмутаракани. Новгородцы поставили против вожан полк, и Бог пособил новгородцам: они задали вожанам страшную сечу, последних пало множество, а самого князя Всеслава новгородцы отпустили ради Бога. И после этого поражения Всеслав не отказался от борьбы; к храброму князю отовсюду стекались богатыри; он успел набрать дружину, выгнал Святополка из Полоцка и, хотя был побежден другим Изяславичем у Голотичьска***, однако, как видно, успел удержаться на отцовском столе. Изяслав завел с ним переговоры — о чем, неизвестно; известно только то, что эти переговоры послужили поводом ко вторичному изгнанию Изяслава, теперь уже родными братьями. Это вторичное изгнание необходимо имеет связь с первым: Изяслав возвратился в Киев под условиями, которые предписали ему братья; в городе не могли любить Изяслава и в то же время не могли не питать расположения к Святославу, который сдержал гнев брата, который с горстью дружины умел поразить толпы половцев, очистить от них Русь. Сын Изяслава, Мстислав, казнил киевлян, освободивших Всеслава, виновных вместе с невинными, но тем дело еще не кончилось; гонения продолжались, и гонимые находили убежище в Чернигове у Святослава. Так, св. Антоний, основатель Печерского монастыря, подвергнувшийся гневу великого князя как приятель Всеслава, был ночью взят и укрыт в Чернигове Святославом. Если бы даже Святослав делал это единственно из любви и уважения к святому мужу, то Изяслав с своей стороны не мог не оскорбиться приязнию брата к человеку, в котором он видел

---

* Жителей Вотской пятины.

** Замечательно, что Всеслав нашел убежище и помощь среди финского племени, ближайшего к Новгороду и издавна находившегося с ним в соединении.

*** Голотическ упоминается в древнем географическом отрывке в числе городов литовских.

врага своего. Эти обстоятельства должны были возбуждать в Святославе властолюбивые замыслы, питать надежду на их успех, а в Изяславе возбуждать вражду к брату; и вот между Ярославичами началась вражда: они не ходят уже вместе в походы, как ходили прежде; Изяслав один воюет с Всеславом, один вступает с ним в переговоры; по самой природе отношений между князьями последний поступок Изяслава должен был возбудить негодование и подозрение в братьях; Святослав начал говорить Всеволоду: «Изяслав сносится с Всеславом, на наше лихо; если не предупредим его, то прогонит он нас» — и успел возбудить Всеволода на Изяслава. Летописец обвиняет во всем Святослава, говорит, что он хотел больше власти, обманул Всеволода; как бы то ни было, младшие братья вооружились против старшего; Изяслав в другой раз принужден был выйти из Киева, где сел Святослав, отдавши Всеволоду Черниговскую волость; что в Киеве все были за Святослава, доказывает удаление Изяслава без борьбы; летописец говорит, что Святослав и Всеволод сели сперва на столе в селе Берестове и потом уже, когда Изяслав выехал из Киева, Святослав перешел в этот город.

Изяслав с сыновьями отправился опять в Польшу; как видно, на этот раз он вышел из Киева не торопясь, успел взять с собою много имения; он говорил: «С золотом найду войско», позабывши слова деда Владимира, что с дружиною добывают золото, а не с золотом дружину. Изяслав роздал польским вельможам богатые подарки; они подарки взяли, но помощи не дали никакой и даже выслали его из своей страны. Чтоб объяснить себе это явление, мы должны бросить взгляд на состояние западных славянских государств в это время. Мы видели, что вмешательство Болеслава Храброго в дела Богемии кончилось так же неудачно для него, как и вмешательство в споры между русскими князьями. Поляки были изгнаны из Богемии, родные князья — Яромир и Олдрих стали княжить в стране, но недолго княжили мирно. Олдрих, по словам старой чешской песни, был «воин славный, в которого Бог вложил и мочь и крепость, в буйную голову дал разум светлый». В 1012 году он выгнал Яромира, за что — не знает ни песня, ни летопись. Императору Конраду II не нравилось, однако, единовластие у чехов: не раз вызывал он Олдриха к себе, и когда тот наконец явился к нему, то был заточен в Регенсбург. Яромир начал опять княжить в Богемии сообща с племянником Брячиславом, сыном Олдриховым, а между тем император предложил своему пленнику возвратиться на родину и княжить там вместе с старшим братом; Олдрих присягнул, что уступит брату половину земли, но как скоро возвратился домой, то велел ослепить Яромира. По смерти Олдриха единовластителем земли стал сын его Брячислав I. Мы видели, как этот деятельный князь воспользовался невзгодою Польши по смерти Болеслава Храброго и расширил свои владения на счет Пястов, за что и слывет восстановителем чешской славы. По смерти Брячислава I в Богемии мы встречаем такие же явления, какие видим и у нас на Руси с того же самого времени, именно с 1054 года, со смерти Ярослава I: мы видим, что и в Богемии начинает владеть целый род княжеский с переходом главного стола к старшему в целом роде. По смерти Брячислава I великим князем, т. е. старшим в роде (Dux principalis), становится старший сын его Спитигнев II; остальные Брячиславичи были: Вратислав, Конрад, Яромир и Оттон. Как у нас Ярославичи, так и в Богемии Брячиславичи недолго жили в согласии: второй Брячиславич, Вратислав, должен был сначала искать убежища в Венгрии от преследований старшего брата; однако после, помирившись с последним, возвратился на родину и в 1061 году наследовал в старшинстве Спитигневу. По смерти Вратислава II, по известному обычаю, мимо сыновей его, наследовал старшинство брат его Конрад I, но княжил только восемь месяцев: это был последний из Брячиславичей, и по смерти его, в 1092 году, выступает второе поколение, внуки Брячислава I. В Польше Казимиру Восстановителю (Restaurator) наследовал в 1058 году сын его Болеслав II Смелый. За два года перед тем умер император Генрих III; смуты, последовавшие во время малолетства сына и преемника его Генриха IV, потом борьба этого государя с немецкими князьями и с папою надолго освободили Польшу от влияния Империи, и Болеслав Смелый, пользуясь этою свободою, имел возможность с честью и выгодою для Польши установить свои отношения к соседним странам. Мы видели, что с его помощью Изяслав получил опять Киев; с помощью же Болеслава успел овладеть престолом и венгерский король Бела, сыновья которого удержались в Венгрии также благодаря польскому оружию. С чехами Болеслав вел почти постоянную войну: в то время как наш Изяслав вторично явился к польскому двору (1075 г.), Болеслав воевал с Вратиславом чешским, который находился в тесном союзе с императором Генрихом IV; очень вероятно, что эти обстоятельства не позволяли Болеславу подать помощь русскому князю, который, будучи принужден оставить Польшу, принял совет деда, маркграфа саксонского, и поехал в Майнц просить заступления у врага Болеславова, императора Генриха IV. Таким образом, княжеские междоусобия на Руси доставляли случай немецкому императору распространить свое влияние и на эту страну: но, во-первых, благодаря отдаленности Руси это влияние не могло никогда быть очень сильно; во-вторых, обстоятельства, в которых находился теперь император, были такого рода, что помогли даже и Польше высвободиться из-под его влияния. Приняв от Изяслава богатые дары, Генрих IV послал к Святославу с требованием возвратить Киев старшему брату и с угрозою войны в случае сопротивления. Разумеется, что дело должно было и ограничиться одною угрозою. Летописец говорит, что когда немецкие послы пришли к Святославу, то он, желая похвастать перед ними, показал им свою казну, и будто бы послы, увидав множество золота, серебра и дорогих тканей, повторили старые слова Владимира Святого: «Это ничего не значит, потому что лежит мертво: дружина лучше, с нею можно доискаться и больше этого». Летопись прибавляет, что богатство Святослава, подобно богатству Езекии, царя иудейского, рассыпалось розно по смерти владельца. Из этих слов летописца можно видеть, что современники и ближайшие потомки с неудовольствием смотрели на поведение старших Ярославичей, которые не следовали примеру деда и копили богатства, полагая на них всю надежду, тогда как добрый князь, по господствовавшему тогда мнению, не должен был ничего скрывать для себя, но все раздавать дружине, при помощи которой он никогда не мог иметь недостатка в богатстве.

Если Изяслав обратился за помощью к императору Генриху IV, врагу Болеслава Смелого, то Святослав по единству выгод должен был спешить заключением союза с польским князем, и точно мы видим, что молодые князья — Олег Святославич и Владимир Всеволодович ходили на помощь к полякам и воевали чехов, союзников императорских. Изяслав, не получив успеха при дворе Генриха, обратился к другому владыке Запада, папе Григорию VII, и отправил в Рим сына своего с просьбою возвратить ему стол властию св. Петра: как в Майнце Изяслав обещал признать зависимость свою от императора, так в Риме сын его обещал подчиниться апостольскому престолу. Следствием этих переговоров было то, что Григорий писал к Болеславу с увещанием отдать сокровища, взятые у Изяслава. Быть может, папа уговаривал также польского князя подать помощь Изяславу против братьев, которую тот наконец и действительно подал. Для объяснения этого поступка мы не нуждаемся, впрочем, в предположении о папских увещаниях: есть известие, которое одно объясняет его совершенно удовлетворительно. По этому известию, чешский князь Вратислав, узнав о союзе Болеслава с младшими Ярославичами, о движении Олега и Владимира к чешским границам, прислал к Болеславу просить мира и получил его за 1000 гривен серебра. Болеслав послал сказать об этом Олегу и Владимиру, но те велели отвечать ему, что не могут без стыда отцам своим и земле возвратиться назад, ничего не сделавши, пошли вперед *взять свою честь* и ходили в земле Чешской четыре месяца, т. е. опустошали ее: Вратислав чешский прислал и к ним с предложением о мире; русские князья, взявши свою честь и 1000 гривен серебра, помирились. Нет сомнения, что этот поступок рассердил Болеслава, который потому и решился помочь в другой раз Изяславу. Между тем умер Святослав в 1076 году. Всеволод сел на его место в Киеве зимою, а на лето должен был выступить против Изяслава, который шел с польскими полками; на Волыни встретились братья и заключили мир: Всеволод уступил Изяславу старшинство и Киев, а сам остался по-прежнему в Чернигове. Помощь поляков не могла быть бескорыстна, и потому очень вероятны известия, по которым Изяслав поплатился за нее Червенскими городами.

Мир между Ярославичами не принес мира Русской земле: было много племянников, которые хотели добыть себе волостей. Всеслав полоцкий не хотел сидеть спокойно на своем столе, начал грозить Новгороду, как видно, пользуясь смертию Святослава и предполагаемою усобицею между Изяславом и Всеволодом. Сын последнего, Владимир, ходил зимою 1076 года к Новгороду на помощь его князю Глебу, без сомнения, против Всеслава. Летом, после примирения и ряда с Изяславом, Всеволод вместе с сыном Владимиром ходил под Полоцк; а на зиму новый поход: ходил Мономах с двоюродным братом своим, Святополком Изяславичем, под Полоцк и обожгли этот город; тогда же Мономах с половцами опустошил Всеславову волость до Одрьска; здесь в первый раз встречаем известие о наемном войске из половцев для междоусобной войны.

На северо-западе нужно было постоянно сторожить чародея Всеслава; а с юго-востока начали грозить новые войны, и не от одних степных варваров, но от обделенных князей, которые приводили последних. Мы видели, что, кроме Владимира новгородского, умерли еще двое младших Ярославичей, Вячеслав и Игорь, оставя сыновей, которым, по обычаю, отчин не дали и другими волостями не наделили; изгои подросли и стали сами искать себе волостей. В то время как Святослав умер, а Всеволод выступил против Изяслава, Борис, сын Вячеслава смоленского, воспользовался удалением дяди и сел в Чернигове; но мог держаться там только восемь дней и убежал в Тмутаракань, где княжил один из Святославичей,

Роман. После Святослава осталось пять сыновей: Глеб, Олег, Давыд, Роман, Ярослав. При жизни отца Глеб сидел в Новгороде, Олег — во Владимире-Волынском, Роман — в Тмутаракани, о Давыде неизвестно, Ярослав был очень молод*. Роман тмутараканский принял Бориса Вячеславича, но за ним должен был дать убежище и родным братьям, потому что Изяслав не хотел дать волостей детям Святославовым. Глеб был изгнан из Новгорода; Олег выведен из Владимира; Глеб погиб далеко на севере, в странах чуди заволоцкой; Олег ушел сначала было в Чернигов, к дяде Всеволоду, от которого мог ждать больше милости, чем от Изяслава; но и Всеволод или не хотел, или не мог наделить Святославича волостью, и тот отправился к братьям в Тмутаракань, известное убежище для всех изгнанников, для всех недовольных. Выгнавши племянников, Ярославичи распорядились волостями в пользу своих детей: Святополка Изяславича посадили в Новгороде, брата его Ярополка — в Вышгороде, Владимира Всеволодовича Мономаха — в Смоленске. Но изгнанные князья не могли жить праздно в Тмутаракани: в 1078 году Олег и Борис привели половцев на Русскую землю и пошли на Всеволода; Всеволод вышел против них на реку Сожицу (Оржицу), и половцы победили Русь, которая потеряла много знатных людей: убит был Иван Жирославич, Туки, Чудинов брат, Порей и многие другие. Олег и Борис вошли в Чернигов, думая, что одолели; Русской земле они тут много зла наделали, говорит летописец. Всеволод пришел в брату Изяславу в Киев и рассказал ему свою беду; Изяслав отвечал ему: «Брат! не тужи, вспомни, что со мною самим случилось! во-первых, разве не выгнали меня и именья моего не разграбили? потом в чем я провинился, а был же выгнан вами, братьями своими? не скитался ли я по чужим землям ограбленный, а зла за собою не знал никакого. И теперь, брат, не станем тужить: будет ли нам часть в Русской земле, то обоим, лишимся ли ее,

---

* По всей вероятности, Давыд княжил в Переяславле: так следовало по счету.

то оба же вместе; я сложу свою голову за тебя». Такими словами он утешил Всеволода и велел собирать войско от мала до велика; другого не оставалось больше ничего делать, потому что Святославичи, конечно, не оставили бы в покое Изяслава, главного врага своего. Изяслав выступил в поход с сыном своим Ярополком, Всеволод — с сыном Владимиром. Последний находился в Смоленске, когда узнал о вторжении изгнанных князей; поспешил на помощь к отцу и оружием проложил себе путь сквозь половецкие полки к Переяславлю, где нашел Всеволода, пришедшего с битвы на Сожице. Ярославичи с сыновьями пошли к Чернигову, жители которого затворились от них, хотя Олега и Бориса не было в городе; есть известие, что они ездили в Тмутаракань собирать новое войско. Чернигов имел двойные стены; князья приступили к внешней ограде (городу); Мономах отбил восточные ворота, и внешний город был сожжен, после чего жители убежали во внутренний. Но Ярославичи не имели времени приступить к последнему, потому что пришла весть о приближении Олега и Бориса; получивши ее, Изяслав и Всеволод рано утром отошли от Чернигова и отправились навстречу к племянникам, которые советовались: что им делать? Олег говорил Борису: «Нельзя нам стать против четырех князей; пошлем лучше к дядьям с просьбою о мире»; Борис отвечал: «Ты стой — смотри только, я один пойду на них на всех». Пошли и встретились с Ярославичами у села на Нежатине Ниве; полки сошлись, и была сеча злая: во-первых, убили Бориса, сына Вячеславова; Изяслав стоял с пешими полками, как вдруг наехал один из неприятельских воинов и ударил его в плечо копьем: рана была смертельная. Несмотря на убиение двух князей с обеих сторон, битва продолжалась; наконец Олег побежал и едва мог уйти в Тмутаракань (3 октября 1078 года). Тело Изяслава взяли, привезли в лодке и поставили против Городца, куда навстречу вышел весь город Киев; потом положили тело на сани и повезли; священники и монахи провожали его с пением; но нельзя было слышать пения за плачем и воплем великим, потому что плакал по нем весь город

Киев; Ярополк шел за телом и причитал с дружиною: «Батюшка, батюшка! не без печали ты пожил на этом свете; много напасти принял от людей и от своей братьи; и вот теперь погиб не от брата, а за брата сложил голову». Принесли и положили тело в церкви Богородицы, в гробе мраморном*. По словам летописца, Изяслав был красив лицом, высок и полон, нравом незлобив, кривду ненавидел, правду любил; лести в нем не было, прямой был человек и не мстительный. Сколько зла сделали ему киевляне! Самого выгнали, дом разграбили, а он не заплатил им злом за зло; если же кто скажет: он казнил Всеславовых освободителей, то ведь не он это сделал, а сын его. Потом братья прогнали его, и ходил, блуждал он по чужой земле; а когда сел на своем столе, и Всеволод прибежал к нему побежденный, то Изяслав не сказал ему: «А вы что мне сделали?» — и не заплатил злом за зло, а утешил, сказал: «Ты, брат, показал ко мне любовь, ввел меня на стол мой и назвал старшим: так и я теперь не помяну первой злобы: ты мне брат, а я тебе, и положу голову свою за тебя», что и случилось; не сказал ему: «Сколько вы мне зла сделали, а вот теперь пришла и твоя очередь», не сказал: «Ступай, куда хочешь», но взял на себя братнюю печаль и показал любовь великую. Смерть за брата — прекрасный пример для враждующих братий — заставил летописца и, может быть, всех современников умилиться над участью Изяслава при господстве непосредственных чувств. Однако и летописец спешит опровергнуть возражение насчет казни виновников Всеславова освобождения и складывает всю вину на сына Изяславова, Мстислава: значит, это возражение существовало в его время; монах Киево-Печерского монастыря должен был знать и о последующих гонениях, например на св. Антония; Всеволоду Изяслав простил, потому что и прежде, как видно, этот Ярославич был мало виноват, да и после загладил свою вину; наконец, собственная безопасность принуждала Изяслава вооружиться против племянников; но детям Святосла-

* Ярослава погребли точно так же, в раке мраморной.

вовым, конечно невинным в деле отца, Изяслав не мог простить и отнял у них волости, себе и Русской земле на беду.

Как бы ни было, первый старший или великий князь после Ярослава пал в усобице. Все усобицы, которые мы видим при старшинстве Изяслава, происходили оттого, что осиротелые племянники не получали волостей. При отсутствии отчинного права относительно отдельных волостей дядья смотрели на осиротелых племянников как на изгоев, обязанных по своему сиротскому положению жить из милости старших, быть довольными всем, что дадут им последние, и потому или не давали им вовсе волостей, или давали такие, какими те не могли быть довольны. Но если дядья считали для себя выгодным отсутствие отчинного права, то не могли находить для себя это выгодным осиротелые племянники, которые, лишась преждевременною смертию отцов надежды на старшинство в роде, хотели, по крайней мере, достать то, чем владели отцы, или хотя другую, но более или менее значительную волость, чтобы не быть лишенными Русской земли. Таким образом, мы видим, что первые усобицы на Руси произошли от отсутствия отчинного права в отдельных волостях, от стремления осиротелых князей-изгоев установить это право и от стремления старших не допускать до его установления. Князьям-изгоям легко было доискиваться волостей: Русь граничила со степью, а в степи скитались разноплеменные варварские орды, среди которых легко было набрать войско обещанием добычи; вот почему застепный Тмутаракань служит постоянным убежищем для изгоев, которые возвращаются оттуда с дружинами отыскивать волостей.

Мы видели деятельность изгоя Ростислава, сына Владимирова; у него остались сыновья в том же положении, следовательно, с теми же стремлениями; мы видели судьбу изгоя Бориса Вячеславича; у него, как видно, не было ни братьев, ни сыновей; но были сыновья у Игоря Ярославича — тоже изгои; к числу их Изяслав захотел присоединить еще и детей Святославовых, тогда как последние имели основание не считать себя изгоями: их отец был старшим, умер на главном столе.

Если Изяслав мог считать это старшинство незаконным и мстить детям своего гонителя отнятием у них волостей, то Всеволод не имел на это никакого права: Изяслав был изгнан не одним Святославом, но Святославом и Всеволодом вместе; Всеволод признавал изгнание Изяслава справедливым, признавал старшинство Святослава до самой смерти последнего; на каком же основании он мог считать сыновей Святославовых изгоями, лишить их волостей? Несмотря на то, Всеволод, враждуя с Святославичами за недавнее изгнание и пользуясь правом победы, не думал приглашать их в Русь и тем готовил для себя и для потомков своих новую усобицу*.

Всеволод сел в Киеве, на столе отца своего и брата, взял себе все волости русские, посадил сына своего Владимира в Чернигове, а племянника Ярополка Изяславича — во Владимире-Волынском, придав к нему Туров. Но обделенные князья не могли долго оставить его в покое. В 1079 году явился Роман Святославич с половцами у Воина, Всеволод вышел навстречу, стал у Переяславля и успел заключить мир с половцами, разумеется давши им верное вместо неверного, обещанного Романом. Половцы не только не сделали для Романа того, за чем пришли, но даже убили его на возвратном пути вследствие ссоры, которую завел Роман с их князьями за обман, как говорит одно очень вероятное известие. Впрочем, из последующих известий летописи видно, что виновниками убийства Романова были собственно не половцы, а козары — знак, что Романово ополчение было сбродное из разных народов и что козары после разрушения своего царства существовали еще как осо-

---

* Если Всеволод признавал изгнание Изяслава справедливым, признав старшинство Святослава законным, то каким же образом потомки Всеволода могли считать это старшинство незаконным? В таком случае они обвиняли бы своего предка как участника в беззаконии? Разве мы не видим впоследствии, что Всеволодовичи, домогаясь отнять у Святославичей право на старшинство, ни слова не говорят о беззаконном старшинстве Святослава, а выставляют только какое-то завещание Ярослава I, по которому князья восточных областей не должны были вступаться в западные. Ясно, что у Всеволодовичей не было никакого права исключать Святославичей из старшинства, что они, пользуясь правом сильного, выставляли только странные предлоги.

бый народ и играли некоторую роль на степных берегах Черного и Азовского морей. Убив Романа, козары и половцы, разумеется, не могли жить в мире с братом его Олегом, и потому, как сказано в летописи, они заточили его за море, в Царьград, откуда его отправили на остров Родос; нет сомнения, что козары и половцы могли сделать это не иначе как с согласия императора, для которого, вероятно, русские изгои были также опасными соседями: это ясно видно из судьбы Ростиславовой; очень вероятно, что заточение Олега произошло и не без ведома Всеволода, который воспользовался им и послал в Тмутаракань своего посадника Ратибора.

Но Тмутаракань недолго оставалась без изгоев; через год бежали туда из владимиро-волынских волостей сын Игоря Ярославича, Давыд, и сын известного уже нам Ростислава Владимировича, Володарь; они выгнали Ратибора и сели в Тмутаракани; но сидели недолго: чрез год возвратился туда из изгнания Олег, схватил Давыда и Володаря, сел опять в Тмутаракани, перебил козар, которые были советниками на убиение Романа и на его собственное изгнание, а Давыда и Володаря отпустил. Лишенные убежища в Тмутаракани, эти князья должны были думать о других средствах — как бы добыть себе волостей. В 1084 году Ростиславичи, по словам летописи, выбежали от Ярополка, следовательно, ясно, что они жили у него во Владимире без волостей; выбежали, не сказано куда, потом возвратились с войском и выгнали Ярополка из Владимира. С кем возвратились Ростиславичи, откуда взяли дружину, как могли безземельные князья выгнать Ярополка из его волости? На все эти вопросы не дает ответа летопись; но и ее краткие известия могут показать нам, как легко было тогда добыть дружину; ясно также, что Ростиславичи не могли выгнать Ярополка, не приобретя себе многочисленных и сильных приверженцев во Владимире. Всеволод послал против Ростиславичей сына своего Мономаха, который прогнал их из Владимира и посадил здесь опять Ярополка. В летописи об этом сказано так, как будто бы все сделалось вдруг; но из собственных слов Мономаха видно, что борьба с Ростиславичами кончилась нескоро, потому что он ходил к Изяславичам за Микулин, в нынешнюю Галицию и потом два раза ходил к Ярополку на Броды, весною и зимою. Счастливее Ростиславичей был Давыд Игоревич: он ушел с своею дружиною в днепровские устья, захватил здесь греческих купцов, отнял у них все товары; но от греческой торговли зависело богатство и значение Киева, следовательно, богатство казны великокняжеской, и вот Всеволод принужден был прекратить грабежи Давыда обещанием дать волость и, точно, назначил ему Дорогобуж на Волыни. Но этим распоряжением Всеволод не прекратил, а еще более усилил княжеские распри: Ярополк Изяславич, князь волынский, в отдаче Дорогобужа Давыду видел обиду себе, намерение Всеволода уменьшить его волость, и потому начал злобиться на Всеволода, собирать войско, по наущению злых советников, прибавляет летописец*. Узнав об этом, Всеволод послал против него сына своего Владимира, и Ярополк, оставя мать в Луцке**, бежал в Польшу. Луцк сдался Мономаху, который захватил здесь мать, жену Ярополкову, дружину его и все имение, а во Владимире посадил Давыда Игоревича. Вероятно, в это время Червенские города, область последующего Галицкого княжества, были утверждены за Ростиславичами, потому что после мы видим старшего из них — Рюрика князем в Перемышле; очень вероятно также, что эта область была отнята Ростиславичами у поляков, союзников Ярополковых, не без согласия Всеволода. Но в следующем году Ярополк пришел из Польши, заключил мир с Мономахом и сел опять в Владимире; вероятно, такому обороту дел много содействовала прежняя дружба Мономаха к Ярополку, благодарность старого Всеволода к отцу его, Изяславу, и нежелание ссориться с сыновьями последнего, из которых старший должен был получить старшинство по смерти Всеволодовой. Ярополк, однако, недолго пользовался возвращенною волостию: посидев несколько дней во Владимире, он поехал в Звенигород,

---

* Прибавление нужно для верности характеру, который после придан Ярополку.

** Уездный город Волынской губернии на реке Стыре.

один из городов галицких; когда князь дорогою лежал на возу, то какой-то Нерадец, как видно, находившийся в дружине и ехавший подле на лошади, ударил его саблею; Ярополк приподнялся, вынул из себя саблю и громко закричал: «Ох, этот враг меня покончил!» Нерадец бежал в Перемышль к Рюрику Ростиславичу, а Ярополк умер от раны; отроки взяли его тело и повезли сперва во Владимир, а потом в Киев, где и погребли его в церкви Св. Петра, которую сам начал строить. В Киеве сильно плакали на похоронах Ярополка; летописец также жалеет об этом князе, говорит, что он много принял бед, без вины был изгнан братьями, обижен, разграблен и, наконец, принял горькую смерть; был он, по словам летописца, тих, кроток, смирен, братолюбив, давал каждый год десятину в Богородичную киевскую церковь от всего своего имения и просил у Бога такой же смерти, какая постигла Бориса и Глеба; Бог услышал его молитву, заключает летописец. О причине убийства летописец говорит глухо: Нерадец, по его словам, убил Ярополка, будучи научен от дьявола и от злых людей; вспомним сказанное нами прежде, что Ростиславичи могли овладеть Владимиром только с помощью приверженцев своих, следовательно людей неприязненных Ярополку; люди, желавшие прежде его изгнания, теперь не могли охотно видеть его восстановление. Но убийца бежал к Ростиславичу в Перемышль: это одно обстоятельство могло заставить современников сильно заподозрить Ростиславичей, если они и не были совершенно убеждены в действительном участии последних в деле Нерадца; после Давыд Игоревич прямо говорил, что Ярополк был убит Ростиславичами. С первого разу кажется, что Ростиславичи или один из них, Рюрик, не имели достаточного основания решиться на подобное дело; скорее, казалось бы, можно было заподозрить Давыда Игоревича, и по характеру последнего, да и потому, что он больше всех терял с восстановлением Ярополка на владимирском столе. Но об участии Давыда нет ни малейшего намека в летописи, сам Давыд после, говоря Святополку об убиении брата его, не мог выдумать об участии Ростиславичей и объявить об этом Святополку за новость; если бы современники подозревали Давыда, то и летописец сам, и Святополк Изяславич, и киевляне на вече, и князья на съезде не преминули бы упомянуть об этом по случаю злодейства Давыдова над Васильком. Если летописец не указывает прямо на Ростиславичей, то это доказывает, что у современников не было достаточных улик против них; но не без намерения летописец выставляет бегство Нерадца к Рюрику в Перемышль. Что касается до побуждений, то мы не знаем подробностей: знаем только то, что Ростиславичи жили у Ярополка, приобрели средства выгнать его из Владимира, но потом сами были выгнаны в его пользу; здесь очень легко могло быть положено начало смертельной вражды; Ростиславичи могли думать, что никогда не будут безопасны в своей волости, пока враг их будет сидеть во Владимире; обратим внимание еще на одно обстоятельство: посидевши мало времени во Владимире, Ярополк отправился к Звенигороду; мы не знаем, зачем предпринял он это путешествие; мы не знаем еще, кому принадлежал в это время Звенигород; очень вероятно, что Ростиславичам; очень вероятно, что выражение летописца «Иде Звенигороду» означает поход воинский. Наконец, что касается до характера Рюрика Ростиславича, то мы знаем о нем только то, что он выгнал Ярополка из Владимира и потом принял к себе его убийцу: эти два поступка нисколько не ручаются нам за его нравственность.

В том же 1046 году Всеволод сам предпринимал поход к Перемышлю на Ростиславичей, и поход этот не мог быть без связи с предшествовавшими событиями. Но с Ростиславичами, как видно из последующих событий, трудно было воевать: поход кончился ничем, потому что Ростиславичи остались по-прежнему в своей волости*. Так кончились пока смуты на

* Что слова летописца «Ходи Всеволод к Перемышлю» означают воинский поход, не подлежит никакому сомнению: иначе для чего ходил Всеволод? Великий князь не мог ходить просто для свидания к младшему. У Татищева великий князь предпринял поход на Ростиславичей по жалобам Святополка Изяславича и Давыда Игоревича, дошел до Звенигорода, послал за Ростиславичами и помирился с ними.

Волыни; но кроме этих смут и борьбы на востоке с Святославичами шла еще борьба со Всеславом полоцким. По принятии Всеволодом старшинства Всеслав обжег Смоленск, т. е. пожег посады около крепости или города; Мономах из Чернигова погнался за ним наспех о *двух конях* (т. е. дружина взяла с собою по паре коней для перемены); но чародея Всеслава трудно было настигнуть: Мономах не застал его под Смоленском и пошел по его следам в Полоцкую волость, повоевал и пожег землю. Потом в другой раз пошел Мономах с черниговцами и половцами к Минску, нечаянно напал на город и не оставил у него ни челядина, ни скотины, по его собственному выражению.

В 1093 году умер последний из Ярославичей, Всеволод, 64 лет. Летописец говорит, что этот князь был измлада боголюбив, любил правду, был милостив к нищим, чтил епископов и священников, но особенно любил монахов, давал им все потребное; был также воздержан и за то любим отцом своим. Летописец прибавляет, что в Киеве Всеволоду было гораздо больше хлопот, чем в Переяславле; хлопотал он все с племянниками, которые просили волостей: один просил той, другой этой, он все их мирил и раздавал волости. К этим заботам присоединились болезни, старость, и стал он любить молодых, советоваться с ними, а молодые старались отдалять его от прежней, старой дружины; до людей перестала доходить княжая правда, тиуны начала грабить, брать несправедливо пени при суде; а Всеволод ничего этого не знал в своих болезнях. Нам нет нужды разуметь здесь под *молодыми* именно молодых летами; трудно предположить, что Всеволод на старости лет покинул своих ровесников и окружил себя юношами; если обратить внимание на последующие явления, то можем легче объяснить смысл слов летописца: под молодыми людьми разумеются у него люди новые; новая дружина, приведенная из Переяславля и Чернигова, противополагается дружине *первой*: князья, перемещаясь из одной волости в другую, с младшего стола на старший, приводили с собою свою дружину, которую, разумеется, предпочитали дружине, найденной в новом княжестве, оставшейся после прежнего князя; отсюда проистекала невыгода, во-первых, для народа, потому что пришельцы не соблюдали выгод чуждой для них области и старались наживаться на счет граждан; во-вторых, для старых бояр, которых пришельцы отстраняли от важных должностей, от княжеского расположения, *заезжали* их, по местническому позднейшему выражению. Каково было грабительство тиунов княжеских при Всеволоде, свидетельствуют слова лучших киевлян, что земля их оскудела от рати и от *продаж*.

Так сошло с поприща первое поколение Ярославичей; при первом уже из них начались усобицы вследствие изгнания осиротелых племянников; при первом уже из них был нарушен порядок преемства, и это нарушение увеличило число изгоев и, следовательно, усилило усобицы, жертвою которых пало три князя; переходы князей из волости в волость вследствие родовых счетов показали уже народу всю невыгоду такого порядка вещей, особенно в княжение Всеволода, когда новые дружинники разорили Киевскую землю, земля разорялась также ратью, набеги степных варваров не прекращались, и в челе половцев народ видел русских князей, приходивших искать волостей в Русской земле, которую безнаказанно пустошили их союзники; начались те времена, когда по земле сеялись и росли усобицы, и в княжих крамолах сокращался век людской, когда в Русской земле редко слышались крики земледельцев, но часто каркали вороны, деля себе трупы, часто говорили свою речь галки, собираясь лететь на добычу.

Из внешних отношений на первом плане как прежде, так и теперь была борьба с степными варварами, из которых главное место занимали половцы. Мы упоминали о войнах с ними по поводу княжеских усобиц. Но, кроме того, они часто набегали и без всякого повода. В удачных битвах с этими варварами за Русскую землю начал славиться и приобретать народную любовь сын Всеволода, знаменитый Мономах: 12 удачных битв выдержал он с половцами в одно княжение отца своего; если половцы помогали русским князьям в их усобицах, зато и Мономах иногда ходил на варваров, ведя с собою варваров же из других племен. Мы видели, что Ярославичи, свободные еще от усобиц, нанесли сильное поражение торкам, заставили часть их поселиться в пределах Руси и признать свою зависимость от нее; но в 1080 году торки, поселенные около Переяславля и потому названные в летописи переяславскими, вздумали возвратить себе независимость и заратились; Всеволод послал на них сына своего Мономаха, и тот победил торков. На севере шла борьба с финскими и литовскими племенами. К первым годам княжения Изяславова относится победа его над голядами; следовательно, народонаселение нынешнего Можайского и Гжатского уездов не было еще подчинено до этого времени, и неудивительно: оно оставалось в стороне от главных путей, по которым распространялись русские владения*. В 1055 году посадник Остромир ходил с новгородцами на чудь и овладел там городом Осек Декипив, т. е. Солнечная Рука; в 1060 году сам Изяслав ходил на сосолов и заставил их платить дань; но скоро они выгнали русских сборщиков дани, пожгли город Юрьев и окольные селения до самого Пскова: псковичи и новгородцы вышли к ним навстречу, сразились и потеряли 1000 человек, а сосолов пало бесчисленное множество. На северо-востоке было враждебное столкновение с болгарами, которые в 1088 году взяли Муром**.

---

* Здесь может быть только вопрос: каким образом сам Изяслав предпринимал поход против голядей? Из соображения летописных известий можно полагать, что великий князь все это время находился сам на севере, в Смоленске, Пскове и соседних местах.

** В дошедших до нас списках говорится кратко о взятии Мурома болгарами без объяснения причин и следствий; но Татищев, основываясь на Нижегородском и Макарьевском списках, говорит, что по Оке и Волге в это время были сильные разбои, вредившие болгарской торговле; болгары прислали к князю Олегу и брату его Ярославу Святославичам, которым, по Татищеву, принадлежали в это время Тмутаракань, Рязань и Муром, просить на разбойников, но, не получа управы, пошли на Муром и взяли его. Известие это очень любопытно и очень вероятно: нет основания отвергать, что в это время не было *ушкуйничества*, которое мы увидим в такой силе после.

На западе Ростиславичи боролись с поляками; особенно в этой борьбе стал знаменит третий брат — Василько. Мы видели, что Болеслав II Смелый, пользуясь смутами в Империи, умел восстановить прежнее значение Польши, которое потеряла она по смерти Болеслава I Храброго; но, будучи счастлив в борьбе со внешними врагами, Болеслав Смелый не мог осилить внутренних: принятие королевского титула, стремление усилить свою власть на счет панов, строгие поступки с ними, умерщвление краковского епископа Станислава возбудили ненависть панов и духовенства, следствием чего было изгнание Болеслава Смелого и возведение на престол брата его — слабого Владислава Германа. Владислав вверился во всем палатину Сецеху, который корыстолюбием и насильственными поступками возбудил всеобщее негодование. Недовольные встали под предводительством побочного сына Владиславова Збигнева; в эту усобицу вмешались чехи, а с другой стороны Владислав должен был вести упорную борьбу с поморскими славянами. Легко понять, что при таких обстоятельствах Польша не только не могла обнаружить своего влияния на дела Руси, но даже не могла с успехом бороться против Василька Ростиславича, который с половцами пустошил ее области.

Мы рассмотрели внутреннее и внешнее отношения на Руси при первом поколении Ярославичей, видели деятельность князей; в заключение обратим внимание на других деятелей, на мужей из дружины княжеской, имена которых кое-где попадаются в летописи. Прежде всего мы встречаем имя Остромира, посадника новгородского; сын его Вышата убежал с Ростиславом Владимировичем в Тмутаракань; о нем больше нет известий. Но вместе с Вышатою спутником Ростислава назван также какой-то Порей; Порей был убит на Сожице против половцев в 1078 году; если это тот самый Порей, то значит, что по смерти Ростислава он перешел в дружину Всеволода. Мы видели, что в 1067 году в Киеве при Изяславе был тысяцким Коснячко, вероятно бежавший вместе с Изяславом; этот же Коснячко был с Изяславом при установлении Правды;

со стороны Святослава из Чернигова был при этом деле Перенег, со стороны Всеволода из Переяславля — Никифор; если Коснячко был тысяцким в Киеве, то можем заключить, что Перенег имел в то время такую же должность в Чернигове, Никифор — в Переяславле; если так, то любопытно, что для установления Правды собираются тысяцкие, имевшие близкое отношение к городскому народонаселению. Не знаем, кто был тысяцким в Киеве после первого возвращения Изяслава, при Святославе, и после второго возвращения Изяслава; но при Всеволоде (в 1089 г.) эту должность занимали Ян, сын Вышаты, знаменитого тысяцкого во времена Ярослава; как видно, этот же самый Ян ходил при Святославе за данью на север. Потом мы встречаем в летописи имена двух братьев — *Чудина* и *Тукы*; имена указывают на финское происхождение; Чудин после первого возвращения Изяславова держал Вышгород (в 1072 г.); Тукы является действующим во время первого изгнания Изяславова; он советовал Изяславу стеречь крепче Всеслава; из этого видно, как будто он принадлежал к дружине киевского князя; но потом, после второго возвращения Изяславова, мы видим его в дружине Всеволода: он выходит вместе с этим князем против половцев и погибает в битве при Сожице, значит, он перешел из дружины Изяслава в дружину Всеволода; впрочем, могло быть, что он явился действующим лицом в означенном киевском событии, принадлежа к дружине Всеволода, который прибежал в Киев с поля битвы вместе с Изяславом; в таком случае любопытно, что один брат служил Изяславу, а другой — Всеволоду. В битве при Сожице был убит еще Иван Жирославич, также муж из дружины Всеволода. При последнем, во время княжения его в Киеве, видим Ратибора, которого он назначил посадником в Тмутаракань. К чьей дружине принадлежал Берн, упоминаемый при перенесении мощей св. Бориса и Глеба, трудно решить; вероятно, к дружине Святослава черниговского.

ГЛАВА ТРЕТЬЯ

События при внуках Ярослава I (1093–1125)

Прежние причины усобиц. — Характер Владимира Мономаха. — Он уступает старшинство Святополку Изяславичу. — Характер последнего. — Нашествие половцев. — Олег Святославич в Чернигове. — Борьба с ним Святополка и Владимира. — Неудача Олега на севере. — Послание Мономаха к Олегу. — Съезд князей в Любече и прекращение борьбы на востоке. — Новая усобица на западе вследствие ослепления Василька Ростиславича. — Прекращение ее на Витичевском съезде. — Распоряжение насчет Новгорода Великого. — Судьба Ярослава Ярополковича, племянника великого князя. — События в Полоцком княжестве. — Войны с половцами. — Борьба с другими соседними варварами. — Связь с Венгриею. — Смерть великого князя Святополка. — Киевляне избирают Мономаха в князья себе. — Война с минским князем Глебом и с волынским Ярославом. — Отношение к грекам и половцам. — Смерть Мономаха. — Дружина при внуках Ярослава I

Не прошло полвека по смерти Ярослава Старого, как уже первое поколение в потомстве его сменилось вторым, сыновья — внуками. Мы видели начало усобиц при первом поколении, видели их причины в стремлении осиротелых князей добыть себе часть в Русской земле, которой не давали им дядья; усобицы усилились, когда Изяслав был изгнан братьями, когда, возвратившись по смерти Святослава, он отнял прежние волости у сыновей последнего, которые должны были искать убежища в отдаленной Тмутаракани и, если верить некоторым известиям, в Муроме. С выступлением на поприще внуков Ярославовых причины усобиц оставались прежние, и потому должно было ожидать тех же самых явлений, какими ознаменовано и правление сыновей Ярославовых.

Владимир Мономах* с братом Ростиславом были в Киеве во время смерти и погребения отца своего; летописец говорит, что Мономах начал размышлять: «Если сяду на столе отца своего, то будет у меня война с Святополком, потому что этот стол был прежде отца его», и, размыслив, послал за Святополком в Туров, сам пошел в Чернигов, а брат его Ростислав — в Переяславль. Если Мономах единственным препятствием к занятию киевского стола считал старшинство, права Святополка Изяславича, то ясно, что он не видал никаких других препятствий, именно не предполагал препятствия со стороны граждан киевских, был уверен в их желании иметь его своим князем**. Нет сомнения, что уже и тогда Мономах успел приобресть народную любовь, которою он так славен в нашей древней истории. Мономах вовсе не принадлежит к тем историческим деятелям, которые смотрят вперед, разрушают старое, удовлетворяют новым потребностям общества: это было лицо с характером чисто охранительным. Мономах не возвышался над понятиями своего века, не шел наперекор им, не хотел изменить существующий порядок вещей, но личными доблестями, строгим исполнением обязанностей прикрывал недостатки существующего порядка, делал его не только сносным для народа, но даже способным удовлетворять его общественным потребностям. Общество, взволнованное княжескими усобицами, столько потерпевшее от них, требовало прежде всего от князя, чтобы

---

* Владимир сам говорит в начале поучения своего детям: «Аз худый дедом своим Ярославом, благословенным, славным, наречен в крещении Василий, Русьским именем Володимир, отцем възлюбленным и матерью своею Мьномахъ». Из этих слов видно, что «Мономах» не был прозванием, но именем, данным при рождении, точно таким же, какими были Владимир и Василий. Ярослав хотел назвать первенца внука от любимого сына Владимиром — Василием в честь отца своего; отец и мать — Мономахом в честь деда по матери, императора греческого; естественно, что Всеволод гордился происхождением сына своего от царя.

** У Татищева читаем, что киевляне просили Мономаха остаться у них княжить.

он свято исполнял свои родственные обязанности, не *которовался* (не спорил) с братьею, мирил враждебных родичей, вносил умными советами наряд в семью; и вот Мономах во время злой вражды между братьями умел заслужить название братолюбца. Для людей благочестивых Мономах был образцом благочестия: по свидетельству современников, все дивились, как он исполнял обязанности, требуемые церковью. Для сдержания главного зла — усобиц нужно было, чтобы князья соблюдали клятву, данную друг другу: Мономах ни под каким предлогом не соглашался переступать крестного целования. Народ испытал уже при других князьях бедствие от того, что людям не доходила княжая правда, тиуны и отроки грабили без ведома князя; Мономах не давал сильным обижать ни худого смерда, ни убогой вдовицы, сам *оправливал* (давал правду, суд) людей. При грубости тогдашних нравов люди сильные не любили сдерживать своего гнева, причем подвергнувшийся ему платил жизнью; Мономах наказывал детям своим, чтобы они не убивали ни правого, ни виноватого, не губили душ христианских. Другие князья позволяли себе невоздержание; Мономах отличался целомудрием. Обществу сильно не нравилось в князе корыстолюбие; с неудовольствием видели, что внуки и правнуки Святого Владимира отступают от правил этого князя, копят богатство, сбирая его с тягостию для народа; Мономах и в этом отношении был образцом добрых князей: с ранней молодости рука его простиралась ко всем, по свидетельству современников; никогда не прятал он сокровищ, никогда не считал он денег, но раздавал их обеими руками; а между тем казна его была всегда полна, потому что при щедрости он был образцом доброго хозяина, не смотрел на служителей, сам держал весь наряд в доме. Больше всех современных князей Мономах напоминал прадеда своего, *ласкового* князя Владимира: «Если поедете куда по своим землям, — наказывает Мономах детям, — не давайте отрокам обижать народ ни в селах, ни на поле, чтоб вас потом не кляли. Куда пойдете, где станете, напоите, накормите бедняка; больше всего чтите гостя, откуда бы к вам ни пришел, добрый или простой человек или посол; не можете одарить его, угостите хорошенько, напоите, накормите: гость по всем землям прославляет человека либо добрым, либо злым». Что детям наказывал, то и сам делал: позвавши гостей, сам служил им, и когда они ели и пили досыта, он только смотрел на них. Кроме усобиц княжеских земля терпела от беспрестанных нападений половцев; Мономах с ранней молодости стоял на стороже Русской земли, бился за нее с погаными, приобрел имя доброго страдальца (труженика) за Русскую землю по преимуществу. В тот век народной юности богатырские подвиги Мономаха, его изумительная деятельность не могли не возбудить сильного сочувствия, особенно когда эти подвиги совершались на пользу земле. Бóльшую часть жизни провел он вне дома, бóльшую часть ночей проспал на сырой земле; одних дальних путешествий совершил он 83; дома и в дороге, на войне и на охоте делал все сам, не давал себе покою ни ночью, ни днем, ни в холод, ни в жар; до света поднимался он с постели, ходил к обедне, потом думал с дружиною, *оправливал* (судил) людей, ездил на охоту или так куда-нибудь, в полдень ложился спать и потом снова начинал ту же деятельность. Дитя своего века, Мономах сколько любил пробовать свою богатырскую силу на половцах, столько же любил пробовать ее и на диких зверях, был страстный охотник: диких коней в пущах вязал живых своими руками; тур не раз метал его на рога, олень бодал, лось топтала ногами, вепрь на боку меч оторвал, медведь кусал, волк сваливал вместе с лошадью. «Не бегал я для сохранения живота своего, не щадил головы своей, — говорит он сам. — Дети! Не бойтесь ни рати, ни зверя, делайте мужеское дело; ничто не может вам вредить, если Бог не повелит; а от Бога будет смерть, так ни отец, ни мать, ни братья не отнимут; Божье блюдение лучше человеческого!» Но с этою отвагою, удалью, ненасытною жаждою деятельности в Мономахе соединялся здравый смысл, сметливость, уменье смотреть на следствие дела, извлекать пользу; из всего можно заметить, что он был сын доброго Всеволода и вместе сын царевны греческой. Из родичей Мономаха были и другие не менее храбрые князья, не менее деятельные, как, например, чародей Всеслав полоцкий, Роман и Олег Святославичи; но храбрость, деятельность Мономаха всегда совпадала с пользою для Русской земли; народ привык к этому явлению, привык верить в доблести, благоразумие, благонамеренность Мономаха, привык считать себя спокойным за его щитом и потому питал к нему сильную привязанность, которую перенес и на все его потомство. Наконец после личных доблестей не без влияния на уважение к Мономаху было и то, что он происходил по матери от царской крови; особенно, как видно, это было важно для митрополитов-греков и вообще для духовенства.

Киевляне должны были желать, чтоб Мономах занял отцовское место; они могли желать этого тем более, что Мономах был им хорошо известен, и известен с самой лучшей стороны, тогда как Святополк Изяславич жил постоянно на отдаленном севере и только недавно, по смерти брата своего Ярополка, перешел из Новгорода в Туров, без сомнения, для того, чтобы быть поближе к Киеву на случай скорой смерти Всеволода. Но мы видели причины, которые заставляли Мономаха отказаться от старшего стола: он опасался, что Святополк не откажется от своих прав и будет доискиваться их оружием; Мономах должен был хорошо знать, к чему ведут подобные нарушения прав; должен был также опасаться, что если Святополк будет грозить ему с запада, то с востока Святославичи также не оставят его в покое. Киевляне не могли не уважать основание, на котором Владимир отрекся от их стола, не могли не сочувствовать уважению к старшинству и притом не имели права отвергать Святополка, потому что еще не знали его характера; и когда он явился из Турова в Киев по приглашению Мономаха, то граждане вышли к нему с поклоном и приняли его с радостию. Но радость их не могла быть продолжительна: характер сына Изяславова представлял разительную противоположность с характером сына Всеволодова: Святополк был жесток, корыстолюбив и властолюбив без ума и твердости; сыновья его были похожи на отца. Киевляне немедленно испытали неспособность своего нового князя. В это время пошли половцы на Русскую землю; услыхавши, что Всеволод умер, они отправили послов к Святополку с предложением мира, т. е. с предложением купить у них мир: Мономах говорит детям, что он в свою жизнь заключил с половцами девятнадцать миров, причем передавал им много своего скота и платья. Святополк, по словам летописца, посоветовался при этом случае не с большою дружиною отца и дяди своего, т. е. не с боярами киевскими, но с теми, которые пришли с ним, т. е. с дружиною, которую он привел из Турова или, вероятнее, из Новгорода; мы видим здесь, следовательно, опять ясную жалобу на *заезд* старых бояр пришлою дружиною нового князя — явление, необходимое при отсутствии отчинности, наследственности волостей; по совету своей дружины Святополк велел посадить половецких послов в тюрьму: или жалели скота и платья на покупку мира, или стыдились начать новое княжение этою покупкою. Половцы, услыхавши о заключении послов своих, стали воевать, пришло их много, и обступили торческий город*, т. е. город, заселенный торками. Святополк испугался, захотел мира, отпустил половецких послов; но уже теперь сами половцы не хотели мира и продолжали воевать. Тогда Святополк начал собирать войско; умные люди говорили ему: «Не выходи к ним, мало у тебя войска»; он отвечал: «У меня 800 своих отроков могут против них стать»; несмысленные подстрекали его: «Ступай, князь!», а смышленые говорили: «Хотя бы ты пристроил и восемь тысяч, так и то было бы только впору; наша земля оскудела от рати и от продаж: пошли-ка лучше к брату своему Владимиру, чтоб помог тебе». Святополк послушался и послал к Владимиру; тот собрал войско свое, послал и к брату Ростиславу в Переяславль, веля ему помогать Святополку, а сам пошел в Киев. Здесь, в Михайловском монастыре, свиделся он с Святополком, и начались у них

* Теперь селение Торчица, на берегу Торчи, впадающей слева в Рось.

друг с другом распри да которы; смышленые мужи говорили им: «Что вы тут спорите, а поганые губят Русскую землю; после уладитесь, а теперь ступайте против поганых либо с миром, либо с войною». Владимир хотел мира, а Святополк хотел рати; наконец уладились, поцеловали крест и пошли втроем — Святополк, Владимир и Ростислав — к Треполю*. Когда они пришли к реке Стугне, то, прежде чем переходить ее, созвали дружину на совет и начали думать. Владимир говорил: «Враг грозен; остановимся здесь и будем с ним мириться». К совету этому пристали смышленые мужи — Ян и другие; но киевляне говорили: «Хотим биться, пойдем на ту сторону реки». Они осилили, и рать перешла реку, которая тогда сильно наводнилась. Святополк, Владимир и Ростислав, исполчивши дружину, пошли: на правой стороне шел Святополк, на левой — Владимир, посередине — Ростислав; минули Треполь, прошли и вал, и вот показались половцы с стрельцами впереди. Наши стали между двумя валами, поставили стяги (знамена) и пустили стрельцов своих вперед из валов; а половцы подошли к валу, поставили также стяги свои, налегли прежде всего на Святополка и сломили отряд его. Святополк стоял крепко; но когда побежали люди, то побежал и он. Потом половцы наступили на Владимира; была у них брань лютая; наконец побежал и Владимир с Ростиславом; прибежав к реке Стугне, стали переправляться вброд, и при этой переправе Ростислав утонул перед глазами брата, который хотел было подхватить его, но едва сам не утонул; потерявши брата и почти всю дружину, печальный Владимир пришел в Чернигов, а Святополк сперва вбежал в Треполь, затворился, пробыл тут до вечера и ночью пришел в Киев. Половцы, видя, что одолели, пустились воевать по всей земле, а другие возвратились к торческому городу. Торки противились, боролись крепко из города, убили много половцев; но те не переставали налегать, отнимали воду, и начали изнемогать люди в городе от голода и жажды; тогда

* Триполье — местечко при устье реки Стугны, Киевского уезда.

торки послали сказать Святополку: «Если не пришлешь хлеба, то сдадимся»; Святополк послал; но обозу нельзя было прокрасться в город от половцев. Девять недель стояли они под Торческом, наконец разделились: одни остались продолжать осаду, а другие пошли к Киеву; Святополк вышел против них на реку Желань*; полки сошлись, и опять русские побежали; здесь погибло их еще больше, чем у Треполя; Святополк пришел в Киев сам-третей только, а половцы возвратились к Торческу. Лукавые сыны Измаиловы, говорит летописец, жгли села и гумна и много церквей запалили огнем; жителей били, оставшихся в живых мучили, уводили в плен; города и села опустели; на полях, где прежде паслись стада коней, овец и волов, теперь все стало пусто, нивы поросли: на них живут звери. Когда половцы с победою возвратились к Торческу, то жители, изнемогши от голода, сдались им. Половцы, взявши город, запалили его, а жителей, разделивши, повели в вежи к *сердоболям* и сродникам своим, по выражению летописца. Печальные, изнуренные голодом и жаждою, с осунувшимися лицами, почерневшим телом, нагие, босые, исколотые терновником, шли русские пленники в степи, со слезами рассказывая друг другу, откуда кто родом — из какого города или из какой веси.

Святополк, видя, что нельзя ничего взять силою, помирился с половцами, разумеется заплативши им, сколько хотели, и женился на дочери хана их Тугоркана. Но в том же 1094 году половцы явились опять, и на этот раз ими предводительствовал Олег Святославович из Тмутаракани: жестокое поражение, потерпенное двоюродными братьями в прошлом году от половцев, дало Олегу надежду получить не только часть в Русской земле, но и все отцовские волости, на которые он с братьями имел полное право: внуки Ярослава находились теперь друг к другу по роду и, следовательно, по волостям точно в таком же отношении, в каком находились прежде сыновья,

* Между Белгородкой и Киевом, на речке, называемой ныне Борщаговкой, есть селение Жиляне.

а считать себя изгоем Олег не хотел. Он пришел к Чернигову, где осадил Мономаха в остроге; окрестности города, монастыри были выжжены; восемь дней билась с половцами дружина Мономахова и не пустила их в острог; наконец Мономах пожалел христианской крови, горящих сел, монастырей, сказал: «Не хвалиться поганым» — и отдал Олегу Чернигов, стол отца его, а сам пошел на стол своего отца, в Переяславль. Так описывает сам Мономах свои побуждения; нам трудно решить, насколько присоединялся к ним еще расчет на невозможность долгого сопротивления с маленькою дружиною, в которой по выезде его из Чернигова не было и ста человек, считая вместе с женами и детьми; мы видели, что бóльшую часть дружины потерял он в битве при Стугне, где пали все его бояре; попавшихся в плен он после выкупил, но их было, как видно, очень мало. С этою-то небольшою дружиною ехал Мономах из Чернигова в Переяславль через полки половецкие; варвары облизывались на них, как волки, говорит сам Мономах, но напасть не смели. Олег сел в Чернигове, а половцы пустошили окрестную страну: князь не противился, он сам велел им воевать, ибо другим нечем ему было заплатить союзникам, доставившим ему отцовскую волость. «Это уже в третий раз, говорит летописец, навел он поганых на Русскую землю; прости, Господи, ему этот грех, потому что много христиан было погублено, а другие взяты в плен и расточены по разным землям». На Руси Олегу этого не простили, и сколько любили Мономаха как доброго страдальца за Русскую землю, защищавшего ее от поганых, столько же не любили Олега, опустошавшего ее с половцами; видели гибельные следствия войн Олеговых, забыли обиду, ему нанесенную, забыли, что он принужден был сам добывать себе отцовское место, на которое не пускали его двоюродные братья*.

Незавидно было житье Мономаха в Переяславле: «Три лета и три зимы, — говорит он, — прожил я в Переяславле с дру-

* В Слове о полку Игореве Олег назван Гориславичем: по связи последующих выражений должно думать, что он в народном мнении был славен не своим, но чужим горем; так смотрит на него и летописец.

жиною, и много бед натерпелись мы от рати и от голода». Половцы не переставали нападать на Переяславскую волость, и без того уже разоренную; Мономаху удалось раз побить их и взять пленников. В 1095 году пришли к нему два половецких хана, Итларь и Китан, на мир, т. е. торговаться: много ли переяславский князь даст за этот мир? Итларь с лучшими людьми вошел в город, а Китан стал с войском между валами, и Владимир отдал ему сына своего Святослава в заложники за безопасность Итларя, который стоял в доме боярина Ратибора. В это время пришел к Владимиру из Киева от Святополка боярин Славата за каким-то делом; Славата подучил Ратибора и его родню пойти к Мономаху и убедить его согласиться на убийство Итларя. Владимир отвечал им: «Как могу я это сделать, давши им клятву?» Те сказали ему на это: «Князь, не будет на тебе греха: половцы всегда дают тебе клятву, и все губят Русскую землю, льют кровь христианскую». Владимир послушался и ночью послал отряд дружины и торков к валам: они выкрали сперва Святослава, а потом перебили Китана и всю дружину его. Это было в субботу вечером; Итларь ночевал на дворе Ратиборовом и не знал, что сделалось с Китаном. На другой день, в воскресенье, рано утром Ратибор приготовил вооруженных отроков и велел им вытопить избу, а Владимир прислал отрока своего сказать Итларю и дружине его: «Обувшись и позавтракавши в теплой избе у Ратибора, приезжайте ко мне». Итларь отвечал: «Хорошо!» Половцы вошли в избу и были там заперты; а между тем ратиборовцы влезли на крышу, проломали ее, и Ольбег Ратиборович, натянув лук, ударил Итларя стрелою прямо в сердце; перестреляли и всю дружину его. Тогда Святополк и Владимир послали в Чернигов к Олегу звать его с собою вместе на половцев; Олег обещался идти с ними и пошел, но не вместе: ясно было, что он не доверял им; быть может, поступок с Итларем был одною из причин этого недоверия. Святополк и Владимир пошли к половцам на вежи, взяли их, попленили скот, лошадей, верблюдов, рабов и привели их в свою землю. Недоверие Олега сильно рассердило двоюродных братьев; после похода они послали сказать ему: «Ты не шел с нами на поганых, которые сгубили Русскую землю, а вот теперь у тебя сын Итларев; убей его, либо отдай нам: он враг Русской земле». Олег не послушался, и встала между ними ненависть. Вероятно, в связи с этими событиями было движение на севере брата Олегова, Давыда, о котором до сих пор дошедшие до нас списки летописи ничего не говорили; только в своде летописей Татищева читаем, что остальные Святославичи при Всеволоде имели волость в Муроме — известие очень вероятное; по смерти же Всеволода, как видно, Мономах принужден был отречься не от одного Чернигова в пользу Олега, но должен был уступить также и Смоленск Давыду. В конце 1095 года, когда загорелась снова вражда между Олегом и братьями его, Святополком и Владимиром, последние отправились к Смоленску, вывели оттуда Давыда и дали ему Новгород, откуда сын Мономаха, Мстислав, посаженный дедом Всеволодом еще по удалении Святополка, был переведен в Ростов: вероятно, они не хотели, чтобы волости Святославичей соприкасались друг с другом, причем братья могли легко действовать соединенными силами; в Смоленской волости, которая должна была разделять волости Святославичей, Святополк и Владимир должны были посадить кого-нибудь из своих, и вот есть известие, что Владимир посадил здесь сына своего Изяслава. Но Давыд, может быть по соглашению с братом, недолго жил в Новгороде и отправился опять в Смоленск, впрочем, как видно, с тем, чтобы оставить и Новгород за собою же, потому что когда новгородцы в его отсутствие послали в Ростов за Мстиславом Владимировичем и посадили его у себя, то Давыд немедленно выступил опять из Смоленска к Новгороду; но на этот раз новгородцы послали сказать ему: «Не ходи к нам», и он принужден был возвратиться с дороги опять в Смоленск. Изгнанный им отсюда Изяслав бросился на волости Святославичей, сперва на Курск, а потом на Муром, где схватил посадника Олегова и утвердился с согласия граждан. В следующем, 1096 году Святополк и Владимир послали сказать Олегу: «Приезжай в Киев, урядимся о Русской земле пред епископами, игуменами, мужами отцов наших и людьми городскими, чтобы после нам можно было сообща оборонять Русскую землю от поганых». Олег велел отвечать: «Не пойду на суд к епископам, игуменам да смердам». Если прежде он боялся идти в поход вместе с братьями, то мог ли он решиться ехать в Киев, где знал, что духовенство, дружина и граждане дурно расположены к нему? Мог ли он отдать свое дело на их решение? Притом князь, который привык полагаться во всем на один свой меч, им доставать себе управу, считал унизительным идти на суд духовенства и простых людей. Как бы то ни было, гордый ответ Олега возбудил к нему еще сильнейшее нерасположение в Киеве: летописец сильно укоряет черниговского князя за смысл буйный, за слова величавые, укоряет и злых советников Олега. Святополк и Владимир послали после этого объявить ему войну. «Ты нейдешь с нами на поганых, — велели они сказать ему, — нейдешь к нам на совет — значит, мыслишь на нас недоброе и поганым помогать хочешь; пусть же Бог рассудит нас!» Князья выступили против Олега к Чернигову; Святославич выбежал пред ними и заперся в Стародубе, вероятно, для того, чтобы быть ближе к братним волостям и получить оттуда скорее помощь. Святополк и Владимир осадили Стародуб и стояли под ним 33 дня; приступы были сильные, но из города крепко отбивались; наконец осажденные изнемогли: Олег вышел из города, запросил мира и получил его от братьев, которые сказали ему: «Ступай к брату своему Давыду, и приезжайте оба вместе в Киев, к столу отцов и дедов наших: то старший город во всей земле, в нем следует собираться нам и улаживаться». Олег обещался приехать, целовал крест и отправился из Стародуба в Смоленск; но смольняне не захотели принять его, и он принужден был ехать в Рязань.

Видя, что Святославичи не думают приезжать в Киев на уряжение, Святополк с Владимиром пошли было к Смоленску на Давыда, но помирились с ним; а между тем Олег с Давыдовыми полками пошел из Рязани к Мурому на Изяслава, сына Мономахова. Изяслав, узнавши, что Олег идет на него, послал за суздальцами, ростовцами, белозерцами и собрал много войска. Олег послал сказать ему: «Ступай в волость отца своего, в Ростов, а это волость моего отца, хочу здесь сесть и урядиться с твоим отцом: он выгнал меня из отцовского города, а ты неужели и здесь не хочешь дать мне моего же хлеба?»* Изяслав не послушался его, надеясь на множество войска; Олег же, прибавляет летописец, надеялся на свою правду, потому что был он теперь прав. Это замечание летописца очень любопытно: Олег лишился Чернигова и Мурома вследствие войны, которую начали против него двоюродные братья, следовательно, по понятиям современников, самая война была несправедлива: в противном случае летописец не оправил бы Олега, потому что тогда отнятие волости было бы только достойным наказанием за его неправду. Перед стенами Мурома произошла битва между Олегом и Изяславом; в лютой сечи Изяслав был убит, войско его разбежалось — кто в лес, кто в город. Олег вошел в Муром, был принят гражданами, перехватал ростовцев, белозерцев, суздальцев, поковал их и устремился на Суздаль; суздальцы сдались; Олег усмирил город: одних жителей взял в плен, других рассеял по разным местам, имение у них отнял. Из Суздаля пошел к Ростову, и ростовцы сдались; таким образом он захватил всю землю Муромскую и Ростовскую, посажал посадников по городам и начал брать дани. В это время пришел к нему посол от Мстислава Владимировича из Новгорода: «Ступай из Суздаля в Муром, — велел сказать ему Мстислав, — в чужой волости не сиди; а я с дружиною пошлем к отцу моему, и помирю тебя с ним; хотя ты и брата моего убил — что же делать! В битвах и цари и бояре погибают». Олег не захотел мириться, он думал взять и Новгород и послал брата своего Ярослава в сторожах на реку Медведицу, а сам стал на поле у Ростова. Мстислав, посоветовавшись с новго-

* Эти слова вовсе не доказывают существования безусловной отчинности, как хотят некоторые исследователи. Олег занимал между двоюродными братьями то же самое место, какое отец его занимал между Ярославичами, следовательно, он имел право владеть и всеми волостями последнего.

родцами, послал от себя в сторожах Добрыню Рагуйловича, который прежде всего перехватил Олеговых *данников* (сборщиков дани). Когда Ярослав узнал, что данники перехвачены, то в ту же ночь бросился бежать к Олегу с известием, что Мстислав идет. Олег отступил к Ростову, Мстислав за ним; Олег двинулся к Суздалю, Мстислав пошел за ним и туда; Олег зажег Суздаль и побежал к Мурому; Мстислав пришел в Суздаль и, остановившись здесь, послал опять с миром к Олегу, велел сказать ему: «Я моложе тебя; пересылайся с отцом моим да выпусти дружину, а я во всем тебя послушаю». Причина такой скромности со стороны Мстислава заключалась в том, что он был крестный сын Олегу. Последний видел, что ему трудно одолеть Мстислава силою, и потому решился действовать хитростью: послал к Мстиславу с мирным ответом, и когда тот, понадеявшись на мир, распустил дружину по селам, Олег неожиданно явился на Клязьме; Мстислав обедал в то время, когда ему дали знать о приближении Олега, который думал, что племянник, застигнутый врасплох, побежит; однако Мстислав не побежал: к нему в два дня собралась дружина — новгородцы, ростовцы и белозерцы; он выстроил ее перед городом, и когда явился Олег, то ни тот, ни другой не хотели начать нападение и стояли друг перед другом четыре дня; а между тем Мономах прислал на помощь к Мстиславу другого сына своего, Вячеслава, с половцами. На пятый день Олег выстроил дружину и двинулся к городу; Мстислав пошел к нему навстречу и, отдав стяг (знамя) Мономахов половчину Кунуй, отдал ему также пеший полк и поставил его на правом крыле. Сошлись биться: полк Олегов против полка Мстиславова, полк Ярославов против полка Вячеславова. Мстислав с новгородцами перешел пожар, схватился с врагами на реке Колакче и начал одолевать, а между тем Кунуй с пешими зашел в тыл Олегу и поднял стяг Владимиров; ужас напал тогда на Олега и на все его войско, которое бросилось бежать. Олег прибежал в Муром, затворил здесь брата Ярослава, а сам пошел в Рязань. Мстислав по его следам пришел к Мурому, заключил мир с жителями, взял своих людей, ростовцев и суздальцев, захваченных прежде Олегом, и пошел на последнего к Рязани; Олег выбежал и отсюда, а Мстислав договорился и с рязанцами, которые выдали ему также пленников. Из Рязани послал он в третий раз к Олегу с мирными предложениями: «Не бегай, но шли к братьи с просьбою о мире: не лишат тебя Русской земли; а я пошлю к отцу своему просить за тебя». Олег обещал послушаться его; Мстислав возвратился к Суздалю, оттуда в Новгород и точно послал к Мономаху просить за своего крестного отца.

Мономах, получив письмо от сына, написал к Олегу: «Пишу к тебе, потому что принудил меня к тому сын твой крестный: прислал ко мне мужа своего и грамоту, пишет: уладимся и помиримся, а братцу моему суд пришел; не будем за него местники, но положимся во всем на Бога: они станут на суд перед Богом, а мы Русской земли не погубим. Увидав такое смирение сына своего, я умилился и устрашился Бога, подумал: сын мой в юности своей и в безумии так смиряется, на Бога все возлагает, а я что делаю? Грешный я человек, грешнее всех людей! Послушался я сына своего, написал к тебе грамоту: примешь ли ее добром или с поруганьем — увижу по твоей грамоте. Я первый написал к тебе, ожидая от тебя смиренья и покаянья. Господь наш не человек, а Бог всей вселенной, что хочет — все творит в мгновенье ока; а претерпел же хуленье, и плеванье, и ударенье, и на смерть отдался, владея животом и смертью; а мы что, люди грешные? Ныне живы, а завтра мертвы; ныне в славе и в чести, а завтра в гробе и без памяти: другие разделят по себе собранное нами. Посмотри, брат, на отцов наших: много ли взяли с собою, кроме того, что сделали для своей души? Тебе бы следовало, брат, прежде всего прислать ко мне с такими словами. Когда убили дитя мое и твое* пред тобою, когда ты увидал кровь его и тело увянувшее, как цветок, только что распустившийся, как агнца заколенного, подумать бы тебе, стоя над ним: „Увы, что я сделал! Для неправды света сего суетного взял

* Дядя племяннику также считался отцом, см. выше первую главу.

грех на душу, отцу и матери причинил слезы!“ Сказать бы тебе было тогда по-давыдовски: аз знаю грех мой, предо мною есть выну! Богу бы тебе тогда покаяться, а ко мне написать грамоту утешную да сноху прислать, потому что она ни в чем не виновата, ни в добре, ни в зле; обнял бы я ее и оплакал мужа ее и свадьбу их вместо песен брачных; не видал я их первой радости, ни венчания за грех мой; ради Бога пусти ее ко мне скорее: пусть сидит у меня, как горлица, на сухом дереве жалуючись, а меня Бог утешит. Таким уж, видно, путем пошли дети отцов наших: суд ему от Бога пришел. Если бы ты тогда сделал по своей воле, Муром взял бы, а Ростова не занимал и послал ко мне, то мы уладились бы; но рассуди сам: мне ли было первому к тебе посылать или тебе ко мне; а что ты говорил сыну моему: „Шли к отцу“, так я десять раз посылал. Удивительно ли, что муж умер на рати, умирали так и прежде наши прадеды; не искать было ему чужого и меня в стыд и в печаль не вводить*: это научили его отроки для своей корысти, а ему на гибель. Захочешь покаяться пред Богом и со мною помириться, то напиши грамоту с правдою и пришли с нею посла или попа: так и волость возьмешь добром, и наше сердце обратишь к себе, и лучше будем жить, чем прежде; я тебе ни враг, ни местник. Не хотел я видеть твоей крови у Стародуба; но не дай мне Бог видеть крови и от твоей руки, и ни от которого брата по своему попущению; если я лгу, то Бог меня ведает и крест честной. Если тот мой грех, что ходил на тебя к Чернигову за дружбу твою с погаными, то каюсь. Теперь подле тебя сидит сын твой крестный с малым братом своим, едят хлеб дедовский**, а ты сидишь в своей волости: так рядись, если хочешь, а если хочешь их убить, они в твоей воле; а я не хочу лиха, добра хочу братьи и Русской земле. Что ты хочешь теперь взять насильем, то мы, смиловавшись, давали тебе и у Стародуба, отчину твою; Бог свидетель, что мы рядились с братом твоим, да он не может рядиться без тебя; мы не

* Этими словами Мономах прямо говорит, что Изяслав занял волости Святославичей без его ведома и согласия.

** Стало быть, великий князь Всеволод посадил их там.

сделали ничего дурного, но сказали ему: посылай к брату, пока не уладимся; если же кто из вас не хочет добра и мира христианам, то пусть душа его на том свете не увидит мира от Бога. Я к тебе пишу не по нужде: нет мне никакой беды; пишу тебе для Бога, потому что мне своя душа дороже целого света».

Из этого письма видно, что Мономах первый писал к Олегу. Крайность, до которой был доведен последний оружием Мстислава, и смысл письма Мономахова должны были наконец показать Олегу необходимость искренне сблизиться с двоюродными братьями, и вот в 1097 г. князья — Святополк, Владимир, Давыд Игоревич, Василько Ростиславич, Давыд Святославич и брат его Олег — съехались на *устроенье мира* в городе Любече, следовательно, в Черниговской волости, по ту сторону Днепра: быть может, это была новая уступка подозрительности Олеговой. Князья говорили: «Зачем губим Русскую землю, поднимая сами на себя вражду? А половцы землю нашу несут розно и рады, что между нами идут усобицы; теперь же с этих пор станем жить в одно сердце и блюсти Русскую землю». Кроме Василька Ростиславича, сидели все двоюродные братья, внуки Ярославовы; урядиться им было легко: стоило только разделить между собою волости точно так же, как они были разделены между их отцами, которых места они теперь занимали; вся вражда пошла оттого, что Святославичам не дали тех волостей, какими они имели полное право владеть по своему положению в роде, как сыновья второго Ярославича. И вот князья объявили, что пусть каждое племя (линия) держит отчину свою: Святополк — Киев вместе с тою волостью, которая изначала и до сих пор принадлежала его племени, с Туровом; Владимир получил все волости Всеволодовы, т. е. Переяславль, Смоленск, Ростовскую область, Новгород также остался за сыном его Мстиславом; Святославичи — Олег, Давыд и Ярослав — Черниговскую волость; теперь остались изгои — Давыд Игоревич и Ростиславичи; относительно их положено было держаться распоряжений великого князя Всеволода: за Давыдом оставить Владимир-Волынский, за Володарем Ростиславичем — Перемышль, за Васильком — Теребовль. Уладившись, князья целовали крест: «Если теперь кто-нибудь из нас поднимется на другого, — говорили они, — то мы все встанем на зачинщика, и крест честной будет на него же». Все повторяли: «Крест честной на него и вся земля Русская». После этого князья поцеловались и разъехались по домам.

Мы видели, что отсутствие отчинности, непосредственной наследственности волостей было главною причиною усобиц, возникших при первом поколении Ярославичей и продолжавшихся при втором: на Любецком съезде князья отстранили эту главную причину, стараясь ввести каждого родича во владение теми волостями, которые при первом поколении принадлежали отцу его. И точно, борьба на востоке с Святославичами за волость Черниговскую прекратилась Любецким съездом; но не кончилась борьба на западе, на Волыни: там сидели вместе изгои — Ростиславичи и Давыд Игоревич. Младший из Ростиславичей, Василько, князь теребовльский, отличался необыкновенно предприимчивым духом; он уже был известен своими войнами с Польшею, на опустошение которой водил половцев; теперь он затевал новые походы: на его зов шли к нему толпы берендеев, печенегов, торков; он хотел идти с ними на Польшу, завоевать ее и отмстить ей за Русскую землю, за походы обоих Болеславов; потом хотел идти на болгар дунайских и заставить их переселиться на Русь; наконец, хотел идти на половцев и либо найти себе славу, либо голову свою сложить за Русскую землю. Понятно, что соседство такого князя не могло нравиться Давыду, особенно если последний не знал настоящих намерений Василька, слышал только о его военных приготовлениях, слышал о приближении варварских полков и мог думать, что воинственный Василько прежде всего устремит их на его волости: известна была вражда Ростиславичей к прежнему волынскому князю, Ярополку, известно было подозрение, которое лежало на них в смерти последнего. Нашлись люди, которые возможность переменили в действительность; странным могло казаться, что двое доблестнейших князей, Мономах и Василько, не воспользуются своею доблестию, своею славою для возвышения, усиления себя на счет князей менее достойных, и вот трое мужей из дружины Давыдовой — Туряк, Лазарь и Василь начали говорить своему князю, что Мономах сговорился с Васильком на него и на Святополка, что Мономах хочет сесть в Киеве, а Василько — на Волыни. Давыд испугался: дело шло о потери волости, об изгнании, которое он уже испытал; вероятность была в словах мужей его; притом же мы не знаем, какие еще доказательства приводили они, не знаем, в какой степени поведение Мономаха и Василька в самом Любече могло подать повод к толкам: в то время, когда князья мирились и рядились, дружинники их наблюдали и толковали и Бог весть до чего могли дотолковаться. Как бы то ни было, летописец и, как видно, вообще современники складывали главную вину на мужей Давыдовых, а его обвиняли только за то, что, поддавшись страху, поспешил поверить лживым словам. Он приехал из Любеча в Киев вместе с Святополком и рассказал ему за верное, что слышал от мужей своих: «Кто убил брата твоего Ярополка? — говорил он ему, — а теперь мыслит и на тебя и на меня, сговорился с Владимиром, промышляй о своей голове!» Святополк смутился, не знал, верить или нет; он отвечал Давыду: «Если правду говоришь, то Бог тебе будет свидетель, если же из зависти, то Бог тебе судья». Потом жалость взяла Святополка по брате, да и о себе стал думать: «Ну как это правда?» Давыд постарался уверить его, что правда, и стали вместе думать о Васильке; тогда как Василько с Владимиром не имели ни о чем понятия. Давыд начал говорить Святополку: «Если не схватим Василька, то ни тебе не княжить в Киеве, ни мне — во Владимире». Святополк согласился. В это время приехал Василько в Киев и пошел помолиться в Михайловский монастырь, где и поужинал, а вечером возвратился в свой обоз. На другой день утром прислал к нему Святополк с просьбою, чтоб не ходил от его именин*; Василько велел отвечать, что не

* Это было 5 ноября, а именины были 8-го; Святополка звали Михаилом.

может дожидаться, боится, не было бы рати дома, Давыд прислал к нему с тем же приглашением: «Не ходи, не ослушайся старшего брата». Но Василько и тут не согласился. Тогда Давыд сказал Святополку: «Видишь, не хочет тебя знать, находясь в твоей волости; что же будет, когда придет в свою землю? Увидишь, что займет города твои Туров, Пинск и другие, тогда помянешь меня; созови киевлян, схвати его и отдай мне». Святополк послушался и послал сказать Васильку: «Если не хочешь остаться до именин, то зайди хотя нынче, повидаемся и посидим вместе с Давыдом». Василько обещался прийти и уже сел на лошадь и поехал, как встретился ему один из слуг его и сказал: «Не езди, князь: хотят тебя схватить». Василько не поверил, думал: «Как меня схватить? А крест-то мне целовали, обещались, что если кто на кого первый поднимется, то все будут на зачинщика и крест честной». Подумав таким образом, он перекрестился, сказав: «Воля Господня да будет!», и продолжал путь. С малою дружиною приехал он на княжий двор; Святополк вышел к нему навстречу, ввел в избу; пришел Давыд, и сели. Святополк стал опять упрашивать Василька: «Останься на праздник». Василько отвечал: «Никак не могу, брат; я уже и обоз отправил вперед». А Давыд во все время сидел, как немой. Потом Святополк начал упрашивать Василька хотя позавтракать у него; позавтракать Василько согласился, и Святополк вышел, сказавши: «Посидите вы здесь, а я пойду, распоряжусь». Василько стал разговаривать с Давыдом, но у того не было ни языка, ни ушей — так испугался! И, посидевши немного, спросил слуг: «Где брат Святополк?» Ему отвечали: «Стоит в сенях». Тогда он сказал Васильку: «Я пойду за ним; а ты, брат, посиди». Но только что Давыд вышел, как Василька заперли, заковали в двойные оковы и приставили сторожей на ночь. На другой день утром Святополк созвал бояр и киевлян и рассказал им все, что слышал от Давыда, что вот Василько брата его убил, а теперь сговорился с Владимиром, хотят его убить, а города его побрать себе. Бояре и простые люди отвечали: «Тебе, князь, надобно беречь свою голову: если Давыд сказал правду, то Василька должно наказать; если же сказал неправду, то пусть отвечает перед Богом». Узнали об этом игумены и начали просить Святополка за Василька; Святополк отвечал им: «Ведь это все Давыд»; а Давыд, видя, что за Василька просят и Святополк колеблется, начал подучать на ослепление. «Если ты этого не сделаешь, — говорил он Святополку, — отпустишь его, то ни тебе не княжить, ни мне». Святополк, по свидетельству летописца, хотел отпустить Василька, но Давыд никак не хотел, потому что сильно опасался теребовльского князя. Кончилось тем, однако, что Святополк выдал Давыду Василька. В ночь перевезли его из Киева в Белгород на телеге, в оковах, ссадили с телеги, ввели в маленькую избу и посадили; оглядевшись, Василько увидал, что овчарь Святополков, родом торчин, именем Беренди, точит нож; князь догадался, что хотят ослепить его, и «возопил к Богу с плачем великим и стоном». И вот вошли посланные от Святополка и Давыда — Сновид Изечевич, конюх Святополков, да Димитрий, конюх Давыдов, — и начали расстилать ковер, потом схватили Василька и хотели повалить; но тот боролся с ними крепко, так что вдвоем не могли с ним сладить и позвали других, тем удалось повалить его и связать. Тогда сняли доску с печи и положили ему на грудь, а по концам ее сели Сновид и Димитрий и все не могли удержаться, подошло двое других, взяли еще доску с печи и сели — кости затрещали в груди Василька; тогда подошел торчин с ножом, хотел ударить в глаз и не попал, перерезал лицо; наконец вырезал оба глаза один за другим, и Василько обеспамятел. Его подняли вместе с ковром, положили на телегу, как мертвого, и повезли во Владимир; переехавши Вздвиженский мост, Сновид с товарищами остановились, сняли с Василька кровавую сорочку и отдали попадье вымыть, а сами сели обедать; попадья, вымывши сорочку, надела ее опять на Василька и стала плакаться над ним, как над мертвым. Василько очнулся и спросил: «Где я?» Попадья отвечала: «В городе Вздвиженске»*. Тогда он спросил воды и, напив-

---

* Быть может, нынешняя деревня Здвишка на реке Здвижи, Радомысльского уезда Киевской губернии.

шись, опамятовался совершенно; пощупал сорочку и сказал: «Зачем сняли ее с меня; пусть бы я в той кровавой сорочке смерть принял и стал перед Богом». Между тем Сновид с товарищами пообедали и повезли Василька скоро во Владимир, куда приехали на шестой день. Приехал с ними туда и Давыд, как будто поймал какую-то добычу, по выражению летописца; к Васильку приставили стеречь 30 человек с двумя отроками княжескими.

Мономах, узнав, что Василька схватили и ослепили, ужаснулся, заплакал и сказал: «Такого зла никогда не бывало в Русской земле ни при дедах, ни при отцах наших»*. И тотчас послал сказать Давыду и Олегу Святославичам: «Приходите к Городцу, исправим зло, какое случилось теперь в Русской земле и в нашей братьи: бросили между нас нож; если это оставим так, то большее зло встанет, начнет убивать брат брата и погибнет земля Русская: враги наши половцы придут и возьмут ее». Давыд и Олег также сильно огорчились, плакали и, собравши немедленно войско, пришли к Владимиру. Тогда от всех троих послали они сказать Святополку: «Зачем это ты сделал такое зло в Русской земле, бросил нож между нами? Зачем ослепил брата своего? Если бы он был в чем виноват, то ты обличил бы его перед нами и тогда по вине наказал его; а теперь скажи, в чем он виноват, что ты ему это сделал?» Святополк отвечал: «Мне сказал Давыд Игоревич, что Василько брата моего убил, Ярополка, хотел и меня убить, волость мою занять, сговорился с Владимиром, чтоб сесть Владимиру в Киеве, а Васильку — на Волыни; мне поневоле было свою голову беречь, да и не я ослепил его, а Давыд: он повез его к себе да и ослепил на дороге». Послы Мономаха и Святославичей возражали: «Нечего тебе оправдываться тем, что Давыд его ослепил: не в Давыдове городе его взяли

* Т. е. родичи не ослепляли еще друг друга; погибали князья в бою; было подозрение, что Ярополк Изяславич погиб от Ростиславичей, но подозрение только; притом здесь была также явная вражда, смута; Всеволод был схвачен вероломно, но не ослеплен; но никогда еще не было такого вопиющего вероломства и насилия.

и ослепили, а в твоем» — и, поговорив таким образом, ушли. На другой день князья хотели уже переходить Днепр и идти на Святополка, и тот уже думал бежать из Киева; но киевляне не пустили его, а послали к Владимиру мачеху его, жену покойного великого князя Всеволода, да митрополита Николая; те от имени граждан стали умолять князей не воевать с Святополком: «Если станете воевать друг с другом, — говорили они, — то поганые обрадуются, возьмут землю Русскую, которую приобрели деды и отцы ваши; они с великим трудом и храбростью поборали по Русской земле да и другие земли приискивали, а вы хотите погубить и свою землю». Владимир расплакался и сказал: «В самом деле, отцы и деды наши соблюли землю Русскую, а мы хотим погубить ее» — и склонился на просьбу. Княгиня и митрополит возвратились назад и объявили в Киеве, что мир будет*; и точно, князья начали пересылаться и удалились; Владимир и Святославичи сказали Святополку: «Так как это все Давыд наделал, то ступай ты, Святополк, на Давыда, либо схвати его, либо выгони». Святополк взялся исполнить их волю.

Между тем Василька все держали под стражею во Владимире; там же находился в это время и летописец, именем Василий, оставивший нам известия об этих событиях. «В одну ночь, — говорит он, — прислал за мной князь Давыд; я пришел и застал около него дружину; князь велел мне сесть и начал говорить: „Этой ночью промолвил Василько сторожам своим: «Слышу, что идет Владимир и Святополк на Давыда; если бы меня Давыд послушал, то я бы послал боярина своего к Владимиру, и тот бы возвратился»; так сходи-ка ты, Василий, к тезке своему Васильку и скажи ему, что если он пошлет своего мужа и Владимир воротится, то я дам ему город, какой

* Может возникнуть вопрос: зачем киевляне удержали Святополка от бегства, им должно было быть приятно избавиться от такого князя? Но они хорошо помнили следствия изгнания отца Святополкова; хорошо знали, что Святополк будет стараться всеми силами добыть себе опять свой стол, следствием чего будут усобицы, за которые поплатятся города и села, и особенно их город; усобица княжеская была страшнее всего, потому что ею пользовались половцы.

ему люб: либо Всеволож, либо Шеполь, либо Перемышль"*. Я пошел к Васильку и рассказал ему все речи Давыдовы; он отвечал мне: „Я этого не говорил, но надеюсь на Бога, пошлю, чтоб не проливали ради меня крови; одно мне удивительно: дает мне свой город, а мой город — Теребовль, вот моя волость". Потом сказал мне: „Иди к Давыду и скажи ему, чтоб прислал ко мне Кульмея, я его хочу послать ко Владимиру". Но, как видно, Давыд побоялся поручить переговоры человеку, которого выбрал Василько, и послал того же Василия сказать ему, что Кульмея нет. В это свидание Василько выслал слугу и начал говорить Василию: „Слышу, что Давыд хочет отдать меня ляхам; видно, мало еще насытился моей крови, хочет больше, потому что я ляхам много зла наделал и хотел еще больше наделать, отомстить им за Русскую землю; если он выдаст меня ляхам, то смерти не боюсь; но вот что скажу тебе: вправду Бог навел на меня эту беду за мое высокоумье: пришла ко мне весть, что идут ко мне берендеи, печенеги и торки; вот я и начал думать: как придут они ко мне, то скажу братьям, Володарю и Давыду: дайте мне дружину свою младшую, а сами пейте и веселитесь; думал я пойти зимою на Польскую землю, а летом взять ее и отомстить за Русскую землю; потом хотел перенять болгар дунайских и посадить их у себя, а потом хотел проситься у Святополка и у Владимира на половцев и либо славу себе найти, либо голову свою сложить за Русскую землю; а другого помышления в сердце моем не было ни на Святополка, ни на Давыда; клянусь Богом и его пришествием, что не мыслил зла братии ни в чем, но за мое высокоумье низложил меня Бог и смирил"».

Весною, перед Светлым днем, Давыд выступил в поход, чтобы взять Васильково волость; но у Бужска** на границе был

---

* *Всеволожь* — быть может, нынешнее селение Воложки, в 12 верстах от Ковеля, города Волынской губернии. *Шеполь* — есть селение Шепель в Луцком уезде Волынской губернии, в 18 верстах от уездного города, на реке Ставе, впадающей в Стырь. *Перемиль* — есть Перемиль в Дубенском повете, к северо-востоку от Берестечка, на Стыре.

** Теперь Буск, местечко в Золочовском округе Галиции, на правой стороне Западного Буга.

встречен Володарем, братом Васильковым; Давыд не посмел встать против него и заперся в Бужске; Володарь осадил его здесь и послал сказать ему: «Зачем сделал зло и не каешься, опомнись, сколько зла ты наделал!» Давыд начал складывать вину на Святополка: «Да разве я это сделал, разве в моем городе? Я и сам боялся, чтоб и меня не схватили и не сделали со мною того же; я поневоле должен был пристать, потому что был в его руках». Володарь отвечал: «Про то ведает Бог, кто из вас виноват, а теперь отпусти мне брата, и я помирюсь с тобою». Давыд обрадовался, выдал Василька Володарю, помирились и разошлись. Но мир не был продолжителен: Давыд, по некоторым известиям, не хотел возвратить Ростиславичам городов, захваченных в их волости тотчас по ослеплении Василька, вследствие чего тою же весною они пришли на Давыда к Всеволожу, а Давыд заперся во Владимире; Всеволож был взят *копьем* (приступом) и зажжен, и когда жители побежали от огня, то Василько велел их всех перебить; так он отомстил свою обиду на людях неповинных, замечает летописец. Потом Ростиславичи двинулись ко Владимиру, осадили здесь Давыда и послали сказать гражданам: «Мы пришли не на город ваш и не на вас, но на врагов своих — Туряка, Лазаря и Василя, которые наустили Давыда: послушавшись их, он сделал такое зло; выдайте их, а если хотите за них биться, то мы готовы». Граждане собрали вече и сказали Давыду: «Выдай этих людей, не бьемся за них, а за тебя станем биться; если же не хочешь, то отворим городские ворота, и тогда промышляй о себе». Давыд отвечал: «Нет их здесь» — он послал их в Луцк; владимирцы послали за ними туда; Туряк бежал в Киев, а Лазарь и Василь возвратились в Турийск*. Владимирцы, узнавши, что они в Турийске, закричали Давыду: «Выдай их Ростиславичам, а не то сейчас же сдадимся». Давыд послал за Василем и Лазарем и выдал их; Ростиславичи заключили мир и на другое утро велели повесить и расстрелять выданных, после чего отошли от города. Летописец замечает при

* Местечко Волынской губернии, Ковельского уезда, на реке Турье.

этом: «Это уже во второй раз отомстил Василько, чего не следовало делать: пусть бы Бог был мстителем».

Осенью 1097 года обещался Святополк братьям идти на Давыда и прогнать его и только через год (1099) отправился в Брест на границу для совещания с поляками: имеем право принять известие, что прежде он боялся напасть на Давыда и решился на это тогда только, когда увидал, что владимирский князь побежден Ростиславичами; но и тут прежде хотел заключить союз с поляками; заключил договор и с Ростиславичами, поцеловал к ним крест на мир и любовь. Давыд, узнав о прибытии Святополка в Брест, отправился и сам к польскому князяю Владиславу Герману за помощью; таким образом поляки сделались посредниками в борьбе. Они обещались помогать и Давыду, взявши с него за это обещание 50 гривен золота, причем Владислав сказал ему: «Ступай с нами в Брест, зовет меня Святополк на сейм; там и помирим тебя с ним». Давыд послушался и пошел с ним; но союз с Святополком показался Владиславу выгоднее: киевский князь дал также ему богатые дары, договорился выдать дочь свою за его сына; поэтому Владислав объявил Давыду, что он никак не мог склонить Святополка к миру, и советовал ему идти в свою волость, обещаясь, впрочем, прислать к нему на помощь войско, если он подвергнется нападению от двоюродных братьев. Давыд сел во Владимире, а Святополк, уладившись с поляками, пришел сперва в Пинск, откуда послал собирать войска; потом в Дорогобуж, где дождался полков своих, с ними вместе двинулся на Давыда ко Владимиру и стоял под городом семь недель; Давыд все не сдавался, ожидая помощи от поляков; наконец, видя, что ждать нечего, стал проситься у Святополка, чтоб тот выпустил его из города. Святополк согласился, и они поцеловали друг другу крест, после чего Давыд выехал в Червень, а Святополк въехал во Владимир. Из этого рассказа видно, что Давыд при договоре уступил Владимир Святополку, а сам удовольствовался Червенем. Выгнавши Давыда из Владимира, Святополк начал думать на Володаря и на Василька; говорил: «Они сидят в волости отца моего и брата» — и пошел на них. Ход этой войны очень хорошо обнаруживает перед нами характер Святополка: сначала он долго боялся напасть на Давыда; пошел, когда тот потерпел неудачу в войне с Ростиславичами, но прежде обезопасил себя со стороны поляков; доставши наконец Владимир, вспомнил, что все Волынское княжество принадлежало к Киевскому при отце его Изяславе и что после здесь сидел брат его Ярополк, а на Любецком съезде положено всем владеть отчинами; и вот Святополк идет на Ростиславичей, забывши недавний договор с ними и клятву. Но Ростиславичей трудно было вытеснить из их волости: они выступили против Святополка, взявши с собою крест, который он целовал к ним, и встретили его на границах своих владений, на Рожни поле; перед началом битвы Василько поднял крест и закричал Святополку: «Вот что ты целовал; сперва ты отнял у меня глаза, а теперь хочешь взять и душу; так пусть будет между нами этот крест», и после ходила молва, что многие благочестивые люди видели, как над Васильком возвышался крест. Битва была сильная, много пало с обеих сторон, и Святополк, увидавши наконец, что брань люта, побежал во Владимир; а Володарь и Василько, победивши, остановились и сказали: «Довольно с нас, если стоим на своей меже», и не пошли дальше. Святополк между тем прибежал во Владимир с двумя сыновьями — Мстиславом и Ярославом, с двумя племянниками, сыновьями Ярополка, и Святославом, или Святошею, сыном Давыда Святославича; он посадил во Владимире сына своего, Мстислава, другого сына, Ярослава, послал в Венгрию, уговаривать короля идти на Ростиславичей, а сам поехал в Киев. Ярославу удалось склонить венгров к нападению на волость Володаря: король Коломан пришел с двумя епископами и стал около Перемышля по реке Вагру, а Володарь заперся в городе. В это время возвратился Давыд из Польши, куда бежал из Червена перед началом неприятельских действий Святополка с Ростиславичами; как видно, он не нашел помощи в Польше; общая опасность соединила его теперь с Ростиславичами, и потому, оставивши жену свою у Володаря, он отправился нанимать половцев; на дороге встретился с знаменитым ханом их Боняком и вместе с ним пошел на венгров. В полночь, когда все войско спало, Боняк встал, отъехал от стана и начал выть по-волчьи, и вот откликнулся ему один волк, за ним много других; Боняк приехал и сказал Давыду: «Завтра будет нам победа над венграми». Утром на другой день Боняк выстроил свое войско: у него было 300 человек, а у Давыда 100; он разделил всех на три полка и пустил вперед Алтунопу на венгров с отрядом из 50 человек, Давыда поставил под стягом, а свой полк разделил на две половины, по 50 человек в каждой. Венгры расположились *заступами*, или *заставами*, т. е. отрядами, стоявшими один за другим; отряд Алтунопы пригнал к первому *заступу*, пустил стрелы и побежал; венгры погнались за ним, и, когда бежали мимо Боняка, тот ударил им в тыл; Алтунопа в это время также вернулся; таким образом венгры очутились между двумя неприятельскими отрядами и не могли возвратиться к своим; Боняк сбил их в мяч точно так, как сокол сбивает галок, по выражению летописца. Венгры побежали, много их потонуло в реках Вагре и Сане, потому что бежали горою подле Сана и спихивали друг друга в реку; половцы гнались за ними и секли их два дня, убили епископа и многих бояр*. Ярослав, сын Святополка, убежал в Польшу, а Давыд, пользуясь победою, занял города Сутейск, Червен**, пришел внезапно на Владимир и занял посады; но Мстислав Святополчич заперся в крепости с *засадою*, или

---

* Число венгерского войска в наших летописях до крайности преувеличено — до 100 000, а число погибших — до 40 000. Вероятнее известия Вельского и Стрыйковского, полагающих 8000 всего войска. И то будет много, если возьмем в соображение малочисленность русских и половцев; впрочем, успех последних объяснится, если прочтем известие Татищева, что Володарь, узнавши о прибытии Давыда и Боняка, сделал со своей стороны вылазку из Перемышля и ударил на стан королевский; это окончательно расстроило венгров.

** *Сутейск* — подобные названия мест встречаются теперь, но вдалеке от описываемой сцены действия; *Червень* — полагают нынешнее местечко *Червоногород*, в Чортовском округе, при реке Дзурош, впадающей в Днестр.

заставою (гарнизоном), состоявшею из берестьян, пенян, выгошевцев*. Давыд осадил крепость и часто приступал к ней; однажды, когда осажденные перестреливались с осаждающими и летели стрелы, как дождь, князь Мстислав хотел также выстрелить, но в это время стрела, пройдя в скважину стенного досчатого забрала, ударила ему под пазуху, от чего он в ту же ночь умер. Три дня таили его смерть, в четвертый объявили на вече; народ сказал: «Вот князя убили; если теперь сдадимся, то Святополк погубит всех нас», и послали сказать ему: «Сын твой убит, а мы изнемогаем от голода; если не придешь, то народ хочет передаться». Святополк послал к ним воеводу своего Путяту; когда тот пришел с войском в Луцк, где стоял Святоша Давыдович, то застал у него посланцев Давыда Игоревича; Святоша поклялся последнему, что даст знать, когда пойдет на него Святополк; но теперь, испугавшись Путяты, схватил послов Давыдовых и сам пошел на него с киевским воеводою. В полдень пришли Святоша и Путята ко Владимиру, напали на сонного Давыда, начали рубить его дружину**, а владимирцы сделали вылазку из крепости с другой стороны; Давыд побежал с племянником своим Мстиславом, а Святоша и Путята взяли город, посадили в нем посадника Святополкова Василя и разошлись: Святоша — в Луцк, а Путята — в Киев. Между тем Давыд побежал к половцам, опять встретился на дороге с Боняком и вместе с ним пришел осаждать Святошу в Луцке; Святоша заключил с ними мир и ушел к отцу в Чернигов; а Давыд взял себе Луцк, откуда пошел ко Владимиру, выгнал из него Святополкова посадника Василя и сел опять на прежнем столе своем, отпустивши племянника Мстислава на море перенимать купцов.

---

* *Выгошевцы* — жители города Выгошева. Указывают теперь подобно звучащие местности; из них можно принять к соображению только деревню Выжовку и местечко Выжву в Ковельском уезде Волынской губернии.

** Причиной такой оплошности Давыдовой у Татищева полагается надежда его на слово Святоши. Удивительно, как все эти князья беспрестанно нарушали свои клятвы и все еще надеялись на них.

Под 1100 годом сообщает летописец это известие об отправлении Мстислава на море и тотчас же говорит о новом съезде всех князей в Уветичах или Витичеве; собрались Святополк, Владимир, Олег и Давыд Святославичи; пришел к ним и Давыд Игоревич и сказал: «Зачем меня призвали? Вот я! Кому на меня жалоба?» Владимир отвечал ему: «Ты сам присылал к нам: хочу, говорил, братья, прийти к вам и пожаловаться на свою обиду; теперь ты пришел и сидишь с братьею на одном ковре, что же не жалуешься? На кого тебе из нас жалоба?» Давыд не отвечал на это ничего. Тогда все братья встали, сели на коней и разъехались; каждый стал особо с своею дружиною, а Давыд сидел один: никто не допустил его к себе, особо думали о нем. Подумавши, послали к нему мужей своих: Святополк — Путяту, Владимир — Орогаста и Ратибора, Давыд и Олег — Торчина; посланцы сказали Давыду от имени всех князей: «Не хотим тебе дать стола владимирского, потому что ты бросил нож между нами, чего прежде не бывало в Русской земле; мы тебя не заключим, не сделаем тебе никакого другого зла, ступай садись в Бужске и в Остроге, Святополк дает тебе еще Дубно и Чарторыйск*, Владимир двести гривен, Давыд и Олег также двести гривен». После этого решения князья послали сказать Володарю Ростиславичу: «Возьми брата своего Василька к себе, и пусть будет вам одна волость — Перемышль; если же не хочешь, то отпусти Василька к нам, мы его будем кормить; а холопов наших и смердов выдайте». Но Ростиславичи не послушались, и каждый из них остался при своем. Князья хотели было идти на них и силою принудить согласиться на общее решение; но Мономах отрекся идти с ними, не захотел нарушить клятвы, данной прежде Ростиславичам на Любецком съезде.

Здесь должно дополнить опущенную летописцем связь событий: мы видели, что Давыд остался победителем над Свя-

* Нет никакого основания читать в *Бужском остроге* вместо Бужске, в остроге; Бужск встречали мы прежде без прибавления «острог», притом же Острог находится подле городов, данных Давыду, — Бужска, Дубна и Чарторыйска. *Дубно* — город Волынской губернии, *Чарторыйск* — местечко той же губернии, Луцкого уезда, на реке Стыре.

тополком, удержал за собою Владимир; Святополк, не имея возможности одолеть его, должен был обратиться к остальным двоюродным братьям, поручившим ему наказать Давыда, который с своей стороны, вероятно, прежде при неблагоприятных для себя обстоятельствах присылал также к ним с просьбою о защите от Святополка. В Витичеве 10 августа, как сказано в летописи, братья заключили мир между собою, т. е., как видно, посредством мужей своих решили собраться всем в том же месте, и действительно собрались 30 августа. К Давыду было послано приглашение явиться; он не смел ослушаться, потому что не мог надеяться восторжествовать над соединенными силами всех князей, как прежде восторжествовал над Святополком; притом же, по некоторым известиям, князья посылали к нему с любовью, обещаясь утвердить за ним Владимир; и точно, над ним произнесли мягкий приговор: схватить князя, добровольно явившегося на братское совещание, было бы вероломством, которое навсегда могло уничтожить возможность подобных съездов; отпустить его без волости значило продолжать войну: Давыд доказал, что он умел изворачиваться при самых трудных обстоятельствах, и потому решили дать ему достаточную волость, наказавши только отнятием владимирского стола, который был отдан Святополку как отчина на основании любецкого решения, причем Святополк дал еще Давыду Дорогобуж, где тот и умер.

Так кончилась посредством двух княжеских съездов борьба, начавшаяся при первом преемнике Ярослава и продолжавшаяся почти полвека; изгои и потомки изгоев нигде не могли утвердиться на цельных отчинах; из них только одни Ростиславичи успели укрепить за собою отдельную волость и впоследствии дать ей важное историческое значение; но потомство Вячеслава Ярославича сошло со сцены при первом поколении; потомство Игоря — при втором; после оно является в виде князьков незначительных волостей без самостоятельной деятельности; полноправными родичами явились только потомки трех старших Ярославичей после тщетной попытки включить в число изгоев потомство второго из них

Святослава; его дети после долгой борьбы получили отцовское значение, отцовскую волость. Не легко было усмотреть неравенство в распределении волостей между тремя линиями, преимущество, которое получил сын Всеволода и вследствие личных достоинств, и вследствие благоприятных обстоятельств: Мономах держал в своей семье Переяславскую, Смоленскую, Ростовскую и Новгородскую волости. Святополк только после Витичевского съезда получил Владимир-Волынский; но Великий Новгород, который был всегда так тесно связан с Киевом, Новгород принадлежал не ему; всех меньше была волость Святославичей: они ничего не получили в прибавок к первоначальной отцовской волости, притом же их было три брата; Святополку, как видно, очень не нравилось, что Новгород не находится в его семье, но отнять его у Мономаха без вознаграждения было нельзя; вот почему он решился пожертвовать Волынью для приобретения Новгорода и уговорился с Мономахом, что сын последнего, Мстислав, перейдет во Владимир-Волынский, а на его месте, в Новгороде, сядет Ярослав, сын Святополков, княживший до сих пор во Владимире. Но тут новгородцы в первый раз воспротивились воле князей: зависимость Новгорода от Киева была тем невыгодна для жителей первого, что все перемены и усобицы, происходившие на Руси, должны были отражаться и в их стенах; мы видели, что изгнание Изяслава из Киева необходимо повлекло перемену и в Новгороде: здесь является князем сын Святослава Глеб, но последний в свою очередь должен был оставить Новгород вследствие вторичного торжества Изяслава, который послал туда сына своего Святополка. Святополк в конце княжения Всеволода покинул Новгород для Турова, чтобы быть ближе к Киеву, и Всеволод послал в Новгород внука своего Мстислава. Потом Святополк и Мономах выводят Мстислава и посылают на его место Давыда Святославича; Давыд также оставил Новгород, и на его место приехал туда опять Мстислав. Таким образом, в продолжение 47 лет, от 1054 до 1101 г., в Новгороде шесть раз сменялись князья: двое из них ушли сами, остальные выводились вследствие смены великих князей или ряду их с другими. Теперь, в 1102 году, князья опять требуют у новгородцев, чтобы они отпустили от себя Мстислава Владимировича и приняли на его место сына Святополкова; новгородцы решительно отказываются; при этом, вероятно, они знали, что, не исполняя волю Святополкову, они тем самым исполняют волю Мономахову, в противном случае они не могли против воли последнего удержать у себя его сына, не могли поссориться с двумя сильнейшими князьями Руси и сидеть в это время без князя. В Киеве, на княжом дворе в присутствии Святополка произошло любопытное явление: Мстислав Владимирович пришел туда в сопровождении новгородских посланцев; посланцы Мономаха объявили Святополку: «Вот Владимир прислал сына своего, а вот сидят новгородцы; пусть они возьмут сына твоего и едут в Новгород, а Мстислав пусть идет во Владимир». Тогда новгородцы сказали Святополку: «Мы, князь, присланы сюда, и вот что нам велено сказать: не хотим Святополка, ни сына его; если у твоего сына две головы, то пошли его; этого (т. е. Мстислава) дал нам Всеволод, мы его вскормили себе в князья, а ты ушел от нас». Святополк много спорил с ними; но они поставили на своем, взяли Мстислава и повели его назад в Новгород. Указание на распоряжение Всеволода, вероятно, имело тот смысл в устах новгородцев, что сами князья на Любецком съезде решили сообразоваться с последними распоряжениями его; слова, что они вскормили себе Мстислава, показывают желание иметь постоянного князя, у них выросшего, до чего именно не допускали их родовые счеты и усобицы князей; наконец, выражение «а ты ушел от нас» показывает неудовольствие новгородцев на Святополка за предпочтение Турова их городу и указание, что, оставив добровольно Новгород, он тем самым лишился на него всякого права.

После Витичевского съезда прекратились старые усобицы вследствие изгойства; но немедленно же начались новые, потому что и второе поколение Ярославичей имело уже своих изгоев: у Святополка был племянник — Ярослав, сын брата его Ярополка. В 1101 году он *затворился* в Бресте от дяди Святополка — ясный знак, что дядя не хотел давать ему волостей, и Ярослав насильно хотел удержать за собою хотя Брест. Святополк пошел на него, заставил сдаться и в оковах привел в Киев. Митрополит и игумены умолили Святополка оставить племянника ходить на свободе, взявши с него клятву при гробе Бориса и Глеба, вероятно, в том, что он не будет больше посягать на дядины волости и станет жить спокойно в Киеве. Но в следующем году Ярослав ушел от дяди; за ним погнался двоюродный брат его, Ярослав Святополчич, обманом схватил его также за Брестом, на польских границах и в оковах привел к отцу; на этот раз Ярополковича уже не выпускали на свободу, и он умер в заточении в том же году*.

Знаменитый чародей Всеслав полоцкий на старости уже не беспокоил Ярославичей и дал им возможность управиться со своими делами; он умер в 1101 г. С его смертию кончилась сила Полоцкого княжества: между сыновьями его (их было человек семь) тотчас же, как видно, начались несогласия, в которые вмешались Ярославичи; так, в 1104 году встречаем известие, что Святополк посылал на Минск, на Глеба, воеводу своего Путяту, Владимир — сына своего Ярополка, а Олег сам ходил вместе с Давыдом Всеславичем — знак, что поход был предпринят для выгоды последнего, которого и прежде видим в связи с Ярославичами; поход, впрочем, кончился ничем.

Таковы были междукняжеские отношения при первом старшем князе из второго поколения Ярославичей. Теперь взглянем на отношения внешние. Мы видели, как народ на Руси боялся княжеских усобиц более всего потому, что ими могут воспользоваться поганые, половцы; видели, что и для самих князей этот страх служил также главным побуждением к миру. Южная Русь, как европейская украйна, должна была, подобно греческим припонтийским колониям древности, стоять всегда настороже вооруженною. Мы видели, как несчастно в этом отношении началось княжение Святополка, кото-

---

* Брат его Вячеслав Ярополчич умер в 1104 году.

рый первый подал пример брачных союзов с ханами половецкими. После убиения Итларя и удачного похода русских князей в степи половцы в том же 1095 г. явились при реке Роси, границе собственной Руси с степью, и осадили Юрьев, один из городов, основанных здесь Ярославом Первым, и названный по его имени; варвары целое лето стояли под городом и едва не взяли; Святополк *омирил* их, сказано в летописи, т. е. заплатил им за мир; несмотря на то, они все оставались в пределах Руси, не уходили за Рось в степи. Юрьевцы, видя это и наскучив жить в беспрестанном страхе, выбежали из своего города и пришли в Киев, а половцы сожгли пустой Юрьев — явление замечательное, показывающее тогдашнее состояние Украйны, или Южной Руси. Святополк велел строить новый город на Витичевском холму в 56 верстах от Киева, при Днепре, назвал его Святополчем и велел сесть в нем юрьевцам с своим епископом; нашлись и другие охотники селиться здесь из разных близких к степи мест, которых также гнал страх половецкий. В следующем, 1096 году, пользуясь отсутствием Святополка и Мономаха, воевавших на севере, с Святославичами, половцы уже не ограничились опустошением пограничных городков, но хан их Боняк, приобретший черную знаменитость в наших летописях, явился под Киевом, опустошил окрестности, сжег княжеский загородный дом на Берестове; а на восточной стороне Днепра другой хан — Куря — пустошил окрестности Переяславля. Успех Боняка и Кури прельстил и тестя Святополкова, Тугоркана: он также пришел к Переяславлю и осадил его; но в это время князья уже возвратились из похода; они выступили против половцев к Переяславлю и поразили их, причем Тугоркан с сыном и другими князьями был убит; Святополк велел поднять тело Тугорканово и погребсти в селе Берестове. Но, в то время как русские князья были заняты на восточной стороне Днепра, *шелудивый хищник* Боняк явился опять нечаянно перед Киевом; половцы едва не въехали в самый город, сожгли ближние деревни, монастыри, в том числе и монастырь Печерский. «Пришли, — говорит летописец-очевидец, — к нам в монастырь, а мы все спали по кельям после заутрени; вдруг подняли крик около монастыря и поставили два стяга перед воротами; мы бросились бежать задом монастыря, другие взобрались на полати; а безбожные дети Измаиловы высекли ворота и пошли по кельям, выламывая двери, вынося из келий все, что ни попадалось; потом выжгли Богородичную церковь, вошли в притвор у Федосиева гроба, взяли иконы; зажгли двери, ругаясь Богу и закону нашему». Тогда же зажгли двор красный, что поставил великий князь Всеволод на холму Выдубецком.

После Витичевского съезда, покончившего усобицы, князья получили возможность действовать наступательно против половцев: в 1101 году Святополк, Мономах и трое Святославичей собрались на реке Золотче, на правом берегу Днепра, чтоб идти на половцев; но те прислали послов ото всех ханов своих ко всей братьи просить мира; русские князья сказали им: «Если хотите мира, то сойдемся у Сакова»*; половцы явились в назначенное место и заключили мир, причем взяты были с обеих сторон заложники. Но, заключивши мир, русские князья не переставали думать о походе на варваров; мысль о походе на поганых летописец называет обыкновенно мыслию доброю, внушением Божиим. В 1103 году Владимир стал уговаривать Святополка идти весною на поганых**; Святополк сказал об этом дружине, дружина отвечала: «Не время теперь отнимать поселян от поля», после чего Святополк послал сказать Владимиру: «Надобно нам где-нибудь собраться и подумать с дружиною»; согласились съехаться в Долобске (при озере того же имени), выше Киева, на левой стороне Днепра; съехались и сели в одном шатре — Святополк с своею дружиною, а Владимир с своею; долго сидели молча, наконец Владимир начал: «Брат! Ты старший, начни же говорить, как бы нам промыслить о Русской земле?» Святополк отвечал:

---

* На левом берегу Днепра, недалеко от Переяславля, быть может, нынешнее село Сальков.

** Подробности одного и того же события рассказаны в Лавр. списке под 1103 годом, а в Ипатьевском отнесены к 1111 году.

«Лучше ты, братец, говори первый!» Владимир сказал на это: «Как мне говорить? Против меня будет и твоя и моя дружина, скажут: хочет погубить поселян и пашни; но дивлюсь я одному, как вы поселян жалеете и лошадей их, а того не подумаете, что станет поселянин весною пахать на лошади, и приедет половчин, ударит его самого стрелою, возьмет и лошадь, и жену, и детей, да и гумно зажжет; об этом вы не подумаете!» Дружина отвечала: «В самом деле так»; Святополк прибавил: «Я готов» — и встал, а Владимир сказал ему: «Великое, брат, добро сделаешь ты Русской земле». Они послали также и к Святославичам звать их в поход: «Пойдем на половцев, либо живы будем, либо мертвы»; Давыд послушался их, но Олег велел сказать, что нездоров. Кроме этих старых князей, пошли еще четверо молодых: Давыд Всеславич полоцкий, Мстислав, племянник Давыда Игоревича волынского (изгой), Вячеслав Ярополчич, племянник Святополка (также изгой) и Ярополк Владимирович, сын Мономаха. Князья пошли с пехотою и конницею: пешие ехали в лодках по Днепру, конница шла берегом. Прошедши пороги, у Хортицкого острова пешие высадились на берег, конные сели на лошадей и шли степью четыре дня. Половцы, услыхав, что идет Русь, собрались во множестве и начали думать; один из ханов, Урусоба, сказал: «Пошлем просить мира у Руси; они станут с нами биться крепко, потому что мы много зла наделали их Земле». Молодые отвечали ему: «Если ты боишься Руси, то мы не боимся; избивши этих, пойдем в их Землю, возьмем их города, и кто тогда защитит их от нас?» А русские князья и все ратники в это время молились Богу, давали обеты, кто кутью поставить, кто милостыню раздать нищим, кто в монастырь послать нужное для братии. Половцы послали впереди в сторожах Алтунопу, который славился у них мужеством; русские выслали также передовой отряд проведать неприятеля; он встретился с отрядом Алтунопы и истребил его до одного человека; потом сошлись главные полки, и русские победили, перебили 20 ханов, одного, Белдюза, взяли живьем и привели к Святополку; Белдюз начал давать за себя окуп — золото и серебро, коней и скот; Святополк послал его ко Владимиру, и тот спросил пленника: «Сколько раз вы клялись не воевать, и потом все воевали Русскую землю? Зачем же ты не учил сыновей своих и родичей соблюдать клятву, а все проливал кровь христианскую? Так будь же кровь твоя на голове твоей» — и велел убить его; Белдюза рассекли на части. Потом собрались все братья, и Владимир сказал: «Сей день, его же сотвори Господь, возрадуемся и возвеселимся в онь; Господь избавил нас от врагов, покорил их нам, сокрушил главы змиевы и дал их брашно людям русским». Взяли тогда наши много скота, овец, лошадей, верблюдов, вежи со всякою рухлядью и рабами, захватили печенегов и торков, находившихся под властию половцев, и пришли в Русь с полоном великим, славою и победою. Святополк думал, что надолго избавились от половцев, и велел возобновить город Юрьев, сожженный ими перед тем.

Но жив был страшный Боняк; через год он подал о себе весть, пришел к Зарубу, находившемуся на западной стороне Днепра, против трубежского устья, победил торков и берендеев. В следующем, 1106 году Святополк должен был выслать троих воевод своих против половцев, опустошавших окрестности Заречска; воеводы отняли у них полон. В 1107 году Боняк захватил конские табуны у Переяславля; потом пришел со многими другими ханами и стал около Лубен*, на реке Суле. Святополк, Владимир, Олег с четырьмя другими князьями ударили на них внезапно с криком; половцы испугались, от страха не могли и стяга поставить и побежали: кто успел схватить лошадь — на лошади, а кто пешком; наши гнали их до реки Хороля и взяли стан неприятельский; Святополк пришел в Печерский монастырь к заутрене на Успеньев день и с радостию здоровался с братиею после победы. Несмотря, однако, на эти успехи, Мономах и Святославичи — Олег и Давыд в том же году имели съезд с двумя ханами и взяли у них дочерей замуж за сыновей своих. Поход троих

---

* Уездный город Полтавской губернии.

князей — Святополка, Владимира и Давыда в 1110 году кончился ничем: они возвратились из города Воина по причине стужи и конского падежа; но в следующем году, *думою* и *похотением* Мономаха, князья вздумали навестить половцев на Дону, куда еще прежде, в 1109 году, Мономах посылал воеводу своего Дмитра Иворовича, который и захватил там половецкие вежи. Пошли Святополк, Владимир и Давыд с сыновьями, пошли они во второе воскресенье Великого поста, в пятницу дошли до Сулы, в субботу были на Хороле, где бросили сани; в крестопоклонное воскресенье пошли от Хороля и достигли Псела; оттуда пошли и стали на реке Голте, где дождались остальных воинов и пошли к Ворскле; здесь в середу целовали крест со многими слезами и двинулись далее, перешли много рек и во вторник на шестой неделе достигли Дона. Отсюда, надевши брони и выстроивши полки, пошли к половецкому городу Шаруканю, причем Владимир велел священникам своим ехать перед полками и петь молитвы; жители Шаруканя вышли навстречу князьям, поднесли им рыбу и вино; русские переночевали тут и на другой день, в среду, пошли к другому городу, Сугрову, и зажгли его; в четверг пошли с Дона, а в пятницу, 24 марта, собрались половцы, изрядили полки свои и двинулись против русских. Князья наши возложили всю надежду на Бога, говорит летописец, и сказали друг другу: «Помереть нам здесь; станем крепко!», перецеловались и, возведши глаза на небо, призывали Бога вышнего. И Бог помог русским князьям: после жестокой битвы половцы были побеждены, и пало их много.

Весело на другой день праздновали русские Лазарево воскресение и Благовещение, а в воскресенье пошли дальше. В страстной понедельник собралось опять множество половцев, и обступили полки русские на реке Салнице. Когда полки русские столкнулись с полками половецкими, то раздался точно гром, брань была лютая, и много падало с обеих сторон; наконец выступили Владимир и Давыд с своими полками; увидавши их, половцы бросились бежать и падали пред полком Владимировым, невидимо поражаемые ангелом; многие люди видели, как головы их летели, ссекаемые невидимою рукою. Святополк, Владимир и Давыд прославили Бога, давшего им такую победу на поганых; русские взяли полона много — скота, лошадей, овец и колодников много побрали руками. Победители спрашивали пленных: «Как это вас была такая сила, и вы не могли бороться с нами, а тотчас побежали?» Те отвечали: «Как нам с вами биться? Другие ездят над вами в бронях светлых и страшных и помогают вам». Это ангелы, прибавляет летописец, от Бога посланные помогать христианам; ангел вложил в сердце Владимиру Мономаху возбудить братьев своих на иноплеменников. Так, с Божиею помощию, пришли русские князья домой, к своим людям со славою великою, и разнеслась слава их по всем странам дальним, дошла до греков, венгров, ляхов, чехов, дошла даже до Рима.

Мы привели известие летописца о донском походе князей на половцев со всеми подробностями, чтоб показать, какое великое значение имел этот поход для современников. Времена Святослава Старого вышли из памяти, а после никто из князей не ходил так далеко на восток, и на кого же? На тех страшных врагов, которые Киев и Переяславль не раз видели под своими стенами, от которых бегали целые города; половцы побеждены не в волостях русских, не на границах, но в глубине степей своих; отсюда понятно религиозное одушевление, с каким рассказано событие в летописи: только ангел мог внушить Мономаху мысль о таком важном предприятии, ангел помог русским князьям победить многочисленные полчища врагов; слава похода разнеслась по дальним странам; понятно, как она разнеслась на Руси и какую славу заслужил главный герой предприятия, тот князь, которому ангел вложил мысль возбудить братьев к этому походу; Мономах явился под особенным покровительством неба; пред его полком, сказано, падали половцы, невидимо поражаемые ангелом. И надолго остался Мономах в памяти народной как главный и единственный герой донского похода, долго ходило предание о том, как пил он Дон золотым шеломом, как загнал окаянных агарян за Железные ворота.

Так славно воспользовались князья, т. е. преимущественно Мономах, прекращением усобиц. Мы видели, что для Руси борьба с половцами и отношения княжеские составляли главный интерес; но из отдаленных концов, с севера, запада и востока доходил слух о борьбе русских людей с другими варварами, окружавшими их со всех сторон. Новгородцы с князем своим Мстиславом ходили на чудь, к западу от Чудского озера. Полоцкие и волынские князья боролись с ятвягами и латышами: иногда поражали их, иногда терпели поражение; наконец, на востоке младший Святославич, Ярослав, бился несчастно с мордвою; как видно, он княжил в Муроме.

При Святополке начинается связь нашей истории с историею Венгрии. Мы видели, какое значение для западных славянских народов имело вторжение венгров и утверждение их в Паннонии на развалинах Моравского государства. Любопытно читать у императора Льва Мудрого описание, каким образом венгры вели войну, потому что здесь находим мы объяснение наших летописных известий о венграх, равно как и о половцах: «Венгры, — говорит Лев, — с младенчества привыкают к верховой езде и не любят ходить пешком; на плечах носят они длинные копья, в руках — луки и очень искусны в употреблении этого оружия. Привыкши стреляться с неприятелем, они не любят рукопашного боя; больше нравится им сражаться издали. В битве разделяют они свое войско на малые отряды, которые становят в небольшом расстоянии друг от друга». Мы видели, что именно так, *заступами* расположили они свое войско в битве с Давыдом Игоревичем и Боняком половецким. В конце X века прекращает эта кочевая орда свои опустошительные набеги на соседей и начинает привыкать к оседлости, гражданственности, которая проникла к венграм вместе с христианством: в 994 году князь Гейза вместе с сыном своим принял крещение; этот сын его, св. Стефан, хотел дать новой религии окончательное торжество, для чего повестил, чтоб всякий венгерец немедленно крестился; но следствием такого приказа было сильное восстание язычников, которое кончилось только после поражения, претерпенного ими в кровопролитной битве против войска княжеского. По смерти бездетного Стефана, первого короля Венгрии, начинаются усобицы между разными князьями из Арпадовой династии; этими усобицами пользуются императоры немецкие, чтоб сделать венгерских королей своими вассалами; пользуются вельможи, чтоб усилить свою власть на счет королевской; наконец, пользуется язычество, чтоб восстать еще несколько раз против христианства. Только в конце XI века, при королях Владиславе Святом и Коломане, Венгрия начинает отдыхать от внутренних смут и вместе усиливаться на счет соседей, вмешиваться в их дела; вот почему мы видели Коломана в союзе с Святополком, против Давыда и Ростиславичей. Союз Коломана с Святополком был даже скреплен браком одного из королевичей венгерских на Предславе, дочери князя киевского. Сам Коломан незадолго перед смертью женился на дочери Мономаховой, Евфимии; но через год молодая королева была обвинена в неверности и отослана к отцу в Русь, где родила сына Бориса, так долго беспокоившего Венгрию своими притязаниями. Коломан умер в начале 1114 года, оставив престол сыну своему, Стефану II.

В начале 1113 года видели в Киеве солнечное затмение; небесное знамение предвещало смерть Святополкову, по словам летописца; князь умер 16 апреля, недолго переживши Давыда Игоревича, умершего в мае 1112 года. По Святополке плакали бояре и дружина его вся, говорит летописец, но о плаче народном не упоминает ни слова; княгиня его раздала много богатства по монастырям, попам, нищим, так что все дивились: никогда не бывало такой милостыни; Святополк был благочестив: когда шел на войну или куда-нибудь, то заходил прежде в Печерский монастырь поклониться гробу св. Феодосия и взять молитву у игумена; несмотря на то, летописец не прибавил ни слова в похвалу его, хотя любил сказать что-нибудь доброе о каждом умершем князе. В житиях святых печерских находим дополнительные известия, которые объясняют нам причину молчания летописца: однажды вздорожала соль в Киеве; иноки Печерского монастыря помогали народу в такой нужде; Святополк, узнав об этом, пограбил соль у монахов, чтоб продать ее самому дорогою ценою; игумен Иоанн обличал ревностно его корыстолюбие и жестокость; князь заточил обличителя, но потом возвратил из опасения вооружить против себя Мономаха. Сын Святополка, Мстислав, был похож на отца: однажды разнеслась весть, что двое монахов нашли клад в пещере; Мстислав мучил без пощады этих монахов, выпытывая у них, где клад. Этот Мстислав был рожден от наложницы, которая, по некоторым известиям, имела сильное влияние на бесхарактерного Святополка. При нем, говорит автор житий, много было насилия от князя людям; домы вельмож без вины искоренил, имение у многих отнял; великое было тогда нестроение и грабеж беззаконный.

Таково было княжение Святополка для киевлян. Легко понять, что племя Изяславово потеряло окончательно народную любовь на Руси; дети Святослава никогда не пользовались ею: мы видели, какую славу имел Олег Гориславич в народе; в последнее время он не мог поправить ее, не участвуя в самых знаменитых походах других князей. Старший брат его, Давыд, был лицо незначительное; если он сделал менее зла Русской земле, чем брат его, то, как видно, потому, что был менее его деятелен; но если бы даже Давыд и имел большое значение, то оно исчезало пред значением Мономаха, который во все княжение Святополка стоял на первом плане; от него одного только народ привык ждать всякого добра; мы видели, что в летописи он является любимцем неба, действующим по его внушению, и главным зачинателем добрых предприятий; он был старшим на деле; любопытно, что летописец при исчислении князей постоянно дает ему второе место после Святополка, впереди Святославичей: могли ли они после того надеяться получить старшинство по смерти Святополковой? При тогдашних неопределенных отношениях, когда княжил целый род, странно было бы ожидать, чтоб Святополково место занято было кем-нибудь другим, кроме Мономаха. Мы видели, как поступили новгородцы, когда князья хотели вывести из города любимого ими Мстислава; так же поступают киевляне по смерти Святополка, желая видеть его преемником Мономаха. Они собрали вече, решили, что быть князем Владимиру, и послали к нему объявить об этом. «Ступай, князь, на стол отцовский и дедовский», — говорили ему послы. Мономах, узнав о смерти Святополка, много плакал и не пошел в Киев: если по смерти Всеволода он не пошел туда, уважая старшинство Святополка, то ясно, что и теперь он поступал по тем же побуждениям, уважая старшинство Святославичей. Но у киевлян были свои расчеты: они разграбили двор Путяты тысяцкого за то, как говорит одно известие, что Путята держал сторону Святославичей, потом разграбили дворы сотских и жидов; эти слова летописи подтверждают то известие, что Святополк из корыстолюбия дал большие льготы жидам, которыми они пользовались в ущерб народу и тем возбудили против себя всеобщее негодование. После грабежа киевляне послали опять к Владимиру с такими словами: «Приходи, князь, в Киев; если же не придешь, то знай, что много зла сделается: ограбят уже не один Путятин двор или сотских и жидов, но пойдут на княгиню Святополкову, на бояр, на монастыри, и тогда ты, князь, дашь Богу ответ, если монастыри разграбят». Владимир, услыхавши об этом, пошел в Киев; навстречу к нему вышел митрополит с епископами и со всеми киевлянами, принял его с честью великою, все люди были рады, и мятеж утих.

Так после первого же старшего князя во втором поколении нарушен уже был порядок первенства вследствие личных достоинств сына Всеволодова; племя Святославово потеряло старшинство, должно было ограничиться одною Черниговскою волостию, которая таким образом превращалась в отдельную от остальных русских владений отчину, подобно Полоцкой отчине Изяславичей. На первый раз усобицы не было: Святославичам нельзя было спорить с Мономахом; но они затаили обиду свою только на время.

В непосредственной связи с приведенными обстоятельствами избрания Мономахова находится известие, что Владимир тотчас по вступлении на старший стол собрал мужей своих, Олег Святославич прислал также своего мужа, и порешили ограничить росты; очень вероятно, что жиды с позволения Святополкова пользовались неумеренными ростами, за что и встал на них народ.

Святославичи не предъявляли своих прав, с ними не было войны; несмотря на то, и княжение Мономаха не обошлось без усобиц. Мы видели еще при Святополке поход князей на Глеба Всеславича минского; этот князь, как видно, наследовал дух отца своего и деда и вражду их с Ярославичами: он не побоялся подняться на сильного Мономаха, опустошил часть земли дреговичей, принадлежавшую Киевскому княжеству, сжег Слуцк*, и когда Владимир посылал к нему с требованием, чтоб унялся от насилий, то он не думал раскаиваться и покоряться, но отвечал укоризнами. Тогда Владимир в 1116 году, надеясь на Бога и на правду, по выражению летописца, пошел к Минску с сыновьями своими, Давыдом Святославичем и сыновьями Олеговыми. Сын Мономаха, Вячеслав, княживший в Смоленске, взял Оршу и Копыс; Давыд с другим сыном Мономаховым, Ярополком, княжившим в Переяславле, на отцовском месте, взяли Друцк приступом, а сам Владимир пошел к Минску и осадил в нем Глеба. Мономах решился взять Минск, сколько бы ни стоять под ним, и для того велел у стана строить прочное жилье (избу); Глеб, увидав приготовление к долгой осаде, испугался и начал слать послов с просьбами; Владимир, не желая, чтоб христианская кровь проливалась Великим постом, дал ему мир; Глеб вышел из города с детьми и дружиною, поклонился Владимиру и обещался во всем его слушаться; тот, давши ему наставление, как вперед вести себя, возвратил ему Минск и пошел назад в Киев; но сын его Ярополк переяславский не думал возвращать свой плен, жителей Друцка; тяготясь более других князей малонаселенностью своей степной волости, так часто опустошаемой половцами, он вывел их в Переяслав-

* Теперь уездный город Минской губернии.

ское княжество и срубил для них там город Желни*. Минский князь, как видно, недолго исполнял наказ Владимиров: в 1120 году у Глеба отняли Минск и самого привели в Киев, где он в том же году и умер**.

Другая усобица происходила на Волыни. Мы видели, что Владимир жил дружно с Святополком; последний хотел еще более скрепить эту дружбу, которая могла быть очень выгодна для сына его Ярослава, и женил последнего на внучке Мономаховой, дочери Мстислава новгородского. Но самый этот брак если не был единственною, то, по крайней мере, одною из главных причин вражды между Ярославом и Мономахом. Под 1118 годом встречаем известие, что Мономах ходил войною на Ярослава к Владимиру-Волынскому вместе с Давидом Святославичем, Володарем и Васильком Ростиславичами. После двухмесячной осады Ярослав покорился, ударил челом перед дядею; тот дал ему наставление, велел приходить к себе по первому зову и пошел назад с миром в Киев. В некоторых списках летописи прибавлено, что причиною похода Мономахова на Ярослава было дурное обращение последнего с женою своею, известие очень вероятное, если у Ярослава были наследственные от отца наклонности. Но есть еще другое известие, также очень вероятное, что Ярослав был подучаем поляками ко вражде с Мономахом и особенно с Ростиславичами. Мы видели прежде вражду последних с поляками, которые не могли простить Васильку его опустошительных нападений и завоеваний; Ярослав, подобно отцу, не мог забыть, что волость Ростиславичей составляла некогда часть Волынской волости: интересы, следовательно, были одинакие и у польского и у волынского князя; но, кроме того, их соединяла еще родственная связь. Мы видели,

---

* В Полтавской губернии, в Золотопошском уезде, на реке Суле, недалеко от устья ее в Днепр, находится старинное местечко Жовлин, или Жолнин.

** По Татищеву, Глеб начал опять воевать Новгородскую и Смоленскую волости; Владимир послал на него сына своего Мстислава, который и отнял у него Минск.

что еще на Брестском съезде между Владиславом Германом и Святополком было положено заключить брачный союз: дочь Святополкову Сбыславу выдали за сына Владиславова, Болеслава Кривоустого; но брак был отложен по малолетству жениха и невесты. В 1102 году умер Владислав Герман, еще при жизни своей разделивши волости между двумя сыновьями — законным Болеславом и незаконным Збигневом. Когда вельможи спрашивали у него, кому же из двоих сыновей он дает старшинство, то Владислав отвечал: «Мое дело разделить волости, потому что я стар и слаб; но возвысить одного сына перед другим или дать им правду и мудрость может только один Бог. Мое желание — чтоб вы повиновались тому из них, который окажется справедливее другого и доблестнее при защите родной земли». Эти слова, приводимые польским летописцем, очень замечательны: они показывают всю неопределенность в понятиях о порядке наследства, какая господствовала тогда в славянских государствах. Лучшим между братьями оказался Болеслав, который вовсе не был похож на отца, отличался мужеством, деятельностью. Болеслав остался верен отцовскому договору с Святополком, женился на дочери последнего — Сбыславе, и вследствие этого родственного союза Ярослав волынский постоянно помогал Болеславу в усобице его с братом Збигневом; нет ничего странного, следовательно, что князья польский и волынский решились действовать вместе против Ростиславичей. Но мог ли Мономах спокойно смотреть на это, тем более что он находился с Ростиславичами в родственной связи: сын его Роман был женат на дочери Володаря; ясно, что он должен был вступиться за последнего и за брата его; сначала, говорит то же известие, он посылал уговаривать Ярослава, потом звал его на суд пред князей, наконец, когда Ярослав не послушался, пошел на него войною, исход которой мы изложили по дошедшим до нас летописям. В них встречаем еще одно важное известие, что перед походом на Ярослава Мономах перезвал из Новгорода старшего сына своего Мстислава и посадил его подле себя, в Белгороде: это могло заставить Ярослава думать, что Мономах хочет по смерти своей передать старшинство сыну своему, тогда как Мономах мог это сделать именно вследствие неприязненного поведения Ярослава. Принужденная покорность последнего не была продолжительна: скоро он прогнал свою жену, за что Мономах выступил вторично против него; разумеется, Ярослав мог решиться на явный разрыв, только собравши значительные силы и в надежде на помощь польскую и венгерскую, потому что и с королем венгерским он был также в родстве; но собственные бояре отступили от волынского князя, и он принужден был бежать сперва в Венгрию, потом в Польшу. Мономах посадил во Владимире сперва сына своего Романа, а потом, по смерти его, другого сына — Андрея. Что эти события были в связи с польскою войною, доказательством служит поход нового владимирского князя Андрея с половцами в Польшу в 1120 году. В следующем году Ярослав с поляками подступил было к Червеню; Мономах принял меры для безопасности пограничных городов: в Червени сидел знаменитый муж Фома Ратиборович, который и заставил Ярослава возвратиться ни с чем. Для поляков, как видно, самым опасным врагом был Володарь Ростиславич, который не только водил на Польшу половцев, но был в союзе с другими опасными ее врагами, поморянами и пруссаками. Не будучи в состоянии одолеть его силою, поляки решились схватить его хитростию. В то время при дворе Болеслава находился знаменитый своими похождениями Петр Власт, родом, как говорят, из Дании. В совете, который держал Болеслав по случаю вторжений Володаря, Власт объявил себя против открытой войны с этим князем, указывал на связь его с половцами, поморянами, пруссаками, которые все в одно время могли напасть на Польшу, и советовал схватить Ростиславича хитростию, причем предложил свои услуги. Болеслав принял предложение, и Власт отправился к Володарю в сопровождении тридцати человек, выставил себя изгнанником, заклятым врагом польского князя и успел приобресть полную доверенность

Ростиславича. Однажды оба они выехали на охоту; князь, погнавшись за зверем, удалился от города, дружина его рассеялась по лесу, подле него остался только Власт с своими; они воспользовались благоприятною минутою, бросились на Володаря, схватили и умчали к польским границам. Болеслав достиг своей цели: Василько Ростиславич отдал всю свою и братнюю казну, чтоб освободить из плена Володаря; но, что было всего важнее, Ростиславичи обязались действовать заодно с поляками против всех врагов их: иначе мы не можем объяснить присутствие обоих братьев в польском войске во время похода его на Русь в 1123 году. В этот год Ярослав пришел под Владимир с венграми, поляками, чехами, обоими Ростиславичами — Володарем и Васильком; было у него множество войска, говорит летописец. Во Владимире сидел тогда сын Мономахов Андрей, сам Мономах собирал войска в Киевской волости, отправив наперед себя ко Владимиру старшего сына Мстислава с небольшим отрядом; но и тот не успел прийти, как осада была уже снята. В воскресенье рано утром подъехал Ярослав сам-третей к городским стенам и начал кричать Андрею и гражданам: «Это мой город; если не отворитесь, не выйдете с поклоном, то увидите: завтра приступлю к городу и возьму его». Но в то время, когда он еще ездил под городом, из последнего вышли тихонько два поляка, без сомнения находившиеся в службе у Андрея, что тогда было дело обыкновенное, и спрятались при дороге; когда Ярослав возвращался от города мимо их, то они вдруг выскочили на дорогу и ударили его копьем; чуть-чуть живого успели примчать его в стан, и в ночь он умер. Король венгерский Стефан II решился было продолжать осаду города, но вожди отдельных отрядов его войска воспротивились этому, объявили, что не хотят без цели проливать кровь своих воинов, вследствие чего все союзники Ярославовы разошлись по домам, отправив послов ко Владимиру с просьбою о мире и с дарами. Летописец распространяется об этом событии. «Так умер Ярослав, — говорит он, — одинок при такой силе; погиб за великую гордость, потому что не имел надежды на Бога, а надеялся на множество войска; смотри теперь, что взяла гордость? Разумейте, дружина и братья, по ком Бог: по гордом или по смиренном? Владимир, собирая войско в Киеве, плакался пред Богом о насилии и гордости Ярославовой; и была великая помощь Божия благоверному князю Владимиру за честное его житие и за смирение; а тот молодой гордился против деда своего и потом опять против тестя своего Мстислава». Эти слова замечательны, во-первых, потому, что в них высказывается современный взгляд на междукняжеские отношения: Ярослав в глазах летописца виноват тем, что, будучи молод, гордился перед дядею и тестем, — чисто родовые отношения, за исключением всяких других. Во-вторых, очень замечательны слова об отношениях Ярослава к Мстиславу: Ярослав выставляется молодым пред Мстиславом, порицается за гордость пред ним: не заключают ли эти слова намека на столкновение прав тестя и зятя на старшинство? Не заключалась ли гордость Ярослава преимущественно в том, что он, будучи молод и зять Мстиславу, вздумал выставлять права свои перед ним, как сын старшего из внуков Ярославовых? Нам кажется это очень вероятным. Как бы то ни было, однако и самая старшая линия в Ярославовом потомстве потеряла право на старшинство смертию Ярослава; если и последний, по мнению летописца, был молод пред Мстиславом, то могли ли соперничать с ним младшие братья Ярославовы, Изяслав и Брячислав: оба они умерли в 1127 году; потомство Святополково вместе с Волынью лишилось и Турова, который также отошел к роду Мономахову; за Святополковичами остался здесь, как увидим после, один Клецк. Наконец, заметим, что Мономаху и племени его везде благоприятствовало народное расположение: Ярослав не мог противиться Мономаху во Владимире; бояре отступили от него, и когда он пришел с огромным войском под Владимир, то граждане не думали отступать от сына Мономахова.

Так кончились при Владимире междукняжеские отношения и соединенные с ними отношения польские. Касательно других европейских государств при Мономахе останавливают нас летописные известия об отношениях греческих. Дочь Мономаха Мария была в замужестве за Леоном, сыном императора греческого Диогена; известны обычные в Византии перевороты, которые возвели на престол дом Комнинов в ущерб дома Диогенова. Леон, без сомнения, не без совета и помощи тестя своего, русского князя, вздумал в 1116 году вооружиться на Алексея Комнина и добыть себе какую-нибудь область; несколько дунайских городов уже сдались ему; но Алексей подослал к нему двух арабов, которые коварным образом умертвили его в Доростоле. Владимир хотел по крайней мере удержать для внука своего Василия приобретения Леоновы и послал воеводу Ивана Войтишича, который посажал посадников по городам дунайским; но Доростол захвачен был уже греками; для его взятия ходил сын Мономаха Вячеслав с воеводою Фомою Ратиборовичем на Дунай, но принужден был возвратиться без всякого успеха. По другим известиям, русское войско имело успех во Фракии, опустошило ее, и Алексей Комнин, чтобы избавиться от этой войны, прислал с мирными предложениями к Мономаху Неофита, митрополита эфесского, и других знатных людей, которые поднесли киевскому князю богатые дары — крест из животворящего древа, венец царский, чашу сердоликовую, принадлежавшую императору Августу, золотые цепи и проч., причем Неофит возложил этот венец на Владимира и назвал его царем. Мы видели, что царственное происхождение Мономаха по матери давало ему большое значение, особенно в глазах духовенства; в памятниках письменности XII века его называют *царем**; какую связь имело это название с вышеприведенным известием — было ли его причиною или следствием, решить трудно; заметим одно, что известие это не заключает в себе ничего невероятного; очень вероятно также, что в Киеве воспользовались этим случаем, чтоб дать любимому князю и детям его еще более

---

* Как, например, Даниил Заточник называет Юрия Долгорукого сыном великого царя Владимира.

прав на то значение, которое они приобрели в ущерб старшим линиям. Как бы то ни было, мы не видим после возобновления военных действий с греками и под 1122 годом встречаем известие о новом брачном союзе внучки Мономаховой, дочери Мстислава, с одним из князей династии Комнинов.

Мы вправе ожидать, что половцам и другим степным ордам стало не легче, когда Мономах сел на старшем столе русском. Узнавши о смерти Святополка, половцы явились было на восточных границах; но Мономах, соединившись с Олегом, сыновьями своими и племянниками, пошел на них и принудил к бегству. В 1116 году видим опять наступательное движение русских: Мономах послал сына своего Ярополка, а Давыд — сына своего Всеволода на Дон, и князья эти взяли у половцев три города. Ряд удачных походов русских князей, как видно, ослабил силы половцев и дал подчиненным торкам и печенегам надежду освободиться от их зависимости; они встали против половцев, и страшная резня происходила на берегах Дона: варвары секлись два дня и две ночи, после чего торки и печенеги были побеждены, прибежали в Русь и были поселены на границах. Но движения в степях не прекращались: в следующем году пришли в Русь беловежцы, также жители донских берегов; так русские границы населялись варварскими народами разных названий, которые будут играть важную роль в нашем дальнейшем рассказе; но сначала, как видно, эти гости были очень беспокойны, не умели отвыкнуть от своих степных привычек и уживаться в ладу с оседлым народонаселением: в 1120 году Мономах принужден был выгнать берендеев из Руси, а торки и печенеги бежали сами. Ярополк после того ходил на половцев за Дон, но не нашел их там: недаром предание говорит, что Мономах загнал их на Кавказ. Новгородцы и псковичи продолжали воевать с чудью на запад от Чудского озера: в 1116 году Мстислав взял город Оденпе, или Медвежью Голову, погостов побрал бесчисленное множество и возвратился домой с большим полоном; сын его Всеволод в 1122 году ходил на финское племя ямь и победил его; но дорога была трудна по дороговизне хлеба. На северо-востоке борьба с иноплеменниками шла также удачно: прежде мы встречали известия о поражениях, которые претерпевали муромские волости от болгар и мордвы, но теперь под 1120 годом читаем, что сын Мономахов, Юрий, посаженный отцом в Ростовской области, ходил по Волге на болгар, победил их полки, взял большой полон и пришел назад с честью и славою.

Так во всех концах русских волостей оправдались надежды народа на благословенное княжение Мономаха. После двенадцатилетнего правления в Киеве, в 1125 году, умер Мономах, просветивший Русскую землю, как солнце, по выражению летописца; слава его прошла по всем странам, особенно же был он страшен поганым; был он братолюбец и нищелюбец и добрый страдалец (труженик) за Русскую землю. Духовенство плакало по нем как по святом и добром князе, потому что много почитал он монашеский и священнический чин, давал им все потребное, церкви строил и украшал; когда входил в церковь и слышал пение, то не мог удержаться от слез, потому-то Бог и исполнял все его прошения и жил он в благополучии; весь народ плакал по нем, как плачут дети по отце или по матери*.

Рассмотревши деятельность второго поколения Ярославичей, взглянем и на деятельность дружинников княжеских. Мы видели, что с приходом Святополка из Турова в Киев в последнем городе явились две дружины: старая, бывшая при Изяславе и Всеволоде, и новая, приведенная Святополком. Мы заметили, что летописец явно отдает предпочтение старой пред новою: члены первой являются у него людьми разумными, опытными, члены второй называются несмысленными. Любопытно заметить также при этом, что члены

* Портрет Мономаха у Татищева: «...лицом был красен, очи велики, волосы рыжеваты и кудрявы, чело высоко, борода широкая, ростом не вельми велик, крепкий телом и силен вельми, в воинстве вельми храбр и хитр на устроение войск, многих врагов своих победил и покорил, сам же единою токмо у Триполя побежден был, о чем никогда поминать не мог, частию от жалости по утопшем тогда брате Ростиславе, которого вельми любил, частию от стыда, что непорядком Святополковым к тому приведен».

старой дружины, люди разумные, держатся постоянно Мономаха и его думы. Из них на первом месте у летописца является Ян Вышатич, которого деятельность видели мы при первом поколении; в последний раз является Ян под 1106 годом, когда он вместе с братом своим Путятою и Иваном Захарьичем прогнал половцев и отнял у них полон. Вслед за этим встречаем известие о смерти Яна, старца доброго, жившего лет 90. «Жил он по закону Божию, — говорит летописец, — не хуже первых праведников, от него и я слышал много рассказов, которые и внес в летопись». Трудно решить, разумел ли здесь летописец нашего Вышатича или другого какого-нибудь Яна; кажется, в первом случае он прибавил бы что-нибудь и о его гражданских подвигах. Гораздо чаще упоминается имя брата Янова, Путяты, который был тысяцким при Святополке в Киеве; мы видели, что при Всеволоде был киевским тысяцким Ян; каким образом эта должность перешла к младшему брату от старшего при жизни последнего, мы не знаем; любопытно одно, что это звание сохраняется в семье Вышаты, тысяцкого Ярославова. Деятельность Путяты мы видели в войне Святополка с Давыдом волынским, на Витичевском съезде, в походе на половцев в 1106 году; наконец, по смерти Святополка видим, что народ грабит дом Путяты за приверженность его к Святославичам; можно думать, что не столько личная привязанность к этому роду могла руководить поведением Путяты, сколько привязанность к обычному порядку старшинства, нарушение которого неминуемо влекло за собою смуту и усобицы. Кроме братьев Вышатичей — Яна и Путяты из мужей Святополковых, бояр киевских, упоминаются Василь, Славата, Иванко Захарьич, Козарин. После Всеволода муж его Ратибор, которого мы видели посадником в Тмутаракани, не остался в Киеве, но перешел к Мономаху, у которого в Переяславле пользовался большим значением, что видно из рассказа об убийстве половецких ханов; потом мы видим его на Витичевском съезде; наконец, когда Мономах занял старший стол, Ратибор сделался тысяцким в Киеве, на место Путяты: в этом звании он участвует в перемене устава о ростах вместе с Прокопием, белогородским тысяцким, Станиславом (Тукиевичем) переяславским и еще двумя мужами — Нажиром и Мирославом; здесь в другой раз замечаем, что перемена в земском уставе делается в совете тысяцких разных городов, встречаем имена двоих сыновей Ратиборовых — Ольбега и Фомы; кроме них, еще имена двоих воевод Мономаховых — Дмитра Иворовича и Ивана Войтишича, первого в походе на половцев за Дон, второго на греков к Дунаю, наконец, Орогоста, действовавшего вместе с Ратибором на Витичевском съезде. Из черниговских бояр у Святославичей встречаем имена: Торчина при рассказе о Витичевском съезде и Иванка Чудиновича, бывшего при перемене устава о ростах; если этот Иванко сын Чудина, боярина Изяславова, то любопытно, что сын очутился в дружине Святославичей. Из волынских бояр встречаем имена Туряка, Лазаря и Василя, выставленных главными виновниками ослепления Василька. Что касается до происхождения членов княжеской дружины, то имена Торчина, боярина Святославичей черниговских, и Козарина, боярина Святополкова, ясно на него указывают; имена прислуги княжеской — Торчина, овчаря Святополкова, Бяндука, отрока Мономахова, Кульмея, Улана и Колчка, отроков Давыда волынского, — могут указывать также на варварское происхождение.

ГЛАВА ЧЕТВЕРТАЯ

События при правнуках Ярослава I, борьба дядей с племянниками в роде Мономаха и борьба Святославичей с Мономаховичами до смерти Юрия Владимировича Долгорукого (1125–1157)

Сыновья Мономаха. — Мстислав, великий князь. — Усобица между Святославичами черниговскими. — Княжество Муромское. — Присоединение Полоцка к волостям Мономаховичей. — Война с половцами, чудью и литвою. — Смерть великого князя Мстислава Владимировича. — Брат его Ярополк — великим князем. — Начало борьбы дядей с племянниками в племени Мономаховом. — Святославичи черниговские вмешиваются в эту борьбу. — События в Новгороде Великом. — Смерть Ярополка Владимировича. — Всеволод Ольгович черниговский изгоняет Вячеслава Владимировича из Киева и утверждается здесь. — Отношения между Мономаховичами; война с ними Всеволода Ольговича. — Отношения его к родным и двоюродным братьям. — Ростиславичи галицкие. — Война великого князя Всеволода с Владимирком Володаревичем галицким. — Князья городенские, полоцкие, муромские. — События в Новгороде Великом. — Вмешательство русских князей в дела польские. — Морской разбой шведов. — Борьба русских с финнами и половцами. — Предсмертные распоряжения великого князя Всеволода Ольговича. — Смерть его. — Изгнание из Киева Игоря Ольговича. — Изяслав Мстиславич Мономашич княжит в Киеве. — Плен Игоря Ольговича. — Раздор между Святославичами черниговскими. — Союз Изяслава Мстиславича с Давыдовичами черниговскими; союз Святослава Ольговича с Юрием Владимировичем Мономашичем, князем ростовским, против Изяслава Мстиславича. — Первое упоминание о Москве. — Отступление Давыдовичей черниговских от Изяслава Мстиславича. — Киевляне убивают Игоря Ольговича. — Мир Изяслава Мстиславича с Святославичами черниговскими. — Сын Юрия ростовского Ростислав переходит к Изяславу Мстиславичу. — Изяслав в Новгороде Великом; поход его на волости дяди Юрия. — Изгнание Ростислава Юрьевича из Киева. — Движение отца его Юрия на юг. — Победа Юрия над племянником Изяславом и занятие Киева. — За Изяслава вступаются венгры и поляки; галицкий князь Владимирко за Юрия. — Подвиги сына

Юрьева Андрея. — Он хлопочет о мире между отцом своим и Изяславом Мстиславичем. — Непродолжительность мира. — Изяслав изгоняет Юрия из Киева, но должен уступить старшинство другому дяде, Вячеславу. — Война Изяслава с Владимирком галицким. — Юрий изгоняет Вячеслава и Изяслава из Киева. — Изяслав с венграми опять изгоняет Юрия из Киева и опять отдает старшинство Вячеславу, под именем которого княжит в Киеве. — Продолжение борьбы Изяслава с Юрием. — Битва на реке Руте и поражение Юрия, который принужден оставить юг. — Два других неудачных похода его на юг. — Война Изяслава Мстиславича в союзе с венгерским королем против Владимирка галицкого. — Клятвопреступление и смерть Владимирка. — Война Изяслава с сыном Владимирковым Ярославом. — Смерть Изяслава, его характер. — Вячеслав вызывает к себе в Киев брата Изяславова Ростислава из Смоленска. — Смерть Вячеслава. — Ростислав уступает Киев Изяславу Давыдовичу черниговскому. — Юрий ростовский заставляет Давыдовича выехать из Киева и сам окончательно утверждается здесь. — Усобицы между Святославичами в Черниговской волости и Мономаховичами на Волыни. — Союз князей против Юрия. — Смерть его. — События полоцкие, муромские, рязанские, новгородские. — Борьба с половцами и финскими племенами. — Дружина

По смерти Мономаха на киевском столе сел старший сын его Мстислав; соперников ему быть не могло: Олег и Давыд Святославичи умерли еще при жизни Мономаха; в Чернигове сидел младший брат их, Ярослав, но этот незначительный князь не мог удержать старшинства и в собственном роде; еще менее мог спорить с Мстиславом Брячислав Святополкович, княживший неизвестно в каком городке в пинских волостях. Но и более сильные соперники не могли быть страшны Мстиславу при народном расположении к роду Мономахову, тем более что Мстислав походил во всем на знаменитого отца своего. Недаром летописец, начиная рассказ о княжении Мстислава, говорит, что этот князь еще в молодости победил дядю своего Олега; таким образом, в личных достоинствах Мономахова сына старались находить оправдание тому, что он отстранял старшее племя Святославово.

Кроме Мстислава после Мономаха оставалось еще четверо сыновей: Ярополк, Вячеслав, Георгий, Андрей; Ярополк еще при отце получил стол переяславский и остался на нем при брате; Ярополк был на своем месте, потому что отличался храбростью, необходимою для переяславского князя, обязанного постоянно биться с степными варварами. Третий брат Вячеслава княжил сперва в Смоленске, а потом переведен был в Туров; Георгий издавна княжил в Ростовской области; Андрей — во Владимире на Волыни. В Новгороде сидел старший сын Мстислава — Всеволод; в Смоленске — третий сын его, Ростислав; где же был второй, Изяслав? Должно думать, что где-нибудь подле Киева: он также отличался храбростью и потому нужен был отцу для рати; скоро нашлась ему и волость и деятельность.

В Чернигове произошло важное явление: сын Олега Всеволод напал врасплох на дядю своего Ярослава, согнал его с старшего стола, дружину его перебил и разграбил. В самом занятии киевского стола Мстиславом мимо Ярослава Святославича, который приходился ему дядею, Всеволод мог уже видеть пример и оправдание своего поступка: если Ярослав потерял старшинство в целом роде, то мог ли он сохранять его в своей линии? Как бы то ни было, Мстислав не хотел сначала терпеть такого нарушения старшинства дядей, тем более что, как видно, он обязался клятвенным договором поддерживать Ярослава в Чернигове. Вместе с братом Ярополком Мстислав собрал войско, чтобы идти на Всеволода, тот не мог один противиться Мономаховичам и послал за половцами, а дядю Ярослава отпустил из неволи в Муром. Половцы явились на зов Всеволода в числе 7000 и стали за рекою Вырем* у Ратимировой дубравы; но послы их, отправленные к Всеволоду, были перехвачены на реке Локне** и приведены к Ярополку, потому что последний успел захватить все течение реки Сейма, посадил по всем городам своих посадников, а в Курске — племянника Изяслава Мстиславича. Половцы, не получая вести из Чернигова, испугались

* Река в Харьковской губернии, впадающая в Сейм.

** Впадающей в Вырь.

и побежали назад; это известие очень замечательно: оно показывает, как варвары стали робки после задонских походов Мономаха, сыновей и воевод его. После бегства половцев Мстислав еще больше начал стеснять Всеволода. «Что, взял? — говорил он ему. — Навел половцев, что же, помогли они тебе?» Всеволод стал упрашивать Мстислава, подучивал его бояр, подкупал их дарами, чтоб просили за него, и таким образом провел все лето. Зимою пришел Ярослав из Мурома в Киев и стал также кланяться Мстиславу и упрашивать: «Ты мне крест целовал, пойди на Всеволода»; а Всеволод со своей стороны еще больше упрашивал. В это время в киевском Андреевском монастыре был игумном Григорий, которого очень любил Владимир Мономах, да и Мстислав и весь народ очень почитали его. Этот-то Григорий все не давал Мстиславу встать ратью на Всеволода за Ярослава; он говорил: «Лучше тебе нарушить клятву, чем пролить кровь христианскую». Мстислав не знал, что ему делать. Митрополита тогда не было в Киеве, так он созвал собор из священников и передал дело на их решение; те отвечали: «На нас будет грех клятвопреступления». Мстислав послушался их, не исполнил своего обещания Ярославу и после раскаивался в том всю жизнь. На слова Григория и на приговор собора можно смотреть как на выражение общего народного мнения: граждане не терпели княжеских усобиц и вообще войн, не приносивших непосредственной пользы, не имевших целью защиты края; но какая охота была киевлянам проливать свою кровь за нелюбимого Святославича? Со стороны же Мстислава кроме решения духовенства побуждением к миру со Всеволодом могла служить также и родственная связь с ним: за ним была дочь его. Как бы то ни было, племянник удержал за собою старший стол вопреки правам дяди, но эта удача была, как увидим, первою и последнею в нашей древней истории. Для Мономаховичей событие это не осталось, впрочем, без материальной выгоды: они удержали Курск и все Посемье, и это приобретение было для них очень важно, потому что затрудняло сообщение Святославичей с половцами. Ярослав должен был идти назад в Муром и остаться там навсегда; потомки его явились уже изгоями относительно племени Святославова, потеряли право на старшинство, должны были ограничиться одною Муромскою волостию, которая вследствие этого отделилась от Черниговской. Таким образом, и на востоке от Днепра образовалась отдельная княжеская волость, подобная Полоцкой и Галицкой на западе.

Покончивши с черниговскими, в том же 1127 году Мстислав послал войско на князей полоцких: есть известие, что они не переставали опустошать пограничные волости Мономаховичей. Мстислав послал войска четырьмя путями: братьев — Вячеслава — из Турова, Андрея — из Владимира; сына Давыда Игоревича Всеволодка*, зятя Мономахова, — из Городна и Вячеслава Ярославича — из Клецка; этим четверым князьям велел идти к Изяславлю; Всеволоду Ольговичу черниговскому велел идти с братьями на Стрежев к Борисову, туда же послал известного воеводу своего Ивана Войтишича с торками; свой полк отправил под начальством сына Изяслава к Лагожску**, а другого сына, Ростислава, с смольнянами — на Друцк. В Полоцке сидел в это время тот самый Давыд Всеславич, которого прежде мы видели в союзе с Ярославичами против Глеба минского; за сыном его Брячиславом, княжившим, как видно, в Изяславле, была дочь Мстислава киевского. Минск, по всей вероятности, отошел к Ярославичам еще при Мономахе, который отвел в неволю князя его Глеба; иначе Мстислав не направил бы войско свое мимо Минска на города дальнейшие; быть может, Всеславичи не могли забыть потери Минска, и это было главным поводом к войне. Мстислав всем отправленным князьям назначил сроком один день, в который они должны были напасть на указанные места. Но Изяслав Мстиславич опередил один всю братию и приблизился к Лагожску; зять его Брячислав, князь изяславский, вел в это

---

* По Татищеву, это был сын Давыда Игоревича. Городно считают местечком Минской губернии, Пинского уезда.

** В Борисовском уезде, на реке Гойне, впадающей в Березину. Друцк — местечко Могилевского уезда на реке Друче.

время лагожскую дружину на помощь отцу своему Давыду, но, узнав на середине пути, что Изяслав у города, так перепугался, что не знал, что делать, куда идти, и пошел прямо в руки к шурину, к которому привел и лагожскую дружину; лагожане, видя своих в руках у Изяслава, сдались ему; пробыв здесь два дня, Изяслав отправился к дядьям своим Вячеславу и Андрею, которые осаждали Изяславль. Жители этого города, видя, что князь их и лагожане взяты Изяславом и не терпят никакой беды, объявили Вячеславу, что сдадутся, если он поклянется не давать их на щит (на разграбление) воинам. Вячеслав согласился, и вечером Вратислав, тысяцкий князя Андрея, и Иванко, тысяцкий Вячеславов, послали в город своих отроков, но когда на рассвете остальные ратники узнали об этом, то бросились все в город и начали грабить; едва князья со своими дружинами успели уберечь имение дочери великого князя Мстислава, жены Брячиславовой, и то должны были биться с своими. Между тем с другой стороны шел к Полоцку старший сын Мстислава, Всеволод, князь новгородский; тогда полочане выгнали от себя Давыда с сыновьями, взяли брата его Рогволода* и послали просить Мстислава, чтоб он утвердил его у них князем; Мстислав согласился. Недаром, однако, современники не умели объяснить себе этой наследственной и непримиримой вражды полоцких князей к потомству Ярослава и прибегали к помощи предания о Рогволоде и Рогнеде: как при Мономахе, так и теперь при сыне его дело могло кончиться только изгнанием Изяславичей из волостей их. Во время половецкого нашествия в 1129 году Мстислав, собирая князей, послал звать и полоцких на помощь против варваров; Рогволода, приятного Ярославичам, как видно, не было уже в это время в живых, и старшинство по-прежнему держал Давыд, который с братьями и племянниками дал дерзкий, насмешливый ответ на зов Мстислава. Половецкая война помешала великому князю

* Конечно, Рогволода Всеславича, а не Борисовича, потому что нельзя было взять сына мимо отца, а Борис умер после.

немедленно наказать Всеславича; но когда половцы были прогнаны, то он вспомнил обиду и послал за *кривскими* князьями, как продолжали еще называть полоцких владельцев; Давыда, Ростислава и Святослава Всеславичей вместе с племянниками их Рогволодовичами посадили в три лодки и заточили в Царьград: без всякого сомнения, полочане выдали князей своих, не желая подвергать страны своей опустошениям. По городам полоцким, говорил летописец, Мстислав посажал своих посадников, но после мы видим там сына его Изяслава, переведенного из Курска.

Из внешних событий по-прежнему записана в летописи борьба с половцами и другими соседними варварами. Половцы обрадовались смерти Мономаховой и немедленно явились в пределах Переяславского княжества. Мы видели, что русские князья во время счастливых походов своих в степи взяли у половцев часть подвластных им торков и печенегов; видели, что эти варвары после сами убежали от половцев в русские пределы и были поселены здесь. Разумеется, половцам хотелось возвратить их назад, и вот летописец говорит, что они именно являлись для того, чтобы перехватить русских торков. Но в Переяславле сидел Ярополк, достойный по храбрости сын Мономаха, привыкший под отцовским стягом громить варваров в степях их; узнавши о нападении и намерении половцев, Ярополк велел вогнать торков и все остальное народонаселение в города; половцы приехали, но ничего не могли сделать и, узнав, что Ярополк в Переяславле, пошли воевать Посулье (места по реке Суле). Ярополк, *благоверного князя корень и благоверная отрасль*, по выражению летописца, не дожидаясь помощи от братьев, с одними переяславцами пошел вслед за половцами, настиг их на правом берегу реки Удая*, призвал имя Божие и *отца своего*, ударил на поганых и одержал победу; помог ему Бог и молитвы отца его, продолжает летописец. После этого нападения половцев мы встретили известие о них при описании черниговских

* Полтавской губернии, Пирятинского уезда, местечко Полстин.

и потом полоцких происшествий. Мстислав не забыл той борьбы, которую вел он, сидя на столе новгородском, именно борьбы с чудью, и в 1130 году послал на нее сыновей своих — Всеволода, Изяслава и Ростислава; летописец говорит подробно, в чем состоял поход: самих врагов перебили, хоромы пожгли, жен и детей привели домой. Но не так был счастлив чудский поход одного Всеволода новгородского в следующем году: сотворилась пакость великая, говорит летописец, перебили много добрых мужей новгородских в *Клину*. *Клин* — это русский перевод эстонского слова Waija, или Wagja, как называлась часть нынешнего Дерптского уезда в XIII веке. Что половцы были для Юго-Восточной Руси, то литва была для Западной, преимущественно для княжества Полоцкого. Присоединивши к волостям своего рода и это княжество, Мстислав должен был вступить в борьбу с его врагами; вот почему в последний год его княжения летописец упоминает о походе на Литву: Мстислав ходил с сыновьями своими, с Ольговичами и зятем Всеволодом городенским. Поход был удачен; Литву ожгли по обыкновению, но на возвратном пути киевские полки пошли отдельно от княжеской дружины; литовцы настигли их и побили много народу.

В 1132 году умер Мстислав; его княжение, бывшее совершенным подобием отцовского, утвердило в народе веру в достоинство племени Мономахова. Этот Мстислав Великий, говорит летописец, наследовал пот отца своего, Владимира Мономаха Великого. Владимир сам собою постоял на Дону и много пота утер за землю Русскую, а Мстислав мужей своих послал, загнал половцев за Дон, за Волгу и за Яик; и так избавил Бог Русскую землю от поганых. Здесь также видим выражение главного современного интереса — борьбы с степными варварами. Народ мог надеяться, что долго будет спокоен от их нашествий, потому что Мстиславу наследовал по всем правам брат его Ярополк, *благоверная отрасль*, который был известен своею храбростью, своими счастливыми походами в степи. У Ярополка не было соперников: он был единственный князь, который мог сесть на старший стол по отчине и дедине; он крепко сидел в Киеве и потому еще, что люди киевские послали за ним. Но их надежды на Ярополка не сбылись: спокойствие Руси кончилось смертью Мстислава; с начала княжения Ярополкова начались усобицы, усобицы в самой семье знаменитого князя-братолюбца; Святославичи воспользовались ими, и киевляне должны были терпеть на своем столе князя недоброго племени. Усобица, начавшаяся по смерти Мстислава Великого, носит характер, отличный от прежних усобиц. Прежние усобицы проистекали главным образом от *изгойства*, оттого, что осиротелые при жизни дедов или старших дядей князья исключались не только из старшинства, не только не получали отцовских волостей, но даже часто и никаких. Этим исключением из старшинства лучше всяких поэтических преданий объясняется непримиримая вражда полоцких Изяславичей к потомкам Ярослава, объясняются движения Ростислава Владимировича, судьба и поведение сыновей его: борьбы с изгоями на востоке и на западе, с Вячеславичем, Игоревичами, Святославичами наполняют время княжения Изяславова, Всеволодова, Святополкова. Все эти борьбы благодаря последним распоряжениям князей-родичей на съездах прекратились; но теперь начинается новая борьба, борьба племянников, сыновей от старшего брата с младшими дядьми. Мы видели первый пример этой борьбы в Чернигове, где сын Олегов Всеволод согнал дядю своего Ярослава с старшего стола. Мстислав допустил такое нарушение права дядей, хотя раскаивался в этом всю жизнь; по смерти его одно опасение подобного явления произвело сильную усобицу в собственном племени его.

Мстислав оставил княжение брату своему Ярополку, говорит летописец, ему же передал и детей своих с Богом на руки: Ярополк был бездетен и тем удобнее мог заботиться о порученных ему сыновьях старшего брата. Мстислав при жизни своей уговорился с братом, чтоб тот немедленно по принятии старшего стола перевел на свое место в Переяславль старшего племянника, Всеволода Мстиславича, из Новгорода; старшие Мономаховичи, как видно из слов летописца, выставляли основанием такого распоряжения волю отца своего, а об этой воле заключали они из того, что Мономах дал им Переяславль обоим вместе; но при тогдашних понятиях это еще не значило, чтоб они имели право оставить этот город в наследство сыновьям своим мимо других братьев. Переяславль был стольным городом Всеволода и Мономаха и по выделении Чернигова в особую, непременную волость Святославичей считался старшим столом после Киева для Мономахова племени: с переяславского стола Мономах, Мстислав и Ярополк перешли на киевский. Точно ли хотели старшие Мономаховичи переводом Всеволода в Переяславль дать ему преимущество перед дядьми, возможность наследовать Ярополку в Киеве, для чего кроме занятия старшего переяславского стола нужно было познакомить, сблизить его с южным народонаселением, которого голос был так важен, решителен в то время, — на это историк не имеет права отвечать утвердительно. Как бы то ни было, младшие Мономаховичи по крайней мере видели в переводе племянника на переяславский стол шаг к старшинству мимо их, особенно когда перед глазами был пример Ярослава Святославича черниговского, согнанного с старшего стола племянником при видимом потворстве старших Мономаховичей — Мстислава и Ярополка. Вступились в дело младшие Мономаховичи, Юрий ростовский и Андрей волынский, потому что старший по Ярополке брат их, Вячеслав туровский, был неспособен действовать впереди других по бесхарактерности и недалекости умственной. По словам летописца, Юрий и Андрей прямо сказали: «Брат Ярополк хочет по смерти своей дать Киев Всеволоду, племяннику своему» — и спешили предупредить последнего; утром въехал Всеволод в Переяславль и до обеда еще был выгнан дядею Юрием, который, однако, сидел в Переяславле не более восьми дней, потому что Ярополк, помня клятвенный уговор свой с покойным братом, вывел Юрия из Переяславля и посадил здесь другого Мстиславича, Изяслава, княжившего в Полоцке, давши ему клятву поддержать его на новом столе; вероятно, Всеволод уже не хотел в другой раз менять верную волость на неверную. В Полоцке вместо Изяслава остался третий Мстиславич — Святополк; но полочане, не любившие, подобно новгородцам, когда князь покидал их волость для другой, сказали: «А! Изяслав бросает нас!» — выгнали брата его Святополка и взяли себе одного из прежних своих князей, Василька Святославича, внука Всеславова, неизвестно каким образом оставшегося на Руси или возвратившегося из заточения. Тогда Ярополк, видя, что Полоцкое княжество, оставленное храбрым Изяславом, умевшим везде приобресть народную любовь, отходит от Мономахова рода, уладился с братьями: перевел Изяслава неволею опять в Минск, единственную волость, оставшуюся у Мономаховичей от Полоцкого княжества; потом, чтоб утешить его, придал ему еще Туров и Пинск, дал ему много даров богатых; а Вячеслава из Турова перевел в Переяславль.

Таким образом, младшие Мономаховичи были удовлетворены: Переяславль перешел по порядку к самому старшему брату по Ярополке, законному его преемнику и в Киеве. Но спокойствие в семье Мономаха и на Руси было скоро нарушено Вячеславом: нашел ли он или, лучше сказать, бояре его Переяславскую волость невыгодною для себя, стало ли страшно ему сидеть на украйне, подле торков и половцев, — только он покинул новую волость; на первый раз, однако, дошедши до Днепра возвратился назад; говорят, будто Ярополк послал сказать ему: «Что ты все скитаешься, не посидишь на одном месте, точно половчин?» Но Вячеслав не послушался старшего брата: бросил Переяславль в другой раз, пошел в Туров, выгнал отсюда Изяслава и сел на его место. Тогда Ярополк должен был решиться на новый ряд: он склонился на просьбу Юрия ростовского и дал ему Переяславль, с тем, однако, чтобы тот уступил ему свою прежнюю волость; Юрий согласился уступить Ростовскую область, но не всю; вероятно, он оставлял себе на всякий случай убежище на севере; вероятно также, что Ярополк для того брал Ростовскую землю у Юрия, чтоб отдать ее Изяславу. Этою сделкою он мог надеяться успокоить братьев, поместя их всех около себя на Руси и отдав племянникам как младшим отдаленную северную область. Но он уже не был более в состоянии исполнить свое намерение: вражда между дядьми и племянниками разгорелась; Изяслав, дважды изгнанный, решился не дожидаться более никаких новых сделок между дядьми, а отдать дело, по тогдашним понятиям, на суд Божий, т. е. покончить его оружием. Он ушел в Новгород к брату Всеволоду и уговорил его идти с новгородцами на область Юрия. Тогда-то Святославичи увидели, что пришла их пора: они заключили союз с недовольными Мстиславичами (сами предложили им его или приняли от них предложение — из дошедших до нас летописей неизвестно), послали за половцами и начали вооружаться против Мономаховичей. «Вы первые начали нас губить», — говорили они им. Тогда народ увидал, что прошло счастливое время Мономаха и Мстислава; встала опять усобица; черниговские по отцовскому обычаю привели половцев на Русскую землю, и, что всего хуже, с ними пришли сыновья Мстислава Великого — Изяслав с братом Святополком. Ярополк с братьями — Юрием и Андреем выступил против Всеволода Ольговича, переправился через Днепр, взял села около Чернигова. Всеволод не вышел против них биться, потому что половцы еще не пришли к нему; Ярополк, постояв несколько дней у Чернигова, возвратился в Киев и распустил войско, не уладившись с Всеволодом; вероятно, он думал, что довольно напугать его. Но вышло иначе: когда ко Всеволоду пришли с юга половцы, а с севера Мстиславичи, то он вошел с ними в Переяславскую волость, начал воевать села и города, бить людей, дошел до Киева, зажег Городец. Половцы опустошили все на восточном берегу Днепра, перебив и перехватав народ, который не мог перевезтись на другой, киевский берег, потому что Днепр покрыт был плавучими льдами; взяли и скота бесчисленное множество; Ярополку по причине тех же льдов нельзя было перевезтись на ту сторону и прогнать их. Три дня стоял Всеволод за Городцом в бору, потом пошел в Чернигов, откуда начал пересылаться с Мономаховичами, и заключил мир; гораздо вероятнее, впрочем, то известие, по которому заключено было только перемирие до общего съезда, потому что немедленно за этим летописец начинает говорить о требованиях Ольговичей, чтоб Ярополк возвратил им то, что их отец держал при его отце: «Чтó наш отец держал при вашем отце, того и мы хотим; если же не дадите, то не жалейте после; если что случится, вы будете виноваты, на вас будет кровь». Без сомнения, Ольговичи просили города Курска и всего Посемья, взятых у них Мономаховичами тотчас после изгнания Ярослава Всеволодом. В ответ на это требование Ярополк собрал войско киевское, а Юрий — переяславское, и 50 дней стояли у Киева; потом помирились со Всеволодом и отдали Переяславль младшему брату своему Андрею Владимировичу, а прежнюю его волость, Владимир-Волынский, — племяннику Изяславу Мстиславичу. По всему видно, впрочем, что это распоряжение было не следствием, но причиною мира с Ольговичами: дядья, чтоб отвлечь племянников от Святославичей, отнять у последних предлог к войне и правду в глазах народа, удовлетворили Изяслава, отдавши ему Волынь; Юрий ростовский, видя, вероятно, как спорны русские столы и как незавидна Переяславская волость, беспрестанно подвергавшаяся нападениям Ольговичей и половцев, не хотел более менять на нее своей северной, верной волости; занятие же Переяславля младшим братом не могло быть для него опасно: никогда младший брат не восставал против прав старшего, тогда как был пример, что племянник от старшего брата восставал против младшего дяди (1134 г.).

Что Ольговичи принуждены были мириться поневоле, будучи оставлены Мстиславичами, доказательством служит их нападение на Переяславскую область в следующем, 1135 году. Всеволод со всею братьею пришел к Переяславлю, стоял под городом три дня, бился у ворот; но, узнавши, что Ярополк идет на помощь к брату, отступил к верховью реки Супоя и там дождался киевского князя. Мы заметили уже, что Ярополк был в отца отвагою: завидя врага, не мог удержаться и ждать, пока подойдут другие полки на помощь, но бросался на него с одною своею дружиною; мы видели, что такая удаль сошла для него благополучно, принесла даже большую славу в битве с половцами при начале Мстиславова княжения. Точно так же вздумал он поступить и теперь: не дождавшись киевских полков, с одною своею дружиною и с братьею, даже не выстроившись хорошенько, ударил на Ольговичей, думая: «Где им устоять против нашей силы!» Сначала бились крепко с обеих сторон, но скоро побежали Всеволодовы половцы, и лучшая дружина Мономаховичей с тысяцким киевским погналась за ними, оставя князей своих биться с Ольговичами на месте. После злой сечи Мономаховичи должны были уступить черниговским поле битвы, и когда тысяцкий с боярами, поразивши половцев, приехали назад, то уже не застали князей своих и попались в руки победителям Ольговичам, обманутые Ярополковым стягом, который держали последние. Кроме лучших мужей своих, взятых в плен, Ярополк потерял в числе убитых племянника Василька Леоновича, греческого царевича, внука Мономахова по дочери. Возвратясь за Днепр, киевский князь начал набирать новое войско, а Всеволод перешел Десну и стал против Вышгорода*; но, постоявши 7 дней у Днепра, не решился переправиться, пошел в Чернигов, откуда стал пересылаться с киевским князем о мире, без всякого, однако, успеха. Это было в конце лета; зимою Ольговичи с половцами перешли Днепр и начали опустошать всю Киевскую область, доходили до самого Киева, стрелялись через Лыбедь; из городов, впрочем, удалось им взять только два, да и те пустые: мы видели уже обычай украинских жителей покидать свои города при нашествии неприятелей. Ярополк, по словам летописца, собрал множество войска изо всех земель, но не вышел против врагов, не начал кровопролития; он побоялся суда Божия, смирился пред Ольговичами, хулу и укор принял на себя от братьи своей и от всех, исполняя заповедь «любите враги ваша»; он заключил с Ольговичами мир, отдал им то,

---

* Этим определяется спорное положение Вышгорода относительно Киева: чтоб стать против Вышгорода, Всеволоду, идущему на север от Супоя, нужно было перейти Десну.

чего прежде просили, т. е. отчину их, города по Сейму. Трудно решить, что, собственно, заставило Ярополка склониться на уступку: был ли он из числа тех людей, на которых неудача после продолжительных успехов сильно действует, или в самом деле духовенство и преимущественно митрополит Михаил постарались прекратить войну, столь гибельную для края, и Ярополк действительно заслужил похвалы летописца за христианский подвиг смирения для блага народа; быть может, то и другое вместе; не забудем также, что успех битвы не мог быть верен: мы знаем, что Всеволод Ольгович вовсе не отличался безрасчетною отвагою, уступал, когда видел превосходство сил на стороне противника, и если теперь не уступил, то это значило, что силы Ярополка вовсе не были так велики, как выставляет их летописец, по крайней мере сравнительно с силами Ольговичей (1135 г.).

Мир не мог быть продолжителен: главная причина вражды Ольговичей к Мономаховичам — исключение из старшинства — существовала во всей силе и при этом еще черниговские испытали возможность успешной войны с Мономаховичами, особенно при разделении последних. Изгнание брата Всеволодова Святослава из Новгорода было поводом к новой войне в 1138 году. Ольговичи опять призвали половцев и начали воевать Переяславскую волость по реке Суле; Андрей Владимирович не мог им сопротивляться и, не видя помощи от братьев, хотел уже бежать из Переяславля. Но Ольговичи, узнав, что Андрею нет помощи от братьев, успокоили его *льстивыми* словами, по выражению летописца; из этого известия имеем право заключить, что Ольговичи хотели поссорить Андрея с братьями и привлечь на свою сторону, показывая ему, как мало заботятся об нем братья. Весть о задержке Святослава Ольговича в Смоленске, на дороге его из Новгорода, еще более усилила войну; брат его Всеволод призвал множество половцев, взял Прилук* и собирался уже

---

* Теперь Прилуки — большое местечко в Бердичевском уезде Киевской губернии.

старым путем к Киеву, как узнал об огромных приготовлениях Мономаховичей и поспешил отступить в свою волость, к Чернигову. Ярополк созвал братьев и племянников, собрал кроме киевлян и переяславцев также рать из *верхних* земель, суздальцев, ростовцев, полочан и смольнян; Ростиславичи галицкие и король венгерский прислали ему также помощь; наконец, присоединились к нему многочисленные толпы пограничных варваров, берендеев; с такими силами Ярополк уже не стал дожидаться Ольговича в Киевской волости, но отправился к нему в Черниговскую; Всеволод испугался и хотел было уже бежать к половцам, как черниговцы остановили его. «Ты хочешь бежать к половцам, — говорили они, — а волость свою погубить, но к чему же ты тогда после воротишься? Лучше отложи свое высокоумье и проси мира; мы знаем Ярополково милосердие: он не радуется кровопролитию, Бога ради он помирится, он соблюдает Русскую землю». Всеволод послушался и стал просить мира у Ярополка; тот, по выражению летописца, будучи добр, милостив нравом, богобоязлив, подобно отцу своему, поразмыслил о всем хорошенько и не захотел кровопролития, а заключил мир у Моравска, на правом берегу Десны. Потом заключен был новый договор между ним и Ольговичами, неизвестно на каких условиях (1136–1139 гг.).

Так кончились усобицы на юге при старшинстве Ярополковом; но эти усобицы сильно отозвались также на севере, в Новгороде Великом. Мы видели, как при Святополке новгородцы настояли на том, чтобы князем у них оставался выросший в Новгороде Мстислав Владимирович. Однако они недолго жили с этим любимым князем: Мономах в 1116 году вызвал его на юг, и в Новгороде остался сын его Всеволод. Молодость князя и смерть двух посадников, случившаяся почти в один год, как видно, подали повод к смятениям в городе: некоторые бояре и сотский Ставр ограбили каких-то двух граждан; неизвестно, впрочем, какого рода был этот грабеж, потому что иногда грабеж происходил вследствие судного приговора, и потому трудно решить, виновны ли были Ставр и бояре в насилии или только в несправедливости. Как бы то ни было, Мономах и Мстислав вызвали всех бояр новгородских в Киев: товарищи Ставра были заточены, другие отпущены назад в Новгород, после того как дали клятву, вероятно, в том, что вперед не будет подобных происшествий. Кем был избран в то время посадник Константин Моисеевич, неизвестно; вероятно, киевским князем, если обратим внимание на обстоятельства. На следующий год он умер, и на его место пришел посадничать из Киева Борис, разумеется присланный Мономахом. По смерти последнего в Киеве посадили сына его Мстислава, а в Новгороде — внука Всеволода; относительно обоих в летописи употребляется одинаковое выражение *посадиша* в смысле: граждане хотели, просили, призвали. Новгородцы посадили у себя Всеволода вторично, потому что по вступлении своем на старший стол Мстислав мог перевести его куда-нибудь поближе к себе в Русь по примеру отцовскому; как видно, в это время новгородцы взяли со Всеволода клятву не разлучаться с ними. На следующий год Всеволод ходил к отцу в Киев, но пришел опять в Новгород на стол; в тот же год дали посадничество Мирославу Гюрятиничу, причем летописец не упоминает о смерти прежнего посадника Бориса; к кому относится выражение: *въдаша посадничество* — к князьям ли Мстиславу и Всеволоду или к гражданам, решить трудно. Через год, не упоминая о смерти Мирослава, летопись говорит о назначении ему преемника Давыда Дмитриевича, шурина великого князя Мстислава и сына прежде бывшего посадника. Этот посадник умер в том же 1128 году, и на его место в 1129 г. пришел из Киева Даниил; но в 1130 г. опять летопись упоминает о назначении нового посадника — Петрилы с выражением *даша* и в то же время говорит о походе Всеволода на чудь и о поездке его в Киев к отцу; имела ли связь смена посадника с этими событиями, решить трудно. Так было при старшинстве Мстислава. Тотчас по смерти его начались смуты. Всеволод, несмотря на клятву не разлучаться с новгородцами, прельстился столом переяславским и уехал в Русь, не оставивши, как видно, князя в Новгороде. Мы уже видели раз, как новгородцы обижались, когда князья меняли их город на другой; кроме того, что перемена князя нарушала наряд в городе, новгородцев должно было оскорблять и то, что князь, отдавая преимущество какому-нибудь Турову или Переяславлю, тем самым унижал значение стола Рю́рикова, ибо и между самими князьями, как увидим, не исчезала память, что Новгород был старейшим столом в Русской земле. Легко понять теперь, что когда Всеволод, прогнанный Юрием из Переяславля, явился назад в Новгород, то нашел здесь сильное волнение — *встань великую в людях*, по выражению летописца; пришли псковичи и ладожане в Новгород, и Всеволод должен был выехать из него; потом, однако, граждане скоро одумались и возвратили его назад. Можно, впрочем, с вероятностью полагать, что Всеволод был принят не так уже, как прежде, что здесь положено начало условиям или рядам новгородцев с князьями; вероятно, также с этого времени и посадник переменяет свой характер чиновника княжеского на характер чиновника народного, от веча избираемого, хотя и не без участия князя; в это время по крайней мере избрали посадников для пригородов — Мирослава для Пскова и Рагуила для Ладоги; это известие может навести на мысль, что псковичи и ладожане затем и приходили в Новгород, чтоб требовать назначения себе новых посадников. Есть также прямое известие, что с этих пор Всеволод не имел надлежащего значения в Новгороде, не мог заставить его жителей выслать в Киев обычную печерскую дань, за которою великой князь Ярополк должен был послать другого племянника, Изяслава: последнему удалось взять дань.

Между тем дела на юге запутывались все более и более. В 1134 году явился в Новгород Изяслав Мстиславич, с тем чтобы уговаривать брата и граждан идти войною на дядю Юрия, добыть для Мстиславичей хотя Ростовскую волость, если им нет части в Русской земле. Начали толковать о суздальской войне новгородцы и убили мужей своих, свергнули их с моста, говорит летописец. Из этих слов видно, что после предложения, сделанного Всеволодом о суздальском походе, вече было самое бурное: одни хотели защищать Мстиславичей, достать им волость, другие нет; большинство оказалось на стороне первых, положено идти в поход, а несогласное меньшинство отведало Волхова. Мстиславичи с посадником Петрилою отправились на войну, но едва достигли они реки Дубны*, как несогласия городского веча повторились в полках: противники похода против дядей в пользу племянников, против сына Мономахова в пользу внуков его опять подняли голос и на этот раз пересилили, заставили князя возвратиться и тут же, отняв посадничество у Петрила, как видно, желавшего войны, отдали его Ивану Павловичу. Так посадники уже начали сменяться вследствие перевеса той или другой враждебной стороны; видно также, что к противникам войны принадлежали люди, вообще не расположенные ко Всеволоду, не хотевшие принять его по возвращении из Переяславля. Но в Новгороде ждало их поражение: здесь противники их опять пересилили, и опять Всеволод со всею Новгородскою областью пошел на Ростовскую землю в жестокие морозы и мятели, несмотря на увещания митрополита Михаила, который пришел тогда в Новгород. «Не ходите, — грозил им митрополит, — меня Бог послушает»; новгородцы задержали его и отправились; на Ждановой горе встретились они с ростовскими полками и потерпели поражение, потеряли храброго посадника своего Ивана, также Петрилу Николаича, быть может его предшественника, и много других добрых мужей, а суздальцев пало больше, прибавляет новгородский летописец; но ростовский говорит, что его земляки победили новгородцев, побили их множество и возвратились с победою великою. Новгородцы, возвратясь домой, выпустили митрополита и выбрали посадником старого Мирослава Гюрятинича.

Испытав вредные для себя следствия княжеских усобиц, новгородцы в 1135 году отправили посадника своего Миро-

---

* Река Дубна, впадающая в Волгу ниже города Корчевы, в Тверской губернии.

слава в Русь мирить Мономаховичей с Ольговичами; но он возвратился, не сделав ничего, потому что сильно взмялась вся земля Русская, по выражению летописца. Князья не помирились при посредничестве новгородцев, но каждый стал переманивать их на свою сторону, давать им, следовательно, право выбора. Новгородцы не замедлят воспользоваться этим правом, но кого же выберут они? Кому Бог поможет, на чьей стороне останется победа? Бог помог Ольговичам при Супое, и противники Мономаховича Всеволода воспользовались этим, чтоб восстать против него. В 1136 году новгородцы призвали псковичей и ладожан и стали думать, как бы выгнать князя своего Всеволода; подумавши, посадили его в епископском дворе с женою, детьми и тещею, приставили сторожей стеречь его день и ночь с оружием, по 30 человек на день, и не выпускали до тех пор, пока приехал новый князь, Святослав Ольгович из Чернигова. Вины Всеволода так означены в летописи: 1) не блюдет смердов; 2) зачем хотел сесть в Переяславле; 3) в битве при Ждановой горе прежде всех побежал из полку; 4) вмешивает Новгород в усобицы: сперва велел приступить к Ольговичам, а теперь велит отступить. Но изгнание сына Мстиславова и принятие Ольговича не могли пройти спокойно в Новгороде, потому что оставалась сильная сторона, приверженная к Мстиславичам; Новгород *разодрался*, как *разодралась* Русская земля, по выражению летописца. В год прибытия Святослава Ольговича (1136) уже встречаем известие о смуте: какого-то Юрия Жирославича, вероятно приверженца Всеволодова, сбросили с моста. Но у Мстиславича оставалось много других приверженцев; они решились умертвить Святослава, стреляли в него, но без успеха. Тогда несколько добрых мужей, и в том числе посадник Константин (избранный на место Мирослава Гюрятинича, умершего в 1135 году), побежали ко Всеволоду в Вышгород, где приютил его дядя Ярополк; вместо Константина избрали посадником Якуна Мирославича, вероятно сына прежнего посадника Мирослава Гюрятинича. Новгородские беглецы сказали Всеволоду, что у него много приятелей в Новгороде и Пскове, которые ждут только его появления: «Ступай, князь, хотят тебя опять». Всеволод отправился с братом Святополком и точно был принят в Пскове; когда он ехал мимо Полоцка, то Василько, тамошний князь, сам вышел к нему навстречу и проводил с честию, ради заповеди Божией забыв все зло, которое сделал отец Всеволодов Мстислав всему роду их; Всеволод был в его руках теперь, но он и не подумал мстить ему за отцовское зло; оба целовали друг другу крест не поминать прошлого. Когда в Новгороде узнали, что Всеволод во Пскове, хочет сесть и у них, то встал сильный мятеж; большинство не захотело Мстиславича, приятели его принуждены были бежать к нему во Псков; большинство разграбило их домы, стали искать между оставшимися боярами, нет ли между ними приятелей Всеволодовых, с заподозренных взяли полторы тысячи гривен и дали эти деньги купцам на сборы к войне; между виноватыми пострадали и невинные. Можно заметить, что к стороне Всеволодовой преимущественно принадлежали бояре, между которыми искали и находили его приятелей; а к противникам его преимущественно принадлежали простые люди, что видно также из главного обвинения: не блюдет смердов. Святослав Ольгович собрал всю землю Новгородскую, призвал на помощь брата Глеба с жителями города Курска и с половцами и пошел выгонять Всеволода изо Пскова, но псковичи с первого раза уже показали стойкость, какою отличались после, тем более что выгодно было для них получить особого князя и освободиться таким образом от влияния старшого города; они не покорились новгородцам, не выгнали от себя Всеволода, но приняли меры предосторожности на случай нападения, сделали повсюду засеки. Святослав и новгородцы увидали, что война будет трудная, успех неверный, и потому возвратились с дороги, говоря: «Не хотим проливать крови братьев своих; пусть Бог все управит своим промыслом». Всеволод умер в том же 1137 году; псковичи взяли на его место брата его Святополка, а между тем новгородцы испытывали большие неприятности: Мономаховичи и союзники их сердились на них за то, что они держали у себя Ольговича, и потому прекратили с ними торговлю; не было мира ни с Суздалем, ни с Смоленском, ни с Киевом, ни с Полоцком; от прекращения подвозов сделалась дороговизна в съестных припасах. Но и здесь враждебное разделение, происшедшее в княжеском роде, помогло Новгороду выйти из затруднительного положения. Мы видели, что причиною торжества Ольговичей было разделение в самой семье Мономаха, раздвоение между старшими племянниками и младшими дядьми; пользуясь этим раздвоением, Ольговичи будут иметь случай давать силу своим утраченным правам, получать старшинство и Киев. Это тройное разделение потомства Ярослава очень важно относительно новгородской истории: с одной стороны, частая смена великих князей из трех враждебных линий заставляла новгородцев, признававших зависимость свою всегда от старшего Ярославича, сообразоваться с этою сменою и также переменять своих князей, что усиливало внутренние волнения, производимые приверженцами изгоняемых князей и врагами их; с другой стороны, давала Новгороду возможность выбора из трех линий, что необходимо усиливало произвол веча и вместе с тем увеличивало его значение, его требования, давало новгородцам вид народа вольного. Так Новгород, сообразуясь с переменою, последовавшею на юге в пользу Ольговичей, сменяет Мономаховича; будучи приведен этою сменою в затруднительное положение, он находит средство выйти из него без вреда себе и унижения: он может примириться с Мономаховичами, не имея нужды принимать опять Мстиславича; он может отдаться в покровительство Юрия ростовского, взять себе в князья его сына; Юрий защитит его от Ольговичей, как ближайший сосед, и примирит с Мономаховичами, избавив от унижения принять Святополка, т. е. признать торжество псковичей; наконец, призвание Юрьевича примиряло в Новгороде все стороны; для приверженцев племени Мономахова он был внук его, для врагов Всеволода он не был Мстиславичем; расчет был верен, и Ростислав Юрьевич призван на стол новгородский, а Святославу Ольговичу указан путь из Новгорода.

Усобицы заняли все внимание князей в княжение Ярополково, и не было походов на врагов внешних: половцы опомнились от ударов, нанесенных им при Мономахе и Мстиславе, и опять получили возможность пустошить Русскую землю; в 1138 году они опустошили Курскую волость; союзные отряды их являлись даже в области Новгородской. Чудь также воспользовалась смутами, возникшими в Новгороде, и не только перестала платить дань, но, собравшись, овладела Юрьевом и перебила тамошних жителей. В 1133 году Всеволод по вторичном утверждении в Новгороде предпринимал поход на чудь и отнял у ней опять Юрьев.

В 1139 году умер Ярополк. В летописи замечаем сильную привязанность к этому князю, который напоминал народу отца своего мужеством, славою удачных походов на половцев и, как видно, нравственными качествами. Мы видели, что излишняя отвага, самонадеянность были гибельны при Супое для Ярополка и всего его племени; мы видели также, что несчастный уговор его со старшим братом был причиною усобиц, раздиравших Русскую землю во все время его старшинства; но прежде, нежели станем обвинять Ярополка в недостатке уменья или твердости, вспомним о неопределенности родовых отношений, о слабой подчиненности младших членов рода старшему, особенно когда старший был не отец и даже не дядя, но брат, и то не самый уже старший; младшие братья и племянники считали себя в полном праве вооруженною рукою противиться распоряжениям старшего, если им казалось, что эти распоряжения клонятся к их невыгоде; мы видели всю затруднительность положения Ярополкова: что ему было делать со странным Вячеславом, который двигался из одной волости в другую и стал, по летописи, главным виновником усобицы? В народе видели это несчастное положение великого князя, его благонамеренность и потому не утратили прежней любви к благоверной отрасли знаменитого Мономаха.

По смерти Ярополка преемником его на старшем столе был по всем правам брат его Вячеслав, который вступил в Киев беспрепятственно. Но как скоро Всеволод Ольгович узнал о смерти Ярополка и что в Киеве на его месте сидит Вячеслав, то немедленно собрал небольшую дружину и с братьями, родным Святославом и двоюродным Владимиром Давидовичем, явился на западной стороне Днепра и занял Вышгород; отсюда, выстроив полки, пошел к Киеву, стал в Копыреве конце и начал зажигать дворы в этой части города, пославши сказать Вячеславу: «Иди добром из Киева». Вячеслав отправил к нему митрополита с таким ответом: «Я, брат, пришел сюда на место братьев своих, Мстислава и Ярополка, по завещанию наших отцов; если же ты, брат, захотел этого стола, оставя свою отчину, то, пожалуй, я буду меньше тебя, пойду в прежнюю свою волость, а Киев тебе», и Всеволод вошел в Киев с честию и славою великою, говорит летописец. Таким образом Ольговичу, мимо старого, отцовского обычая, удалось овладеть старшим столом. Какие же были причины такого странного явления? Каким образом Мономаховичи позволили Святославову внуку занять Киев не по отчине? В это время племя Мономахово было в самом затруднительном положении, именно было без главы, и вражда шла между его членами. Старшим в этом племени оставался Вячеслав; но мы видели его характер, делавший его неспособным блюсти выгоды рода, поддерживать в нем единство, наряд. Деятельнее, способнее его был следующий брат, Юрий ростовский, но, как младший, он не мог действовать от своего имени, мимо Вячеслава; притом его мало знали на юге, а это было очень важно относительно народонаселения; да и когда узнали его, то нашли, что он мало похож на отца своего и двух старших братьев. Добрым князем слыл последний Мономахович — Андрей, но, как самый младший, он также не мог действовать в челе племени. Князь, который по своим личным доблестям один мог быть представителем Мономахова племени для народа, — это был Изяслав Мстиславич владимиро-волынский, теперь старший сын старшего из Мономаховичей: необыкновенно храбрый, щедрый к дружине, приветливый к народу, Изяслав был образцом князя, по тогдашним понятиям, напоминал народу своего знаменитого деда и был потому в его глазах единственною отраслью доброго племени. Но мы видели, как Изяслав был поставлен во враждебные отношения к старшим членам рода, к дядьям своим, от которых не мог ждать ничего хорошего ни для себя, ни для детей своих. Находясь, с одной стороны, во вражде с родными дядьми, с другой — Изяслав был в близком свойстве со Всеволодом Ольговичем, который был женат на старшей его сестре и, по тогдашним понятиям, как старший зять, заступал место старшего брата и отца. Всеволод видел, что только вражда между членами Мономахова племени могла доставить ему старшинство, и потому спешил привлечь на свою сторону самого доблестного из них, Изяслава, что ему было легко сделать по близкому свойству и по прежним связям: он мог хвалиться пред Изяславом, что только благодаря ему тот мог помириться с дядьми и получить от них хорошую волость. По некоторым известиям, Всеволод послал сказать Изяславу: «После отца твоего Киев принадлежит тебе (это мог сказать Всеволод, выгнавший дядю); но дядья твои не дадут тебе в нем сесть; сам знаешь, что и прежде вас отовсюду выгоняли, и если б не я, то никакой волости вам бы не досталось, поэтому теперь я хочу Киев взять, а вас буду держать как родных братьев и не только теперь дам вам хорошие волости, но по смерти моей Киев отдам тебе; только вы не соединяйтесь с дядьми своими на меня». Изяслав согласился, и утвердили договор крестным целованием. Этим только известием можно объяснить равнодушие киевлян при занятии Ольговичем их города, тогда как они могли с успехом сопротивляться его *малой* дружине. Без сомнения, Всеволод явился к Киеву с такими ничтожными силами, зная, что сопротивления не будет. Но, уладивши дело относительно шурьев своих, Мстиславичей, Всеволод должен был улаживаться с собственным племенем, родными и двоюродными братьями — Ольговичами и Давыдовичами. Чтоб иметь себе и в тех и в других помощь при овладении Киевом, Всеволод, по известиям летописи, родному Игорю и двоюродному Владимиру обещал после себя Чернигов, но, севши в Киеве, отдал Чернигов Владимиру Давыдовичу и таким образом перессорил родных братьев с двоюродными. Но по другим, очень вероятным известиям, он обещал, что как скоро овладеет Киевом, то выгонит Мономаховичей из их волостей, которые отдаст родным братьям, а двоюродные останутся в Чернигове; боясь же теперь действовать против Мономаховичей, чтоб не заставить их соединиться против себя, он не мог сдержать обещания родным братьям и рад был, перессорив их с двоюродными, иначе трудно себе представить, чтобы он мог с успехом обмануть братьев, обещая всем одно и то же.

Несмотря, однако, на все хитрости Всеволода и на то, что он хотел сначала щадить Мономаховичей, только разъединяя их, последние не хотели спокойно уступать ему старшинства. Первый, как следовало ожидать, начал Юрий: он приехал в Смоленск к племяннику Ростиславу Мстиславичу, который был всегда почтителен к дядьям и потому мог быть посредником между ними и братьями своими. Из летописи можно заключить, что переговоры между Мономаховичами сначала шли успешно, потому что когда Всеволод стал делать им мирные предложения, а Изяслава Мстиславича звал к себе в Киев на личное свидание, то Мономаховичи не захотели вступать с ним ни в какие соглашения, продолжали пересылаться между собою, сбираясь идти на него ратью. Тогда Всеволод решился предупредить их, напасть на каждого поодиночке, отнять волости и раздать их братьям по уговору; он надеялся на свою силу, говорит летописец, сам хотел всю землю держать. Пославши двоюродного брата своего, Изяслава Давыдовича, и галицких князей, внуков Ростиславовых, с половцами на Изяслава волынского и дядю его Вячеслава туровского, Всеволод сам с родным братом Святославом пошел к Переяславлю на Андрея. Он хотел посадить здесь Святослава и, ставши на Днепре, послал сказать Андрею: «Ступай в Курск». Согласиться Андрею на это требование, взять незначительную, отдаленную Черниговскую волость и отдать во враждебное племя Переяславль, стол дедовский и отцовский, значило не только унизить себя, но и нанести бесчестье целому племени, целой линии Мономаховой, отняв у нее то значение, те преимущества и волости, которые были утверждены за нею Владимиром и двумя старшими его сыновьями; Ольговичи были исключены из старшинства, должны были ограничиться одними черниговскими волостями, вследствие чего все остальные русские волости стали исключительно отчиною Мономаховичей, а теперь Ольговичи насилием, мимо отцовского обычая, хотят отнять у них полученные от отца волости и дать вместо их свои черниговские, худшие! Вспомним, как после члены родов боялись занять какое-нибудь место, которого не занимали их старшие, чтоб не нанести *порухи* роду, и для нас не удивителен будет ответ Андрея; подумавши с дружиною, он велел сказать Всеволоду: «Лучше мне умереть с дружиною на своей отчине и дедине, чем взять курское княжение; отец мой сидел не в Курске, а в Переяславле, и я хочу на своей отчине умереть; если же тебе, брат, еще мало волостей, мало всей Русской земли, а хочешь взять и эту волость, то убей меня и возьми ее, а живой не пойду из своей волости. Это не в диковину будет нашему роду; так и прежде бывало: разве Святополк не убил Бориса и Глеба за волость? Но сам долго ли пожил? И здесь жизни лишился, да и там вечно мучится». Всеволод не пошел сам к Переяславлю, но послал туда брата Святослава, который встретился на дороге с дружиною Андреевою и был разбит: победители гнались за ними до места Корани*, далее Андрей не велел преследовать. На другой день Всеволод помирился с переяславским князем — на каких условиях неизвестно; вероятно, Андрей обещался отстать от союза со своими, признать старшинство Всеволода, а тот — оставить его в Переяславле. Андрей уже поцеловал крест, но Всеволод еще не успел, как в ночь загорелся Переяславль. Всеволод не воспользовался этим несчастием и послал на другой день сказать Андрею: «Видишь, я еще креста не целовал, так, если б хотел сделать тебе зло,

---

* Деревня Карань, в 5 верстах от Переяславля, на Трубеже.

мог бы; Бог мне давал вас в руки, сами зажгли свой город; что мне было годно, то б я и мог сделать; а теперь ты целовал крест; исполнишь свою клятву — хорошо, не исполнишь — Бог тебе будет судья». Помирившись с Андреем, Всеволод пошел назад в Киев.

Между тем война шла на западе: сначала войско, посланное против Изяслава ко Владимиру, дошедши до реки Горыни, испугалось чего-то и возвратилось назад; потом галицкие князья призвали к себе Изяслава Мстиславича для переговоров, но не могли уладиться: быть может, они хотели воспользоваться затруднительным положением волынского князя и распространить свою волость на его счет. Поляки, помогая Всеволоду, повоевали Волынь; Изяслав Давыдович — Туровскую волость; но дело этим и кончилось: и дядя и племянник остались на своих столах. С севера, однако, не было сделано никаких движений в их пользу, ни из Суздаля, ни из Смоленска; Юрий, будучи в последнем городе, послал к новгородцам звать их на Всеволода; но те не послушались, и сын его Ростислав прибежал из Новгорода к отцу в Смоленск; тогда Юрий, рассердившись, возвратился назад в Суздальскую область и оттуда захватил у новгородцев Торжок — вот единственная причина, которую находим в летописи для объяснения недеятельности Юрия; Ростислав один не отважился идти на помощь к своим, которые, будучи предоставлены собственным силам, принуждены были отправить послов ко Всеволоду с мирными предложениями; Всеволод сперва было не хотел заключать мира на предложенных ими условиях, но потом рассудил, что ему нельзя быть без Мономаховичей, согласился на их условия и целовал крест. Какие были эти условия, летописец не говорит; как видно, договорились, чтобы каждому из Мономаховичей остаться при своих волостях. Почему Всеволод думал, что ему нельзя обойтись без Мономаховичей, довольно ясно: при черниговской, галицкой и польской помощи ему не удалось силою лишить волости ни одного из них; несмотря на то что южные были оставлены северными, действовали порознь, только оборонительно, народное расположение было на их стороне.

Мономаховичи были разъединены враждою, чем единственно и держался Всеволод в Киеве; но зато и между Ольговичами была постоянная размолвка. Святослав Ольгович, призванный в другой раз в Новгород, опять не мог ужиться с его жителями и бежал оттуда в Стародуб; Всеволод вызвал его к себе в Киев, но братья не уладились о волостях; Святослав пошел в Курск, которым владел вместе с Новгородом-Северским; чем владел Игорь — неизвестно; потом скоро Всеволод дал Святославу Белгород. Игорь продолжал враждовать с Давыдовичем за Чернигов, ходил на него войною, но заключил мир. Смерть Андрея Владимировича переяславского, случившаяся в 1142 г., подала повод к новым перемещениям и смутам: Всеволоду, как видно, неловко было сидеть в Киеве, окруженном со всех сторон волостями Мономаховичей, и потому он послал сказать Вячеславу туровскому: «Ты сидишь в Киевской волости, а она мне следует: ступай в Переяславль, отчину свою». Вячеслав не имел никакого предлога не идти в Переяславль и пошел; а в Турове посадил Всеволод сына своего Святослава. Это распоряжение должно было озлобить Ольговичей, тяжко стало у них на сердце, говорит летописец: волости дает сыну, а братьев ничем не наделил. Тогда Всеволод позвал к себе рядиться всех братьев, родных и двоюродных; они пришли и стали за Днепром: Святослав Ольгович, Владимир и Изяслав Давыдовичи — в Ольжичах, а Игорь — у Городца; прямо в Киев, следовательно, не поехали, вели переговоры через Днепр; Святослав поехал к Игорю и спросил: «Что тебе дает брат старший?» Игорь отвечал: «Дает нам по городу: Брест и Дрогичин*, Чарторыйск и Клецк, а отчины своей, земли вятичей, не дает». Тогда Святослав поцеловал крест с Игорем, а на другой день целовали и Давыдовичи на том, чтобы стоять всему племени заодно против неправды старшего брата; сказали при этом: «Кто из нас отступится от

* Местечко Гродненской губернии, Кобринского уезда.

крестного целования, тому крест отомстит». Когда после этого Всеволод прислал звать их на обед, то они не поехали и велели сказать ему: «Ты сидишь в Киеве; а мы просим у тебя Черниговской и Новгородской (Северской) волости, Киевской не хотим». Всеволод никак не хотел уступить им вятичей, верно, приберегал их на всякий случай своим детям, а все давал им те четыре города, о которых было прежде сказано. Братья велели сказать ему на это: «Ты нам брат старший, но если не дашь, так мы сами будем искать» — и, рассорившись со Всеволодом, поехали ратью к Переяславлю на Вячеслава; верно, надеялись так же легко выгнать его из этого города, как брат их Всеволод выгнал его из Киева; но обманулись в надежде, встретили отпор у города, а между тем Всеволод послал на помощь Вячеславу воеводу Лазаря Саковского с печенегами и киевлянами; с другой стороны, Изяслав Мстиславич, услыхав, что черниговские пришли на его дядю, поспешил отправиться с полком своим к Переяславлю и разбил их: четверо князей не могли устоять против одного и побежали в свои города; а между тем явился Ростислав с смоленским полком и повоевал Черниговскую волость по реке Соже; тогда Изяслав, услыша, что брат его выгнал черниговских, бросился на волость их от Переяславля, повоевал села по Десне и около Чернигова и возвратился домой с честью великою. Игорь с братьями хотел отомстить за это: поехали в другой раз к Переяславлю, стали у города, бились три дня и опять, ничего не сделавши, возвратились домой. Тогда Всеволод вызвал из монастыря брата своего двоюродного Святошу (Святослава — Николая Давыдовича, постригшегося в 1106 году) и послал к братьям, велев сказать им: «Братья мои! Возьмите у меня с любовию, что вам даю, — Городец*,

---

* Городец Остерский, или Юрьев, принадлежавший Юрию Долгорукому ростовскому и отнятый у него недавно Всеволодом; Рогачев — уездный город Могилевской губернии; о Рогачеве Волынском нельзя думать, потому что между Святославичами дело шло о дележе Турово-Пинского княжества, приобретенного теперь этой линией вследствие переселения Вячеслава в Переяславль; Всеволод и дает туровские города или черниговские, за ним остававшиеся, а волынских он не мог отдавать: они принадлежали

Рогачев, Брест, Дрогичин, Клецк, не воюйте больше с Мстиславичами». На этот раз, потерявши смелость от неудач под Переяславлем, они исполнили волю старшего брата, и когда он позвал их к себе в Киев, то все явились на зов. Но Всеволоду, который сохранил свое приобретение только вследствие разъединения, вражды между остальными князьями, не нравился союз между братьями; чтоб рассорить их, он сказал Давыдовичам: «Отступите от моих братьев, я вас наделю»; те прельстились обещанием, нарушили клятву и перешли от Игоря и Святослава на сторону Всеволода. Всеволод обрадовался их разлучению и так распорядился волостями: Давыдовичам дал Брест, Дрогичин, Вщиж и Ормину*, а родным братьям дал: Игорю — Городец Остерский и Рогачев, а Святославу — Клецк и Чарторыйск. Ольговичи помирились поневоле на двух городах и подняли снова жалобы, когда Вячеслав по согласию с Всеволодом поменялся с племянником своим Изяславом: отдал ему Переяславль, а сам взял опять прежнюю свою волость Туров, откуда Всеволод вывел своего сына во Владимир; понятно, что Вячеславу не нравилось в Переяславле, где его уже не раз осаждали черниговские, тогда как храбрый Изяслав мог отбиться от какого угодно врага. Не понравилось это перемещение Ольговичам; стали роптать на старшего брата, что поблажает шурьям своим Мстиславичам: «Это наши враги, — говорили они, — а он осажался ими около, нам на безголовье и безместье, да и себе». Они наскучивали Всеволоду просьбами своими идти на Мстиславичей, но тот не слушался; это все показывает, что прежде точно Всеволод обещал братьям поместить их в волостях Мономаховских; но теперь Ольговичи должны были видеть, что исполнение этого обещания вовсе не легко, и настаивание на этом может показывать только их нерасчетливость, хотя очень понятны их раздражительность и досада на стар-

---

Изяславу Мстиславичу; Чарторыйск мог находиться на границах Владимирского княжества с Туровским и принадлежать к последнему.

* Вщижь — село Орловской губернии, в 40 верстах от Брянска; есть два села Воршиных в Могилевском уезде.

шего брата. Изяслава Мстиславича, однако, как видно, беспокоила вражда Ольговичей; из поведения Всеволода с братьями он очень ясно видел, что это за человек, можно ли на него в чем-нибудь положиться. Мог ясно видеть, что Всеволод только по нужде терпит Мономаховичей в хороших волостях, и потому решился попытаться, нельзя ли помириться с дядею Юрием. Он сам отправился к нему в Суздаль, но не мог уладиться и поехал из Суздаля сперва к брату Ростиславу в Смоленск, а потом к брату Святополку в Новгород, где и зимовал.

Таковы были отношения между двумя главными линиями Ярославова потомства при старшинстве внука Святославова; обратимся теперь к другим. Здесь первое место занимают Ростиславичи, которые начали тогда носить название князей галицких. Известные нам Ростиславичи — Володарь и Василько умерли оба в 1124 году; после Володаря осталось два сына — Ростислав* и Владимир, известный больше под уменьшительным именем Владимирка; после Василька — Григорий и Иван. Из князей этих самым замечательным явился второй Володаревич, Владимирко: несмотря на то что отовсюду был окружен сильными врагами, Владимирко умел не только удержаться в своей волости, но и успел оставить ее своему сыну могущественным княжеством, которого союз или вражда получили большую важность для народов соседних. Будучи слабым между многими сильными, Владимирко не разбирал средств для достижения цели: большею частию действовал ловкостию, хитростию, не смотрел на клятвы. Призвав на помощь венгров, он встал на старшего брата своего Ростислава в 1127 году; но Ростиславу помогли двоюродные братья Васильковичи и великий князь киевский — Мстислав Владимирович. С Ростиславом ему не удалось сладить; но когда умер Ростислав, равно как оба двоюродные братья Васильковичи, то Владимирко взял себе обе волости — Перемышльскую и Теребовльскую — и не поделился с племянни-

* Я ставлю Ростислава старшим, потому что ему достался старший стол — Перемышль, тогда как Владимиру достался Звенигород, по известию Стрыйковского.

ком своим Иваном Ростиславичем, княжившим в Звенигороде. Усобицы, возникшие на Руси по смерти Мстислава Великого, давали Владимиру полную свободу действовать. Мы видели, что в войне Всеволода Ольговича с Мономаховичами Владимирко с одним из двоюродных братьев своих, Иваном Васильковичем, помогал Всеволоду; но отношения переменились, когда на столе волынском вместо Изяслава Мстиславича сел сын Всеволодов — Святослав; князь с таким характером и стремлениями, как Владимирко, не мог быть хорошим соседом; Святослав и отец его также не были уступчивы, и потому неудивительно читать в летописи под 1144 годом, что Всеволод рассорился с Владимирком за сына, начали искать друг на друге вины, и Владимирко отослал в Киев крестную грамоту. Всеволод пошел на него с обоими родными братьями, с двоюродным Владимиром Давыдовичем, Мономаховичем — Вячеславом туровским, двумя Мстиславичами — Изяславом и Ростиславом, с сыном Святославом, двумя сыновьями Всеволода городенского, с Владиславом — польским князем; нудили *многоглаголивого* Владимирка неволею приехать ко Всеволоду поклониться, но тот не хотел и слышать об этом и привел к себе на помощь венгров. Всеволод пошел к Теребовлю; Владимирко вышел к нему навстречу, но биться не могли, потому что между ними была река Серетъ, и оба пошли по берегам реки к Звенигороду. Всеволод, к которому пришел двоюродный брат Изяслав Давыдович с половцами, стал об одну сторону Звенигорода, а Владимирко — по другую; мелкая река разделяла оба войска. Тогда Всеволод велел чинить гати; войска его перешли реку и зашли в тыл Владимирку, отрезав его от Перемышля и Галича. Видя это, галичане встосковались: «Мы здесь стоим, — говорили они, — а там жен наших возьмут». Тогда ловкий Владимирко нашелся, с какой стороны начать дело: он послал сказать брату Всеволодову Игорю: «Если помиришь меня с братом, по его смерти помогу тебе сесть в Киеве». Игорь прельстился обещанием и начал хлопотать о мире, приступая к брату то с мольбою, то с сердцем: «Не хочешь ты мне добра, зачем ты мне назначил Киев после себя, когда не даешь друга сыскать?» Всеволод послушался его и заключил мир. Владимирко выехал к нему из стана, поклонился и дал за труд 1400 гривен серебра; прежде он много говорил, а после много заплатил, прибавляет летописец. Всеволод, поцеловавшись с Владимирком, сказал ему: «Се цел еси, к тому не согрешай», — и отдал ему назад два города, Ушицу и Микулин, захваченные Изяславом Давыдовичем. Серебра себе Всеволод не взял один всего, но разделил со всею братьею. Неудача Владимирка ободрила внутренних врагов его, приверженцев племянника Ивана Ростиславича. Когда зимою Владимирко отправился на охоту, то жители Галича послали в Звенигород за Иваном и ввели его к себе в город*. Владимирко, услыхав об этом, пришел с дружиною к Галичу, бился с осажденными три недели и все не мог взять города, как однажды ночью Иван вздумал сделать вылазку, но зашел слишком далеко от города и был отрезан от него полками Владимирковыми; потеряв много дружины, он пробился сквозь вражье войско и бросился к Дунаю, а оттуда степью в Киев к Всеволоду; Владимирко вошел в Галич, многих людей перебил, а иных показнил казнью злою, по выражению летописца. Быть может, покровительство, оказанное Всеволодом Ростиславичу, послужило поводом к новой войне между киевским и галицким князьями: в 1146 год Владимирко взял Прилук — пограничный киевский город. Всеволод опять собрал братьев и шурьев, соединился с новгородцами, которые прислали отряд войска под воеводою Неревином, с поляками и дикими половцами и осадил Звенигород со множеством войска; на первый день осады пожжен был острог, на другой звенигородцы собрали вече и решили сдаться; но не хотел сдаваться воевода, Владимирков боярин Иван Халдеевич: чтоб настращать граждан, он схватил у них три человека, убил их и, рас-

* Следовательно, Иван Ростиславич княжил в Звенигороде, а не был изгнан или лишен законного наследства, как говорит Карамзин: из летописи видно только, что Владимирко не поделился с племянником Теребовльской волостью.

секши каждого пополам, выбросил вон из города. Он достиг своей цели: звенигородцы испугались и с тех пор начали биться без лести. Видя это, Всеволод решился взять город приступом; на третий день все войско двинулось на город; бились с зари до позднего вечера, зажгли город в трех местах; но граждане утушили пожар. Всеволод принужден был снять осаду и возвратился в Киев; как видно, впрочем, продолжению войны много помешала болезнь его.

Относительно других княжеских линий встречаем известие о смерти Всеволода Давыдовича городенского в 1141 году; после него осталось двое сыновей — Борис и Глеб да две дочери, из которых одну великий князь Всеволод отдал за двоюродного брата своего Владимира Давыдовича, а другую — за Юрия Ярославича. Здесь в первый раз упоминается этот Юрий, сын Ярослава Святополчича, следовательно, представитель Изяславовой линии; где он княжил, неизвестно. Полоцкие князья воспользовались смутами, ослабившими племя Мономахово, и возвратились из изгнания в свою волость. Мы видели, что при Ярополке княжил в Полоцке Василько Святославич; о возвращении двоих других князей полоцких из изгнания летописец упоминает под 1139 годом. Ярославичи обеих линий — Мономаховичи и Ольговичи теперь вместо вражды входили в родственные союзы с полоцкими: так, Всеволод женил сына своего Святослава на дочери Василька, а Изяслав Мстиславич отдал дочь свою за Рогволода Борисовича. В линии Ярослава Святославича муромского умер сын его Святослав в 1144 году; его место заступил брат его Ростислав, пославши сына своего Глеба княжить в Рязань.

Что касается до Новгорода, то легко предвидеть, что при усобицах между Мономаховичами и Ольговичами в нем не могло быть спокойно. По изгнании Вячеслава Всеволодом из Киева при торжестве Ольговичей новгородцы опять стали между двух огней, опять вовлекались в междоусобие; должны были поднять оружие против великого князя киевского, от которого обязаны были зависеть. Мы видели, что Юрий ростовский, собравшись на Всеволода, потребовал войска у новгородцев; граждане отказались поднять руки на великого князя, как прежде отказались идти против Юрия; отказ на требование отца послужил знаком к отъезду сына: Ростислав уехал в Смоленск, Новгород остался без князя; а между тем рассерженный Юрий взял Торжок. В такой крайности новгородцы обратились к Всеволоду, должны были принять снова Святослава Ольговича, прежде изгнанного, т. е. поднять опять у себя все потухшие было вражды. Новгородцы принуждены были дать клятву Святославу; в чем она состояла, неизвестно; но еще до приезда Святослава в Новгород летописец упоминает о мятеже, произведенном, без сомнения, врагами Святослава, приверженцами Мономаховича. Святослав не забыл также врагов своих, бывших причиною его изгнания, вследствие чего новгородцы начали вставать на него на вечах за его злобу, по выражению летописца. Святославу самому скоро наскучило такое положение; он послал сказать Всеволоду: «Тяжко мне, брат, с этими людьми, не могу с ними жить; кого хочешь, того и пошли сюда». Всеволод решился отправить сына своего Святослава и послал сказать об этом новгородцам известного уже нам Ивана Войтишича; но, вероятно, для того, чтоб ослабить сторону мономаховскую и приготовить сыну спокойное княжение, велел Войтишичу выпросить у новгородцев лучших мужей и прислать их в Киев, что и было исполнено: так, заточен был в Киев Константин Микулинич, который был посадником прежде при Святославе и потом бежал к Всеволоду Мстиславичу; вслед за Константином отосланы были в оковах в Киев еще шестеро граждан. Но эти меры, как видно, только усилили волнения. На вечах начали бить Святославовых приятелей за его насилия; кум его, тысяцкий, дал ему знать, что собираются схватить и его; тогда Святослав тихонько ночью убежал из Новгорода вместе с посадником Якуном; но Якуна схватили, привели в Новгород вместе с братом Прокопием, чуть не убили до смерти, раздели донага и сбросили с моста. Ему посчастливилось, однако, прибресть к берегу; тогда уже больше его не стали бить, но взяли с него 1000 гривен, да с брата его сто гривен и заточили обоих в Чудь, приковавши руки к шее; но после перевел их к себе Юрий ростовский и держал в милости. Между тем епископ новгородский с другими послами приехал в Киев и сказал Всеволоду: «Дай нам сына твоего, а Святослава, брата твоего, не хотим». Всеволод согласился и отправил к ним сына Святослава; но когда молодой князь был уже на дороге в Чернигов, новгородцы переменили мнение и объявили Всеволоду: «Не хотим ни сына твоего, ни брата и никого из вашего племени, хотим племени Владимирова; дай нам шурина твоего Мстиславича». Всеволод, услыхав это требование, воротил епископа с послами и задержал их у себя. Не желая передать Новгорода Владимирову племени, Всеволод призвал к себе шурьев своих — Святополка и Владимира, дал им Брест и сказал: «О Новгороде не хлопочите, пусть их сидят одни, пусть берут себе князя, какого хотят». Девять месяцев сидели новгородцы без князя, чего они не могли терпеть, по выражению летописца; притом же сделалась дороговизна, хлеб не шел им ниоткуда. При таких обстоятельствах, естественно, упала сторона, так сильно действовавшая против Святослава, и восторжествовала сторона противная; но эта сторона переменила теперь направление: мы видели, что Юрий ростовский принял к себе Якуна и держал его в милости; в Суздаль же бежали и другие приятели Святослава и Якуна — Судила, Нежата, Страшко; ясно, что Юрий милостивым приемом привлек их всех на свою сторону; теперь, когда сторона их усилилась и они были призваны в Новгород, а Судила был избран даже посадником, то легко понять, что они стали действовать в пользу своего благодетеля Юрия, тем более что теперь не оставалось другого средства, как обратиться к последнему, и вот новгородцы послали за Юрием; тот сам к ним не поехал, а отправил сына своего Ростислава. Тогда Всеволод увидал, что ошибся в своем расчете, сильно рассердился на Юрия, захватил его город, Городец на Остре, и другие, захватил коней, рогатый скот, овец, всякое добро, какое только было у Юрия на юге; а между тем Изяслав Мстиславич послал сказать сестре своей, жене Всеволодовой: «Выпроси у зятя Новгород Великий брату своему Святополку». Она стала просить мужа, и тот наконец согласился; разумеется, не одна просьба жены заставила его согласиться на это: ему выгоднее было видеть в Новгороде шурина своего Мстиславича, чем сына Юрьева; притом изгнание последнего в пользу первого усиливало еще больше вражду между Юрием и племянниками, что было очень выгодно для Всеволода. Когда в Новгороде узнали, что из Киева идет к ним Святополк Мстиславич с епископом и лучшими людьми, задержанными прежде Всеволодом, то сторона Мстиславичей поднялась опять, тем более что теперь надобно было выбрать из двух одно: удержать сына Юриева и войти во вражду с великим князем и Мстиславичами или принять Святополка и враждовать с одним Юрием. Решились на последнее: Святополк был принят, Ростислав отправлен к отцу, и Новгород успокоился.

Таковы были внутренние отношения во время старшинства Всеволода Ольговича; обратимся теперь ко внешним. Мы оставили Польшу под правлением Болеслава III Кривоустого; княжение Болеслава было одно из самых блистательных в польской истории по удачным войнам его с поморянами, чехами, немцами. Мы видели также постоянную борьбу его с братом Збигневом, против которого он пользовался русскою помощью. Очень важно было для Руси, что деятельность такого энергичного князя отвлекалась преимущественно на запад, сдерживалась домашнею борьбою с братом и что современниками его на Руси были Мономах и сын его Мстислав, которые могли дать всегда сильный отпор Польше в случае вражды с ее князем; так кончилось ничем вмешательство Болеслава в дела волынские, когда он принял сторону Изяславовой линии, ему родственной. По смерти Мстислава Великого, когда начались смуты на Руси, герой польский уже устарел, да и постоянно отвлекался западными отношениями; а по смерти Болеслава усобицы между сыновьями его не только помешали им воспользоваться русскими усобицами, но даже заставили их дать место вмешательству русских князей в свои дела. Болеслав умер в 1139 году, оставив пятерых сыновей, между которыми начались те же самые родовые отношения, какие мы видели до сих пор между князьями русскими и чешскими. Старший из Болеславичей сидел на главном столе в Кракове; меньшие братья имели свои волости и находились к старшему только в родовых отношениях. Легко понять, какое следствие для Польши должны были иметь подобные отношения между князьями, когда значение вельмож успело уже так усилиться. Владислав II, старший между Болеславичами, был сам человек кроткий и миролюбивый; но не такова была жена его, Агнесса, дочь Леопольда, герцога австрийского. Немецкой принцессе казались дикими родовые отношения между князьями, ее гордость оскорблялась тем, что муж ее считался только старшим между братьями; она называла его полукнязем и полумужчиною за то, что он терпел подле себя столько равноправных князей. Владислав поддался увещаниям и насмешкам жены: он начал требовать дани с волостей, принадлежавших братьям, забирать города последних и обнаруживал намерение совершенно изгнать их из Польши. Но вельможи и прелаты встали за младших братьев, и Владислав принужден был бежать в Германию; старшинство принял второй после него брат, Болеслав IV Кудрявый. В этих усобицах принимал участие Всеволод Ольгович по родству с Владиславом, за старшим сыном которого, Болеславом, была дочь его Звенислава, или Веleслава. В 1142 году Всеволод посылал сына своего Святослава, двоюродного брата Изяслава Давыдовича и Владимирка галицкого на помощь Владиславу против меньших братьев; русские полки не спасли Владислава от изгнания; наш летописец сам признается, что они удовольствовались только опустошением страны, побравши в плен больше мирных, чем ратных людей. В походе на Владимирка Владислав был в войске Всеволодовом; в 1145 году на зов Владислава, не перестававшего хлопотать о возвращении стола то на Руси, то у немцев, отправился на меньших Болеславичей Игорь Ольгович с братьями: в средине земли Польской, говорит летописец, встретились они с Болеславом Кудрявым и братом его Мечиславом (Межко); польские князья не захотели биться, приехали к Игорю с поклоном и помирились на том, что уступили старшему брату Владиславу четыре города во владение, а Игорю с братьями дали город Визну*, после чего русские князья возвратились домой и привели с собою большой полон; тем и кончились польские отношения. Шведскому князю, который в 1142 году приходил в 60 шнеках на заграничных купцов, шедших в трех лодьях, не удалось овладеть последними; купцы отбились от шведов, убивши у них полтораста человек. С финскими племенами продолжалась борьба по-прежнему: в 1142 году приходила емь из Финляндии и воевала область Новгородскую; но ни одного человека из них не возвратилось домой: ладожане истребили у них 400 человек; в следующем году упоминается о походе корелы на емь. О половецких нашествиях не встречаем известий в летописях: под 1139 годом читаем, что приходила вся Половецкая земля, все князья половецкие на мир; ходил к ним Всеволод из Киева и Андрей из Переяславля к Малотину**, и помирились; разумеется, мир этот можно было только купить у варваров. После видим, что половцы участвуют в походе Всеволода на Галич.

Мы видели, что еще во время галицкого похода Игорь Ольгович упоминал об обещании брата Всеволода оставить ему после себя Киев; в 1145 году Всеволод в присутствии братьев своих, родных, двоюродных, и шурина Изяслава Мстиславича прямо объявил об этом распоряжении своем: «Владимир Мономах, — говорил он, — посадил после себя на старшем столе сына своего Мстислава, а Мстислав — брата своего Ярополка: так и я, если Бог меня возьмет, отдаю Киев по себе брату своему Игорю». Преемство Мстислава после Мономаха и преемство Ярополка после Мстислава нарушило в глазах Ольговича старый порядок, по которому старшинство и Киев принадлежали всегда самому старшему в роде; так как Моно-

* Теперь есть местечко Визна в Августовской губернии Царства Польского, при слиянии Бобра с Наревом.

** Селение Малютенцы, в 20 верстах от Пирятина.

маховичи первые нарушили этот обычай в пользу своего племени, то теперь он, Всеволод, считает себя вправе поступить точно так же — отдать Киев после себя брату, хотя Игорь и не был после него самым старшим в целом роде Ярославовом. Изяслав Мстиславич сильно вооружился против этого распоряжения, но делать было нечего, по нужде целовал он крест, что признает старшинство Игоря. Когда все братья, продолжает летописец, сели у Всеволода на сенях, то он начал говорить: «Игорь! Целуй крест, что будешь любить братьев; а вы, Владимир, Святослав и Изяслав, целуйте крест Игорю и будьте довольны тем, что вам даст по своей воле, а не по нужде». И все братья целовали крест. Когда в 1146 году Всеволод больной возвратился из галицкого похода, то остановился под Вышгородом на острове, велел позвать к себе лучших киевлян и сказал им: «Я очень болен; вот вам брат мой Игорь, возьмите его себе в князья»; те отвечали: «Возьмем с радостью». Игорь отправился с ними в Киев, созвал всех граждан, и все целовали ему крест, говоря: «Ты нам князь»; но они обманывали его, прибавляет летописец. На другой день поехал Игорь в Вышгород, и вышгородцы также целовали ему крест. Всеволод был еще все жив: он послал зятя своего Болеслава польского к Изяславу Мстиславичу, а боярина Мирослава Андреевича к Давыдовичам спросить, стоят ли они в крестном целовании Игорю, и те отвечали, что стоят. 1 августа умер Всеволод, князь умный, деятельный, где дело шло об его личных выгодах, умевший пользоваться обстоятельствами, но не разбиравший средств при достижении цели.

После братних похорон Игорь поехал в Киев, опять созвал всех киевлян на гору, на двор Ярославов, и опять все присягнули ему. Но потом вдруг собрались все у Туровой божницы и послали сказать Игорю: «Князь! Приезжай к нам». Игорь вместе с братом Святославом поехал, остановился с дружиною, а брата Святослава послал на вече. Киевляне стали жаловаться на тиуна Всеволодова Ратшу и на другого тиуна, вышгородского Тудора, говорили: «Ратша погубил у нас Киев, а Тудор — Вышгород; так теперь, князь Святослав, целуй крест нам и с братом своим, что если кого из нас обидят, то ты разбирай дело». Святослав отвечал: «Я целую крест за брата, что не будет вам никакого насилия, будет вам и тиун по вашей воле». Сказавши это, он сошел с лошади и целовал крест на вече; киевляне также все сошли с лошадей и целовали крест, говоря: «Брат твой, князь, и ты клялись и с детьми не мыслить зла ни против Игоря, ни против Святослава». После этого Святослав, взявши лучших мужей, поехал с ними к Игорю и сказал ему: «Брат! Я поклялся им, что ты будешь судить их справедливо и любить». Игорь сошел с лошади и целовал крест на всей их воле и на братней, после чего князья поехали обедать. Но киевляне бросились с веча на Ратшин двор грабить и на мечников; Игорь выслал к ним брата Святослава с дружиною, и тот едва утишил их. В то же самое время Игорь послал сказать Изяславу Мстиславичу: «Брата нашего Бог взял; стоишь ли в крестном целовании?» Изяслав не дал ответа и даже не отпустил посла назад, потому что Игорь не сдержал обещания, данного киевлянам, и те послали сказать Изяславу в Переяславль: «Поди, князь, к нам: хотим тебя». Изяслав принял приглашение, собрал своих ратных людей и пошел из Переяславля; когда он перешел Днепр у Заруба, то прислало к нему все пограничное варварское народонаселение, черные клобуки и все жители пограничных городов на реке Роси (все Поросье); посланные говорили: «Ты наш князь, Ольговичей не хотим; ступай скорее, а мы с тобою». Изяслав пошел к Дерновому, и тут соединились с ним все черные клобуки и поршане (жители городов по Роси); туда же прислали к нему белгородцы и василевцы с теми же речами: «Ступай, ты наш князь, Ольговичей не хотим»; скоро явились новые послы из Киева и сказали: «Ты наш князь, ступай, не хотим переходить к Ольговичам точно по наследству; где увидим твой стяг, тут и мы будем готовы с тобою». Эти слова очень важны: они показывают, что современники не были знакомы с понятиями о наследственности в одной линии. Изяслав собрал все свое войско в степи, христиан и поганых, и сказал им: «Братья! Всеволода я считал по правде братом старшим, потому что старший брат и зять мне как отец; а с этими как меня Бог управит и сила крестная: либо голову свою положу перед вами, либо достану стол дедовский и отцовский». Сказавши это, он двинулся к Киеву, а между тем Игорь послал к двоюродным братьям своим, Давыдовичам, спросить у них, стоят ли они в крестном целовании. Те хотели дорого продать свою верность клятве и запросили у него волостей много; Игорь в крайности дал им все, лишь бы только шли к нему на помощь; и они отправились. Но еще важнее было для Игоря уладиться с дружиною, привязать ее к себе; он призвал к себе главных бояр — Улеба, Ивана Войтишича, Лазаря Саковского и сказал им: «Как были у брата моего, так будете и у меня»; а Улебу сказал: «Держи ты тысячу (т. е. будь тысяцким), как у брата моего держал». Из этого видно, что при каждой перемене князя бояре боялись лишиться прежнего значения, и теперь Игорь спешит уверить их, что они ничего не потеряют при нем. Но Ольгович опоздал: эти бояре уже передались Изяславу; они могли видеть всеобщее нерасположение к Игорю, видеть, что вся Русь становится под стяг Мономахова внука, и спешили отстать от проигранного дела. Они послали сказать Изяславу: «Ступай, князь, скорее: идут Давыдовичи Игорю на помощь». Кроме означенных бояр в Святославовом полку передались на сторону Мстиславича Василь Полочанин и Мирослав (Андреевич), внук Хилич; они впятером собирали киевлян и советовались, как бы обмануть Игоря; а к Изяславу послали сказать: «Ступай, князь, мы уговорились с киевлянами; бросим стяг Ольговича и побежим с полком своим в Киев». Изяслав подошел к Киеву и стал с сыном своим Мстиславом у вала, подле Надова озера, а киевляне стояли особо, у Ольговой могилы, огромною толпою. Скоро Игорь и все войско его увидали, что киевляне послали к Изяславу и взяли у него тысяцкого со стягом; а вслед за тем берендеи переехали чрез Лыбедь и захватили Игорев обоз перед Золотыми воротами и под огородами. Видя это, Игорь сказал брату Святославу и племяннику Святославу Всеволодовичу: «Ступайте в свои полки, и как нас с ними Бог рассудит»; велел ехать в свои полки также и Улебу тысяцкому с Иваном Войтишичем. Но как скоро приехали они в свои полки, то бросили стяги и поскакали к Жидовским воротам. Ольгович с племянником не смутились от этого и пошли против Изяслава; но им нельзя было проехать к нему Надовым озером; они пошли верхом и попали в самое невыгодное место между двумя канавами из озера и из сухой Лыбеди. Берендеи заехали им взад и начали сечь их саблями, а Изяслав с сыном Мстиславом и дружиною заехали сбоку; Ольговичи побежали, Игорь заехал в болото, конь под ним увяз, а идти он не мог, потому что был болен ногами; брат его Святослав бежал на устье Десны, за Днепр, а племянник Святослав Всеволодич прибежал в Киев и спрятался в Ирининском монастыре, где его и взяли; дружину Ольговича гнали до самого Днепра, до устья Десны и до киевского перевоза.

Изяслав с великою славою и честью въехал в Киев; множество народа вышло к нему навстречу; игумены с монахами и священниками со всего Киева в ризах; он приехал к св. Софии, поклонился Богородице и сел на столе отцовском и дедовском. Когда привели к нему Святослава Всеволодовича, то он сказал ему: «Ты мне родной племянник» — и начал водить его подле себя; бояр, верных Ольговичам, перехватали много — Данила Великого, Юрья Прокопьича, Ивора Юрьевича, внука Мирославова и других и пустили их, взявши окуп. Через четыре дня схватили в болоте Игоря и привели к Изяславу, который сначала послал его в Выдубицкий монастырь, а потом, сковавши, велел посадить в переяславский Ивановский; тогда же киевляне с Изяславом разграбили домы дружины Игоревой и Всеволодовой, села, скот, взяли много именья в домах и монастырях. Таким образом старший стол перешел опять в род Мономаха, но перешел к племяннику мимо двух дядей; причины этого явления мы уже видели прежде: племянник Изяслав личною доблестью превосходил дядей, был представителем Мономахова племени в глазах народа. Сам Изяслав сначала не хотел нарушать право дяди Вячеслава;

отправившись в поход против Игоря Ольговича, он объявил, что идет возвратить старший стол Вячеславу. Но дела переменились, когда он действительно овладел Киевом; если жители этого города заставили Мономаха нарушить старшинство Святославичей, то нет сомнения, что они же заставили и внука его Изяслава нарушить старшинство дяди Вячеслава: желая избавиться от Ольговичей, они прямо послали к Изяславу, ему говорили: «Ты наш князь!» После увидим, что, призывая его вторично к себе, они прямо скажут ему, что не хотят Вячеслава; когда Юрий хотел было также уступить Киев Вячеславу, то бояре сказали, что он напрасно это делает, ибо Вячеславу все равно не удержать же Киева — таково было общее мнение о старшем из Мономаховичей; Юрий подчинился этому общему мнению, должен был подчиниться ему и племянник его Изяслав. Но если Русь не хотела Вячеслава, признавая его неспособным, то не так смотрели на дело собственные бояре Вячеславовы, которые управляли слабым князем и хотели управлять Киевом при его старшинстве. Послушавши бояр, Вячеслав стал распоряжаться как старший: захватил города, которые отняты были у него Всеволодом*; захватил и Владимир-Волынский и посадил в нем племянника, Владимира Андреевича, сына покойного переяславского князя. Но Изяслав поспешил уверить его, что не он старший; он послал на дядю брата Ростислава и племянника Святослава Всеволодовича; те взяли у Вячеслава Туров, схватили в нем епископа Иоакима и посадника Жирослава. В Турове посадил Изяслав сына своего Ярослава, старший сын его Мстислав сел в Переяславле. Такое распоряжение могло оскорбить братьев Изяславовых, особенно старшего Ростислава смоленского, но, вероятно, этот князь не хотел менять верное на неверное и сам отказался от Переяславля: здесь он беспрестанно должен был отбиваться от черниговских и от половцев; притом украинское Переяславское княжество, вероятно, было беднее смоленского; наконец, в предшествовавшие смуты Переяславль

---

* Должно быть, те, которые Всеволод отдал братьям.

много потерял из прежнего своего значеиия: мы видели, что Юрий ростовский отказался от него в пользу младшего брата Андрея; дядя Вячеслав — в пользу племянника Изяслава. У племянника от сестры, Святослава Всеволодовича, Изяслав взял Владимир-Волынский и вместо того дал ему пять городов на Волыни*. Города в земле южных дреговичей, которые Всеволод Ольгович роздал по братьям своим, остались за Давыдовичами.

Так устроились дела в собственной Руси; между тем Святослав Ольгович с малою дружиною прибежал в Чернигов и послал спросить у двоюродных братьев, Давыдовичей, хотят ли они сдержать клятву, которую дали пять дней тому назад. Давыдовичи отвечали, что хотят. Тогда Святослав, оставя у них мужа своего Коснятка, поехал в свои волости *уставливать* людей, то есть взять с них присягу в верности, сперва в Курск, а потом в Новгород-Северский. Но как скоро Святослав уехал, Давыдовичи начали думать втайне от его боярина. Коснятко, узнав, что они замышляют схватить Святослава, послал сказать ему: «Князь! Думают о тебе, хотят схватить; когда они за тобой пришлют, то не езди к ним». Давыдовичи боялись, что теперь Ольговичи, лишенные надежды получить волости на западной стороне Днепра, будут добиваться волостей черниговских, и положили соединиться с Мстиславичем против двоюродных братьев; они послали сказать Изяславу: «Игорь как до тебя был зол, так и до нас: держи его крепко», а к Святославу послали сказать: «Ступай прочь из Новгорода-Северского в Путивль, а от брата Игоря отступись». Святослав отвечал: «Не хочу ни волости, ничего другого, только отпустите мне брата»; но Давыдовичи все настаивали: «Целуй крест, что не будешь ни просить, ни искать брата, а волость держи». Святослав заплакал и послал к Юрию в Суздаль: «Брата моего Всеволода Бог взял, а Игоря

---

* Бужск, Межибожье, Котельницу и еще два неизвестных. Котельница на реке Гунве в Житомирском уезде; недалеко от нее находится Межибож; Бужска должно искать на берегах реки Божек, или Бужек, соединяющейся с Восточным Бугом у Межибожа.

Изяслав взял; пойди в Русскую землю в Киев, помилосердуй, сыщи мне брата; а я здесь, с помощию Божиею, буду тебе помогать». В самом деле Святослав действовал: послал к половецким ханам, дядьям жены своей, за помощью, и те прислали ему немедленно 300 человек. В то же время прибежал к нему от дяди из Мурома Владимир Святославич, внук Ярославов; мы видели, что по смерти Святослава Ярославича в Муроме сел брат его Ростислав, а в Рязань послал сына своего Глеба; это уже самое распоряжение обижало сына Святославова Владимира, который, не получив, быть может, и вовсе волостей, прибежал теперь к Святославу Ольговичу; вслед за ним прибыл в Новгород-Северский и другой изгнанник — Иван Ростиславич галицкий, который носит название Берладника: молдавский город Берлад был, подобно Тмутаракани, притоном всех беглецов, князей и простых людей; Иван также находил в нем убежище и дружину. Между тем Давыдовичи спешили кончить дело с опасным Ольговичем; по словам летописца, они говорили: «Мы начали злое дело, так уже окончим братоубийство; пойдем, искореним Святослава и переймем волость его»; они видели, что Святослав употребит все средства для освобождения брата; помнили, что и при жизни Всеволода Игорь с братом не давали им покоя, требуя Чернигова и волостей его, и сдерживались только обещанием Киева и волостей заднепровских; а теперь что будет их сдерживать? Отсюда понятна раздражительность Давыдовичей. Они стали проситься у Изяслава идти на Святослава к Новгороду-Северскому. Изяслав ходил к ним на съезд, где порешили — Давыдовичам вместе с сыном Изяславовым Мстиславом, переяславцами и берендеями идти к Новгороду-Северскому. Изяслав сказал им: «Ступайте! Если Святослав не выбежит перед вами из города, то осадите его там; когда вы устанете, то я со свежими силами приду к вам и стану продолжать осаду, а вы пойдете домой». Давыдовичи отправились к Новгороду, стали у вала и два раза приступали к двум воротам; бились у них сильно, как вдруг получили весть от Мстислава Изяславича, чтоб не приступали без него к городу, потому что так отец его велел. Давыдовичи послушались, дождались Мстислава, и все вместе пустили стрельцов своих к городу, христиан и берендеев, и сами стали полками и начали биться; граждане были сильно стеснены: их втиснули в острожные ворота, причем они много потеряли убитыми и ранеными. Бой продолжался до самого вечера, но город не был взят; осаждающие отступили, стали в селе Мелтекове и, пославши отсюда, заграбили стада Игоревы и Святославовы в лесу по реке Рахне, кобыл 3000, да коней 1000; послали и по окрестным селам жечь хлеб и дворы.

В это время пришла весть, что Юрий ростовский заключил союз со Святославом и идет к нему на помощь. Услыхав, что дядя поднялся на него, Изяслав Мстиславич отправил степью гонца в Рязань к Ростиславу Ярославичу с просьбою, чтоб напал на Ростовскую область и таким образом отвлек бы Юрия; Ростислав согласился; мы видели, что враждебный ему племянник находился у Святослава Ольговича, союзника Юрьева, и ему следовало вступить в союз с врагами последнего; да и без того Ярославичи муромские едва ли могли быть в дружелюбных отношениях к Ольговичам, изгнавшим отца их из Чернигова. Юрий был уже в Козельске, когда узнал, что Ростислав рязанский воюет его волость; это известие заставило его возвратиться и отпустить к Святославу только сына Ивана; когда тот пришел в Новгород к Святославу, то последний дал ему Курск с волостями по реке Сейму: как видно, Ольгович решился не щадить ничего, отдавать последнее, лишь бы только удержать в союзе Юрия и с его помощью достигнуть своей цели, освободить брата. Отдавши половину волости Юрьевичу, Святослав по думе бояр своих попробовал еще раз разжалобить Давыдовичей и послал священника своего сказать им: «Братья! Землю мою вы повоевали, стада мои и братние взяли, хлеб пожгли и *всю жизнь мою* (все имение, все животы) погубили: теперь вам остается убить меня». Давыдовичи отвечали по-прежнему, чтоб оставил брата; Святослав на это отвечал также по-прежнему: «Лучше мне помереть, чем оставить брата; буду искать его, пока душа в теле».

Давыдовичи продолжали пустошить волости Ольговичей; взяли сельцо Игорево, где он устроил себе двор добрый; было тут в погребах наготовлено много вина и меду и всякого тяжелого товару, железа и меди, так что нельзя было всего и вывезти; Давыдовичи велели все это покласть на возы и потом велели зажечь двор, и церковь Св. Георгия, и гумно, где было 900 стогов. Потом, услыхав, что Изяслав Мстиславич идет к ним на помощь из Киева, они пошли к Путивлю и приступили к городу, пославши сказать жителям: «Не бейтесь; клянемся Св. Богородицею, что не дадим вас в полон». Но путивльцы не послушались и крепко бились до тех пор, пока пришел Изяслав Мстиславич с силою киевскою; тогда путивльцы послали к нему сказать с поклоном: «Мы тебя только дожидались, князь, целуй нам крест». Изяслав поцеловал крест и только вывел от них прежнего посадника и посадил своего; этот поступок путивльцев очень замечателен: он показывает доверенность ко внуку Мономахову и недоверие ко внукам Святославовым у самих жителей черниговских волостей; неудивительно, что на той стороне Днепра так не любили Святославичей. В Путивле Изяслав и Давыдовичи взяли двор Святославов и все добро, какое нашли там, разделили на четыре части, взяли 500 берковцев меду, 80 корчаг вина; взяли всю утварь из церкви Вознесения и 700 человек рабов. Узнавши, что Путивль взят, именье его пограблено и что Изяслав идет на него, хочет осадить в Новгороде, Святослав позвал на совет князей Ивана Юрьича, Ивана Ростиславича Берладника, дружину, половцев диких, дядей своих и спрашивал, что делать. Те отвечали ему: «Князь! Ступай отсюда, не мешкая; здесь тебе не при чем оставаться: нет ни хлеба, ничего; ступай в лесную землю; там тебе близко будет пересылаться с *отцом своим Юрием*». Святослав послушался и побежал из Новгорода в Корачев с женою и детьми и с женою брата своего Игоря; из дружины одни пошли за ним, другие оставили его.

Новгородцы-северские дали знать Изяславу и его союзникам, что Святослав убежал от них; это известие сильно раздосадовало Давыдовичей: они знали, что, пока Святослав будет на свободе, до тех пор не перестанет отыскивать свободы брату; в сердцах Изяслав Давыдович сказал братьям: «Пустите меня за ним; если ему самому удастся уйти от меня, то жену и детей у него отниму, имение его возьму!» — и, взявши с собою три тысячи конной дружины, без возов, налегке отправился в погоню за Ольговичем, которому не оставалось более ничего делать, как или семью и дружину свою отдать в плен, или голову свою сложить. Подумав с союзными князьями, половцами и дружиною, он вышел навстречу к Давыдовичу и разбил его. Изяслав Мстиславич и Владимир Давыдович шли с полками вслед за Изяславом Давыдовичем и, остановившись в лесу, сели было обедать, как вдруг пригнал к ним один муж с вестию, что Изяслав разбит Ольговичем. Эта весть сильно раздосадовала Изяслава Мстиславича, который, по выражению летописца, был храбр и крепок на рать; он выстроил свое войско и пошел на Святослава к Корачеву; на дороге встречали его беглецы из дружины Изяслава Давыдовича и присоединялись к войску; самого Давыдовича долго не было, наконец и он явился в полдень; князья шли весь этот день до ночи и остановились ночевать недалеко от Корачева, а Святослав, узнав о их приходе, ушел за лес в землю вятичей. Тогда Изяслав Мстиславич сказал Давыдовичам: «Каких хотели вы волостей, те я вам добыл: вот вам Новгород-Северский и все Святославовы волости; что же будет в этих волостях Игорево — рабы или товар какой, то мое; а что будет Святославовых рабов и товара, то разделим на части». Урядившись таким образом, Изяслав возвратился в Киев, а между тем Игорь Ольгович сильно разболелся в тюрьме и прислал сказать ему: «Брат! Я очень болен и прошу у тебя пострижения; хотел я этого, когда еще был князем; а теперь в нужде я сильно разболелся и не думаю, что останусь в живых». Изяслав сжалился и послал сказать ему: «Если была у тебя мысль о пострижении, то ты волен, а я тебя и без того выпускаю для твоей болезни». Над Игорем розняли верх тюрьмы и вынесли больного в келью; восемь дней он не пил, не ел, но потом ему полегчало, и он постригся в киевском Федоровском монастыре в схиме.

Между тем в земле Северской и у вятичей по-прежнему шла война между Давыдовичами и Ольговичами. Изяслав Мстиславич, уходя в Киев, имел неосторожность оставить с Давыдовичами Святослава Всеволодовича, родного племянника Святославова, которого выгоды были тесно связаны с выгодами дяди, с выгодами племени Ольговичей: окончательное поражение дяди Святослава, окончательное торжество Давыдовичей отнимало у него навсегда надежду княжить в Чернигове, на что он имел со временем полное право, как сын старшего из Ольговичей. Вот почему он должен был поддерживать дядю и, точно, вместо преследования уведомлял его о движениях неприятельских. Несмотря на отступление Ивана Берладника, который, взявши у Святослава 200 гривен серебра и 12 золота, перешел к Ростиславу Мстиславичу смоленскому, дела Ольговича поправились, потому что Юрий ростовский прислал ему на помощь белозерскую дружину. Святослав уже хотел идти с нею на Давыдовичей, как вдруг опасно занемог сын Юрьев, Иван; Ольгович не поехал от больного и дружины не отпустил. Давыдовичи со своей стороны, услыхав, что Святослав получил помощь от Юрия, не посмели идти на него, но, созвавши лучших вятичей, сказали им: «Святослав такой же враг и вам, как нам: старайтесь убить его как-нибудь обманом и дружину его перебить, а именье его вам», — после чего сами пошли назад. Двое сыновей Юрьевых — Ростислав и Андрей действовали успешно с другой стороны: заставили рязанского князя Ростислава бежать к половцам; но в это время умер брат их Иван у Святослава, который после того перешел на устье реки Протвы. Сюда прислал утешать его Юрий: «Не тужи о моем сыне, — велел он сказать ему, — если этого Бог взял, то другого к тебе пришлю»; тогда же прислал он и богатые дары Святославу — ткани и меха, дарил и жену его, и дружину (1146 г.).

Весною Юрий с союзником своим начал наступательное движение: сам вошел в область Новгородскую, взял Торжок и землю по Мсте; а Святослав пошел на Смоленскую волость, взял Голядей, на верховьях Протвы, и обогатил дружину свою полоном, после чего получил зов от Юрия приехать к нему в Москву, имя которой здесь впервые упомянуто. Святослав поехал к нему с сыном Олегом, князем Владимиром рязанским и с небольшою дружиною; Олег поехал наперед и подарил Юрию барса (вероятно, кожу этого зверя). Дружески поздоровались Юрий с Ольговичем и начали пировать; на другой день Юрий сделал большой обед для гостей, богато одарил Святослава, сына его Владимира рязанского и всю дружину. Но одними дарами дело не ограничилось: Юрий обещал Святославу прислать сына на помощь, и обещание было исполнено. Получивши также наемное войско от половцев, Святослав начал с успехом наступательные движения: послал половцев воевать Смоленскую волость, и они опустошили земли у верховьев Угры; тогда посадники Давыдовичей бросились бежать из городов вятичских, и Святослав занял последние; а между тем из степей пришли к нему новые толпы половцев, да с севера Глеб, сын Юрия ростовского. Изяслав Давыдович не смел долее оставаться в Новгороде-Северском, ушел к брату Владимиру в Чернигов, и Давыдовичи вместе со Святославом Всеволодовичем отправили к Ольговичу послов, которые должны были сказать ему: «Не жалуйся на нас, будем все заодно, позабудь нашу злобу; целуй к нам крест и возьми свою отчину, а что мы взяли твоего, то все отдадим назад». Из этого видно, что Святослав Всеволодович уже успел снестись с Давыдовичами; без сомнения, он был здесь главным действователем, тем более что прежнее усердие его к дяде Ольговичу давало ему возможность быть посредником. Как видно, уже тогда между Давыдовичами и Всеволодовичем положено было заманить Изяслава Мстиславича на восточный берег Днепра, потому что, прося мира и союза у Ольговича, Давыдовичи в то же время послали сказать Изяславу: «Брат! Святослав Ольгович занял нашу волость Вятичи; пойдем на него; когда его прогоним, то пойдем на Юрия в Суздаль и либо помиримся там с ним, либо будем биться». Изяслав согласился; но Всеволодовичу нужно было прежде него быть на восточном берегу Днепра, чтоб окончательно устроить все дело; для этого он приехал к Изяславу и стал проситься у него в Чернигов. «Батюшка, — говорил он, — отпусти меня в Чернигов, там у меня вся жизнь; хочу просить волости у братьев, у Изяслава и Владимира». «И прекрасно ты это придумал, — отвечал ему Изяслав, — ступай скорее». Всеволодович поехал, и дело было окончательно улажено: уговорились перезвать Изяслава киевского на ту сторону Днепра и схватить его обманом, после чего, видя медленность киевского князя, Давыдовичи послали торопить его. «Земля наша погибает, а ты нейдешь», — велели они сказать ему. Изяслав созвал бояр своих, всю дружину и киевлян и сказал им: «Я уговорился с братьями своими Давыдовичами и Святославом Всеволодовичем: хотим пойти на дядю Юрия и на Святослава Ольговича к Суздалю за то, что дядя принял врага моего Святослава. Брат Ростислав придет также к нам с смольнянами и новгородцами». Киевляне отвечали на это: «Князь! Не ходи с Ростиславом на дядю своего, лучше уладься с ним; Ольговичам* не верь и в путь с ними вместе не ходи». Изяслав отвечал: «Нельзя; они мне крест целовали, я с ними вместе думу думал, не могу никак отложить похода; собирайтесь». Тогда киевляне сказали: «Ну, князь, ты на нас не сердись, а мы не можем на Владимирово племя рук поднять; вот если б на Ольговичей, то пошли бы и с детьми». Изяслав отвечал на это: «Тот будет добрый человек, кто за мною пойдет»; набралось много таких добрых людей, и он выступил с ними в поход, оставив в Киеве брата Владимира. Переправившись за Днепр и ставши между Черниговскою и Переяславскою волостью, Изяслав послал в Чернигов боярина своего Улеба разузнать, что там делается. Улеб скоро возвратился с вестью, что Давыдовичи и Всеволодовичи отступили от него и соединились с Ольговичем; тогда же черниговские

---

* Киевляне называют Ольговичами вообще всех Святославичей, потому что фигура знаменитого Гориславича выдавалась в их воображении на первый план; Давыд вовсе не был столь известен.

приятели Изяслава прислали сказать ему: «Князь! Не двигайся никуда с места: ведут тебя обманом, хотят убить либо схватить вместо Игоря; целовали крест Ольговичу, послали и к Юрию с крестом: задумали и с ним на тебя».

Изяслав возвратился и отправил послов в Чернигов сказать Давыдовичам: «Мы замыслили путь великий и утвердились крестным целованием по обычаю дедов и отцов наших; утвердимся еще, чтобы в походе после не было никакой ссоры, никакого препятствия». Те отвечали: «Что это нам без нужды еще крест целовать? Ведь мы уже поклялись Изяславу; в чем же провинились?» Посол сказал на это: «Какой же тут грех еще крест поцеловать по любви? То нам на спасение». Но Давыдовичи никак не соглашались; Изяслав, отпуская посла, наказал ему, что если черниговские не станут в другой раз крест целовать, то скажи им все, что мы слышали; и вот посол объявил Давыдовичам от имени своего князя: «Дошел до меня слух, что ведете меня обманом: поклялись Святославу Ольговичу схватить меня на дороге либо убить меня за Игоря; так, братья, было дело или не так?» Давыдовичи не могли ничего отвечать на это, только молча переглядывались друг с другом; наконец Владимир сказал послу: «Выйди вон, посиди; мы тебя опять позовем». Долго они думали вместе, потом позвали посла и велели ему передать Изяславу: «Брат! Точно мы целовали крест Святославу Ольговичу; жаль нам стало брата нашего Игоря; он уже чернец и схимник, выпусти его, тогда будем подле тебя ездить; разве тебе было бы любо, если б мы брата твоего держали?» В ответ на это Изяслав послал бросить им договорные грамоты, причем велел сказать: «Вы клялись быть со мною до самой смерти, и я отдал вам волости обоих Ольговичей; прогнал с вами Святослава, волость его вам добыл, дал вам Новгород и Путивль, именье его мы взяли и разделили на части, Игорево я взял себе; а теперь, братья, вы клятву свою нарушили, привели меня сюда обманом, хотели убить; да будет со мною Бог и сила животворящего креста, стану управляться, как мне Бог даст». Тогда же Изяслав послал сказать брату своему Ростиславу в Смоленск: «Брат! Давыдовичи крест нам целовали и думу думали идти вместе на дядю нашего; но все обманывали, хотели убить меня; Бог и сила крестная объявили их умысел; а теперь уже, брат, где было мы думали идти на дядю, то уже не ходи, ступай сюда ко мне; а там наряди новгородцев и смольнян, пусть сдерживают Юрия, и к присяжникам своим пошли, в Рязань и всюду». Распорядившись насчет брата Ростислава, Изяслав послал в Киев к другому брату, Владимиру, к митрополиту Климу и к Лазарю тысяцкому, чтоб они созвали киевлян на двор к св. Софии, и пусть там посол его скажет народу княжеское слово и объявит обман черниговских. Киевляне сошлись все от мала до велика, и когда стали на вече, то посол Изяславов начал говорить им: «Князь ваш вам кланяется и велел вам сказать: я вам прежде объявлял, что задумал с братом Ростиславом и Давыдовичами идти на дядю Юрия, и звал вас с собою в поход; но вы мне тогда сказали, что не можете на Владимирово племя рук поднять, на Юрия, а на Ольговичей одних пошли бы и с детьми; так теперь вам объявляю: Давыдовичи и Всеволодич Святослав, которому я много добра сделал, целовали тайком от меня крест Святославу Ольговичу, послали к Юрию, а меня хотели или схватить, или убить за Игоря; но Бог меня заступил и крест честной, что ко мне целовали. Так теперь, братья киевляне, чего сами хотели, что мне обещали, то и сделайте: ступайте ко мне к Чернигову на Ольговичей, сбирайтесь все от мала до велика: у кого есть конь — тот на коне, у кого нет — тот в лодье. Ведь они не меня одного хотели убить, но и вас всех искоренить». Киевляне отвечали на это: «Ради, что Бог сохранил тебя нам от большей беды, идем за тобою и с детьми». Но в это самое время кто-то из толпы сказал: «По князе-то мы своем пойдем с радостью; но прежде надобно вот о чем промыслить: как прежде при Изяславе Ярославиче злые люди выпустили из заточения Всеслава и поставили князем себе, и за то много зла было нашему городу; а теперь Игорь, враг нашего князя и наш, не в заточении, а в Федоровском монастыре; убьем его и пойдем к Чернигову за своим князем; покончим с ними». Народ, услыхавши это, бросился к Федоровскому монастырю. Напрасно говорил им князь Владимир: «Брат мой не велел вам этого делать, Игоря стерегут крепко; пойдем лучше к брату, как он нам велел». Киевляне отвечали ему: «Мы знаем, что добром не кончить с этим племенем ни вам, ни нам». Митрополит также их удерживал, и Лазарь тысяцкий, и Рагуйло, Владимиров тысяцкий; но они никого не послушали и с воплем кинулись на убийство. Тогда князь Владимир сел на коня и погнал к Федоровскому монастырю; на мосту не мог он проехать за толпами народа и поворотил направо мимо Глебова двора; но этот крюк заставил его потерять время; киевляне пришли прежде него в монастырь, бросились в церковь, где Игорь стоял у обедни, и потащили его с криками: «Побейте! побейте!» В монастырских воротах встретился им Владимир; Игорь, увидав его, спросил: «Ох, брат! Куда это меня ведут?» Владимир бросился с лошади и одел Игоря своим корзном, уговаривая киевлян: «Братья мои! Не делайте этого зла, не убивайте Игоря!» Но толпа не слушала, и начали бить Ольговича; несколько ударов пришлось и на долю Владимира, который держался близко последнего, защищая его. Владимиру, однако, с помощью боярина Михаила удалось ввести Игоря в двор своей матери и затворить за собою ворота. Но толпа, избивши Михаила, оторвавши на нем крест с цепями, выломала ворота и, увидавши Игоря на сенях, разбила сени, стащила с них Игоря и повергла его без чувств на землю; потом привязали ему веревку к ногам и потащили с Мстиславова двора через Бабин торжок на княж двор и там его прикончили; отсюда, положивши на дровни, повезли на Подол и бросили на торгу. Владимир, услыхав, что тело Игоря лежит на торгу, послал туда двоих тысяцких, Лазаря и Рагуйла; те приехали и сказали киевлянам: «Вы уже убили Игоря, так похороним тело его». Киевляне отвечали: «Не мы его убили; убили его Давыдовичи и Всеволодич, которые замыслили зло на нашего князя, хотели убить его обманом; но Бог за нашего князя и св. София». Тогда Лазарь велел взять Игоря и положить в Михайловской церкви, в Новгородской божнице; а на другой день похоронили его в Семеновском монастыре.

Изяслав стоял на верховьях Супоя, на границах Черниговского княжества, когда пришла к нему весть об убийстве Игоря, он заплакал и сказал дружине: «Если бы я знал, что это случится, то отослал бы его подальше и сберег бы его; теперь мне не уйти от людских речей — станут говорить, что я велел убить его; но Бог свидетель, что я не приказывал и не научал; Бог рассудит дело». Дружина отвечала: «Нечего тебе заботиться о людских речах; Бог знает, да и все люди знают, что не ты его убил, а братья его; крест к тебе целовали и потом нарушили клятву, хотели убить тебя». Изяслав сказал на это: «Если уже так случилось, то делать нечего — всем нам там быть и судиться пред Богом»; но все не перестал жаловаться на киевлян. Между тем война продолжалась. Изяслав, как видно, прежде всего поспешил овладеть Курском и городами по Сейму, чтоб прервать связь черниговских с половцами: в Курске уже сидел сын его Мстислав, когда к этому городу пришел Святослав Ольгович с Глебом Юрьичем. Мстислав объявил жителям Курска, что неприятель близко; те отвечали точно так же, как прежде киевляне отвечали отцу его: «Ради биться и с детьми за тебя против Ольговичей; но на племя Владимирово, на Юрьевича, не можем поднять рук».

Услыхав такой ответ, Мстислав уехал к отцу, а жители Курска послали к Глебу Юрьевичу я взяли у него себе посадника; как видно, Ольгович уступил и Глебу ту самую волость, т. е. Курск с Посемьем, которую прежде отдал брату его Ивану; вот почему Глеб посадил своих посадников также по рекам Сейму и Вырю, где заключил союз со многими половецкими ордами. Впрочем, некоторые города по Вырю остались верны Изяславу, несмотря на угрозы черниговских, что они отдадут их в плен половцам; один из этих городов, Вьяхань, с успехом выдержал осаду; другой — Попашь — был взят. Услыхав о движении черниговских и Юрьевича, Изяслав собрал большое войско, полки дяди Вячеслава и волынские, и пошел к Переяславлю, где пришла к нему весть от брата Ростислава, что тот уже на походе. «Подожди меня, — велел сказать ему Ростислав, — я Любеч пожег, много воевал и зла Ольговичам много наделал; сойдемся вместе и посмотрим, что нам дальше делать». Получив эту весть, Изяслав пошел потихоньку, поджидая брата, и стал на урочище Черная Могила, куда пришел к нему Ростислав с полками смоленскими. Оба брата стали думать с дружиною и черными клобуками, куда бы им пойти теперь. Ростислав говорил: «Теперь Бог нас соединил в одном месте, а тебя избавил от великой беды; так медлить нам нечего, пойдем прямо к ним, где будет ближе, и как нас с ними Бог рассудит». Мнение было принято, и князья пошли на Сулу. Когда в стане черниговских князей узнали, что Изяслав идет на них, то бóльшая часть половцев покинула ночью стан и ушла в степь; оставленные союзниками Давыдовичи и Ольговичи пошли к Чернигову; Изяслав хотел пересечь им дорогу у города Всеволожа*, но уже не застал здесь черниговских: они прошли Всеволож. Мстиславичи не пошли за ними дальше, но *взяли на щит* (разграбили) Всеволож, в котором находились тогда жители из двух других городов, как видно, менее укрепленных: мы уже видели этот обычай на Украйне, по которому вдруг города пустели при вести о приближении неприятеля. Когда в других городах узнали, что Всеволож взят, то и они вдруг опустели: жители их бросились бежать к Чернигову; Мстиславичи послали за ними в погоню и некоторых перехватили, а другие ушли; пустые города Изяслав велел зажечь. Только жители города Глебля не успели убежать и счастливо отбились от Мстиславичей, которые пошли оттуда в Киев, сказавши дружине своей — киевлянам и смольнянам: «Собирайтесь все; когда реки установятся, тогда пойдем к Чернигову, и как нас с ними Бог управит». Поживши весело некоторое время в Киеве, Мстиславичи решили разлучиться; Изяслав говорил Ростиславу: «Брат! Тебе Бог дал верхнюю землю: ты там и ступай против Юрия; там у тебя смольняне, новгородцы

---

* Теперь село Сиволожь, Черниговской губернии, в Борзнинском уезде.

и другие присяжники, удерживай с ними дядю; а я здесь останусь и буду управляться с Ольговичами и Давыдовичами». Ростислав отправился в Смоленск.

Когда реки стали, то черниговские начали наступательное движение: они послали дружину свою с половцами и повоевали места на правом берегу Днепра; а союзник их Глеб Юрьевич занял Городец-Остерский, принадлежавший прежде отцу его. Изяслав послал звать его к себе в Киев, и Глеб сначала было обещался приехать, но потом раздумал, потому что вошел в сношения с переяславцами, часть которых была почему-то недовольна Изяславом или сыном его Мстиславом, княжившим у них, и звала Глеба, обещаясь предать ему город. Глеб немедленно пошел на их зов; на рассвете, когда Мстислав с дружиною еще спал, пригнали к нему сторожа и закричали: «Вставай, князь! Глеб пришел на тебя!» Мстислав вскочил, собрал дружину и выступил из города против Юрьича; оба, увидав друг друга, не решились вступить в битву; Глеб стоял до утра другого дня и возвратился; Мстислав же, соединясь с остальною дружиною и переяславцами, погнался за ним, настиг, захватил часть его войска; но самому Глебу удалось уйти в Городец. Изяслав, услыхав об этих попытках против Переяславля, собрал дружину, берендеев и пошел к Городцу; Юрьич послал объявить об этом в Чернигов. «Идет на меня Изяслав, помогите мне!» — велел он сказать тамошним князьям; а между тем Изяслав пришел и осадил Городец; не видя ниоткуда помощи, Юрьич чрез три дня поклонился Изяславу и помирился с ним, как видно, тот оставил за ним отцовский город. Но Глеб не был за это ему благодарен: как скоро Изяслав возвратился в Киев, он опять послал сказать черниговским: «Я поневоле целовал крест Изяславу: он обступил меня в городе, а от вас не было помощи; но теперь опять хочу быть вместе с вами». В 1148 году Изяслав наконец собрал всю свою силу, взял полк у дяди Вячеслава и полк владимирский, призвал отряд венгров на помощь, соединился с берендеями, перешел Днепр и стал в осьми верстах от Чернигова. Три дня стоял он под городом, дожидаясь, не выйдут ли Ольговичи и Давыдовичи на битву, но никто не выходил; а он между тем пожег все их села. Наскучив дожидаться, Изяслав стал говорить дружине: «Вот мы села их пожгли все, именье взяли, а они к нам не выходят; пойдем лучше к Любечу, где у них вся жизнь». Когда Изяслав подошел к Любечу, то Давыдовичи и Ольговичи с рязанскими князьями и половцами явились также сюда, и оба войска стали друг против друга по берегам реки; Изяслав выстроил войско и пошел было против черниговских, но река помешала; только стрельцам с обеих сторон можно было стреляться через нее. Ночью пошел сильный дождь, и Днепр начал вздуваться. Тогда Изяслав начал говорить дружине и венграм: «Здесь эта река мешает биться, а там Днепр разливается; пойдем лучше за Днепр». Только что успели перейти Днепр, как на другой день лед тронулся; Изяслав дошел благополучно до Киева, но венгры обломились на озере, и несколько их потонуло.

Несмотря, однако, на то, что поход Изяслава, предпринятый с такими большими сборами, кончился, по-видимому, ничем, черниговские не могли долго вести борьбы: опустошая села их, Изяслав действительно отнимал у них *всю жизнь*, по тогдашнему выражению: нечем было содержать дружины, нечем было платить половцам; жители городов неохотно помогали князьям в их усобицах; Юрий ограничился только присылкою сына, сам не думал идти на юг, а без него силы черниговских вовсе не были в уровень с силами Мстиславичей. В таких обстоятельствах они послали сказать Юрию: «Ты крест целовал, что пойдешь с нами на Изяслава, и не пошел; а Изяслав пришел, за Десною города наши пожег и землю повоевал; потом в другой раз пришел к Чернигову и села наши пожег до самого Любеча и всю жизнь нашу повоевал; а ты ни к нам не пошел, ни на Ростислава не наступил; теперь если хочешь идти на Изяслава, так ступай, и мы с тобою; если же не пойдешь, то мы будем правы в крестном целовании: нельзя нам одним гибнуть от рати». Не получив от Юрия благоприятного ответа, они обратились к Изяславу Мстиславичу с мирными предложениями, послали сказать ему: «То бывало и прежде при дедах и при отцах наших: мир стоит до рати, а рать до мира; не жалуйся на нас, что мы первые встали на рать: жаль было нам брата нашего Игоря; мы того только и хотели, чтоб ты выпустил его; а так как теперь он убит, пошел к Богу, где и всем нам быть, то Бог всех нас и рассудит, а здесь нам до каких пор губить Русскую землю? Чтоб нам уладиться?» Изяслав отвечал им: «Братья! Доброе дело христиан блюсти; но вы все вместе советовались, так и я пошлю к брату Ростиславу, подумаем и тогда пришлем ответ». Немедленно отправил Изяслав послов к брату с такими словами: «Присылали ко мне братья — Давыдовичи, Святослав Ольгович и Святослав Всеволодович: мира просят; а я с тобою хочу посоветоваться, как нам обоим будет годно; хочешь мира? Хотя они и зло нам сделали, но теперь мира просят у нас; но если хочешь войны — скажи, как хочешь, я на тебя во всем полагаюсь». Уже из этих слов Ростислав мог понять, что сам старший брат хочет мира, и потому велел отвечать ему: «Брат! Кланяюсь тебе; ты меня старше, ты как хочешь, так и делай, а я всюду готов с тобою; но если ты уже мне делаешь такую честь, спрашиваешь моего совета, то я бы так думал: ради русских земель и ради христиан — мир лучше; они встали на рать, но что взяли? А теперь, брат, ради христиан и всей Русской земли помирись, если только обещают, что за Игоря всякую вражду отложат и вперед не задумают сделать с тобою того, что хотели прежде сделать; если же не перестанут злобиться за Игоря, то лучше с ними воевать, как Бог управит». Получив этот ответ, Изяслав послал к черниговским епископа белгородского Феодора и печерского игумена Феодосия с боярами сказать им: «Вы мне крест целовали, что вам брата Игоря не искать, но клятву свою нарушили и много наделали мне досад; но теперь я все это забываю для Русской земли и христиан; если вы сами ко мне прислали просить мира и раскаиваетесь в том, что хотели сделать, то целуйте крест, что отложите всякую вражду за Игоря и не задумаете вперед того, что прежде хотели сделать со мною». Черниговские поклялись отложить вражду за Игоря, блюсти

Русскую землю, быть всем за один брат; Курск с Посемьем остались за Владимиром Давыдовичем.

В это время явился к Изяславу старший из сыновей Юрия, Ростислав, которого мы видели в Новгороде; Ростислав объявил, что он рассорился с отцом, который не хотел дать ему волости в Суздальской земле, и потому он пришел к Изяславу с поклоном. «Отец меня обидел, — говорил Юрьевич киевскому князю, — волости мне не дал; и вот я пришел сюда, поручивши себя Богу да тебе, потому что ты старше всех нас между внуками Владимира; хочу трудиться за Русскую землю и подле тебя ездить». Изяслав отвечал ему: «Всех нас старше отец твой*, но он не умеет с нами жить; а мне дай Бог вас, братью свою всю и весь род свой, иметь вправду, как душу свою; если отец тебе волости не дал, так я тебе даю». И дал ему те пять городов, которые прежде держал Святослав Всеволодич; кроме того, Ростислав получил Городец-Остерский, где Изяслав не хотел видеть брата его Глеба, которому послал сказать: «Ступай к Ольговичам; ты к ним пришел, так пусть тебе и дадут волость»**. У этого Городца-Остерского съехался осенью Изяслав Мстиславич с Давыдовичами; Ростислав Юрьевич приехал вместе с киевским князем; Ольговичи — ни дядя, ни племянник — не приехали. Изяслав сказал Давы-

* Любопытно, что о Вячеславе даже не упоминает: так ничтожен был этот князь в глазах родичей.

** Приход Ростислава Юрьича в разных списках летописи описан различно. Ипатьевский список говорит, что Ростислав пришел, *роскоторався* с отцом своим, который не дал ему волости. Но иначе рассказывает Лаврентьевский список: «Поиде Ростислав Гюргевичь из Суждаля с дружиною своею в помочь Олговичем, на Изяслава Мстиславича, послан от отца своего. И сдумав Ростислав с дружиною своею река: любо си ся на мя отцю гневати, не иду к ворогом своим, то суть были ворози и деду моему и строем моим, но пойдем, дружино моя, к Изяславу, то ми есть сердце свое, ту ми дасть ны волость; и послася к Изяславу». Вероятно, Юрий послал Ростислава на юг с тем, чтобы тот добыл себе там волость, подобно тому как добыли волость прежде сын его Иван, потом Глеб; но, пришедши на юг и увидавши, что дела черниговских идут плохо и что они хотят заключить мир с Изяславом, Ростислав заблагорассудил обратиться также к последнему, тем более что прежде Изяслав звал к себе брата его Глеба. Так могут быть соглашены известия обоих списков.

довичам: «Вот брат Святослав и племянник мой не приехали, а вы все клялись мне, что, кто будет до меня зол, на того вам быть вместе со мною; дядя мой Юрий из Ростова обижает мой Новгород, дани у новгородцев поотнимал, по дорогам проезду им нет; хочу пойти и управиться с ним либо миром, либо ратью; а вы крест целовали, что будете вместе со мною». Владимир Давыдович отвечал: «Это ничего, что брат Святослав и племянник твой не приехали, все равно мы здесь; а мы все клялись, что, где твои будут обиды, там нам быть с тобою». Князья уладились, что, как скоро лед станет на реках, идти на Юрия к Ростову: Изяслав пойдет из Смоленска, а Давыдовичи и Ольгович — из земли вятичей, и всем сойтись на Волге. После ряду князья весело пообедали вместе и разъехались. Возвратясь в Киев, Изяслав сказал Ростиславу Юрьичу: «Ступай в Бужск и побудь там, постереги Русскую землю, пока я схожу на отца твоего и помирюсь с ним или как-нибудь иначе с ним управлюсь».

В Киеве оставил Изяслав брата Владимира, в Переяславле — сына Мстислава и пошел в Смоленск к брату Ростиславу, куда велел полкам идти за собою. В Смоленске Мстиславичи провели вместе время весело, пируя с дружиною и смольнянами, дарили друг друга богатыми дарами: Изяслав дарил Ростислава товарами, которые идут из Русской земли и из всех *царских* (греческих) земель, а Ростислав Изяслава — товарами, которые шли из *верхних* (северных) земель и от варягов. Готовясь к войне, братья пытались, однако, кончить дело мирными переговорами и отправили посла к дяде Юрию; но тот вместо ответа задержал посла. Тогда, приказавши брату Ростиславу идти с полками по Волге и дожидаться при устье Медведицы, Изяслав пошел с небольшою дружиною в Новгород. Новгородцы, услыхав, что Изяслав идет к ним, сильно обрадовались и вышли к нему навстречу, одни — за день, другие — за три дня пути от города. В это время княжил в Новгороде уже не брат Изяславов Святополк, но сын Ярослав; Изяслав велел им поменяться волостями, вывел Святополка во Владимир-Волынский из Новгорода «злобы его ради», как говорит новгородский летописец. В воскресенье въехал Изяслав в Новгород с великою честью; встречен был сыном Ярославом и боярами и поехал с ними к св. Софии к обедне; после обедни князья послали подвойских и биричей кликать клич по улицам, звать к князю на обед всех от мала до велика; обедали весело и с честью разошлись по домам. На другой день, в понедельник, послал Изяслав на Ярославов двор, велел звонить к вечу, и когда сошлись новгородцы и псковичи на вече, то он сказал им: «Братья! Сын мой и вы присылали ко мне жаловаться, что дядя мой Юрий обижает вас; и вот я, оставя Русскую землю, пришел сюда на него, для вас, ради ваших обид; думайте, гадайте, братья, как на него пойти и как — мириться ли с ним, или ратью покончить дело?» Народ отвечал: «Ты наш князь, ты наш Владимир, ты наш Мстислав: рады с тобою идти всюду мстить за свои обиды; пойдем все; только одни духовные останутся Бога молить». И в самом деле, новгородцы собрали в поход всю свою волость, пошли псковичи и корела. Пришедши на устье Медведицы, Изяслав ждал брата Ростислава четыре дня; потом, когда Ростислав пришел с полками русскими и смоленскими, то все вместе пошли вниз по Волге, пришли к городу Константинову на устье большой Нерли и, не получая вестей от Юрия, стали жечь его города и села и воевать по обеим сторонам Волги; оттуда пошли к Угличу и потом на устье Мологи. Здесь получили они весть, что Владимир Давыдович и Святослав Ольгович стоят в земле вятичей, ожидая, что будет между Юрием и Изяславом, и не идут к устью Медведицы, как обещали; Изяслав сказал при этом брату: «Пусть их к нам нейдут; был бы с нами Бог» — и отпустил новгородцев и русь воевать к Ярославлю; когда те возвратились с большою добычею, то уже стало тепло, была Вербная неделя, вода на Волге и Мологе поднялась по брюхо лошади; оставаться долее было нельзя, и Мстиславичи пошли назад: Ростислав — в Смоленск, а Изяслав — в Новгород и оттуда в Киев; из дружины русской одни пошли с Ростиславом, а другие — куда кому угодно; этот поход стоил Ростовской земле 7000 жителей, уведенных в плен войсками Мстиславичей (1149 г.).

В Киеве ждали Изяслава неприятные вести: бояре донесли ему на Ростислава Юрьича, будто тот много зла замыслил, подговорил против него берендеев и киевлян; если бы Бог помог его отцу, то он приехал бы в Киев, взял Изяславов дом и семью. «Отпусти его к отцу, — говорили бояре князю, — это твой враг, держишь его на свою голову». Изяслав немедленно послал за Юрьевичем, и когда тот приехал, то пришли к нему Изяславовы бояре и сказали от имени своего князя: «Брат! Ты пришел ко мне от отца, потому что отец тебя обидел, волости тебе не дал; я тебя принял как брата и волость тебе дал, чего и родной отец тебе не дал, да еще велел Русскую землю стеречь; а ты, брат, за это хотел, если бы отцу твоему Бог помог, въехать в Киев, взять мой дом и семью!» Ростислав велел отвечать ему: «Брат и отец! Ни на уме, ни на сердце у меня того не было; если же кто донес на меня тебе, князь ли который, то я готов с ним переведаться; муж ли который из христиан или поганых, то ты старше меня, ты меня с ним и суди». Изяслав велел сказать ему на это: «Суда у меня ты не проси; я знаю, ты хочешь меня поссорить с христианами или с погаными; ступай-ка к отцу своему». Ростислава посадили в барку только с четырьмя отроками и отправили вверх по Днепру; дружину его взяли, а именье отняли. Ростислав, пришедши к отцу в Суздаль, ударил перед ним челом и сказал «Я слышал, что хочет тебя вся Русская земля и черные клобуки; жалуются, что Изяслав и их обесчестил, ступай на него». Эти слова могут показывать, что донос на Ростислава был основателен, что Ростислав сносился с недовольными или, по крайней мере, они сносились с ним. Юрия сильно огорчил позор сыновний; он сказал: «Так ни мне, ни детям моим нет части в Русской земле!» Собрал силу свою, нанял половцев и выступил в поход на племянника. Это решение можно объяснить и не одним гневом на позорное изгнание сына: мы видели, как медленно, нерешительно действовал до сих пор Юрий, несмотря на то что мог надеяться на успех, будучи в союзе с черниговскими; теперь же мог он спешить на юг в полной уверенности, что найдет там более сильных союзников, после того как Ростислав обстоятельно уведомил его о неудовольствии граждан и варварского пограничного народонаселения на Изяслава, если даже предположим, что сам Ростислав и не был главным виновником этого неудовольствия.

Как бы то ни было, Юрий был уже в земле вятичей, когда Владимир Давыдович черниговский прислал сказать Изяславу: «Дядя идет на тебя, приготовляйся к войне». Изяслав стал собирать войско и вместе с Давыдовичами отправил послов в Новгород-Северский к Святославу Ольговичу напомнить ему о договоре. Святослав не дал послам сначала никакого ответа и задержал на целую неделю, приставив сторожей к их шатрам, чтобы никто не приходил к ним; а сам между тем послал спросить Юрия: «Вправду ли ты идешь? Скажи наверное, чтоб мне не погубить понапрасну своей волости». Юрий велел отвечать ему: «Как мне не идти вправду? Племянник приходил на меня, волость мою повоевал и пожег, да еще сына моего выгнал из Русской земли, волости ему не дал, осрамил меня; либо стыд этот с себя сложу, за землю свою отомщу и честь свою добуду, либо голову сложу». Получив от Юрия такой ответ, Святослав не хотел прямо нарушить клятвы, данной прежде Изяславу, и, чтобы найти предлог, велел сказать ему чрез его же послов: «Возврати мне братнино имение, тогда буду с тобою». Изяслав немедленно отвечал ему: «Брат! Крест честный ты целовал ко мне, что вражду всякую за Игоря и именье его отложишь; а теперь, брат, ты опять вспомнил об этом, когда дядя идет на меня? Либо соблюди клятву вполне, будь со мною, а не хочешь, так ты уже нарушил крестное целование. Я без тебя и на Волгу ходил, да разве мне худо было? Так и теперь — был бы со мною Бог да крестная сила». Святослав соединился с Юрием; они послали и к Давыдовичам звать их на Изяслава; но те отвечали Юрию: «Ты клялся быть с нами, а между тем Изяслав пришел, землю нашу повоевал и города наши пожег; теперь мы целовали крест к Изяславу: не можем душою играть».

Юрий, видя, что Давыдовичи не хотят быть с ним, пошел на старую Белую Вежу и стоял там месяц, дожидаясь половцев и покорения от Изяслава; но, не получив от последнего никакой вести, пошел к реке Супою. Сюда приехал к нему Святослав Всеволодич, поневоле, как говорит летописец, не желая отступить от родного дяди, Святослава Ольговича; сюда же пришло к Юрию и множество половцев диких. Тогда Изяслав послал в Смоленск сказать брату Ростиславу: «Мы с тобой уговорились, что когда Юрий минует Чернигов, то тебе идти ко мне; теперь Юрий Чернигов уже миновал; приходи, посмотрим оба вместе, что нам Бог даст». Ростислав двинулся с полками к брату, а Юрий подступил к Переяславлю, все дожидаясь, что тут, по крайней мере, Изяслав пришлет к нему с поклоном. Но тот не хотел кланяться дяде. «Если б он пришел только с детьми, — говорил он, — то взял бы любую волость; но когда привел на меня половцев и врагов моих Ольговичей, то хочу с ним биться». Из этих слов ясно видно, что Изяслав придумывал только предлоги; предлоги были нужны, потому что киевляне не хотели сражаться с сыном Мономаховым и теперь, как прежде; если б даже и не было на юге того неудовольствия на Изяслава, о котором объявлял отцу Ростислав Юрьевич, то и тогда трудно было киевлянам поднять руки на Юрия, во-первых, как на сына Мономахова, во-вторых, как на дядю, старшего, который по общему современному сознанию имел более права, чем Изяслав; притом же киевляне до сих пор не имели сильных причин враждовать против Юрия и потому говорили Изяславу: «Мирись, князь, мы нейдем». Изяслав все уговаривал их: «Пойдемте со мною; ну хорошо ли мне с ним мириться, когда я не побежден, когда у меня есть сила?» Киевляне пошли наконец, но, разумеется, неохотно, что не могло предвещать добра Изяславу, хотя силы его и были значительны: к нему пришел Изяслав Давыдович на помощь, пришел и брат Ростислав с большим войском. Изяслав решился перейти Днепр и приблизиться к Переяславлю, под которым и встретился с дядиными полками; передовые отряды — черные клобуки и молодая дружина Изяславова — имели дело с половцами Юрия и отогнали их от города; когда же сошлись главные полки, то целый день стояли друг против друга; только стрельцы с обеих сторон бились между ними; а в ночь Юрий прислал сказать племяннику: «Брат!* Ты на меня приходил, землю мою повоевал и старшинство снял с меня; а теперь, брат и сын, ради Русской земли и христиан не станем проливать христианской крови, но дай мне посадить в Переяславле сына своего, а ты сиди себе, царствуя в Киеве; если же не хочешь так сделать, то Бог нас рассудит». Изяславу не понравилось это предложение, он задержал посла и вывел все войско свое из города в поле.

На другой день, когда он отслушал обедню в Михайловской церкви и уже хотел выйти из нее, епископ Евфимий со слезами стал упрашивать его: «Князь! Помирись с дядею: много спасения примешь от Бога и землю свою избавишь от великой беды». Но Изяслав не послушался; он надеялся на множество войска и отвечал епископу: «Своею головою добыл я и Киев, и Переяславль» — и выехал из города. Опять до самых вечерен стояли противные полки друг против друга, разделенные рекою Трубежом; Изяслав с братьями, Ростиславом и Владимиром, и с сыновьями, Мстиславом и Ярополком, созвал бояр и всю дружину, и начали думать, переправиться ли первым за Трубеж и ударить на Юрия. Мнения разделились; одни говорили Изяславу: «Князь! Не переправляйся за реку; Юрий пришел отнимать твои земли, трудился, трудился и до сих пор ни в чем не успел и теперь уже оборотился назад, в ночь непременно уйдет; а ты, князь, не езди за ним». Другие говорили противное: «Ступай, князь! Бог тебе отдает врага в руки, нельзя же упускать его». К несчастью, Изяслав прельстился последним мнением, выстроил войско и перешел реку. В полдень на другой день переметчик поскакал из войска Юрьева, оттуда погнались за ними; сторожа Изяславовы переполошились, закричали: «Рать!», и Мстиславичи повели полки свои вперед; Юрий с Ольговичами, увидав это движение, также пошли к ним навстречу и, пройдя вал, останови-

---

* Читатели припомнят сказанное в первой главе о том, почему племянники от старшего брата считались братьями дядьям своим.

лись; остановились и Мстиславичи, и опять дело кончилось одною перестрелкою, потому что когда наступил вечер, то Юрий оборотил полки и пошел назад в свой стан. Изяслав опять начал думать с братьями и дружиною, и опять мнения разделились; одни говорили: «Не ходи, князь! Пусти их в стан; теперь верно, что битвы не будет»; но другие говорили: «Уже они бегут перед тобою; ступай скорее за ними!» И на этот раз Изяслав принял последнее мнение и двинулся вперед; тогда Юрий с Ольговичами возвратились и устроили войска: сыновей своих Юрий поставил по правую, Ольговичей — по левую сторону. На рассвете 23 августа полки сошлись, и началась злая сеча: первые побежали поршане (жители городов поросских, к которым должно относить и черных клобуков), за ними Изяслав Давыдович, а за Давыдовичем и киевляне; переяславцы изменили: мы видели, что они и прежде сносились с сыном Юрьевым, теперь снеслись с отцом и во время битвы не вступили в дело, крича: «Юрий нам князь свой, его было нам искать издалека». Видя измену и бегство, дружины Мстиславичей смеялись: в начале дела Изяслав с дружиною схватился со Святославом Ольговичем и с половиною полка Юрьева, проехал сквозь них и, будучи уже за ними, увидал, что собственные полки его бегут; тут он побежал и сам, переехал Днепр у Канева и сам-третей явился в Киев. Измена переяславцев и бегство поршан всего лучше показывают справедливость известия, принесенного отцу Ростиславом Юрьичем; да и, кроме того, несчастный исход битвы для Изяслава можно было предвидеть: этот князь вступил в борьбу за свои личные права против всеобщего нравственного убеждения; киевляне, уступая этим личным правам, пошли за сыном Мстиславовым против Юрия, но пошли неохотно, с видимым колебанием, с видимою внутреннею борьбою, а такое расположение не могло дать твердости и победы.

На другое утро Юрий вошел в Переяславль и, пробыв здесь три дня, отправился к Киеву и стал против Михайловского монастыря, по лугу. Мстиславичи объявили киевлянам: «Дядя пришел; можете ли за нас биться?» Те отвечали: «Господа наши князья! Не погубите нас до конца: отцы наши, и братья, и сыновья одни взяты в плен, другие избиты, и оружие с них снято, возьмут и нас в полон; поезжайте лучше в свою волость; вы знаете, что нам с Юрием не ужиться; где потом увидим ваши стяги, будем готовы с вами». Услыхав такой ответ, Мстиславичи разъехались: Изяслав — во Владимир, Ростислав — в Смоленск; а дядя их Юрий въехал в Киев; множество народа вышло к нему навстречу с *радостью великою*, и сел он на столе отца своего, хваля и славя Бога, как говорит летописец. Прежде всего Юрий наградил своего союзника — Святослава Ольговича: он послал в Чернигов за Владимиром Давыдовичем и велел ему отдать Святославу Курск с Посемьем, а у Изяслава Давыдовича Ольгович взял землю южных дреговичей. Потом Юрий начал раздавать волости сыновьям своим: старшего сына Ростислава посадил в Переяславле, Андрея — в Вышгороде, Бориса — в Белгороде, Глеба — в Каневе, Василька — в Суздале.

Между тем Изяслав Мстиславич, приехав во Владимир, послал за помощью к родне своей — королю венгерскому, князьям польским и чешским, прося их, чтоб сели на коней сами и пошли к Киеву, а если самим нельзя, то чтоб отпустили полки свои с меньшею братиею или с воеводами. Король венгерский Гейза II сначала отказался, велел сказать Изяславу: «Теперь у меня рать с императором греческим, когда буду свободен, то сам пойду к тебе на помощь или полки свои отпущу». Польские князья велели отвечать: «Мы недалеко от тебя; одного брата оставим стеречь свою землю, а вдвоем к тебе поедем»; чешский князь также отвечал, что готов сам идти с полками. Но Изяславу было мало одних обещаний; он опять отправил послов в Венгрию, Польшу и Богемию с большими дарами; послы должны были говорить князьям: «Помоги вам Бог за то, что взялись мне помогать; садитесь, братья, на коней с Рождества Христова». Те обещались, и король венгерский послал десятитысячный вспомогательный отряд, велев сказать Изяславу: «Отпускаю к тебе полки свои, а сам хочу идти на галицкого князя, чтоб не дать ему на тебя двинуться; ты между тем управляйся с теми, кто тебя обидел; когда у тебя войско истомится, то я пришлю новое, еще больше, или и сам сяду на коня»; Болеслав польский сам поехал с братом Генрихом, а Мечислава оставил стеречь землю от пруссов. Между тем Изяслав, приготовляясь к войне и зная теперь, как трудно идти против общего убеждения в правах дядей пред племянниками, обратился к старику Вячеславу, который сидел тогда в Пересопнице*, и послал сказать ему: «Будь мне вместо отца, ступай, садись в Киеве, а с Юрием не могу жить; если же не хочешь принять меня в любовь и не пойдешь в Киев на стол, то я пожгу твою волость». Вячеслав испугался угроз и послал сказать брату Юрию: «Венгры уже идут; польские князья сели на коней; сам Изяслав готов выступить: либо мирись с ним, дай ему, чего он хочет, либо приходи ко мне с полками, защити мою волость; приезжай, брат, посмотрим на месте, что нам Бог даст — добро или зло; а если, брат, не поедешь, то на меня не жалуйся». Юрий собрал свое войско и выступил из Киева с дикими половцами; а Изяслав со своими союзниками двинулся из Владимира. В Пересопницу к Вячеславу собрались сперва племянники его — Ростислав и Андрей Юрьичи, потом пришел сам Юрий, Владимирко галицкий прислал свои полки, сам также подвинулся к границе и тем напугал поляков и венгров; страх польских князей еще увеличился, когда они получили весть от брата, что пруссы идут на их землю. Изяславу эта весть была очень не по сердцу, потому что поляки не могли теперь оставаться долее; положено было от имени союзных князей послать к Вячеславу и Юрию с такими словами: «Вы нам всем вместо отцов; теперь вы заратились с своим братом и сыном Изяславом, а мы по Боге все христиане, братья между собою, и нам всем надобно быть вместе заодно; так мы хотим, чтоб вы уладились с своим братом и сыном Изяславом, вы бы сидели в Киеве — сами знаете, кому из вас приходится там сидеть, а Изяславу пусть останется Владимир да Луцк и что еще

* Местечко Ровенского уезда Волынской губернии.

там его городов, да пусть Юрий возвратит новгородцам все их дани». Вячеслав и Юрий велели отвечать им: «Бог помоги нашему зятю — королю, и нашему брату Болеславу, и нашему сыну Генриху за то, что между нами добра хотите; но если вы велите нам мириться, то не стойте на нашей земле, животов наших и сел не губите; но пусть Изяслав идет в свой Владимир, и вы все ступайте также в свои земли; тогда мы будем ведаться с своим братом и сыном Изяславом». Союзники поспешили исполнить это требование, разъехались в свои земли, а Мономаховичи начали улаживаться с племянником; дело остановилось за тем, что Изяслав непременно хотел возвращения всех даней новгородцам, на что Юрий никак не соглашался; особенно уговаривал его не мириться Юрий Ярославич, правнук Изяслава I, которого имя мы уже раз прежде встретили: неизвестно, был ли этот Юрий обижен как-нибудь Изяславом или просто думал найти свою выгоду в изгнании Мстиславичей из Волыни. Как бы то ни было, дядя Юрий слушался его советов, тем более что теперь союзники Изяславовы ушли и ему казалось, что нетрудно будет управиться с племянником — «Прогоню Изяслава, возьму всю его волость», — говорил он и двинулся с братом Вячеславом и со всеми своими детьми к Луцку. Двое старших сыновей его, Ростислав и Андрей, шли вперед с половцами и остановились ночевать у Муравицы*; вдруг ночью половцы от чего-то переполошились и побежали назад; но Андрей Юрьич, который находился напереди, не испугался и устоял на своем месте, не послушался дружины, которая говорила ему: «Что это ты делаешь, князь! Поезжай прочь, осрамимся мы». Дождавшись рассвета и видя, что все половцы разбежались, Андрей отступил к Дубну к братьям и половцам, ожидавшим подмоги от Юрия; потом, услыхав, что Юрий идет, подступили все к Луцку, где затворился брат Изяславов Владимир. Когда они приближались к городу, то из ворот его вышел отряд пехоты и начал с ними перестреливаться; остальные Юрьичи никак не

* Местечко Волынской губернии Дубенского повета.

думали, что Андрей захочет ударить на эту пехоту, потому что и стяг его не был поднят; не величав был Андрей на ратный чин, говорит летописец, искал он похвалы от одного Бога; и вот вдруг он въехал прежде всех в неприятельскую толпу, дружина его за ним, и началась жаркая схватка. Андрей переломил копье свое и подвергся величайшей опасности; неприятельские ратники окружили его со всех сторон; лошадь под ним была ранена двумя копьями, третье попало в седло, а со стен городских сыпались на него камни, как дождь; уже один немец хотел просунуть его рогатиною, но Бог спас его. Сам Андрей видел беду и думал: «Будет мне такая же смерть, как Ярославу Святополчичу»; помолился Богу, призвал на помощь св. Феодора, которого память праздновалась в тот день, вынул меч и отбился. Отец, дядя и все братья обрадовались, увидя его в живых, а бояре отцовские осыпали его похвалами, потому что он дрался храбрее всех в том бою. Конь его, сильно раненный, только успел вынести своего господина и пал; Андрей велел погребсти его над рекою Стырем. Шесть недель потом стоял Юрий у Луцка; осажденные изнемогли от недостатка воды; Изяслав хотел идти к ним на помощь из Владимира, но галицкий князь загородил ему дорогу. Однако последнему, как видно, хотелось продолжения борьбы между Мономаховичами, а не окончательного торжества одного соперника над другим; ему выгоднее было, чтоб соседняя Владимирская волость принадлежала особому князю; вот почему когда Изяслав прислал сказать ему: «Помири меня с дядею Юрием, я во всем виноват перед Богом и перед ним», то Владимирко стал просить Юрия за Изяслава. Юрий Ярославич и старший сын Юрия Долгорукого, Ростислав, питавший ненависть к Изяславу за изгнание из Руси, не давали мириться; но второй Юрьич, Андрей, взял сторону мира и начал говорить отцу: «Не слушай Юрия Ярославича, помирись с племянником, не губи отчины своей». Вячеслав также хлопотал о мире; у этого были свои причины. «Брат, — говорил он Юрию, — мирись; ты, не помирившись, прочь пойдешь, а Изяслав мою волость пожжет!» Юрий наконец согласился на мир: племянник уступил ему Киев, а он возвратил ему все дани новгородские. Изяслав приехал к дядьям в Пересопницу, и здесь уговорились возвратить друг другу все захваченное после переяславской битвы как у князей, так и у бояр их. После этого Юрий возвратился в Киев и хотел было уступить этот стол по старшинству Вячеславу, но бояре отсоветовали ему. «Брату твоему не удержать Киева, — говорили они, — не достанется он ни тебе, ни ему». Тогда Юрий вывел из Вышгорода сына своего Андрея и посадил там Вячеслава.

Между тем (1150 г.) Изяслав отправил бояр своих и тиунов искать в Киеве у Юрия именья и стад, пограбленных на войне; бояре также поехали отыскивать свое: одни — сами, другие послали тиунов своих; но когда посланные опознали свое и начали требовать его назад, то Юрий не отдал, и возвратились они ни с чем к Изяславу. Тот послал к дядьям с жалобою: «Исполните крестное целование, а не хотите, так я не могу оставаться в обиде». Дядья не отвечали, и Мстиславич снова вооружился, призываемый, как говорят, киевлянами. В Пересопнице сидел в это время вместо Вячеслава сын Юрия Глеб, который стоял тогда выше города на реке Стубле в шатрах; Изяслав неожиданно пришел на него; взял стан, дружину, лошадей; Глеб едва успел убежать в город и послал с поклоном к Изяславу: «Как мне Юрий отец, так мне и ты отец, и я тебе кланяюсь; ты с моим отцом сам ведаешься, а меня пусти к отцу и клянись Богородицей, что не схватишь меня, а отпустишь к отцу — так я к тебе сам приеду и поклонюсь». Изяслав поклялся и велел сказать ему: «Вы мне свои братья, об вас и речи нет; обижает меня отец твой и с нами не умеет жить». Угостив Глеба обедом, Изяслав отправил его с сыном своим Мстиславом, который, проводив его за Корческ*, сказал ему: «Ступай, брат, к отцу; а эта волость отца моего и моя, по Горынь». Глеб поехал к отцу, а Изяслав вслед за ним отправился к черным клобукам, которые съехались к нему все с большою радостью. Юрий до сих пор ничего не знал о дви-

---

* Корец — местечко Волынской губернии, Новгородского уезда.

жениях Изяслава и, услыхав, что он уже у черных клобуков, побежал из Киева, переправился за Днепр и сел в своем Городке Остерском; только что успел Юрий выехать из Киева, как на его место явился старый Вячеслав и расположился на дворе Ярославовом. Но киевляне, услыхав, что Изяслав идет к ним, вышли к нему навстречу большою толпою и сказали: «Юрий вышел из Киева, а Вячеслав сел на его место; но мы его не хотим, ты наш князь, поезжай к св. Софии, сядь на столе отцовском и дедовском». Изяслав, слыша это, послал сказать Вячеславу: «Я тебя звал на киевский стол, но ты тогда не захотел; а теперь, когда брат твой выехал, так ты садишься? Ступай теперь в свой Вышгород». Вячеслав отвечал: «Хоть убей меня на этом месте, не съеду». Изяслав выехал в Киев, поклонился св. Софии, оттуда поехал на двор Ярославов со всеми своими полками и со множеством киевлян; Вячеслав в это время сидел на сенях, и многие начали говорить Изяславу: «Князь! Возьми его и с дружиною»; а другие уже начали кричать: «Подожем под ним сени»; но Изяслав остановил их. «Сохрани меня Бог, — говорил он, — я не убийца своей братьи; дядя мне вместо отца, я сам пойду к нему», и, взявши с собою немного дружины, пошел на сени к Вячеславу и поклонился ему. Вячеслав встал, поцеловался с племянником, и когда оба сели, то Изяслав стал говорить: «Батюшка! Кланяюсь тебе, нельзя мне с тобою рядиться, видишь, какая сила стоит народу, много лиха против тебя замышляют; поезжай в свой Вышгород, оттуда и будем рядиться». Вячеслав отвечал: «Ты меня сам, сын, звал в Киев, а я целовал крест брату Юрию; теперь уже если так случилось, то Киев тебе, а я поеду в свой Вышгород» — и, сошедши с сеней, уехал из Киева, а Изяслав сел здесь и послал сына Мстислава в Канев, велел ему оттуда добыть Переяславль. Мстислав послал на ту сторону Днепра к дружине и к варварскому пограничному народонаселению, которое называлось турпеями, перезывая их к себе. В Переяславле сидел в это время Ростислав Юрьич; он послал к отцу в Городок за помощью, и когда тот прислал к нему брата Андрея, то, оставив последнего в Переяславле, погнался за турпеями, настиг их у Днепра, перехватил и привел назад в Переяславль. Между тем Юрий соединился с Давыдовичами и Ольговичами; а с запада явился к нему на помощь сват его* Владимирко галицкий. Услыхав о приближении Владимирка, Изяслав послал сказать сыну, чтоб ехал к нему скорее с берендеями, а сам с боярами поехал в Вышгород к Вячеславу и сказал ему: «Ты мне отец; вот тебе Киев, и, какую еще хочешь, волость возьми, а остальное мне дай». Вячеслав сначала отвечал на это с сердцем: «А зачем ты мне не дал Киева тогда, заставил меня со стыдом из него выехать; теперь, когда одно войско идет из Галича и другое — из Чернигова, так ты мне Киев даешь». Изяслав говорил на это: «Я к тебе посылал и Киев отдавал тебе, объявлял, что с тобою могу быть, только с братом твоим Юрием мне нельзя управиться; но тебя люблю, как отца, и теперь тебе говорю: ты мне отец, и Киев твой, поезжай туда». Размягчили старика эти слова, любо ему стало, и он поцеловал крест на гробе Бориса и Глеба, что будет иметь Изяслава сыном, а Изяслав поклялся иметь его отцом; целовали крест и бояре их, что будут хотеть добра между обоими князьями, честь их беречь и не ссорить их. Изяслав поклонился св. мученикам Борису и Глебу, потом отцу своему Вячеславу и сказал ему: «Я еду к Звенигороду против Владимирка; а ты, батюшка, сам не трудись, отпусти только со мною дружину свою, сам же поезжай в Киев, коли тебе угодно». Вячеслав отвечал: «Всю дружину свою отпускаю с тобою».

Уладивши дело с дядею, Изяслав поехал опять в Киев, ударил в трубы, созвал киевлян и пошел против Владимирка. «Кто ко мне ближе, на того и пойду прежде», — говорил он. Сначала Изяслав стал у Звенигорода; потом, слыша о приближении галичан, перешел к Тумащу, куда пришли к нему черные клобуки, затворивши жен и детей своих в городах на Поросьи. На другой день на рассвете Изяслав выстроил войско и повел его против Владимирка, который стоял у верховьев реки Ольшаницы; стрельцы начали уже перестреливаться

* За сыном Владимировым Ярославом была дочь Юрия.

через реку, как вдруг черные клобуки, увидав, что галичан очень много, испугались и стали говорить Изяславу: «Князь! Сила у Владимирка велика, а у тебя дружины мало; как вздумает он перейти через реку, то нам плохо придется; не погуби нас, да и сам не погибни; ты наш князь, когда силен будешь, и мы тогда с тобою, а теперь не твое время, поезжай прочь». Изяслав отвечал им: «Лучше нам, братья, помереть здесь, чем такой стыд взять на себя»; но киевляне начали то же говорить и побежали; черные клобуки бросились за ними к своим вежам; оставшись с одною дружиною, Изяслав также пошел назад в Киев. К счастью его, Владимирко никак не мог подумать, что противное войско побежало без битвы, счел это хитростию и не велел своим гнаться за Изяславом, который поэтому благополучно доехал до Киева; пострадал только задний отряд дружины, часть которого была захвачена, а другая перебита галичанами. Изяслав застал в Киеве дядю Вячеслава; потолковавши друг с другом, они сели вместе обедать, как вдруг пришла весть, что Юрий со всеми черниговскими — у Киева и уже множество киевлян поехали в лодках к Юрию, а другие стали перевозить его дружину на эту сторону. Видя это, Вячеслав и Изяслав сказали: «Теперь не наше время» — и поехали из Киева: Вячеслав — в Вышгород, а Изяслав — во Владимир, занявши места по реке Горыне и посадивши сына Мстислава в Дорогобуже.

На другой день Владимирко галицкий подошел к Киеву и стал у Ольговой могилы; сюда приехал к нему Юрий со всеми черниговскими, и здоровались, не сходя с коней. Введя Юрия в Киев, Владимирко объехал все святыни киевские, был и в Вышгороде у Бориса и Глеба и потом, расставшись приятельски с Юрием в Печерском монастыре, отправился назад в Галич. Услыхав об его приближении, Мстислав Изяславич бросился бежать из Дорогобужа в Луцк к дяде Святополку; Владимирко, побравши города по Горыне и отдавши их Мстиславу Юрьичу, которого взял с собою из Киева, подошел было к Луцку, но не мог взять его и ушел в Галич, а Мстислав Юрьич остался в Пересопнице; но скоро потом Юрий отдал этот город вместе с Туровом и Пинском сыну Андрею, который и сел в Пересопнице; цель этого перемещения и предпочтения Пересопницы Турову ясна: Андрей, самый храбрый из Юрьевичей, должен был оберегать границу со стороны Волыни, откуда Юрий ждал нападения от племянника. Зимою Изяслав прислал в Пересопницу просить Андрея: «Брат! Помири меня с отцом: мне отчины нет ни в Венгрии, ни в Польше, а только в Русской земле; выпроси мне у отца волость по Горынь». Он послал в Пересопницу как будто за этим, а между тем наказал послу рассмотреть хорошенько весь наряд Андреев и как город стоит: ему уже удалось раз напасть здесь врасплох на брата Андреева Глеба, то же хотелось теперь сделать и с Андреем; но у этого было все крепко и дружина большая. Не подозревая хитрости, Андрей стал опять просить отца за Изяслава, но Юрий не хотел ничего дать племяннику; тогда Изяслав стал думать: «Дядя мне волости не дает, не хочет меня в Русской земле, а Владимир галицкий по его приказу волость мою взял, да еще сбирается прийти на меня к Владимиру», и, подумав таким образом, послал брата Владимира сказать зятю своему, королю венгерскому: «Ты мне сам говорил, что Владимирко не смеет головы высунуть; но я выгнал Юрия из Киева, Юрий передо мною бегает, а Владимирко, согласившись с Ольговичами, пришел да погнал меня из Киева; теперь, брат, исполни свое обещание, сядь на коня». Король немедленно собрал всю свою силу и сел на коня, пославши сказать Изяславу: «Я уже выступил с братом твоим Владимиром, выступай и ты; узнает Владимирко, кого затронул».

Но у Владимирка были приятели в Венгрии; они дали ему знать, что король идет на него, и галицкий князь, бросив обоз свой у Бельза, где стоял тогда, поскакал с дружиною к Перемышлю, где уже король начал воевать. Владимирко видел, что ему нельзя бороться с венграми, и начал посылать к архиепископу да еще к двум епископам венгерским и к боярам с просьбою, чтоб уговорили короля возвратиться, не жалел золота и достиг своей цели. Король послушался подкупленных епископов и бояр и стал говорить: «Теперь уже не время воевать, реки замерзают; вот когда реки установятся, тогда пойдем опять». Отпуская Владимира Мстиславича в Киев, король наказал ему: «Отцу моему и своему брату Изяславу поклонись и скажи ему: царь на меня греческий встает ратью, и потому этою зимою и весною нельзя мне сесть на коня для тебя; но твой щит и мой не будут розно; если мне самому нельзя, то помощь пошлю, 10 000, больше ли, сколько хочешь, а летом, Бог даст, в твоей воле буду, отомстим за свои обиды». Изяслав, выслушав эти речи от Владимира, отправил его назад в Венгрию. «Брат! — говорил он ему. — Бог тебе помоги, что потрудился для моей и своей чести; ты был в Венгрии у зятя своего короля, ведаешь там всю мысль их и думу; так потрудиться бы тебе, брат, и теперь, поехать туда опять для моей чести и своей». Владимир отвечал: «Я, брат, этим не тягочусь; для твоей чести и для чести брата Ростислава с радостью поеду». Владимиру было наказано говорить королю: «Если царь встал ратью и тебе самому нельзя приехать ко мне, то отпусти помощь, как обещался, а мне Бог поможет на Юрия, на Ольговичей и на галицкого князя; твоя обида — моя, а моя — твоя». Король отпустил с Владимиром десятитысячный отряд, с которым Изяслав и отправился опять к Киеву, потому что звали его бояре Вячеславовы, берендеи и киевляне. На дороге у Пересопницы получив весть, что Владимирко галицкий идет за ним с войском, Изяслав собрал на совет дружину. «Князь! — говорили бояре. — Сам видишь, что нам пришлось плохо: ты идешь на Юрия, а сзади за тобою идет Владимир; очень трудно будет нам справиться!» Изяслав отвечал им: «Вы за мною из Русской земли вышли, сел своих и животов лишились, да и я своей дедины и отчины не могу покинуть: либо голову свою сложу, либо отчину свою добуду и ваши все животы; если нагонит меня Владимир, то, значит, Бог дает мне с ним суд; встретит ли меня Юрий, и с тем суд Божий вижу; как Бог рассудит, так и будет».

Отпустив брата Святополка оберегать Владимир, Изяслав пошел вперед к Дорогобужу с братом Владимиром, сыном Мстиславом, с князем Борисом городенским, внуком известного Давыда Игоревича, и с венграми. Дорогобужцы вышли к нему навстречу с крестами и поклонились; Изяслав сказал им: «Вы люди деда моего и отца, Бог вам помощь». Дорогобужцы сказали на это: «С тобою, князь, чужеземцы, венгры; как бы они не наделали зла нашему городу». Изяслав отвечал: «Я вожу венгров и всяких других чужеземцев не на своих людей, а на врагов; не бойтесь ничего». Миновав Дорогобуж, Изяслав перешел Горынь, жители Корсуни вышли к нему также с радостью и с поклоном; Изяслав миновал и их город, не желая, как видно, пугать жителей приводом иноземной рати и подавать повод к враждебным столкновениям. Между тем Владимирко галицкий соединился с Андреем Юрьичем, которого вызвал из Пересопницы, и скоро к Изяславу пришла весть, что князь галицкий, Андрей Юрьич и Владимир Андреевич (изгой, сын младшего из Мономаховичей) переправляются с большими силами через Горынь; когда Мстиславичи переправились через реки Случь и Ушу, то на противоположном берегу последней уже показались неприятельские стрельцы и стали биться об реку, а иные подалее перебирались даже с одного берега на другой: один из галицких стрелков был схвачен, приведен к Изяславу и на спрос: «Где твой князь?» — отвечал: «Вот за городом Ушеском первый лес, тут он остановился; узнав, что ты близко, не посмел пойти через лес, говорит: как пойдем сквозь лес, то нападут на нас, а сила наша далеко назади, подождем ее здесь». Услыхав это, Изяслав сказал своим: «Пойдем на него назад». Но дружина отвечала: «Князь! Нельзя тебе на него идти, перед тобою река, да еще злая, как же ты хочешь на него ехать? Он же стоит, лесом заложившись! Это уж оставь теперь, а поезжай к своим в Киев; где нас Владимирко нагонит, там и будем биться, сам же ты так прежде говорил, что если и Юрий встретится, то и с ним будем биться. А теперь, князь, не мешкай, ступай; когда будешь на Тетереве, то вся тамошняя дружина к тебе приедет; а если Бог даст, дойдешь до Белгорода, то еще больше дружины к тебе приедет, больше будет у тебя силы».

Изяслав послушался, пошел вперед, Владимирко за ним; когда Изяслав стал у Святославовой криницы, то его сторожа видели галицкие огни; Изяслав велел раскласть большой огонь, чтоб обмануть неприятеля, а сам в ночь двинулся к городу Мичьску, где встретило его множество народа с берегов Тетерева с криками: «Ты наш князь!» Перешед за Тетерев, Изяслав дал себе и коням отдых и потом пошел ко Вздвиженску, где держал совет с дружиною. «Владимирко едет за нами, — говорил он, — так скажите, здесь ли нам остановиться и ждать его или уже не жалеть сил, выступить в ночь дальше? Если здесь остановимся и будем дожидаться Владимира, то не дождаться бы нам с другой стороны Юрия: тогда будет нам трудно; лучше уже, по-моему, не давать себе отдыха, ехать; как будем в Белгороде, то Юрий непременно побежит; тогда мы поедем в свой Киев, а как в сильный киевский полк въедем, то уже я знаю, будут за меня биться; если же нельзя будет ехать на Белгород, то поедем к черным клобукам, а как приедем к черным клобукам и с ними соединимся, то уже нечего нам будет бояться ни Юрия, ни Владимирка». Венгры отвечали ему на это: «Мы у тебя гости; если надеешься на киевлян, то тебе лучше знать своих людей; лошади под нами; доброе дело, когда друг прибудет и новая сила, поедем в ночь». Тогда Изяслав сказал брату Владимиру: «Ступай ты наперед к Белгороду; мы все отпустим с тобою свою младшую дружину и пойдем за вами вслед; если придешь к Белгороду и станут с тобою биться, то ты дай нам знать, а сам бейся с утра до обеда; я же между тем либо перееду на Абрамов мост, либо въеду к черным клобукам и, соединясь с ними, пойду на Юрия к Киеву; а если ты займешь Белгород, то дай нам также знать, и мы к тебе поедем». Владимир приехал к Белгороду, а тамошний князь Борис Юрьич спокойно пировал на сеннице с дружиною да с попами белгородскими; если бы *мытник* (сборщик податей) не устерег и не развел моста, то князя захватили бы. Владимирова дружина, подъехав к мосту, затрубила в трубы; Борис вскочил в испуге и ускакал с дружиною из города, а горожане побежали к мосту, кланяясь Владимиру и крича: «Ступай, князь, Борис бежал», и тотчас же опять навели мост. Въехав в Белгород, Владимир послал, как было улажено, гонца к брату: «Я в Белгород въехал, а Борис выбежал; он ничего не знал о моем приходе, и Юрий ничего не знает: ступай скорее». Изяслав тотчас же поехал к нему, до света переправил полки через мост и, оставив в Белгороде Владимира на случай приезда галицкого князя, сам с венграми отправился к Киеву. Между тем Борис прибежал к отцу с вестью, что рать идет; Юрий был в это время на Красном дворе, в испуге не нашелся за что приняться, сел в лодку, переплыл на другой берег и спрятался в Городке, а киевляне вышли с радостью навстречу к Изяславу. Есть очень вероятное известие, что Юрий поведением своим возбудил у них сильное негодование, рассердил и черных клобуков, которые вместе с киевлянами и стали звать к себе Мстиславича. Перехвативши дружину Юрьеву, Изяслав поехал к св. Софии, а оттуда — на Ярославов двор, куда позвал на обед венгров и киевлян; было тут большое веселье: после обеда венгры, славные всадники, удивляли киевский народ своим искусством в ристании.

Между тем Владимирко и Андрей Юрьич, ничего не зная, стояли у Мичьска, как вдруг пришла им весть, что Юрий в Городке, а Изяслав в Киеве; сильно раздосадовало это Владимирка, он сказал князьям Андрею и Владимиру Андреевичу: «Не понимаю, как это княжит сват мой: рать идет на него с Волыни, как об этом не узнать? И вы, сыновья его, сидели один в Пересопнице, а другой в Белгороде, — как же это вы не устерегли? Если так княжите с отцом своим, то управляйтесь сами, как хотите, а я не могу один идти на Изяслава; он хотел вчера со мною биться, идучи на вашего отца, а на меня оборачиваясь; теперь же у него вся Русская земля, я не могу один на него ехать!» Причина изумительного в самом деле успеха Изяславова заключалась не столько в оплошности Юрия и сыновей его, сколько во всеобщем нерасположении к ним народа и в старании многих людей вводить их в эту оплошность.

Владимирко выполнил свою угрозу, оставил дело Юрия и пошел назад в Галич; он хотел, однако, чем-нибудь вознаградить себя за поход и потому объявил жителям города Мичьска: «Дайте мне серебра, сколько хочу, а не то возьму вас на щит»; у них не было столько серебра, сколько он запрашивал, и потому они принуждены были вынимать серьги из ушей жен и дочерей своих, снимать ожерелья с шеи, слили все это и отдали Владимирку, который пошел от них дальше и по всем городам на дороге брал также серебро до самой своей границы; а сын Юрьев Андрей и племянник Владимир Андреевич поехали на устье Припяти и оттуда к отцу в Городец-Остерский. Между тем Изяслав на другой же день, как въехал в Киев, послал сказать дяде Вячеславу: «Батюшка! Кланяюсь тебе; если Бог отца моего Мстислава взял, то ты у меня отец, кланяюсь тебе; согрешил я пред тобою сначала тогда, а теперь каюсь; и снова, когда мне Бог дал победить Игоря у Киева, то я на тебе чести не положил же, и потом опять у Тумаща; но теперь, батюшка, во всем том каюсь перед Богом и перед тобою: если ты меня, батюшка, простишь, то и Бог простит; отдаю тебе, батюшка, Киев, поезжай, сядь на столе деда и отца своего!» Этими словами Изяслав признал полное господство права по родовому старшинству, право дядей пред сыновьями старшего брата, право, против которого ничего не могли сделать ни личные достоинства, ни уважение и любовь народа. Вячеслав велел отвечать племяннику: «Сын! Бог тебе помоги, что на меня честь положил, давно бы тебе так сделать; если ты мне честь воздал, то и Богу честь воздал; ты говоришь, что я твой отец, а я тебе скажу, что ты мой сын; у тебя отца нет, а у меня сына нет; ты мой сын, ты мой и брат». Здесь старый дядя ясно также выразил господствующее представление, что сыновья от старшего брата считаются братьями дядьям своим, хотя и младшими. Дядя и племянник целовали крест — не разлучаться ни в добре, ни в зле (1150 г.).

После ряду с племянником Вячеслав въехал в Киев (1151 г.) и, поклонившись св. Софии, позвал к себе на обед сына своего Изяслава, всех киевлян и венгров: и дядя и племянник оказали большую честь последним, богато одарили их сосудами, платьем, лошадьми, паволоками и всякими дарами. На другой день после пира Вячеслав послал сказать Изяславу: «Сын! Бог тебе помоги, что воздал мне честь, как отцу; а я вот что тебе скажу: я уже стар и всех рядов не могу рядить; останемся оба в Киеве; а какой нам придется ряд рядить, между христианами или погаными, то пойдем оба по месту; дружина и полки будут у нас общие, ты ими ряди; где нам можно будет обоим ехать, оба поедем, а где нельзя, там ты один поедешь с моим полком и с своим». Изяслав с великою радостью и с великою честью поклонился отцу своему и сказал: «Батюшка, кланяюсь тебе; как мы уговорились, так нам дай Бог и быть до конца жизни». На третий день оба князя отпустили венгров домой и вслед за ними отправили сына Изяславова Мстислава, который должен был сказать королю: «Ты нам то сделал, что может сделать только брат родному брату или сын отцу; дай нам Бог быть с тобою неразлучно во всем; где будет твоя обида, там дай нам Бог быть самим и мстить за твою обиду, или если не самим, так братьям нашим и сыновьям, а нам тебе нечем больше заплатить за твое добро, как только своею головою; теперь же докончи доброе дело: самого тебя не зовем, потому что у тебя война с греками; но отпусти к нам войско на помощь, или такое же, какое теперь было, а хорошо, если и побольше, потому что Юрий силен: Давыдовичи и Ольговичи с ним, и половцы дикие, которых приманивают золотом; теперь, брат, этою весною помоги нам; если этою же весною мы управимся с своим делом, то пойдем с войском к тебе на помощь, а если ты управишься с греческим царем, то будь нам помощник; остальное все расскажут тебе твои мужи и брат твой Мстислав, как нам Бог помог, как встала за нас вся Русская земля и черные клобуки». Отрядив Мстислава в Венгрию, Вячеслав послал в то же время бояр своих в Смоленск сказать Ростиславу Мстиславичу: «Брат! Бог соединил нас с твоим братом, а с моим сыном Изяславом; добыв Русскую землю, он на мне честь положил, посадил меня в Киеве; а я, сын, тебе скажу: как мне сын брат твой Изяслав, так и ты; потрудись приехать сюда к нам, чтоб всем вместе подумать о том, что вперед делать». Изяслав со своей стороны послал сказать Ростиславу: «Ты меня, брат, много понуждал положить честь на дяде и на отце; и вот когда Бог привел меня опять в Русскую землю, то я посадил дядю нашего в Киеве для тебя и для всей Русской земли; а теперь я скажу тебе: там у тебя в Новгороде сын мой и твой сын же крестный Ярослав, там же у тебя и Смоленск; так, урядивши все в верхних землях у себя, приезжай к нам сюда, посмотрим вместе, что нам Бог даст».

Изяслав с дядею не ошибались, призывая к себе отовсюду союзников: Юрий не думал оставлять их в покое и послал сказать Давыдовичам и Ольговичам: «Изяслав уже в Киеве, ступайте ко мне на помощь». Святослав Ольгович выступил немедленно, соединился в Чернигове с Владимиром Давыдовичем, и на лодках приплыли вместе в Городок к Юрию. Но другой Давыдович, Изяслав, перешел на сторону Вячеслава и Изяслава: как видно, этот Давыдович поневоле был до сих пор с Юрием, на которого сердился за отнятие дреговичских земель в пользу Святослава Ольговича. Скоро приехал в Киев и Ростислав Мстиславич с полками смоленскими; а между тем Юрий выступил с союзниками из Городка и стал у Днепра, при устье речки Радуни, куда пришло к нему на помощь много диких половцев. На этот раз Изяслав был осторожен, не дал неприятельскому войску переправиться чрез Днепр, и потому с обеих сторон начали биться в лодках, от Киева до устья Десны. В этой речной битве Юрий не мог получить успеха, потому что Изяслав, по выражению летописца, дивно исхитрил свои лодки: гребцов на них не было видно, видны были только одни весла, потому что лодки были покрыты досками, и на этой крышке стояли ратники в бронях и стреляли, а кормчих было по двое на каждой лодке — один на носу, а другой на корме, — куда хотят, туда и пойдут, не оборачивая лодок. Видя, что нельзя переправиться через Днепр против Киева, Юрий с союзниками решили идти вниз к Витичевскому броду; но, не смея пустить лодок мимо Киева, пустили их в Долобское озеро, оттуда волокли берегом в реку Золотчу и по

Золотче уже впустили их в Днепр, а половцы шли по лугу. Но Мстиславичи с дядею Вячеславом, с Изяславом Давыдовичем, с городенским князем Борисом, киевлянами и черными клобуками шли рядом с ними по западной стороне Днепра, по нагорному берегу, а лодки плыли по реке, так что когда войско Юрия достигло Витичевского брода, то уже там стояла киевская рать, и опять началась речная битва за переправу. Тогда Юрий позвал к себе союзников и сказал: «Стоим мы здесь, и чего достоимся? Лучше постараемся перехватить у них Зарубский брод и перейти на ту сторону». Все согласились и отпустили к броду сыновей Юрьевых с половцами да Святослава Всеволодовича; а сами, выстроивши полки, пошли подле лодок берегом. Между тем передовой отряд их приехал к Зарубскому броду, который стерег боярин Изяславов Шварн с небольшою дружиною; половцы, видя, что сторожей мало, бросились на лошадях и в полном вооружении в реку, под их прикрытием переехали и русские в лодьях; а Шварн испугался и побежал к своему князю; по замечанию летописца, вся беда произошла оттого, что при броде был не князь, а боярин, тогда как боярина не все слушались. Переправившись чрез Днепр, Юрьевичи послали сказать отцу: «Ступай скорее, мы уже перешли Днепр; чтоб не ударил на нас одних Изяслав!» Юрий пошел немедленно к Зарубу и также переправился. Получив весть об этой переправе, Мстиславичи возвратились в Киев и начали думать, что теперь делать. Оба Мстиславича хотели идти навстречу к дяде и биться, но дружина всех князей не соглашалась, особенно отговаривали от этого черные клобуки, они говорили Изяславу: «Князь! Нельзя нам ехать к ним, потому что наши ратники не все на конях; ты к ним поедешь, а они перед тобою поедут к Роси; тогда тебе надобно будет оставить свою пехоту и ехать за ними с одною конницею. По-нашему, надобно вот что сделать: ступайте вы все в Киев, а к нам приставьте брата своего Владимира; мы поедем с ним к своим вежам, заберем их жен, детей, стада и пойдем тогда к Киеву; побудьте там только до вечера, мы к вам придем непременно, хотим за отца вашего Вячеслава, за тебя, за брата твоего Ростислава и за всю вашу братью головы свои сложить; либо честь вашу отыщем, либо изомрем с вами, а Юрия не хотим». Мстиславичи с дядею послушались дружины, киевлян и черных клобуков, отрядили брата Владимира за вежами с торками, коуями, берендеями и печенегами (имена варварских народцев, слывших под общим именем черных клобуков), а сами пошли к Треполю и, переночевавши здесь, на солнечном восходе отправились к Киеву; в город не вошли, а стали около него: Изяслав Мстиславич — перед Золотыми воротами, Изяслав Давыдович — между Золотыми и Жидовскими воротами; Ростислав с сыном Романом — перед Жидовскими воротами, Борис городенский — у Лядских ворот; киевляне, конные и пешие, стали между князьями. Скоро пришел и Владимир с черными клобуками, с вежами и стадами их; эти союзники наделали вреда не меньше врагов, вламывались в монастыри, жгли села, огороды все посекли; Мстиславичи велели Владимиру пойти с берендеями, вежами и стадами их к Ольговой могиле и стать от нее до Ивановского огорода и потом до Щековицы; а коуи, торки и печенеги стали от Золотых ворот до Лядских и потом до Клова, Берестова, Угорских ворот и Днепра. Таким образом, князья, дружина, киевляне и черные клобуки решили не ходить к неприятелю навстречу, но подпустить его к себе и биться под Киевом; Изяслав говорил: «Если Бог нам поможет, отобьем их, то ведь они не птицы: перелетевши Днепр, должны сесть где-нибудь; а когда поворотят от нас, тогда уже как Бог нас с ними управит».

Но старик Вячеслав прежде битвы хотел попытаться кончить дело миром; он сказал племянникам: «Теперь, братья, мы готовы биться; но ведь Юрий мне брат, хотя и младший; хотелось бы мне послать к нему и свое старшинство оправить; когда нам будет с ним Божий суд, то Бог на правду призрит». Племянники согласились, и Вячеслав, подозвавши к себе своего боярина, сказал ему: «Ступай к брату Юрию, кланяйся ему от меня; а вы, братья и сыновья, Изяслав и Ростислав, слушайте, перед вами отряжаю; так ты вот что скажи от меня Юрию:

я вам обоим, Изяславу и тебе, много раз говорил: не проливайте крови христианской, не губите Русской земли; вас удерживал от войны, о себе не заботился, что меня оба вы обидели, и не один раз; а ведь у меня полки есть и сила есть, Бог мне дал; но я для Русской земли и для христиан не поминал того, как Изяслав, едучи биться с Игорем, говорил: я Киева не себе ищу, но отцу моему Вячеславу, он старший брат; а как Бог ему помог, то он Киев себе, да еще Туров и Пинск у меня отнял, — это меня Изяслав обидел; а ты, брат, едучи к Переяславлю биться с племянником, тоже говорил: я Киева не себе ищу, есть у меня старший брат Вячеслав, все равно мне, что и отец, ему ищу Киева; а как Бог тебе помог, то и ты Киев себе, да еще Пересопницу и Дорогобуж у меня отнял, обидел меня, один Вышгород мне дал; а я во всем том не искал управы для Русской земли и для христиан, не передо мною в вас правды не было, а перед Богом; я еще и вас удерживал от войны, но вы меня не слушали; ты мне тогда говорил: младшему не могу поклониться; но вот Изяслав, хотя два раза слова своего не сдерживал, зато теперь, добывши Киев, поклонился мне, честь мне воздал, в Киеве меня посадил и отцом себе назвал, а я его сыном; ты говорил: младшему не поклонюсь; а я тебя старше не мало, а много; я уже был бородат, когда ты родился*;

---

* Год рождения ни Вячеслава, ни Юрия из дошедших до нас списков летописи не может быть с точностью определен; но известен год рождения старшего Мономаховича — Мстислава (1076) и самого младшего — Андрея (1102); если даже предположим, что следующие за Мстиславом сыновья Мономаха были погодки: Изяслав родился в 1077-м, Ярополк — в 1078-м, Святослав — в 1079-м, Вячеслав — в 1080-м, Роман — в 1081 году, то Юрий должен был родиться между 1081 и 1102 годом; чтоб Вячеславу быть бородатым прежде рождения Юрия, принимая даже за бородатость время, когда только начинает пробиваться борода (лет 15), Юрий должен был родиться в 1096 году; но в 1107 году он женился, стало быть, он женился 10 лет? Брат его Андрей женился 15 лет (1117 г.); это нисколько не может затруднять нас, потому что Константин Всеволодович женился 11 лет; Всеволод III отдал осьмилетнюю дочь свою Верхуславу за Ростислава Рюриковича. Но у Татищева сказано, что Юрий умер (1157 г.) 66 лет от роду, значит, родился в 1091 году; странно, что у Вячеслава пробивалась борода 10 лет или даже 11-ти, если предположим, что он был старше Святослава; скорее предположить ошибку у Татищева.

если же хочешь на мое старшинство поехать, то как нас Бог рассудит». Юрий отвечал на это: «Я тебе, брат, кланяюсь, речи твои правые: ты мне вместо отца; но если хочешь со мною рядиться, то пусть Изяслав поедет во Владимир, а Ростислав — в Смоленск, тогда мы с тобою урядимся». Вячеслав послал опять сказать ему: «У тебя семеро сыновей, и я их от тебя не отгоняю, а у меня только два — Изяслав и Ростислав, да еще другие младшие; я, брат, тебе вот что скажу: для Русской земли и для христиан ступай в свой Переяславль и в Курск с сыновьями, а там у тебя еще Ростов Великий, Ольговичей отпусти домой, тогда и станем рядиться, а крови христианской не будем проливать; если же хочешь пойти по своему замыслу, то этой Пречистой Госпоже с Сыном своим и Богом нашим судить нас в этот век и в будущий». Говоря эти слова, Вячеслав показывал на образ Богородицы, висевший на Золотых воротах. Юрий, не давши на это никакого ответа, на другой день явился с войском у Киева и стал по ту сторону Лыбеди. Начали перестреливаться об реку и перестреливались до вечера, а некоторые из войска Юрьева переехали Лыбедь; Андрей Юрьевич и здесь, как прежде у Луцка, занесся вперед и проскакал почти до самых неприятельских полков; один половец схватил под ним коня и воротил назад, браня своих, зачем все отстали от князя. Изяслав, видя, что неприятельские отряды переезжают Лыбедь, велел ударить на них выборной из всех полков дружине, которая и вмяла неприятеля в реку, где он потерял много убитыми и взятыми в плен; между прочими убили и Савенча Боняковича, дикого половчина, который хвастался: «Хочу ударить мечом в Золотые ворота, как отец мой в них ударил»; после этого ни один человек уже не переезжал больше чрез Лыбедь, и Юрий, оборотя полки, пошел прочь: дали ему весть, что сват его Владимирко идет к нему на помощь из Галича; так он и пошел к нему навстречу. Мстиславичи подъехали к дяде Вячеславу и сказали: «Они прочь поехали, пойдем за ними»; но Вячеслав удержал их. «Это уже начало нам Божией помощи, — говорил он, — они сюда приехали и ничего не успели сделать, только стыда добыли; а вам нечего спешить; Бог даст — выступим вечером, а пожалуй, даже и завтра, подумавши». Тогда Изяслав обратился к Борису городенскому и сказал ему: «Они верно пойдут к Белгороду, ступай-ка, брат, туда же бором»; и Борис отправился.

Юрий в самом деле подошел к Белгороду и послал сказать гражданам: «Вы мои люди: отворите мне город». Белгородцы отвечали: «А Киев тебе разве отворил ворота? Наши князья Вячеслав, Изяслав и Ростислав». Услыхав такой ответ, Юрий пошел дальше; а между тем Мстиславичи с дядею Вячеславом выступили за ним из Киева, чтоб предупредить соединение его с Владимирком; равнодушие киевлян или нежелание их поднимать руки на Мономаховичей прошли; они сказали Мстиславичам: «Пусть идут все, кто может хоть что-нибудь взять в руки; а кто не пойдет, выдай нам того, мы его сами побьем», — такая ревность служит знаком сильного нерасположения к Юрию. Все пошли с радостью по своим князьям, говорит летописец, на конях и пеши, многое множество. На дороге Изяслав получил весть от сына Мстислава, который прислал сказать ему: «Король, твой зять, отпустил к тебе помощь, какой прежде не бывало, многое множество; я уже с ними прошел горы; если мы будем тебе скоро надобны, то дай знать, мы скорее пойдем». Изяслав велел отвечать ему: «Мы уже идем на суд Божий, а вы нам всегда нужны; ступайте как можно скорее». У реки Рута настигли Мстиславича Юрия; мирные переговоры, начатые было снова, остались тщетными, потому что Ольговичи и половцы не дали мириться: понятно, что те и другие много теряли с примирением всех Мономаховичей. Юрию не хотелось вступить в битву до прихода Владимиркова; та же самая причина заставляла Изяслава как можно скорее начать сражение. Когда все уже были готовы, вдруг мгла покрыла все поле, так что можно было видеть только до конца копья, потом пошел дождь, к полдню туман рассеялся, и враги увидали, что озеро разделяет их; Юрий отступил, перешел речку Малый Рутец и остановился на ночь; Мстиславичи с дядею не отставали от него и остановились ночевать на перелет стрелы от неприятельских шатров. На другой день на заре в стане у Юрия ударили в бубны, затрубили в трубы, полки стали готовиться к бою; скоро те же звуки раздались и в стане Мстиславичей. Выстроивши полки, Юрий с сыновьями и союзниками пошел на верх Рутца, Мстиславичи также двинулись против него; но Юрий, дошедши до верховьев Рутца, поворотил полки и пошел к Большому Руту: он не хотел биться, но хотел зайти за Рут и там дожидаться Владимирка. Мстиславичи, увидав его отступление, послали вслед за ним стрельцов своих, черных клобуков и русь, которые начали наезжать на задние отряды, стреляться с ними и отнимать возы. Тогда Юрий, видя, что неприятель не дает ему перейти за Рут, принужден был остановиться и вступить в битву. Сын его Андрей, как старший между братьями (Ростислав умер в 1150 году в Переяславле), начал рядить отцовские полки; на другой стороне Мстиславичи подъехали к дяде Вячеславу и сказали ему: «Ты много хотел добра, но брат твой не согласился; теперь, батюшка, хотим головы сложить за тебя или честь твою найти». Вячеслав отвечал им: «Братья и сыновья! От-роду не охотник был я до кровопролития; брат мой довел до того, что вот стоим на этом месте, Бог нас рассудит». Племянники поклонились ему и поехали в свои полки; Изяслав разослал повестить по всем войскам: «Смотрите на мой полк! Как он пойдет, так и вы все ступайте». Лишь только с обеих сторон начали сходиться на битву, Андрей Юрьевич, схватив копье, поехал напереди и прежде всех столкнулся с неприятелями; копье его было изломано, щит оторван, шлем спал с головы, конь, раненный в ноздри, начал соваться под ним в разные стороны; с противной стороны то же самое сделал Изяслав Мстиславич и подвергся той же опасности: он въехал прежде всех в неприятельские полки, изломал копье, получил рану в руку и в стегно и слетел с павшего коня. После общей схватки и злой сечи войска Мстиславичей победили; степные союзники Юрьевы, половцы, любили пускать тучи стрел издали и мало приносили пользы в схватках; не вынувши ни одной стрелы из колчанов, они пустились бежать первые, за ними — Ольговичи, а за Ольговичами побежал и Юрий с детьми; много дружины их было побито, взято в плен, потонуло в топком Руте; в числе убитых был Владимир Давыдович, князь Черниговский, в числе пленных много князей половецких. Когда победители возвратились с погони на поле битвы, то из кучи раненых один начал привставать; толпа пеших киевлян подбежала к нему и хотела убить, как вдруг он сказал: «Я князь!» «Ну так тебя-то нам и надобно», — отвечал один из киевлян, думая, что это Юрьевич или Ольгович, и начал сечь его мечом по шлему; тогда раненый сказал: «Я Изяслав, князь ваш» — и снял шлем; киевляне узнали его, схватили с радостью на руки, как царя и князя своего, по выражению летописца, и воскликнули: «Кириеелейсон!» И во всех полках была большая радость, когда при победе узнали еще, что и князь жив. Мстиславич был очень слаб, изошел кровью; но, услыша, что Изяслав Давыдович плачется над братом своим Владимиром, собрал силы, сел на коня и поехал туда поплакать вместе; долго плакавши, он сказал Давыдовичу: «Уже нам его не воскресить; так, взявши тело, поезжай-ка лучше в Чернигов, я тебе помощь дам». Мстиславичи отпустили с ним Романа, сына Ростиславова, с дружиною; до вечера Давыдович с Романом были уже в Вышгороде, в ночь перевезлись чрез Днепр, а утром на другой день приехали в Чернигов, где Изяслав, похоронивши брата, сел на столе. Между тем Юрий с сыновьями переехал Днепр у Треполя и остановился в Переяславле; половцы ушли в степи, а Ольговичи переправились за Днепр выше Заруба и бежали в Городец. Святослав Ольгович был очень толст, сильно устал; потому, приехавши в Городец, не мог уже ехать дальше и отправил к Чернигову одного племянника, Святослава Всеволодича; тот, приехавши к перевозу на Десну, узнал, что Изяслав Давыдович уже в Чернигове, и поскакал тотчас же назад, послав сказать дяде, чтоб ехал в Новгород-Северский, а Чернигов уже занят. С другой стороны Владимирко галицкий шел к свату своему Юрию на помощь, но, узнавши на дороге, что Юрий разбит, поспешно пошел назад. Так, Мстиславичам нечего было бояться с запада, и они с торжеством вступили с дядею в Киев, где начали жить очень весело и очень дружно.

Но дядя Юрий все сидел в Переяславле; Изяславу нельзя было позволить ему оставаться в таком близком соседстве, и он с дядею Вячеславом стал сбираться на него, а брата Ростислава отпустил в Смоленск. В это время пришла к нему неприятная новость с запада: Владимирко галицкий, возвращаясь домой, узнал, что Мстислав Изяславич ведет отряд венгров на помощь отцу своему, и решился напасть на него. Мстислав, ничего не зная, стал у Сапогиня, близ Дорогобужа, откуда Владимир Андреевич (посаженный здесь, как видно, Владимирком*) прислал к нему много вина и велел сказать, что Владимирко идет на него. Мстислав стал пить с венграми и во время пира объявил им о приближении галицкого князя; пьяные венгры отвечали: «Пусть его приходит! Мы с ним побьемся». В полночь, когда все улеглось в стане, сторожа прибежали к Мстиславу с вестью, что идет Владимирко. Мстислав с дружиною сели на коней и начали будить венгров, но те после попойки лежали, как мертвые, нельзя было никак их добудиться; на рассвете Владимирко напал на стан и перебил почти всех венгров, немного только взял в плен, а Мстислав с дружиною убежал в Луцк. Когда Изяслав в Киеве получил весть, что сын его побежден и венгры перебиты, то сказал поговорку, которую летописец и прежде слыхал от него: «Не идет место к голове, а голова к месту; но дал бы только Бог здоровье мне и королю; а Владимирку будет месть». Но прежде надобно было разделаться с Юрием, и Вячеслав с племянниками Изяславом и Святополком и с берендеями пошли к Переяславлю, бились здесь два дня, на третий пехота ворвалась в город и зажгла предместья. Тогда Вячеслав с Изяславом послали сказать Юрию: «Кланяемся тебе;

---

* Владимир Андреевич вместе с Андреем Юрьичем отправился за Днепр к Юрию и вместе с последним явился опять на западной стороне Днепра. После неудачного сражения под Киевом на дороге от Белгорода в Руту Юрий отправил Владимира Андреевича к Владимиру галицкому звать его скорее на помощь. Посаженный Владимиром в Дорогобуже, Владимир Андреевич, вероятно, хотел снискать расположение победителей и вошел в сношение с Мстиславом; впрочем, быть может, он послал ему много вина в угоду галицкому князю.

иди в Суздаль, а сына посади здесь в Переяславле; с тобою не можем быть здесь, приведешь на нас опять половцев». Юрий в это время не мог ждать скоро ниоткуда помощи, хотя пересылался и с Владимирком, и с половцами: из дружины его одни были убиты, другие взяты в плен, и потому он послал сказать брату и племяннику: «Пойду в Городок и, побыв там, пойду в Суздаль»; те велели отвечать ему, что может оставаться в Городке месяц, а потом чтоб шел в Суздаль; если же не пойдет, то они осадят его в Городке точно так же, как теперь в Переяславле. Юрию было нечего делать, неволею целовал крест с сыновьями, что пойдет через месяц в Суздаль и не будет искать Киева под Вячеславом и Изяславом; должен был также отказаться от союза с Святославом Ольговичем и не мог включить его в договор. Оставив в Переяславле сына Глеба, он пошел в Городок, а старший сын его Андрей отпросился идти наперед в Суздаль. «Нам здесь, батюшка, — говорил он, — нечего больше делать, уйдем за́тепло». Святослав Ольгович, слыша, что Юрий уладился с братом и племянником, послал в Чернигов к Изяславу Давыдовичу сказать ему от своего имени и от имени племянника Святослава Всеволодовича: «Брат! Мир стоит до рати, и рать до мира; ведь мы тебе братья, прими нас к себе; отчины у нас две — одна моего отца Олега, а другая твоего отца Давыда, ты — Давыдович, а я — Ольгович; так ты, брат, возьми отцовское давыдовское, а что ольгово, то отдай нам, мы тем и поделимся». Изяслав поступил по-христиански, говорил летописец, принял братьев и отчину им отдал, но, как видно, с условием отстать от Юрия и быть вместе с Мстиславичами. Юрий не мог расстаться с Русской землею, нарушил клятву, пробыл в Городке более месяца; но Изяслав хотел сдержать свое слово и явился осаждать его в Городке с берендеями, Изяславом Давыдовичем черниговским, Святославом Всеволодовичем и вспомогательным отрядом Святослава Ольговича; последний не пошел, однако, сам против своего старого союзника. Юрий затворился в Городке и долго отбивался; наконец стало ему тяжко, помощи не было ниоткуда; он должен был целовать крест, что пойдет в Суздаль, и на этот раз действительно пошел, оставив в Городке сына Глеба: Переяславль, как видно, был у него отнят за прежнее нарушение клятвы; Изяслав посадил в нем после сына своего Мстислава. Юрий пошел в Суздаль на Новгород-Северский, заехал к старому приятелю Святославу Ольговичу, принят был от него с честью и получил все нужное для дороги.

Быть может, это приятельское свидание Юрия с Ольговичем было одною из причин, заставивших Изяслава Мстиславича съехаться в 1152 году с Изяславом Давыдовичем черниговским и Святославом Всеволодовичем. На этом съезде решено было избавиться от опасного притона, который был у Юрия на Руси между Черниговскою и Переяславскою волостью, вследствие чего князья разрушили Городок и сожгли его вместе с Михайловскою церковью. Услыхав об этом, Юрий вздохнул от сердца, по выражению летописца, и начал собирать войско; пришел к нему рязанский князь Ростислав Ярославич с братьею, с полками рязанскими и муромскими; соединился с ним и Святослав Ольгович северский; наконец, пришло множество половцев, все орды, что между Волгою и Доном; Юрий сказал: «Они мой Городец пожгли и церковь, так я им отожгу за это» — и пошел прямо к Чернигову. Между тем, услыхав о дядином походе, Изяслав Мстиславич послал сказать брату Ростиславу в Смоленск: «Там у тебя Новгород сильный и Смоленск; собравшись, постереги свою землю; если Юрий пойдет на тебя, то я к тебе пойду, а если минует твою волость, то приходи ты сюда, ко мне». Когда Ростислав узнал, что дядя миновал Смоленскую область и пошел прямо на Чернигов, то отправился немедленно и сам туда же, опередил Юрия и вместе со Святославом Всеволодичем затворился в Чернигове, к которому скоро явились Юрьевы половцы и стали жечь окрестности. Осажденные князья, видя множество половцев, велели жителям всем перебраться в ночь из острога в кремль (детинец); а на другое утро подошли к городу Юрий и Святослав Ольгович со всеми своими полками; половцы бросились к городу, разломали острог, зажгли все предместья и начали биться с черниговцами, которые держались крепко. Видя это, осаждающие князья стали думать: «Не крепко станут биться дружины и половцы, если не поедем с ними сами»; Андрей Юрьич, по обычаю своему, вызвался первый идти вперед. «Я начну день свой», — сказал он, взял дружину, поехал под город, ударил на осажденных, которые вздумали сделать вылазку, и втоптал их в город; другие князья, ободренные примером Андрея, также стали ездить подле города, и напуганные черниговцы уже не смели более делать вылазок. Уже 12 дней стоял Юрий под Черниговом, как пришла к нему весть о приближении Изяслава Мстиславича с дядею Вячеславом; половцы, храбрые, когда надобно было жечь черниговские предместия и стреляться издали с осажденными, теперь первые струсили и начали отъезжать прочь. Юрий и Ольгович, видя бегство половцев, принуждены были также отступить от Чернигова; Юрий пошел на Новгород-Северский, оттуда — к Рыльску, из Рыльска хотел идти уже в Суздаль, как был остановлен Святославом Ольговичем. «Ты хочешь идти прочь, — говорил ему Святослав, — а меня оставить, погубивши мою волость, потравивши половцами весь хлеб; половцы теперь ушли, а за ними вслед явится Изяслав и погубит остальную мою волость за союз с тобою». Юрий обещался оставить ему помощь и оставил сына Василька с 50 человек дружины! Ольгович не обманулся в своих опасениях: Изяслав Мстиславич стоял уже на реке Альте со всеми своими силами; отпустивши старика Вячеслава в Киев, а сына Мстислава с черными клобуками на половцев, вероятно, для того, чтоб отвлечь их от подания помощи северскому князю, Изяслав сам отправился к Новгороду-Северскому, где соединились с ним Изяслав Давыдович, Святослав Всеволодович и Роман, сын Ростислава смоленского. Когда острог был взят и осажденные вбиты в крепость, то на третий день после осады Святослав Ольгович прислал к Изяславу с поклоном и с просьбою о мире; Изяслав сначала не хотел слушать его просьбы, но потом, раздумав, что время уже подходит к весне, помирился и пошел назад к Чернигову, где получил весть от сына Мстислава, что тот разбил половцев на реках Угле и Самаре, самих прогнал, вежи их, лошадей, скот побрал и множество душ христианских избавил из неволи и отпустил по домам. После этого, в 1154 году, Юрий еще раз собрался на Русскую землю, и опять неудачно: на дороге открылся в его войске сильный конский падеж; пришедши в землю вятичей, он остановился, не доходя Козельска; здесь пришли к нему половцы; он подумал и, отпустив сына Глеба к половцам в степь, сам возвратился в Суздаль. По некоторым известиям, Юрий принужден был к возвращению тем, что половцев пришло гораздо меньше, чем сколько он ожидал, и вот он отправил сына Глеба в степи для найма еще других варваров.

Так кончилась борьба Юрия с Изяславом. Мы видели, что в этой борьбе главным союзником ростовского князя на востоке был Святослав Ольгович, который теперь должен был принять мир на всей воле Изяславовой; но еще более деятельного союзника имел Юрий на западе в свате своем, князе галицком Владимирке: на этого Изяслав должен был еще более сердиться, чем на Ольговича; мы видели, как он обещался отомстить ему за поражение венгров. Еще в 1151 году, сбираясь выгнать Юрия из Городка, Изяслав послал сказать королю венгерскому: «Владимир галицкий дружину мою и твою избил; так теперь, брат, тебе надобно подумать об этом; не дай Бог нам этого так оставить, дай Бог нам отомстить за дружину; собирайся, брат, у себя, а я здесь, и как нам с ним Бог даст». Король отвечал, что он уже собирается; но Изяслав боялся, чтоб сборы не были долги, и послал сына Мстислава в Венгрию торопить зятя; Гейза назначил срок, когда сбираться, и послал сказать Изяславу: «Я уже сажусь на коня и сына твоего Мстислава беру с собою; садись и ты на коня». Изяслав тотчас собрал дружину, взял с собою весь полк Вячеславов, всех черных клобуков, лучших киевлян, всю русскую дружину и пошел на Галич; на дороге у Дорогобужа соединился с ним родной брат Владимир, у Пересопницы — двоюродный Владимир Андреевич и другой родной — Святополк из Владимира*; Изяслав велел Святополку оставаться в своем городе и, взяв его полк, пошел далее. Перешедши реку Сан, он встретил королевского посла, который приехал с сотнею ратных и сказал Изяславу: «Зять твой, король, тебе кланяется и велел сказать, что он уже пятый день дожидается тебя, ступай скорее». Изяслав пошел немедленно вперед и на другой день после обеда подошел к венгерскому стану, расположенному за Ярославлем.

Король с дружиною выехал к нему навстречу; они обнялись, говорит летописец, с великою любовью и с великою честью и, вошедши в королевский шатер, стали думать, как бы на другой день рано ехать биться к реке Сану. На рассвете король ударил в бубны, выстроил полки и послал сказать Изяславу: «Ступай с своими полками подле моего полку; где я стану, там и ты становись, чтоб нам вместе можно было обо всем думать». Союзники пришли к Сану ниже Перемышля; на противоположном берегу уже стоял Владимирко, но скоро должен был отодвинуться дальше от натиска венгров; перед началом битвы Изяслав сказал своей дружине: «Братья и дружина! Бог никогда Русской земли и русских сынов в бесчестье не оставлял; везде они честь свою брали; теперь, братья, поревнуем тому: дай нам Бог в этих землях и перед чужими народами честь свою взять». Сказавши это, Изяслав бросился со всеми своими полками вброд; венгры, видя, что русские уже переправляются, бросились также вброд, с разных сторон въехали в полки галицкие и обратили их в бегство; сам Владимирко, убегая от венгров, попался было к черным клобукам и едва сам-друг успел скрыться в Перемышле; этот город был бы тогда непременно взят, потому что некому было отстаивать его, но, к счастью для Владимирка, за городом на лугу находился княжий двор, где было много всякого добра: туда ринулось все войско, а о городе позабыли. Владимирко между тем, видя беду, стал посылать к королю просить мира; ночью

---

* Выходит, что теперь в Дорогобуже княжил уже Владимир Мстиславич, а Владимир Андреевич — в Пересопнице. Татищев говорит, что Владимир Андреевич приехал из Луцка.

послал, по старому обычаю, к архиепископу и к воеводам королевским, притворился, что жестоко ранен, лежит при смерти, и потому велел сказать им: «Просите за меня короля; я жестоко ранен, каюсь пред ним, что тогда огорчил его, перебивши венгров, и что теперь опять стал против него; Бог грехи отпускает, пусть и король простит меня и не выдает Изяславу, потому что я очень болен; если меня Бог возьмет, то отдаю королю сына моего на руки; я отцу королеву много послужил своим копьем и своими полками, за его обиду и с ляхами бился; пусть король припомнит это и простит меня». Много даров, золота, серебра, сосудов золотых и серебряных, платья выслал Владимирко архиепископам и вельможам венгерским, чтоб просили короля не губить его, не исполнять желание королевы, сестры Изяславовой. На другой день Гейза съехался с Изяславом и сказал ему: «Батюшка! Кланяюсь тебе; Владимирко присылал ко мне, молится и кланяется, говорит, что сильно ранен и не останется жив; что ты скажешь на это?» Изяслав отвечал: «Если Владимирко умрет, то это Бог убил его за клятвопреступление нам обоим; исполнил ли он тебе хотя что-нибудь из того, что обещал? Мало того, опозорил нас обоих; так как ему теперь верить? Два раза он нарушал клятву; а теперь сам Бог отдал нам его в руки, так возьмем его вместе с волостью». Особенно говорил против Владимирка и выставлял все вины его Мстислав Изяславич, который был сердит на галицкого князя за дорогобужское дело. Но король не слушался их, потому что был уже уговорен архиепископом и вельможами, подкупленными Владимирком; он отвечал Изяславу: «Не могу его убить: он молится и кланяется, и в вине своей прощенья просит; но если теперь, поцеловав крест, нарушит еще раз клятву, тогда уже либо я буду в венгерской земле, либо он в галицкой». Владимирко прислал и к Изяславу с просьбою: «Брат! Кланяюсь тебе и во всем каюсь, во всем я виноват; а теперь, брат, прими меня к себе и прости, да и короля понудь, чтоб меня принял; а мне дай Бог с тобою быть». Изяслав сам по себе не хотел и слышать о мире; но одному ему нельзя было противиться королю и его вельможам; поневоле должен был начать переговоры: король требовал от Владимирка клятвы в том, что он возвратит все захваченные им русские города Изяславу и будет всегда в союзе с последним, при всяких обстоятельствах, счастливых или несчастных; когда король хотел послать бояр своих к Владимирку с крестом, который тот должен был поцеловать, то Изяслав говорил, что не для чего заставлять целовать крест человека, который играет клятвами; на это король отвечал: «Это самый тот крест, на котором был распят Христос Бог наш; Богу угодно было, чтоб он достался предку моему св. Стефану; если Владимирко поцелует этот крест, нарушит клятву и останется жив, то я тебе, батюшка, говорю, что либо голову свою сложу, либо добуду Галицкую землю; а теперь не могу его убить». Изяслав согласился, но сын его Мстислав сказал: «Вы поступаете, как должно по-христиански, честному кресту верите и с Владимирком миритесь; но я вам перед этим честным крестом скажу, что он непременно нарушит свою клятву; тогда ты, король, своего слова не забудь и приходи опять с полками к Галичу»; король отвечал: «Ну право же тебе говорю, что если Владимирко нарушит клятву, то как до сих пор отец твой Изяслав звал меня на помощь, так тогда уже я позову его к себе на помощь». Владимирко целовал крест, что исполнит королевские требования; целовал он крест лежа, показывая вид, что изнемог от ран, тогда как ран на нем никаких не было.

Простившись с королем, Изяслав пошел назад в Русскую землю, и когда был во Владимире, то послал посадников* своих в города, которые Владимирко обещал ему возвратить; но посадники пришли назад: Владимирко не пустил их ни в один город. Изяслав продолжал путь в Киев, только послал сказать королю: «Ни тебе, ни мне теперь уже не ворочаться

---

* Города эти были: Бужск, Шумск, Тихомль, Выгошев, Гнойница. О положении трех первых из них было упомянуто; есть теперь селение Тихомель в Острожском уезде Волынской губернии, в 60 верстах от Острога; в том же уезде на реке Горыни есть места — Большая и Малая Гнойница.

назад, я только объявляю тебе, что Владимирко нарушил клятву; так не забудь своего слова». Владимирко спешил нарушить и другое условие мира: узнав, что сват его Юрий идет на племянника, он также выступил против Изяслава, но возвратился, когда дали ему весть, что тот идет к нему навстречу. Управившись с дядею, Изяслав послал в Галич боярина своего Петра Бориславича, который был свидетелем клятвы Владимирковой пред крестом св. Стефана. Петр должен был сказать галицкому князю от имени Изяслава: «Ты нам с королем крест целовал, что возвратишь русские города, и не возвратил; теперь я всего того не поминаю; но если хочешь исполнить свое крестное целование и быть с нами в мире, то отдай мне города мои; а не хочешь отдать, то клятву свою ты нарушил, и мы с королем будем переведываться с тобою, как нам Бог даст». Владимирко отвечал на это послу: «Скажи от меня Изяславу вот что: ты нечаянно напал на меня сам и короля навел; так если буду жив, то либо голову свою сложу, либо отомщу тебе за себя». Петр сказал ему на это: «Князь! Ведь ты крест целовал Изяславу и королю, что все исправишь и будешь с ними в союзе; так ты нарушил крестное целование». Владимирко отвечал: «Вот еще: что мне этот маленький крестик!» «Князь! — возразил ему киевский боярин. — Хотя крестик и мал, да сила его велика на небеси и на земле; ведь тебе король объявлял, что это самый тот крест, на котором Христос был распят; да и то было тебе говорено, что если, поцеловав тот крест, ты слова своего не сдержишь, то жив не останешься; слышал ли ты обо всем этом от королевского посла?» Владимирко отвечал: «Да, помню, досыта вы тогда наговорились; а теперь ступай вон, поезжай назад к своему князю». Петр, положив пред ним крестные грамоты, пошел вон, и когда собрался ехать, то не дали ему ни повозки, ни корма, так что он принужден был отправиться на своих лошадях. Петр съезжал с княжьего двора, а Владимирко шел в то время в церковь к вечерне и, видя, что Петр уезжает, стал смеяться над ним: «Смотрите-ка, русский-то боярин поехал, побравши все волости!» Когда вечерня отошла и Владимирко, возвращаясь из церкви, дошел до того самого места, где смеялся над Петром, то вдруг сказал: «Что это, как будто кто меня ударил по плечу!» — и не мог двинуть больше ногами: если б не подхватили его, то упал бы с лестницы; понесли его в горенку, положили в укроп; к вечеру стало ему хуже, а к ночи умер. Между тем Петр Бориславич, выехавши из Галича, остановился ночевать в селе Большове*; вдруг на рассвете скачет к нему гонец из Галича: «Князь не велел тебе ехать дальше, дожидайся, пока пришлет за тобою». Петр, ничего не зная о Владимирковой смерти, стал тужить, что ему надобно ехать назад в город и, верно, придется вытерпеть там разные притеснения; и точно, еще до обеда прискакал к нему новый гонец с приказом от князя ехать в город; Петр отправился, и когда въехал на княжий двор, то к нему навстречу вышли из сеней слуги княжие все в черном; он удивился — чтобы это такое значило? Вошел на сени, смотрит — на княжом месте сидит сын Владимирков Ярослав в черном платье и в черной шапке, также и все бояре в черном. Петру поставили стул, и когда он сел, то Ярослав, взглянувши на него, залился слезами. Петр сидел в недоумении, смотря на все стороны; наконец спросил: да что же это такое значит? Тут ему объявили, что ночью князь умер. «Как умер? — возразил Петр. — Когда я поехал, он был совсем здоров!» Ему отвечали, что был здоров, да вдруг схватился за плечо, начал с того изнемогать и умер. «Воля Божия, — сказал на это Петр, — нам всем там быть». Тогда Ярослав начал говорить Петру: «Мы позвали тебя для того, что вот Бог сотворил волю свою; поезжай ты теперь к отцу моему Изяславу, поклонись ему от меня и скажи: „Бог взял моего отца, так ты будь мне вместо него; ты с покойником сам ведался, что там между вас было, уже Бог рассудил вас; Бог отца моего к себе взял, а меня оставил на его место, полк и дружина его у меня, только одно копье поставлено у его гроба, да и то в моих руках; теперь кланяюсь тебе, батюшка! Прими меня, как сына своего Мсти-

---

* Село Гольшев в Святославовском округе.

слава: пусть Мстислав ездит подле твоего стремени с одной стороны, а я буду ездить по другой стороне со всеми своими полками“». Петр с этим и отправился.

Ярослав или, по некоторым известиям, бояре его только манили Изяслава, чтоб выиграть время, а в самом деле и не думали возвращать ему городов, захваченных Владимирком. Это заставило киевского князя пойти в другой раз на Галич (1153 г.); с ним пошли сын его Мстислав с переяславцами, полк Изяслава Давыдовича черниговского и все черные клобуки; а на дороге присоединились к нему братья: Владимир из Дорогобужа, Святополк из Владимира, Владимир Андреич из Бреста*. У Теребовля встретился Изяслав с полками Ярославовыми, и перед битвою галицкие бояре сказали своему князю: «Ты, князь, молод, отъезжай прочь и смотри на нас; отец твой нас кормил и любил, так мы хотим за честь твоего отца и за твою сложить свои головы; ты у нас один; если с тобой что случится, то что нам тогда делать? Так ступай-ка, князь, к городу, а мы станем биться с Изяславом, и кто из нас останется жив, тот прибежит к тебе и затворится с тобою в городе». Злая сеча продолжалась уже от полудня до вечера, когда сделалось в обеих ратях смятение: не видно было, которые победили. Изяслав гнал галичан, а братья бежали от них: Изяслав побрал в плен галицких бояр, а галичане — Изяславовых. Время шло уже к ночи, когда киевский князь остановился с небольшою дружиною на месте боя и поднял галицкие стяги; галичане побежали к ним, думая, что тут свои, и были перехватаны; но в ночь Изяславу стало страшно: дружины у него осталось мало, пленников было больше, чем дружины, а между тем из Теребовля Ярослав мог напасть на него; подумавши, Изяслав велел перебить пленников, оставя только лучших мужей, и выступил назад к Киеву, потому что братья и дружина его разбежались, не с кем было продолжать поход. Был после этого плач великий по всей земле Галицкой, говорит летописец.

---

* Таким образом, Владимир Андреевич еще раз переменил волость: вместо Пересопницы видим его в Бресте.

Этим печальным походом заключилась деятельность Изяслава. В 1154 году, женившись во второй раз на царевне грузинской, Изяслав схоронил брата Святополка, а потом скоро сам занемог и умер. Летописец называет его честным, благородным, христолюбивым, славным; говорит, что плакала по нем вся Русская земля и все черные клобуки, как по царе и господине своем, а больше, как по отце; причина такой любви народной ясна: при необыкновенной храбрости (в которой равнялся с ним, быть может, из князей один Андрей Юрьевич), не уступая никому первого места в битве, гоня врагов и в то время, когда полки его бывали разбиты, Изяслав отличался также искусством, был хитер на воинские выдумки; но, будучи похож на знаменитого деда своего храбростью, отвагою, он напоминал его также ласковостью к народу; мы видели, как он обращался с ним в Киеве, в Новгороде; неприятное правление дяди Юрия только оттенило добрые качества Изяслава, заставило смолкнуть всякое нерасположение, какое у кого было к нему, и мы видели, как ревностно бились за него и граждане и черные клобуки, прежде равнодушные. Поговорка его *«Не идет место к голове, а голова к месту»* показывает его стремление, его положение и, по всем вероятностям, служила для него оправданием этих стремлений и происшедшей от них новизны положения его; поговорка эта оправдывает стремление дать личным достоинствам силу пред правом старшинства. Действительно, Изяслав в сравнении со своими старшими, дядьями, был в роде Мономаховом единственною головою, которая шла к месту. Но мы видели, что Изяслав должен был уступить; ему не удалось дать преимущества личным достоинствам своим и даже другому праву своему, праву завоевателя, первого приобретателя старшей волости; несмотря на то что он *головою* добыл Киев, он принужден был наконец признать старшинство и права дяди Вячеслава, которого голова уже никак не шла к месту; а преждевременная смерть Изяслава нанесла окончательный удар притязаниям племянников и Мстиславовой линии: из братьев Изяславовых ни один не был способен заменить его; деятельнее, предприимчивее дядей был сын его Мстислав, но он не мог действовать один мимо родных дядей и против них; его положение было одинаково с положением отца, только гораздо затруднительнее; заметим еще, что преждевременная смерть отца Изяслава, отказавшегося от старшинства в пользу дяди, в глазах многих должна была отнимать у молодого Мстислава право считаться отчичем на столе киевском.

Старый дядя Вячеслав плакал больше всех по племяннике, за щитом которого он только что успокоился. «Сын! — причитал старик над его гробом. — Это было мое место; но, видно, перед Богом ничего не сделаешь!» В Киеве все плакали, а на той стороне Днепра сильно радовались смерти Изяславовой и не тратили времени. Изяслав Давыдович черниговский немедленно поехал в Киев; но на перевозе у Днепра встретил его посол от старика Вячеслава с вопросом: «Зачем приехал и кто тебя звал? Ступай назад в свой Чернигов». Изяслав отвечал: «Я приехал плакаться над братом-покойником, я не был при его смерти, так позволь теперь хотя на гробе его поплакать». Но Вячеслав по совету с Мстиславом Изяславичем и боярами своими не пустил его в Киев. Трудно решить, насколько было справедливо подозрение Мстислава и киевских бояр; для оправдания их мы должны припомнить, что в 1153 году Изяслав Давыдович имел съезд с Святославом Ольговичем, где двоюродные братья обещали друг другу стоять заодно. В Киеве с нетерпением дожидались приезда Ростислава Мстиславича из Смоленска и между тем решились разъединить черниговских, привлекши на свою сторону Святослава Всеволодича, которому легче всего было стать на стороне Мстиславичей и по родству, да и потому, что из всех черниговских он один был отчич относительно старшинства и Киева. К нему-то старик Вячеслав послал сказать: «Ты Ростиславу сын любимый, также и мне; приезжай сюда, побудь в Киеве, пока приедет Ростислав, а тогда все вместе урядимся о волостях». Всеволодич, не сказавшись дядьям своим, поехал в Киев и дождался там Ростислава, которому все очень обрадовались, по словам летописца: и старик Вячеслав, и вся Русская земля, и все черные клобуки. Вячеслав, увидав племянника, сказал ему: «Сын! Я уже стар, всех рядов не могу рядить; даю их тебе, как брат твой держал и рядил; а ты почитай меня, как отца, и уважай, обходись, как брат твой со мною обходился; вот мой полк и дружина моя, ты их ряди». Ростислав поклонился и сказал: «Очень рад, господин батюшка, почитаю тебя, как отца-господина, и буду уважать тебя, как брат мой Изяслав уважал тебя и в твоей воле был». Киевляне, посадивши у себя Ростислава, также сказали ему: «Как брат твой Изяслав обходился с Вячеславом, так и ты обходись, а до твоей смерти Киев твой».

Первым делом Ростислава было урядиться с *сестричичем* своим (племянником от сестры) Святославом Всеволодичем; он сказал ему: «Даю тебе Туров и Пинск за то, что ты приехал к отцу моему Вячеславу и волости мне сберег, за то и наделяю тебя волостью»; Святослав принял это наделение с радостью. Нужно было богатою волостью привязать к себе сына Всеволодова, потому что на той стороне Днепра дядья его уже действовали заодно с Юрием суздальским; еще до приезда Ростислава в Киев они стали пересылаться с Юрием, следствием чего было движение сына Юрьева Глеба со множеством половцев на Переяславль: мы видели, что этот князь был послан отцом в кочевья привесть как можно более варваров. Переяславля взять Глебу не удалось, но он взял Пирятин на реке Удае. Ростислав и Святослав Всеволодич выступили к Днепру и стали собирать дружину, как пригнал к ним посол от Мстислава Изяславича переяславского с вестью, что половцы уже у города и стреляются с жителями; тогда Ростислав немедленно отрядил сына своего Святослава в Переяславль, куда тот и успел пробраться. На другой день половцы начали крепче приступать к городу; но когда узнали, что к Мстиславу пришла подмога, то испугались и ушли за Сулу. Узнав о бегстве половцев, Ростислав по совету с братьею решился, не заходя в Киев, идти прямо на Изяслава Давыдовича черниговского. «Нужно нам, — говорил Ростислав, — предупредить Юрия, либо прогнать его, либо мир заключить». Киевские полки и торки под начальством трех князей — Ростислава, Святослава Всеволодича и Мстислава Изяславича перешли уже Днепр у Вышгорода и хотели идти к Чернигову, как вдруг прискакал к Ростиславу гонец из Киева и объявил: «Отец твой Вячеслав умер». «Как умер? — сказал Ростислав. — Когда мы поехали, он был здоров». Гонец отвечал: «В эту ночь пировал он с дружиною и пошел спать здоров; но как лег, так больше не вставал». Ростислав тотчас же поскакал в Киев, похоронил дядю, роздал все имение его духовенству и нищим и, поручив остальные дела все матери своей, вдове Мстиславовой, отправился опять на ту сторону Днепра. Приехавши к войску, он начал думать с племянниками и дружиною — идти или нет на Чернигов? Бояре советовали не ходить. «Дядя твой Вячеслав умер, — говорили они, — а ты еще с людьми киевскими не утвердился; лучше поезжай в Киев, утвердись там с людьми, и тогда, если дядя Юрий придет на тебя, то захочешь помириться с ним, помиришься, а не захочешь, будешь воевать». Любопытно, что киевские бояре хотят, чтоб Ростислав ехал в Киев и урядился с его жителями, тогда как последние уже прежде объявили ему, что Киев принадлежит ему до самой смерти; притом Ростислав только что приехал из Киева; если бы граждане хотели объявить ему что-нибудь новое, то объявили бы после похорон Вячеславовых. Должно думать, что боярам самим хотелось возвратиться в Киев и урядить там свои дела по смерти старого князя; быть может, им хотелось заставить киевлян утвердиться с Ростиславом насчет новой дружины его смоленской. Как бы то ни было, Ростислав не послушался бояр и пошел к Чернигову, пославши наперед сказать Изяславу Давыдовичу: «Целуй крест, что будешь сидеть в своей отчине, в Чернигове, а мы будем в Киеве». Изяслав отвечал: «Я и теперь вам ничего не сделал; не знаю, зачем вы на меня пришли; а пришли, так уже как нам Бог даст». Но ведь он подвел Глеба Юрьевича с половцами и был с ним вместе у Переяславля, замечает летописец. На другой день Давыдович соединился с Глебом и половцами и вышел против Мстиславичей; Ростислав, увидав множество врагов, а у себя небольшую дружину, испугался и стал пересылаться с Изяславом насчет мира, отдавал ему под собою Киев, а под племянником Мстиславом — Переяславль. Такое недостойное поведение, трусость, неуменье блюсти выгоды племени сильно раздосадовали Мстислава Изяславича. «Так не будет же ни мне Переяславля, ни тебе Киева», — сказал он дяде и поворотил коня в Переяславль; Ростислав, оставленный племянником, был обойден половцами и после двухдневной битвы обратился в бегство; преследуемый врагами, он потерял коня, сын Святослав отдал ему своего, а сам стал отбиваться от половцев и таким образом дал отцу время уйти.

Ростислав переправился за Днепр ниже Любеча и поехал в Смоленск; Мстислав Изяславич с двоюродным братом Святославом Ростиславичем ускакал в Переяславль, здесь взял жену и уехал в Луцк; а Святослав Всеволодич был захвачен половцами; Изяслав Давыдович с женою выручили его из плена и других русских много выручили, много добра сделали, говорит летописец: если кто из пленников убегал в город, тех не выдавали назад. Быть может, Давыдович с намерением поступал так, желая приобресть расположение жителей Русской земли, которых нелюбовь ко всему его племени он должен был знать хорошо. Он послал сказать киевлянам: «Хочу к вам поехать». Киевляне были в самом затруднительном положении: покинутые Ростиславом, они видели приближение половцев, от которых могло спасти их только немедленное принятие Давыдовича, и они послали сказать ему: «Ступай в Киев, чтоб нас не взяли половцы, ты наш князь, приезжай». Изяслав приехал в Киев и сел на столе, а Глеба Юрьевича послал княжить в Переяславль, окрестности которого были сильно опустошены союзниками их — половцами. Но Юрия ростовского нельзя было удовлетворить одним Переяславлем: только что услыхал он о смерти Изяславовой и о приезде другого Мстиславича в Киев, как уже выступил в поход и приблизился к Смоленску, имея теперь дело преимущественно с тамошним князем; тут пришла к нему весть, что Вячеслав умер, Ростислав побежден,

Давыдович сидит в Киеве, а Глеб — в Переяславле. Ростислав между тем, прибежавши в Смоленск, успел собрать войско и вышел против дяди; но мы видели, что Ростислав не был похож на брата отвагою, видели также, что он не был охотником и до споров с дядьми и потому послал к Юрию просить мира. «Батюшка! — велел он сказать ему. — Кланяюсь тебе: ты и прежде до меня был добр и я до тебя; и теперь кланяюсь тебе, дядя мне вместо отца». Юрий отвечал: «Правду говоришь, сын; с Изяславом я не мог быть; но ты мне свой брат и сын». После этой пересылки дядя с племянником поцеловали крест на всей любви, по выражению летописца, и Юрий отправился к Киеву, а Ростислав — в Смоленск; вероятно, что необходимость спешить в Киев и большое войско Ростислава также имели влияние на миролюбие дяди. Недалеко от Стародуба встретил Юрия сват его и старый союзник Святослав Ольгович, приехал к нему и Святослав Всеволодич с повинною. «Совсем обезумел я, — говорил он Юрию, — прости». По просьбе дяди Ольговича Юрий помирился с Всеволодичем, заставив его поклясться не отступать от себя и от дяди, после чего все трое пошли к Чернигову. Не доходя еще до города, Святослав Ольгович послал в Киев сказать Давыдовичу: «Ступай, брат, из Киева, идет на тебя Юрий; ведь мы оба с тобою позвали его». Но Давыдович не слушался; тогда Святослав в другой раз послал к нему из Чернигова: «Ступай из Киева, идет туда Юрий; а я тебе Чернигов уступаю ради христианских душ». Изяслав все не хотел выйти из Киева, потому что этот город сильно понравился ему, говорит летописец. Наконец сам Юрий послал сказать ему: «Мне отчина Киев, а не тебе». Без права и без особенного народного расположения Давыдович не мог более оставаться в Киеве и потому послал сказать Юрию: «Разве я сам поехал в Киев? Посадили меня киевляне; Киев твой, только не делай мне зла».

Юрий помирился с ним (1156 г.) и вошел в Киев с четырьмя старшими сыновьями, которых посажал около себя: Андрея — в Вышгороде, Бориса — в Турове, Глеба — в Переяславле, Василька — на Поросье. На Волыни сидели Мстиславичи: Владимир с племянниками — Мстиславом и Ярославом; первый, как видно, успел помириться с Юрием, обещаясь действовать заодно с ним против племянников, на которых Юрий послал старого союзника своего и врага Мстиславичей — Юрия Ярославича с внуками брата его Вячеслава; они прогнали Мстислава из Пересопницы в Луцк; но и здесь он не мог долго оставаться спокойным; Юрий велел идти на Луцк зятю своему Ярославу галицкому; тогда Мстислав, оставив брата Ярослава в Луцке, сам ушел в Польшу за помощью; галицкий князь вместе с Владимиром Мстиславичем подошел к Луцку, но, постоявши несколько времени под городом, ушел, ничего не сделав ему. Юрий не мог продолжать войны с Изяславичами, потому что черниговский Давыдович, в надежде на вражду Юрия с остальными Мономаховичами и на нерасположение к нему народа в Руси, не оставлял своих притязаний: немедленно по приезде в Чернигов он уже начал уговаривать Святослава Ольговича к войне с Юрием; но тот удовольствовался тем, что отобрал у племянника Святослава Всеволодовича три города (Сновск, Корачев, Воротынск), давши ему взамен какие-то три похуже, и не захотел вооружиться против старого союзника; Юрий, вероятно, знал о замыслах Давыдовича; с другой стороны, беспокоили его половцы; и потому он послал в Смоленск сказать Ростиславу Мстиславичу: «Сын! Приезжай сюда, а то мне не с кем удержать Русской земли». Ростислав приехал к нему и устроил мир между дядею и племянниками своими, причем Владимир Мстиславич и Ярослав Изяславич имели личное свидание с Юрием; но Мстислав Изяславич не поехал из страха, что киевский князь схватит его. Уладившись теперь со своими, Юрий послал сказать Давыдовичу решительно: «Приходи к нам на мир, а не придешь, так мы к тебе придем». Давыдович, видя, что все Мономаховичи в соединении, испугался и приехал вместе с Святославом Ольговичем на съезд, где уладились: Юрий дал им по городу на западной стороне Днепра: Давыдовичу — Корецк на Волыни, Ольговичу — Мозырь в Туровской области; кроме того, Юрий женил сына своего Глеба на дочери Изяслава черниговского.

Казалось, что после этого мир должен был водвориться во всех волостях русских; но вышло иначе: в разных концах обнаружилась борьба с тем же характером, с каким велась она незадолго прежде, обнаружились усобицы между племянниками и дядьми: так, в Черниговской волости племянник Изяславов Святослав, сын старшего брата его Владимира, вероятно будучи недоволен волостью, полученною от дяди, выбежал из Березого (в окрестностях Чернигова) во Вщиж, захватил все города по Десне и, отступив от родного дяди, отдался в покровительство Ростислава Мстиславича смоленского; Святослав Всеволодич также встал против дядей; последние пошли было против племянников, но заключили с ними мир, неизвестно на каких условиях. В то же время подобное явление обнаружилось на Волыни; мы видели, что здесь сидел Владимир Мстиславич с двумя племянниками — Мстиславом и Ярославом Изяславичами; Мстислав по примеру отца думал, что голова Владимира нейдет к старшему месту, ибо Владимир хотя был ему и дядя, но, вероятно, даже моложе его летами и притом был сыном мачехи Изяславовой, второй жены Мстислава Великого, почему и называется в летописи относительно Изяславичей не дядею (стрыем), но *мачешичем.* Как бы то ни было, впрочем, Мстислав напал нечаянно на дядю во Владимире, захватил его жену, мать, все имение, а самого прогнал в Венгрию. Юрий, сам будучи младшим дядею, должен был вступиться за Владимира и действительно пошел на Мстислава (1157 г.) с зятем своим Ярославом галицким, сыновьями, племянником Владимиром Андреевичем, княжившим, как мы видели, в Бресте, и с берендеями; черниговские также хотели с ним идти, но по совету Ярослава галицкого Юрий не взял их с собою. Скоро оказалось, что Юрий начал эту войну не за Владимира Мстиславича, но за другого племянника своего, Владимира Андреевича, потому что дал клятву покойному брату своему Андрею и потом сыну его — добыть для последнего Владимир-Волынский. Взять нечаянно этот город Юрию не удалось; он начал осаду, во время которой Владимир Андреевич отпросился у Юрия воевать другие города, и когда подъехал к Червеню, то начал говорить жителям: «Я пришел к вам не ратью, потому что вы были люди, милые отцу моему, и я вам свой княжич, отворитесь». В ответ один из жителей пустил стрелу и угодил в горло Владимиру; рана была, впрочем, не опасна, и Владимир успел отомстить червенцам страшным опустошением их волости. Десять дней стоял Юрий у Владимира, не видя ни малейшего успеха; есть даже известие, что Мстислав сделал вылазку и нанес сильное поражение галицким полкам; тогда Юрий, посоветовавшись с сыновьями и дружиною, пошел назад в Киев, а Ярослав — в Галич; Мстислав шел вслед за Юрием до самого Дорогобужа, пожигая села, и много зла наделал, говорит летописец. Пришедши в Дорогобуж, Юрий сказал в утешение Владимиру Андреевичу: «Сын! Мы целовали крест с твоим отцом, что кто из нас останется жив, тот будет отцом для детей умершего и волости за ним удержит, а потом я и тебе поклялся иметь тебя сыном и Владимира искать тебе; теперь, если Владимира не добыл, то вот тебе волость — Дорогобуж, Пересопница и все погоринские города».

Нападение Юрия на племянников и не в пользу брата, отнятие у них волости в пользу Владимира Андреевича должно было рассердить Ростислава смоленского, обязанного заботиться о выгодах племени Мстиславова. Это помогло Изяславу Давыдовичу черниговскому уговорить его начать войну против Юрия; разумеется, что Мстислава волынского не нужно было уговаривать к союзу против деда. Давыдович попытался было уговорить к тому же и Святослава Ольговича, но понапрасну, тот отвечал: «Я крест целовал Юрию, не могу без причины встать на него». Отказ Ольговича не помешал, однако, союзникам порешить походом против Юрия: Изяслав должен был выступить с полками черниговскими и смоленскими, которыми начальствовал Роман, сын Ростиславов; в то же время Мстислав Изяславич должен был ударить на Юрия с запада; но в тот самый день, когда Давыдович хотел двинуться к Киеву, оттуда прискакал к нему гонец с вестью: «Ступай, князь, в Киев, Юрий умер». Это посольство от киевлян служит доказательством, что они знали о намерении союзников и были готовы к принятию Давыдовича, иначе не послали бы прямо к нему с вестью о смерти Юрия и с приглашением приехать княжить у них. Изяслав, получив эту весть, заплакал и сказал: «Благословен еси, Господи, что рассудил меня с ним смертью, а не кровопролитием». 10 мая (1157 г.) Юрий пировал у Осменника Петрилы, в ночь занемог и через пять дней умер. В день похорон (16 мая) наделалось много зла, говорит летописец: разграбили двор Юрьев Красный и другой двор его за Днепром, который он сам звал раем, также двор Василька — сына его — в городе; перебили суздальцев по городам и селам, имение их разграбили; эти действия киевлян служат ясным знаком нерасположения их к Юрию и его суздальской дружине, которую он привел с севера*.

Смертью Юрия кончилось третье поколение Ярославичей. Главным характером княжеских отношений в их время была, как мы видели, борьба младших дядей с племянниками от старшего брата, кончившаяся торжеством дядей, т. е. торжеством права всех родичей на старшинство; в это же время успели восстановить свое право на старшинство обе линии Святославичей — Ольговичи и Давыдовичи. Из событий в отдельных княжествах мы упоминали о деятельности Владимирка галицкого и сына его Ярослава; видели деятельность потомков Изяслава Ярославича — Юрия Ярославича и внуков Вячеслава Ярославича, причем, однако, ничего не знаем о их волостях; из потомков Давыда Игоревича встречали известия о внуке его Борисе Всеволодовиче, князе городенском. Мы видели, что Изяславичи полоцкие по смерти Мстислава возвратились из изгнания в свою волость, успели овладеть и Мин-

---

* У Татищева прибавлено, будто киевляне приговаривали, побивая суздальцев: «Вы нас грабили, разоряли, жен и дочерей наших насильствовали; несть нам братия, но не приятели». Там же о наружности и характере Юрия: «Был роста немалого, толстый, лицом белый, глаза невелики, великий нос долгий и накривленный, брада малая, великий любитель жен, сладких пищ и пития, более о веселиях, нежели о расправе и воинстве, прилежал; но все оное состояло во власти и смотрении вельмож его и любимцев».

ском; после Василька Святославича княжил в Полоцке Рогволод Борисович, женатый на дочери Изяслава Мстиславича; во все продолжение борьбы в Днепровской области не слышно о полоцких князьях, хотя по родственному союзу Рогволод и мог бы помогать Изяславу Мстиславичу, — знак, что он не имел к тому или средств, или времени. В 1151 году полочане не без участия князей схватили Рогволода, отослали в Минск, держали его здесь в большой нужде, а к себе приняли, вероятно, из Минска, Ростислава, сына известного нам Глеба Всеславича; но, как видно, полочане боялись, чтобы торжествующий тогда Изяслав Мстиславич не вступился за зятя своего Рогволода, и потому отдались в покровительство Изяславова врага, Святослава Ольговича северского; Глебович поклялся Святославу почитать его отцом и ходить в его послушаньи. Быть может, этот союз Ольговича с полоцким князем, врагом зятя Изяславова Рогволода, был не без влияния на враждебные действия Изяслава против Юрия, приятеля Святославова: мы видели, что тотчас после этого союза Изяслав разоряет Городец Юрия. В областях муромских и рязанских мы видели борьбу между дядею Ростиславом Ярославичем и племянником Владимиром Святославичем: племянник действовал заодно с Ольговичем и Юрием, дядя — с Мстиславичами против Юрия, за что и был изгнан в степи к половцам сыновьями последнего; когда он возвратился, не знаем; знаем только то, что в 1147 году князья рязанские являются *ротниками* Ростислава Мстиславича смоленского, т. е. признают его за отца и ходят в его послушаньи; но в 1152 году тот же самый Ростислав Ярославич муромский с братьею шел вместе с Юрием на его племянников; в 1154 году видим опять вражду Юрия с Ростиславом: возвратясь из-под Козельска, Юрий выгнал Ростислава из его волости и отдал ее сыну своему Андрею; но Ростислав скоро явился опять с половцами, напал на Андрея ночью, перебил его дружину; сам Андрей об одном сапоге бежал из Рязани в Муром, а оттуда — в Суздаль; наконец, в 1155 году опять встречаем известие, что Ростислав Мстиславич смоленский целовал крест с рязанскими князьями на всей любви:

они все смотрели на Ростислава, имели его себе отцом. В Новгороде мы оставили князем Святополка Мстиславича; посадником, как видно, оставался по-прежнему Судила: Святополк, принявши Новгород из рук Всеволода Ольговича, не мог свергнуть старого приятеля Ольговичей; только через год или больше, в 1144 году, читаем известие, что посадничество было дано Нежате Твердятичу, также товарищу Судилину. Смерть Всеволода Ольговича и утверждение в Киеве Изяслава Мстиславича не могло переменить хода дел в Новгороде: Святополк оставался по-прежнему там князем; только отняли посадничество у Нежаты, старого приятеля Ольговичей, и дали его Константину Микулиничу, старому приверженцу Мстиславичей, за что он и страдал в заточении у Ольговича в Киеве. В 1147 году, по смерти Константина, посадником избран опять Судила Иванович, как видно, успевший примириться со стороною Мономаховичей. Между тем шла война у Новгорода с соседом Юрием ростовским: в 1147 году Святополк со всею областью Новгородскою выступил против дяди, но возвратился от Торжка за распутьем. В следующем году архиепископ Нифонт отправился в Суздаль к Юрию за миром; Юрий принял его с любовью, освободил по его просьбе всех новоторжцев и гостей и отпустил их с честью в Новгород, но мира не дал. В том же году, как мы видели, Изяслав вывел из Новгорода брата Святополка, *злобы его ради*, и прислал на его место сына Ярослава. По некоторым, очень вероятным, известиям, Изяслав вывел Святополка за то, что тот позволил новгородцам без его ведома сноситься с Юрием о мире; быть может, это желание новгородцев помириться с Юрием было в связи с избранием Судилы, приятеля ростовского князя. Мы видели подробности приезда Изяславова в Новгород и похода его с новгородцами на Ростовскую землю. Должно быть, пребывание ласкового Мстиславича надолго оставило в Новгороде приятную память, потому что во время борьбы его с дядею Юрием на юге, несмотря на неоднократное торжество последнего, новгородцы продолжали держать Ярослава Изяславича и враждовать в ущерб себе с ростовским князем: так, в 1149 году небольшой отряд новгородцев пошел за данью в Двинскую область; Юрий, узнавши, что новгородцев немного, послал перехватить их известного Ивана Берладника, находившегося тогда, как видно, в его службе, но Ивану не удалось перехватать новгородцев: они отбились, причем много лежало с обеих сторон, впрочем, суздальцев гораздо больше, по замечанию новгородского летописца. Но, держа Изяславича во время неудач отца его, новгородцы вдруг выгнали его в 1154 году; о причинах летописец молчит; видно только одно, что Ярослав нарушил наряд, т. е. был причиною борьбы сторон, для примирения которых новгородцы призывают из Смоленска Ростислава Мстиславича — знак, что они не хотели разрывать с Мстиславичами и киевским князем: не мог Ростислав без согласия старшего брата занять Новгород. Но и Ростислав не установил наряда; позванный в Киев по смерти Изяславовой, он оставил в Новгороде сына Давыда при самых неблагоприятных обстоятельствах, при сильном неудовольствии на последние его распоряжения; новгородцы, говорит летописец, рассердились на Ростислава за то, что он не установил у них порядка, но еще больше наделал смуты, и показали по нем путь сыну его, взявши к себе в князья Мстислава, сына Юрьева; утверждение самого Юрия на столе киевском утвердило и сына его на столе новгородском. Но мы видели, что Юрий недолго был спокоен в Киеве, недолго спокойствие могло сохраняться и в Новгороде: союз всех Мстиславичей и Давыдовича против Юрия, как видно, послужил знаком к восстанию стороны Мстиславичей и в Новгороде; еще в 1156 году отнято было посадничество у Судилы и отдано старому Якуну Мирославичу; в 1157 году встала злая распря между жителями Новгорода: вооружились против князя Мстислава Юрьевича и начали выгонять его, но Юрьевич успел уже приобрести приверженцев: торговая сторона вооружилась за него, и едва дело не дошло до кровопролития. Приезд двоих Ростиславичей, Святослава и Давыда, и бегство Юрьевича дало торжество стороне Мстиславичей. Через три дня приехал в Новгород сам Ростислав из Смоленска и на этот раз успел примирить стороны: зла не было никакого, говорит летописец; уезжая из Новгорода, Ростислав оставил здесь сына Святослава, а Давыда посадил в Торжке, как видно, для оберегания границы со стороны суздальской.

Касательно внешних отношений по-прежнему продолжалась борьба с пограничными варварами, на юге — с половцами, на севере — с финскими племенами. Усобица Юрия с племянником Изяславом давала половцам средства жить на счет Руси. Мы видели, что по утверждении Юрия в Киеве, в 1155 году, Поросье получило особого князя, сына его, Василька; половцы не замедлили навестить последнего в новой волости; но Василько с берендеями разбил их и приехал к отцу со славою и честью, по выражению летописца. Скоро после этого Юрий отправился к Каневу на съезд с ханами половецкими; они начали просить освобождения пленников своих, взятых берендеями в последней битве, но берендеи не отдали и сказали Юрию: «Мы умираем за Русскую землю с твоим сыном и головы свои складываем за твою честь». Юрий не захотел насильно взять у них пленников, потому что опасно было раздражить эту пограничную стражу; он обдарил половцев и отпустил их; это любопытное известие показывает нам отношения пограничных варваров к князьям, за честь которых они складывали свои головы. В том же году половцы опять пришли на границу за миром; Юрий пошел толковать с ними о мире так, как обыкновенно ходили на добрую войну, взял с собою обоих Мстиславичей — Ростислава и Владимира, Ярослава Изяславича, отряд галицкого войска и послал сказать половцам: «Ступайте ко мне на мир». Половцы приехали сначала в небольшом числе поглядеть только, много ли у русских войска, и сказали Юрию: «Завтра придем к тебе все»; но в ночь все убежали. На севере в 1149 году финны (ямь) пришли ратью на Новгородскую волость, на Водскую пятину; новгородцы с водью вышли к ним навстречу в числе 500 человек и не упустили ни одного человека из неприятелей: всех перебили или побрали в плен.

Что касается бояр, действовавших в рассмотренный период времени, то из тех, которых мы видели у Мономаха, Иван Войтишич продолжал служить и сыну Мономахову Мстиславу, ходил с торками на полоцких князей, оставался в Киеве и при Всеволоде Ольговиче, который посылал его устанавливать наряд в Новгороде, но вместе с другими главными боярами действовал против брата его Игоря в пользу внука Мономахова. Мы видели при Мономахе переяславским тысяцким Станислава; в рассказе о супойской битве при Ярополке летописец говорит, что в числе убитых бояр находился Станислав Добрый Тукиевич: имеем право принять этого Станислава за прежнего переяславского тысяцкого и считать его сыном Тукия, Чудинова брата, известного нам прежде. Вместе со Станиславом в супойской битве пал и тысяцкий киевский Ярополков — Давыд Ярунович; по его смерти неизвестно, кто был тысяцким; при Всеволоде Ольговиче эту должность исправлял Улеб, действовавший против Игоря Ольговича в пользу Изяслава Мстиславича и потом ездивший послом от Изяслава Мстиславича к Давыдовичам в 1147 году; вместе с Улебом действовали заодно и Лазарь Саковский, бывший тысяцким после Улеба, Василий Полочанин и Мирослав (Андреевич) Хилич внук; мы встречали имя Василя при Святополке, известное время Василь был посадником этого князя во Владимире-Волынском; если это тот самый, то ему могло быть в 1146 году лет 75–80; имя Мирослава видели мы в числе бояр, участвовавших в составлении устава Мономахова. После торжества Изяславова над Игорем взяты были бояре, преданные Ольговичам; нет права утверждать, что эти бояре были именно бояре черниговские, бояре Ольговичей, они могли быть и старинные киевские, но преданные Ольговичам; их имена: Данило Великий, Юрий Прокопьич, Ивор Юрьевич, внук Мирославов. Что касается до отчества второго из них — Юрия Прокопьича, то мы видели Прокопия, белгородского тысяцкого, участником при составлении Мономахова устава о ростах. В 1146 году при осаде Новгорода-Северского Давыдовичами и Мстиславом Изяславичем упоминаются в числе убитых Димитрий Жирославич и Андрей Лазаревич; если последний был с Мстиславом, то мог быть сыном Лазаря Саковского. В 1147 году по случаю убиения Игоря Ольговича упоминаются в Киеве известный уже Лазарь Саковский, имевший теперь должность тысяцкого, и Рагуйло Добрынич (быть может, сын Добрыни, или Добрынка, боярина в дружине Изяслава Мстиславича), тысяцкий Владимира Мстиславича, и другой боярин его, Михаил, помогавший своему князю защищать Игоря от убийц; послами от Изяслава в Киеве с вестью об измене черниговских князей были Добрынко и Радил. Любопытно, что Лазарь был тысяцким еще при жизни прежнего тысяцкого Улеба, который находился в это время в войске вместе с князем Изяславом; быть может, отказ киевлян идти с Изяславом против Юрия был причиною отречения Улебова от должности тысяцкого. Под 1151 годом упоминается воевода Изяслава Мстиславича — Шварн, который не умел уберечь Зарубского брода; под следующим годом видим Изяславова боярина Петра Борисовича, который ездил послом к Владимирку галицкому. Наконец, по случаю смерти Юрия Долгорукого летопись упоминает о каком-то Петриле Осменнике, у которого Юрий пировал перед кончиною. Из бояр Вячеслава Владимировича туровского упоминается под 1127 годом тысяцкий его Иванко, ходивший вместе со своим князем на Полоцкую волость при великом князе Мстиславе. Быть может, это лицо тождественно с известным нам прежде Иванком Захарьичем, потом не раз упоминается имя сына этого Иванка, Жирослава Ивановича: в 1146 году Вячеслав по наученью бояр своих начал распоряжаться как старший, не обращая внимания на племянника Изяслава; последний отнял у него за это Туров, где вместе с епископом Иоакимом захвачен был посадник Жирослав; по связи рассказа можно заключать, что этот Жирослав был одним из главных советников Вячеслава; после, неизвестно каким образом, Жирослав освободился из плена, и мы видим уже его в дружине Юрия ростовского; он пришел вместе с сыном последнего Глебом на юг и подучал его захватить Переяславль, представлял, что переяславцы охотно передадутся ему; быть может, он же был воеводою половецкого отряда в войне Юрия с Изяславом в 1149 году; наконец, в 1155 году Юрий посылал Жирослава выгнать Мстислава Изяславича из Пересопницы. Из волынских бояр Андрея Владимировича упоминается тысяцкий его Вратислав. Из галицких бояр упоминаются Иван Халдеевич, так деятельно защищавший Звенигород от Всеволода Ольговича в 1146 году, потом Избыгнев Ивачевич, с которым сам-друг бежал Владимирко с поля битвы в Перемышль в 1152 году; наконец, Кснятин, или Константин Серославич, под 1157 годом в посольстве от Ярослава к Юрию Долгорукому. Из бояр Святослава Ольговича северского упомянут Коснятко, хлопотавший по делам своего князя у Давыдовичей в Чернигове в 1146 году; потом Петр Ильич, бывший боярином еще у Олега Святославича; он умер в 1147 году 90 лет, не будучи в состоянии уже от старости садиться на коня; летописец называет его добрым старцем*; тиунами Всеволода Ольговича были в Киеве Ратша, а в Вышгороде Тудор, которые так раздражили народ своими грабительствами. Из ростовских бояр упоминается под 1130 годом ростовский тысяцкий Юрий. В битве Глеба Юрьевича с Мстиславом Изяславичем у Переяславля в 1118 году последний взял в плен какого-то Станиславича, который был казнен казнью злою, вероятно, за крамолу с переяславцами; быть может, это был сын переяславского тысяцкого Станислава Тукиевича, о котором мы говорили выше; Станиславич в это время передался на сторону Юрия, за что и был казнен казнью злою.

---

* Что касается до Василя Половчина, Судимира Кучебича и Горена, упоминаемых под 1147 годом, то мы не решимся включить их в дружину Святослава Ольговича; очень вероятно, что это были чистые половцы, из которых Василь был крещен, Судимир мог носить славянское имя точно так, как русские люди иногда носили половецкие, после татарские имена. Вообще должно заметить, что если принятие в дружину княжескую людей из разных народов не подлежит никакому сомнению, то из этого еще не следует, чтоб все мужи, носившие нерусские имена, были именно иностранцами; в противном случае мы должны будем отца галицкого боярина Ивана Халдеевича произвести прямо из древней Вавилонии.

ГЛАВА ПЯТАЯ

События от смерти Юрия Владимировича до взятия Киева войсками Андрея Боголюбского (1157–1169)

Изяслав Давыдович вторично княжит в Киеве; причины этого явления. — Перемещения в Черниговской волости. — Неудачный поход князей на Туров. — Изяслав Давыдович заступается за галицкого изгнанника Ивана Берладника. Это вооружает против него многих князей. — Неудачный поход Изяслава на князей Ярослава галицкого и Мстислава Изяславича волынского. — Он принужден оставить Киев, куда Мстислав Изяславич волынский перезывает дядю своего Ростислава Мстиславича из Смоленска. — Уговор дяди и племянника насчет двоих митрополитов-соперников. — Война с Изяславом Давыдовичем. — Смерть последнего. — Ссора великого князя Ростислава с племянником, Мстиславом Волынским. — Смерть Святослава Ольговича черниговского и смута по этому случаю на восточной стороне Днепра. — Смерть великого князя Ростислава; характер его. — Мстислав Изяславич княжит в Киеве. — Неудовольствие князей на него. — Войско Андрея Боголюбского изгоняет Мстислава из Киева и опустошает этот город. — Смерть Ивана Берладника. — Смуты полоцкие. — События в Новгороде Великом. — Борьба новгородцев со шведами. — Война Андрея Боголюбского с камскими болгарами. — Борьба с половцами. — Дружина

В другой раз Святославич, теперь племени Давыдова, получил родовое старшинство и Киев; успехом своим Изяслав Давыдович был обязан тем же самым обстоятельствам, какие дали возможность получить Киев и двоюродному брату его Всеволоду Ольговичу; старшим в племени Мономаховом был Ростислав Мстиславич, нисколько не похожий на доблестного брата своего, могший с успехом действовать только при последнем и резко обнаруживший свою незначительность, когда пришлось действовать одному в челе родичей; бегство его пред полками Изяслава Давыдовича по смерти Вячеславовой могло ли ручаться за успех вторичной его борьбы с тем же князем? Нет сомнения, что, заключая союз против Юрия с черниговским князем, Ростислав отказался от старшинства в пользу последнего, который по родовым счетам, точно, приходился ему дядею; Мстислав Изяславич, самый даровитый и деятельный князь в племени Мстиславичей, не мог действовать один ни в пользу дяди против воли последнего, тем менее — в свою собственную пользу: пример отца показывал ему, что нельзя затрагивать господствующих понятий о правах дядей, особенно старших. И вот вследствие этих-то причин Изяслав Давыдович в другой раз въехал в Киев, теперь уже по согласию всех Мономаховичей: о сыне Юрия Андрее Боголюбском не было, по крайней мере, ничего слышно. Но перемещение Давыдовича на стол киевский не могло не повлечь за собою перемещений в Черниговской волости: по родовым счетам Чернигов должен был перейти к Святославу Ольговичу, не только старшему по Изяславе в племени Святославовом, но и в целом роде Ярославичей, и вот Ольгович с племянником своим Святославом Всеволодовичем явился перед Черниговом, но не был впущен туда родным племянником Изяслава Святославом Владимировичем, которого дядя, отъезжая в Киев, оставил здесь со всем полком своим; летописец говорит *оставил*, а не посадил — знак, что Изяслав не передал ему Чернигова во владение, но не хотел только, как видно, впускать туда Ольговича, с которым был не в ладах, потому что последний не согласился идти с ним вместе на Юрия. Ольговичи, не впущенные в Чернигов, отступили от города и стали за Свиною рекою, на противоположном берегу которой скоро показались полки Изяслава Давыдовича, пришедшего вместе с Мстиславом Изяславичем. Дело не дошло, однако, до битвы; Давыдовичу трудно было удержать Чернигов за собою, странно отдать племяннику вместо дяди: оба действия одинаково сильно противоречили современным понятиям; вот почему Давыдович стал пересылаться с Ольговичем, и положили на том, что Чернигов достанется последнему, а Северская область — Святославу Всеволодовичу; но Святославу Ольговичу досталась не вся Черниговская волость: бо́льшую часть ее удержал Изяслав за собою и за родным племянником Святославом Владимировичем; Мозырь, уступленный прежде Юрием Святославу, также отошел к Киевской волости.

На западе, в области Туровской, произошло также любопытное явление: мы видели, что Юрий, утвердившись в Киеве, отдал Туров сыну своему Борису; по смерти отца, при всеобщем нерасположении к нему на юге, Борис не мог удержаться в Турове и был сменен здесь известным Юрием Ярославичем, представителем Изяславовой линии; очень вероятно даже, что Юрий выгнал Бориса. Но ни Давыдович, ни Мстиславичи не хотели позволить этому изгою владеть такою важною волостью, тем более что, как видно, они прежде уговорились отдать ее младшему Мстиславичу — Владимиру, не имевшему стола. Вследствие этого Изяслав отправился на Ярославича к Турову; с ним пошел Владимир Мстиславич, Ярослав Изяславич — из Луцка, Ярополк Андреевич — от брата из Дорогобужа, Рюрик Ростиславич — от отца из Смоленска, пошли полоцкий и галицкий отряды; не пошел Мстислав Изяславич волынский: верно, не хотел он добывать сильной волости враждебному дяде, который в случае удачи похода должен был сделаться опасным ему соседом. Туровская и Пинская волости были опустошены; но Юрий бился крепко на вылазках из Турова. Несмотря на то, он видел, что ему одному не устоять против союзников, и посылал с просьбою к Изяславу: «Брат! Прими меня к себе в любовь!» Изяслав не соглашался, хотел непременно взять Туров и Пинск, но, простоявши 10 недель понапрасну, принужден был отступить, потому что в войске открылся конский падеж; изгой Ярославич остался спокойно княжить в Турове, а Владимир Мстиславич — по-прежнему без волости.

В следующем, 1158 году встала смута в Галиче, подавшая повод к изгнанию Изяслава Давыдовича из Киева и переходу последнего опять в род Мономахов. Не раз упоминали мы об изгнанном галицком князе Иване Ростиславиче Берладнике, который принужден был служить разным князьям русским;

в последний раз мы видели его на севере, в службе Юрия Долгорукого, который посылал его перехватывать новгородцев. Когда Юрий окончательно утвердился в Киеве, то, нуждаясь в помощи зятя своего, Ярослава галицкого, согласился выдать ему несчастного Берладника, которого уже и привели в оковах из Суздаля в Киев, где дожидались его послы от Ярослава с большею дружиною. Но духовенство вооружилось против такого гнусного поступка; митрополит и все игумены сказали Юрию: «Грешно тебе, целовавши крест, держать Ивана в такой нужде, да еще теперь хочешь выдать его на убийство». Юрий послушался, не выдал Берладника галичанам, только отправил его назад в Суздаль в оковах. Но Изяслав Давыдович черниговский, узнав, что Берладника ведут опять в Суздаль, послал перехватить его на дороге и привести к себе. По смерти Юрия, когда Изяслав занял его место в Киеве, Берладник оставался здесь на свободе, имел полную возможность сноситься с недовольными галичанами. Легко понять, что Ярослав не мог оставаться при этом покойным: он начал искать двоюродного брата своего Ивана, говорит летописец, и подмолвил всех князей русских, короля венгерского, польских князей, чтоб были ему помощниками на Ивана; трудно теперь объяснить, что заставило всех этих князей и короля согласиться на просьбу Ярослава. Что возбуждало их ненависть против несчастного Берладника? Разве то, что, взявши деньги у одного князя, он переходил к другому, потом к третьему; быть может также, Ярослав, подобно отцу, действовал хитро, каждому князю умел обещать что-нибудь выгодное. Как бы то ни было, один Изяслав Давыдович продолжал защищать Берладника, и когда явились к нему послы от всех почти князей русских (Ярослава галицкого, Святослава Ольговича, Ростислава Мстиславича, Мстислава Изяславича, Ярослава Изяславича, Владимира Андреевича, Святослава Всеволодовича), от венгерского короля и князей польских с требованием выдачи Берладника, то Изяслав переспорил их всех и отпустил с решительным отказом. Берладник, однако, испугался почти всеобщего союза князей против себя, убежал в степь к половцам, занял с ними подунайские города, перехватил два судна галицких, взял много товару и начал преследовать галицких рыболовов. Собравши много половцев, присоединивши к ним еще 6000 берладников, таких же изгнанников, казаков, как он сам, Иван вошел с ними с Галицкую область, захватил город Кучельмину и осадил Ушицу: *засада* (гарнизон) Ярослава крепко билась из города, но смерды начали перескакивать через стену к Ивану, и перескочило их 300 человек; половцы хотели взять город, но Иван не позволил, за что варвары озлобились на него и ушли, а между тем Изяслав прислал звать его с остальным войском в Киев, готовясь к войне. Мономаховичам южным, главным из которых на деле был Мстислав Изяславич волынский, открылся теперь удобный случай изгнать Давыдовича из Киева и опять перевести этот город в свое племя: все князья были сердиты на Изяслава за отказ выдать Берладника, и вот Мстислав и Владимир Андреевич согласились с Ярославом галицким идти на киевского князя. Изяслав, видя беду, спешил по крайней мере примириться с собственным племенем и послал сказать Святославу Ольговичу, что уступает ему два города — Мозырь и Чичерск в Киевской волости. Святослав велел отвечать ему: «Правду сказать, брат, я сердился на тебя за то, что не отдаешь мне всей Черниговской волости, но лиха тебе не хотел; а если теперь хотят на тебя идти, то избави меня Бог волоститься (помогать тебе из волости): ты мне брат, дай мне Бог с тобою пожить в добре». В Лутаве (4 версты от Остра) съехались все Святославичи — Ольгович с сыновьями и родным племянником Всеволодовичем, Давыдович с своим племянником Владимировичем, была любовь великая между ними три дня и дары большие, по выражению летописца; они немедленно отправили послов в Галич и на Волынь объявить тамошним князьям о своем тесном союзе, и это объявление достигло цели: Ярослав и Мстислав отложили поход. Но Изяслав видел, что он может быть покоен только на короткое время; вести приходили к нему из Владимира, что Ярослав галицкий и Мстислав волынский все думают идти к Киеву, и потому он решился предупредить их; обстоятельства были благоприятны, потому что Берладник получил приглашение от галичан. «Только покажутся твои знамена, то мы тотчас же отступим от Ярослава», — приказывали они говорить ему. Только свергнувши Ярослава и посадивши на его место Берладника, Давыдович мог спокойно сидеть в Киеве и потому послал сказать Ольговичам, чтоб шли к нему с войском на помощь. Но черниговский князь не умел или не хотел понять необходимости войны для Изяслава и посылал не раз говорить последнему: «Брат! Кому ищешь волости — брату или сыну? Лучше б тебе не начинать первому; а если пойдут на тебя с похвальбою, то и Бог будет с тобою, и я, и племянники мои». Мало того, когда Изяслав, не послушавшись этих увещаний, выступил в поход, то в Василев явился к нему посол от Святослава с такими словами: «Брат не велит тебе начинать рати, велит тебе возвратиться». Справедливо раздосадованный Изяслав не удержался и с сердцем отвечал послу: «Скажи брату, что не возвращусь, когда уже пошел, да прибавь еще: если ты сам нейдешь со мной и сына не отпускаешь, то смотри: когда, Бог даст, успею в Галиче, то уже не жалуйся тогда на меня, как начнешь ползти из Чернигова к Новгороду-Северскому». Святослав сильно разобиделся этими словами. «Господи! — говорил он. — Ты видишь мое смирение: я на свои выгоды не смотрел, хотел только одного, чтоб кровь христианская не лилась и отчина моя не гибла, взял Чернигов с семью городами пустыми, в которых сидят только псари да половцы, а всю волость Черниговскую он за собою держит да за своим племянником; и того ему мало: велит мне из Чернигова выйти; ну, брат, Бог рассудит нас и крест честный, который ты целовал, что не искать подо мною Чернигова никаким образом; а я тебе не лиха хотел, когда запрещал идти на войну, хотел я добра и тишины Русской земле».

Между тем Изяслав, отойдя немного от Киева, остановился, чтоб дождаться племянника, которого послал за половцами, и когда тот пришел, то двинулся к Белгороду, уже занятому союзными князьями, волынским и галицким. Изяслав осадил их в городе и не сомневался в успехе, имея 20 000 половцев, как измена берендеев переменила все дело; или надеясь выиграть с переменою, или действительно доброхотствуя сыну любимого князя своего Изяслава, они вошли в сношения с осажденными, послали сказать Мстиславу: «От нас теперь зависит, князь, и добро твое и зло; если хочешь нас любить, как любил нас отец твой, и дашь нам по городу лучшему, то мы отступим от Изяслава». Мстислав обрадовался такому предложению и в ту же ночь поцеловал крест, что исполнит все их желания, после чего берендеи не стали медлить и в полночь поскакали с криком к Белгороду. Изяслав понял, что варвары затеяли недоброе, сел на коня и поскакал к их стану; но, увидав, что стан горит, возвратился назад, взял племянника Святослава Владимировича с безземельным Владимиром Мстиславичем и побежал к Днепру на Вышгород; в Гомеле дождался жены и бросился в землю вятичей, которую занял за то, что Святослав Всеволодович ни сам не пришел к нему на помощь, ни сына не отпустил; Святослав отомстил дяде на боярах его, велел побрать всюду их имение, жен и взял на них окуп.

Освобожденный берендеями от осады, Мстислав с двумя союзниками вошел в Киев, захватил имение дружины Изяславовой, отправил его к себе во Владимир-Волынский и послал в Смоленск звать дядю Ростислава на старший стол, потому что прежде похода еще союзники целовали крест — искать Киева Ростиславу. Но последний понимал затруднительность своего положения в Киеве, где его после бегства перед Давыдовичем не могли много любить и много уважать; на первом месте здесь стоял деятельный и храбрый племянник, который теперь, подобно отцу своему, добыл головою Киева и только по необходимости уступает его дяде; Ростислав мог думать, что племянник захочет смотреть на него, как прежде Изяслав смотрел на старого дядю Вячеслава: оказывать наружное уважение, называть отцом и между тем на деле быть настоящим князем-правителем; вот почему Ростислав послал сказать союзным князьям: «Если зовете меня вправду с любовью, то я пойду в Киев на свою волю, чтоб вы имели меня отцом себе вправду и в моем послушаньи ходили; и прежде всего объявляю вам: не хочу видеть Клима митрополитом, потому что он не взял благословения от св. Софии и от патриарха». Но Мстислав крепко держался за Клима и никак не хотел признать митрополита грека Константина за то, что последний проклинал отца его, Изяслава. Тогда Ростислав послал в Вышгород старшего сына своего Романа уговариваться с Мстиславом насчет митрополита; после долгих и крепких речей князья положили свести обоих, и Клима и Константина, и принять нового митрополита из Константинополя.

Уладившись с племянником, Ростислав въехал в Киев в 1159 году и сел на столе отцовском и дедовском; а Мстислав получил из киевских волостей Белгород, Торческ, Триполь. Имея одного врага в Изяславе Давыдовиче, князья киевские и черниговские должны были необходимо соединиться и действительно скоро съехались в Моравске на великую любовь, по выражению летописца; князья обедали друг у друга без всякого извета и дарились: Ростислав дарил Святослава соболями, горностаями, черными куницами, песцами, белыми волками, рыбьими зубьями; Святослав отдаривал Ростислава барсом и двумя борзыми конями в кованых седлах; летописец счел нужным прибавить, что князья — Мономахович и Ольгович — угощали друг друга безо всякого извета; странен и подозрителен казался этот союз в Киеве, не ждали здесь ничего доброго от Святослава Ольговича, постоянного врага Мстиславичей, постоянного союзника Юрьева, не думали, чтоб он мог забыть убийство брата своего, Игоря. Чтоб успокоить киевлян и берендеев, Ростислав должен был взять к себе Всеволода, сына Святослава Всеволодовича, взамен своего сына Рюрика, которого отправил к Святославу в Чернигов на помощь против Давыдовича. Последний не остался сидеть спокойно в земле вятичей: он набрал множество половцев и стал с ними по Десне, но принужден был ограничиться одним опустошением сел, потому что войска Ольговича не пустили его через реку. Несмотря на то, однако, оба Святослава — и дядя и племянник — видели недостаточность своих сил и послали в Киев за новою помощью, Ростислав отправил к ним Ярослава Изяславича луцкого, Владимира Андреевича дорогобужского и галицкий отряд; Давыдович испугался и ушел с половцами в степь, но на дороге нагнал его гонец от черниговских приятелей, которые велели сказать ему: «Не уходи, князь, никуда; брат твой Святослав болен, а племянник его пошел в Новгород-Северский, отпустивши дружину». Получив эту весть, Изяслав немедленно поскакал к Чернигову, а Святослав Ольгович ничего не знал и стоял спокойно перед городом в палатках с женою и детьми, как вдруг пришли сказать ему, что Изяслав уже переправляется через Десну и половцы жгут села; Святослав тотчас же выстроил полки, послал возвратить с дороги Владимира Андреевича и Рюрика, и те явились в тот же день вместе с галичанами. Таким образом, Изяславу не удалось напасть врасплох на Ольговича: тот ждал с многочисленными и выстроенными полками, а берендеи между тем напали на половцев и побили их; видя, что половцы бегут раненые, а другие тонут в Десне, Изяслав спросил: «Что это значит?» — и, получив в ответ, что у города стоят сильные полки, бросился опять за Десну и потом в степь, а союзники стали опустошать занятые им волости; но Изясляв скоро опять явился с толпами половцев, из Черниговской прошел в Смоленскую волость и страшно опустошил ее. Половцы повели в плен более 10 000 человек, не считая убитых.

Видя против себя и Мстиславича и Ольговича, Изяслав обратился к северному князю, Андрею Юрьевичу, сидевшему во Владимире-Клязменском: Изяслав послал просить у него дочери в замужество за племянника своего Святослава Владимировича, князя вщижского, и вместе помощи, потому что жених был осажден в своем городе Ольговичами — дядею и племянником — и Рюриком Ростиславичем. Андрей отправил к нему на помощь сына своего Изяслава со всеми своими полками и муромскою помощью; весть о приближении большой ростовской силы заставила сначала Ольговича отступить от Вщижа; но когда Андреевы полки ушли назад в Ростовскую землю, то Ольговичи с союзниками опять обступили Вщиж, стояли около него пять недель и заставили Владимировича отстать от союза с родным дядею, признать старшинство двоюродного, Ольговича, иметь его вместо отца и ходить в его воле.

Несмотря, однако, на все неудачи, Изяслав не думал еще уступать; в Киеве и в степной Украйне смотрели с неудовольствием и подозрительностию на тесный союз Ростислава с Ольговичем; этим нерасположением мог воспользоваться Давыдович, чтоб разорвать союз киевского князя с черниговским, союз, отнимавший у него всякую надежду на успех; есть известие, что он действительно воспользовался им, успел подкупить бояр киевских и черниговских, которые взялись перессорить князей своих; но сначала им это не удалось: князья не верили наветам, переслались между собою и еще крепче утвердили союз свой. Чтоб сблизить, помирить Ольговича с киевлянами и пограничным варварским народонаселением, принимавшим такое важное участие в делах Южной Руси, Ростислав послал сказать черниговскому князю: «Отпусти ко мне сына своего Олега, пусть ознакомится с лучшими киевлянами, берендеями и торками». Святослав, ничего не подозревая, отпустил сына, который был принят очень хорошо Ростиславом, два дня сряду обедал у него; но на третий день, выехавши из стана на охоту, Олег встретил одного киевского боярина, который сказал ему: «Князь! Есть у меня до тебя важное дело; поклянись, что никому ничего не скажешь»; Олег поклялся, и боярин объявил ему, чтоб он остерегался, потому что хотят его схватить. Олег поверил и под предлогом материнской болезни стал проситься у Ростислава назад в Чернигов; тот сначала не хотел отпустить его, но потом отпустил; надобно заметить, что летописец совершенно оправдывает Ростислава и складывает всю вину на бояр: князь, говорит он, не имел на сердце никакого злого умысла; все это сделали злые люди, не хотевшие видеть добра между братьею*. Когда Олег приехал

---

* У Татищева прибавлено: «Ростислав для пользы Ольговой говорил, чтоб он съездил к берендичам и не худо, если б с ними на половцев сходил, дабы тем оных поприласкать; а клеветник Олгу толковал, что там его Ростислав хочет поймать... Ростислав не имел никакого злого намерения, но от любви к Олгу не хотел его отпустить (в Чернигов), а клеветники

назад в Чернигов, то не сказал ничего отцу, но втайне сердился на него и стал проситься в Курск; Святослав, ничего не зная, отпустил его туда; на дороге Олега встретили послы Давыдовича с дружелюбными речами, с приглашением вступить в союз с их князем, с известием, что двоюродные братья его, Святослав и Ярослав Всеволодовичи, уже приступили к этому союзу. Олег объявил обо всем этом своим боярам, и те отвечали: «Князь, разве это хорошо, что хотели схватить тебя в Киеве, а Чернигов отдают под отцом твоим; после этого вы оба правы в крестном целовании к ним». Олег послушался и вступил в союз с Изяславом без отцовского совета. Когда старик Святослав узнал, что племянники Всеволодовичи и родной сын его Олег соединились с Изяславом, то с большим горем рассказал об этом боярам своим, но те отвечали ему: «Удивительно нам, князь, что жалуешься на племянников и на Олега, а жизни своей не бережешь; уж это не ложь, что Роман Ростиславич из Смоленска посылал попа своего сказать Изяславу: отдает тебе батюшка Чернигов, живи со мною в мире; а потом сам Ростислав хотел схватить сына твоего в Киеве; ты, князь, волость свою погубил, держась за Ростислава, а он тебе очень лениво помогает». Таким образом, Святослав поневоле отведен был от Ростиславовой любви к Изяславу, говорит летописец. Давыдович спешил пользоваться выгодным оборотом дел, собрал большие толпы половцев, соединился со Всеволодовичами северскими, с родным племянником Владимировичем, с Олегом Святославичем; но отец последнего, несмотря ни на что, не пошел вместе с Изяславом, остался в Чернигове. Давыдовичу хотелось поднять на Ростислава и зятя своего, Глеба Юрьевича, княжившего в Переяславле; но тот не поехал с ним, вследствие чего союзники подошли к Переяславлю, простояли под ним две недели и ничего не сделали. Этим временем воспользовался Ростислав, собрал большое войско, выступил к Днепру и находился в Триполе, когда Изяслав, узнавши о его приближе-

---

злые тем наиболее Олга возмущали». Известия очень вероятные, тем более что Ростислав и призывал Олега с тем, чтоб познакомить его с торками и берендеями.

нии, обратился в бегство и все половцы его ушли в степь; вероятно, бегство половцев, которые не любили сражаться с многочисленными войсками, и заставило Давыдовича бежать пред Ростиславом. Но как скоро последний, возвратясь в Киев, распустил войско, то Изяслав опять собрал союзных себе князей и половцев, перешел замерзший Днепр за Вышгородом и явился у Киева. Здесь с Ростиславом был только один двоюродный брат его Владимир Андреевич; после кровопролитной схватки, которая показалась летописцу вторым пришествием, Изяслав начал одолевать, и половцы пробивались уже сквозь частокол в город, когда дружина Ростислава сказала своему князю: «Князь! Братьев твоих еще нет, нет ни берендеев, ни торков, а у неприятелей сила большая; ступай лучше в Белгород и там поджидай помощи». Ростислав послушался, поехал в Белгород с полками и с княгинею, и в тот же день пришел к нему племянник Ярослав Изяславич луцкий с братом Ярополком, а Владимир Андреевич отправился в Торческ за торками и берендеями. Давыдович вошел в третий раз в свой любимый Киев, простил всех граждан, попавшихся в плен, и пошел немедленно осаждать Белгород Ростиславов; но Святослав черниговский опять прислал ему сказать, чтоб мирился: «Если даже и не помирятся с тобою, во всяком случае ступай за Днепр; когда будешь за Днепром, то вся твоя правда будет». Изяслав велел отвечать ему: «Братья мои, возвратившись за Днепр, пойдут в свои волости; а мне куда возвращаться? К половцам нельзя мне идти, а у Выря не хочу помирать с голоду; лучше мне здесь умереть». Четыре недели понапрасну простоял он около белгородского кремля; а между тем Мстислав Изяславич из Владимира шел на выручку к дяде с галицкою помощью; с другой стороны шел Рюрик Ростиславич с Владимиром Андреевичем и Васильком Юрьичем из Торческа, ведя с собою толпы пограничных варваров — берендеев, коуев, торков, печенегов; у Котельницы соединились они с Мстиславом и пошли вместе к Белгороду. На дороге черные клобуки стали проситься у Мстислава ехать наперед. «Мы посмотрим, князь, — говорили они, — велика ли рать». Мстислав отпустил их, а между тем дикие половцы Изяславовы со своей стороны также подстерегали неприятельское войско и, прискакавши к Изяславу, сказали ему, что идет рать огромная. Давыдович испугался и, не видавши сам Мстиславовых полков, побежал от Белгорода; осажденные князья вышли тогда из города и, дождавшись своих избавителей, погнались вместе за черниговскими; торки нагнали их, стали бить и брать в плен; один из торков, Воибор Негечевич*, нагнал самого Изяслава и ударил его по голове саблею; другой торчин проколол его в стегно и повалил с лошади; при последнем издыхании уже нашел его Мстислав и отправил в киевский Семеновский монастырь, где он и умер; тело его отослали в Чернигов (1160–1161 гг.).

В другой раз Ростислав получил Киев благодаря племяннику своему Мстиславу, и это уже самое обстоятельство могло вести к ссоре между князьями: Мстислав мог считать себя вправе предъявлять большие требования за свои услуги, тем более что он, подобно отцу, держась пословицы «Нейдет место к голове, а голова к месту», не отличался сыновнею покорностью перед дядьями; мы видели, как прежде поступил он с Ростиславом, когда тот вздумал было ему в ущерб мириться с Давыдовичем. Ростислав со своей стороны не хотел походить на дядю своего Вячеслава; мы видели, что он пошел в Киев на условии быть настоящим старшим в роде. Вот почему неудивительно нам читать в летописи, что скоро после вторичного вступления Ростислава в Киев Мстислав выехал из этого города в сердцах на дядю и что между ними были крупные речи. В то же время один из сыновей Ростиславовых, Давыд, без отцовского, впрочем, приказа поехал в Торческ и схватил там посадника Мстиславова, которого привел в Киев: было необходимо занять Торческ, для того чтоб отрезать Мстиславу сообщение

---

* Что этот Воибор был торчин, ясно из рассказа летописи: одни торки были в деле; далее под тем же годом сказано: «...придоша половци мнози к Гюргеву и взяша вежи многи по Роту и Въибора убиша, иже бяше Изяслава убил». Здесь опять говорится о вежах, о торках, между которыми был убит Воибор. Следовательно, нет основания включать этого Воибора в число дружинников княжеских.

с черными клобуками; в Белгород Ростислав отправил другого сына своего — Мстислава. Волынскому князю трудно было одному бороться с дядею; он хотел приобресть союзников, но придумал для этого странное средство: с войском двинулся к Пересопнице, приказывая Владимиру Андреевичу отступить от Ростислава; Владимир не послушался, и Мстислав принужден был возвратиться назад; а между тем Ростислав помирился с Ольговичами — и дядею и племянниками, помирился и с Юрием Ярославичем, которому благодаря вражде и слабости Мономаховичей удалось утвердиться в Турове. Оставался еще один безземельный князь, младший брат Ростислава Владимир Мстиславич; мы видели, что он был прогнан из Волыни племянником Мстиславом, потом находился в войске Изяслава Давыдовича и вместе с последним бежал от Белгорода за Днепр; что случилось с ним после того, неизвестно; но под 1162 годом летописец говорит о походе князей — Рюрика Ростиславича, Святополка, сына Юрия туровского, обоих Всеволодовичей северских — Святослава и Ярослава, Святослава Владимировича вщижского, Олега Святославича и полоцких князей к Слуцку на Владимира Мстиславича; когда и как последний овладел этим городом, неизвестно. Видя, что нельзя противиться такому большому войску, Владимир отдал город союзным князьям, а сам отправился к брату Ростиславу в Киев: тот дал ему Триполь с четырьмя городами. Наконец, в следующем, 1163 году Ростислав заключил мир и с племянником своим Мстиславом; вероятно, последний, видя, что все остальные князья в дружбе с дядею, стал посговорчивее; Ростислав возвратил ему Торческ и Белгород, а за Триполь дал Канев.

Но в то время, как все успокоилось на западной стороне Днепра, встала смута на восточной по случаю смерти Святослава Ольговича, последовавшей в 1164 году. Чернигов по всем правам принадлежал после него племяннику от старшего брата, Святославу Всеволодовичу, но вдова Ольговича по согласию с епископом Антонием и лучшими боярами мужа своего три дня таила смерть последнего, чтоб иметь время послать за сыном своим Олегом и передать ему Чернигов; Олегу велели сказать: «Ступай, князь, поскорее, потому что Всеволодович неладно жил с отцом твоим и с тобою, не замыслил бы какого лиха?» Олег успел приехать прежде Святослава, который узнал о дядиной смерти от епископа Антония; мы видели, что этот Антоний был в заговоре с княгинею и даже целовал Спасителев образ с клятвою, что никому не откроет о княжеской смерти, причем еще тысяцкий Юрий сказал: «Не годилось бы нам давать епископу целовать Спасов образ, потому что он святитель, а подозревать его было нам нельзя, потому что он любил своих князей», и епископ отвечал на это: «Бог и Его Матерь мне свидетели, что сам не пошлю к Всеволодовичу никаким образом, да и вам, дети, запрещаю, чтоб не погинуть нам душою и не быть предателями, как Иуда». Так говорил он на словах, а в сердце затаил обман, потому что был родом грек, прибавляет летописец, первый целовал он Спасов образ, первый и нарушил клятву, послал к Всеволодовичу грамоту, в которой писал: «Дядя твой умер; послали за Олегом; дружина по городам далеко; княгиня сидит с детьми без памяти, а именья у нее множество; ступай поскорее, Олег еще не приехал, так ты урядишься с ним на всей своей воле». Святослав, прочтя грамоту, немедленно отправил сына в Гомель, по другим городам послал посадников, а сам сбирался ехать в Чернигов, но, услыхав, что Олег предупредил его, стал пересылаться с ним, улаживаясь насчет волостей; Олег уступил ему Чернигов, а себе взял Новгород-Северский; Всеволодович целовал также крест, что наделит из своих волостей братьев Олеговых, Игоря и Всеволода, но не исполнил клятвы. Олег, как видно, на первый раз смолчал, но скоро представился новый случай к ссоре: в 1167 году умер князь вщижский Святослав Владимирович, представитель старшей линии в Святославовом роде, имевший поэтому более Ольговичей права на Чернигов, но, как видно, не хотевший вступать в спор по болезни или по каким-нибудь другим причинам. Выморочную волость должны были поделить между собою остальные родичи, но Святослав не дал ничего Олегу, отдал лучшую волость родному брату своему Ярославу, а во Вщиже посадил сына. Тогда Ростислав киевский, видя, что Святослав обижает Олега, вступился за последнего, тем более что за ним была его дочь, и несколько раз посылал уговаривать Всеволодовича, чтоб наделил Олега как следует; а между тем стародубцы, недовольные почему-то Всеволодовичем, послали также звать к себе Олега, тот было поехал, но был предупрежден Ярославом Всеволодовичем, и гражданам нельзя было исполнить своего намерения; тогда Олег в сердцах на неудачу побрал в плен множество сельских жителей около Стародуба. Святослав хотел отмстить ему тем, что послал брата Ярослава с половцами к Новгороду-Северскому, но это войско, не дошедши 15 верст от города, возвратилось назад. Олег не мог сам продолжать военные действия, потому что сильно занемог, и потому легко согласился на предложение Ростислава помириться с черниговским князем, взявши у последнего четыре города.

Таким образом, Ростиславу удалось умирить всех князей и на восточной и на западной стороне Днепра; оставалось урядить дела на севере. В 1168 году он отправился туда, заехавши наперед к зятю своему, Олегу северскому; смольняне, лучшие люди, начали встречать его еще за 300 верст от своего города, потом встретили его внуки, за ними — сын Роман, епископ, тысяцкий, и мало не весь город вышел к нему навстречу: так все обрадовались его приходу и множество даров надавали ему. Из Смоленска Ростислав отправился в Торопец, откуда послал в Новгород к сыну Святославову, чтоб приезжал с лучшими гражданами к нему в Великие Луки, потому что болезнь не позволяла ему ехать дальше. Урядившись с новгородцами, взявши много даров у них и у сына, он возвратился в Смоленск совсем больной; сестра Рогнеда начала просить его, чтоб остался в Смоленске и лег в построенной им церкви, но Ростислав отвечал: «Не могу здесь лечь, везите меня в Киев; если Бог пошлет по душу на дороге, то положите меня в отцовском благословении у св. Феодора, а если, Бог даст, выздоровлю, то постригусь в Печерском монастыре». Перед смертью он говорил духовнику своему, священнику

Семену: «Отдашь ты ответ Богу, что не допустил меня до пострижения». Ростислав постоянно имел эту мысль и часто говорил печерскому игумену Поликарпу: «Тогда мне пришла мысль о пострижении, как получил я весть из Чернигова о смерти Святослава Ольговича». С тех пор он все твердил игумену: «Поставь мне келью добрую, боюсь напрасной смерти». Но Поликарп отговаривал ему. «Вам Бог так велел быть, — говорил игумен, — правду блюсти на этом свете, суд судить праведный и стоять в крестном целовании». Ростислав отвечал на это: «Отец! Княжение и мир не могут быть без греха, а я уже немало пожил на этом свете, так хотелось бы поревновать святым». Поликарп не хотел больше противиться и отвечал: «Если уже ты так сильно этого хочешь, князь, то да будет воля Божия». Ростислав сказал на это: «Подожду еще немного, есть у меня кое-какие дела». Теперь все дела были устроены, и больной Ростислав спешил в Киев с тем, чтобы лечь там или постричься, как на дороге из Смоленска, будучи в сестрином селе Зарубе, почувствовал приближение смерти и послал за духовником; сам прочел отходную и умер в полной памяти, отирая платком слезы. И этот Мстиславич представляет также замечательное явление между древними князьями нашими: далеко уступая старшему брату своему Изяславу в деятельности, отваге и распорядительности ратной, Ростислав отличался охранительным характером: постоянно почтительный пред старшим братом, покорный его воле, он был почтителен и перед дядьми, с неудовольствием смотрел на борьбу с ними старшего брата, уговаривал его уступить им; и когда самому пришла очередь быть старшим в роде, то потребовал от младших такого же повиновения, какое сам оказывал своим старшим. Принявши старшинство, он не уступил пылкому племяннику своему Мстиславу в требованиях, как по всему видно, неумеренных, но и его после, и всех остальных младших родичей ни в чем не обидел, всех старался примирить, всех наделил волостями, так что при конце его жизни повсюду водворилось спокойствие (1168 г.).

По смерти Ростислава старшинство в роде принадлежало прежде всего Святославу Всеволодовичу черниговскому по старшинству племени, но Мономаховичи не хотели признавать этого старшинства; в племени Мономаховом старшим по линии был последний сын Мстислава Великого Владимир Мстиславич; но этот князь, как мы видели, был *мачешич* и, вероятно, моложе своего племянника летами, был изгнан Мстиславом даже из Волыни: мог ли он надеяться, что последний уступит ему Киев? Наконец, после Владимира на старшинство в роде имел право сын Юрия Долгорукого Андрей Боголюбский; но северных князей вообще не любили на юге, и Андрей поведением своим относительно братьев не мог нисколько уменьшить этого нерасположения. Вот почему по смерти Ростислава взоры всех обратились на смелого племянника его, князя владимирского на Волыни, который два раза уже овладевал Киевом, два раза уступал его родному и старшему дяде, но кроме последнего не мог уступить никому другому. Несмотря, однако, на это, спорность прав Мстислава, спорность самой отчинности его (ибо отец его умер, не будучи собственно старшим в роде) давала родичам его надежду, что Изяславич щедро наградит их за уступку ему старшинства, даст им все, чего они сами захотят, но они ошиблись в своем расчете: Мстислав, подобно дяде Ростиславу, хотел быть старшим на деле, а не по имени только. Получив приглашение ехать в Киев от братьи — Владимира Мстиславича, Рюрика и Давыда Ростиславичей, также особое приглашение от киевлян и особое от черных клобуков, Мстислав отправил немедленно в Киев племянника Василька Ярополчича со своим тиуном. Здесь, в Киеве, приятели Мстислава рассказали Васильку, что князья Владимир Мстиславич и Андреевич, также Ярослав Изяславич луцкий и Ростиславичи целовали крест, что будут стоять заодно и возьмут у Мстислава волости по своей воле: Владимир Мстиславич возьмет в придачу к Триполю Торческ со всем Поросьем, Владимир Андреевич — Брест, Ярослав — Владимир. Василько немедленно дал знать об этом дяде Мстиславу, и тот, передавши весть союзникам своим —

Ярославу галицкому, Всеволодовичам городенским и князьям польским, выступил с своими полками и с галицкою помощию к Киеву. Как видно, главою княжеского заговора был Владимир Мстиславич, давний враг своего племянника; вот почему, услыхав о приближении последнего к Киеву, он бросился бежать с семьею из Триполя в Вышгород, где и затворился вместе с Ростиславичами. Мстислав между тем вошел в Киев, урядился с братьями, дружиною и киевлянами и в тот же день отправился осаждать Вышгород; после крепких схваток между осаждающими и осажденными князья начали пересылаться и уладились, наконец, на счет волостей, после чего Мстислав вторично вошел в Киев и сел на столе Ярославовом, на столе отца своего и дедов своих.

Но легко понять, что князья, особенно старые, обманувшись в своих надеждах, затаили горечь в сердце; особенно злобился на племянника Владимир Мстиславич и тотчас после ряду уже начал затевать новые замыслы против Мстислава; боярин Давыда Ростиславича, Василь Настасьич, узнавши об этих замыслах, объявил об них своему князю, а тот рассказал все Мстиславу. Когда Владимир увидал, что умысел его открылся, то приехал в Киев оправдываться пред племянником. Почти в одно время съехались они в Печерском монастыре; Мстислав вошел в игуменскую келью, а Владимиру велел сесть в экономской и послал спросить его: «Брат! Зачем ты приехал? Я за тобою не посылал». Владимир велел отвечать: «Брат! Слышал я, что злые люди наговорили тебе на меня». «Говорил мне брат Давыд», — велел отвечать на это Мстислав. Послали к Давыду в Вышгород; Давыд прислал Василя для улики, приставили к нему тысяцкого и еще другого боярина, и начался суд. Через три дня Мстислав опять приехал в Печерский монастырь; Владимир прислал двоих бояр своих, которые начали спорить с Василем; но за последнего явился новый свидетель. Дело это наконец наскучило Мстиславу, он сказал дяде: «Брат! Ты крест целовал, и еще губы у тебя не обсохли; ведь это отцовское и дедовское утверждение; кто нарушает клятву, тому Бог будет судья; так теперь, если ты не думал никакого зла и не думаешь, то целуй крест». Владимир отвечал: «С радостию, братец, поцелую; все это на меня выдумали ложь», — поцеловал крест и поехал в Котельницу. Но в том же году стал он опять сноситься с черными клобуками, подучать их на племянника; и когда последние дали ему слово действовать заодно, то он объявил об этом своим боярам; но дружина отвечала ему: «Ты, князь, задумал это сам собою: так не едем по тебе, мы ничего не знали». Владимир рассердился и, взглянув на молодых дружинников, сказал: «Вот у меня будут бояре» — и поехал к берендеям, с которыми встретился ниже Ростовца. Но варвары, увидавши, что он приехал один, встретили его словами: «Ты нам сказал, что все братья с тобою заодно; где же Владимир Андреевич, где Ярослав и Давыд? Да и дружины-то у тебя нет; ты нас обманул: так и нам лучше в чужую голову, чем в свою» — и начали пускать во Владимира стрелы, из которых две и попали в него. Владимир сказал тогда: «Сохрани Бог верить поганому, а я уже погиб и душою и жизнию» — и побежал к Дорогобужу, потеряв своих отроков, которых перебили черные клобуки. Но Владимир Андреевич разорил мост на реке Горыне и не пустил к себе Мстиславича, который принужден был обратиться к востоку и чрез землю радимичей пустился в Суздальскую область к Андрею Боголюбскому; и последний не принял его к себе, а послал сказать ему: «Ступай в Рязань к тамошнему князю, а я тебя наделю». Владимир послушался и отправился в Рязань. Мстислав киевский не хотел после того терпеть, чтоб и мать Владимирова оставалась где-нибудь на Руси, и велел сказать ей: «Ступай за Днепр в Городок, а оттуда иди куда хочешь: не могу жить с тобою в одном месте, потому что сын твой всегда ловит головы моей, вечно нарушает клятвы». Она отправилась в Чернигов к Святославу Всеволодовичу.

Казалось, что с удалением дяди Владимира на дальний северо-восток Мстислав должен был успокоиться, но вышло иначе. Мы видели, что князья не могли распорядиться волостями так, как им хотелось при вступлении на старший стол Мстислава; это оставило горечь во всех сердцах, которая должна была обнаруживаться при всяком удобном случае. После удачного похода на половцев в 1168 году князья рассердились на Мстислава за то, что он тайком от них отпускал слуг своих разорять половецкие вежи; скоро после этого Мстислав снова собрал всю братью в Киеве и предложил новый поход в сте́пи. Речь его полюбилась всем князьям, они выступили в поход и остановились у Канева. В это время двое из дружины, Бориславичи, родные братья Петр и Нестор, начали говорить Давыду Ростиславичу злые речи на Мстислава: последний прогнал их от себя за то, что холопы их покрали его лошадей из стада и положили на них свои пятна (клейма); так теперь Бориславичи хотели отомстить ему клеветою. Давыд поверил им и начал говорить брату Рюрику: «Брат! Приятели говорят мне, что Мстислав хочет нас схватить». «А за что? За какую вину? — отвечал Рюрик. — Давно ли он к нам крест целовал?» Чтоб уверить больше Ростиславичей, клеветники сказали им: «Мстислав положил схватить вас у себя за обедом; так если он начнет звать вас на обед, то значит, что мы сказали правду». И точно, Мстислав, ничего не зная, позвал на обед Рюрика и Давыда. Те послали сказать ему в ответ на зов: «Поцелуй крест, что не замыслишь на нас никакого лиха, так поедем к тебе». Мстислав ужаснулся и сказал дружине: «Что это значит? Братья велят мне крест целовать, а я не знаю за собою никакой вины!» Дружина отвечала: «Князь! Нелепо велят тебе братья крест целовать; это, верно, какие-нибудь злые люди, завидуя твоей любви к братьи, пронесли злое слово. Злой человек хуже беса; и бесу того не выдумать, что злой человек замыслит; а ты прав пред Богом и пред людьми; ведь тебе без нас нельзя было ничего замыслить, ни сделать, а мы все знаем твою истинную любовь ко всей братье; пошли сказать им, что ты крест целуешь, но чтоб они выдали тех, кто вас ссорит». Давыд не согласился выдать Бориславичей. «Кто же мне тогда что-нибудь скажет после, если я этих выдам», — говорил он. Несмотря на то, Мстислав целовал крест, и Ростиславичи оба поцеловали; однако сердце их не было право с ним, прибавляет летописец. В то же самое время Владимир Андреевич начал припрашивать волости у Мстислава; тот понял, что Владимир припрашивает нарочно, чтоб иметь только случай к ссоре, и послал сказать ему: «Брат Владимир! Давно ли ты крест целовал ко мне и волость взял?» Владимир в сердцах уехал в свой Дорогобуж. Этим всеобщим нерасположением южных князей к Мстиславу воспользовался Андрей Боголюбский, чтоб предъявить права свои на старшинство и на Киев: он так же не любил Мстислава, как отец его Юрий не любил отца Мстиславова Изяслава, и точно так же, как прежде отец его, начал открытую войну, удостоверившись, что найдет союзников на юге. Ждали только повода; повод открылся, когда Мстислав исполнил просьбу новгородцев и отправил к ним на княжение сына своего Романа; тогда все братья стали сноситься друг с другом и утвердились крестом на Мстислава, объявивши старшим в роде Андрея Юрьевича. Боголюбский выслал сына своего Мстислава и воеводу Бориса Жидиславича с ростовцами, владимирцами, суздальцами; к этому ополчению присоединилось 11 князей: Глеб Юрьевич из Переяславля, Роман из Смоленска, Владимир Андреевич из Дорогобужа, Рюрик Ростиславич из Овруча, братья его — Давыд и Мстислав из Вышгорода, северские — Олег Святославич с братом Игорем, наконец, младший брат Боголюбского, знаменитый впоследствии Всеволод Юрьевич и племянник от старшего брата, Мстислав Ростиславич. Не пошел Святослав Всеволодович черниговский, не желая, как видно, отнимать Киев у Мстислава в пользу князя, старшинства которого не мог он признать; не пошел и один из родных братьев Боголюбского — Михаил Юрьевич; его Мстислав отправил с черными клобуками в Новгород на помощь сыну своему Роману; но Ростиславичи — Рюрик и Давыд, узнавши, что рать Боголюбского и родного брата их Романа уже приближается, послали в погоню за Михаилом и схватили его недалеко от Мозыря благодаря измене черных клобуков.

Знал ли Мстислав о сбиравшейся на него грозе или нет, трудно решить; скорее можно предположить, что не знал, иначе не послал бы он черных клобуков с Юрьевичем в Новгород. В Вышгороде соединились все князья — неприятели Мстислава и отсюда пошли и обступили Киев. Мстислав затворился в городе и крепко бился за него: любовь к сыну Изяславову и еще больше, быть может, нелюбовь к сыну Юриеву заставила киевлян в первый раз согласиться выдержать осаду; летописец не говорит, чтоб кто-нибудь из них, как прежде, вышел навстречу к осаждавшим князьям или все вечем говорили Мстиславу: «Ступай, князь, теперь не твое время»; одни только черные клобуки по обычаю начали предательствовать. После трехдневной осады дружины осаждавших князей успели ворваться в город; тогда дружина Мстиславова сказала своему князю: «Что стоишь? Поезжай из города; нам их не перемочь»; Мстислав послушался и побежал на Василев; отряд черных клобуков гнался за ним, стрелял взад, побрал в плен много дружины; но самому Мстиславу удалось соединиться с братом Ярославом и пробраться вместе с ним во Владимир-Волынский. В первый раз Киев был взят вооруженною рукою при всеобщем сопротивлении жителей и в первый раз мать городов русских должна была подвергнуться участи города, взятого *на щит:* два дни победители грабили город, не было никому и ничему помилования; церкви жгли, жителей — одних били, других вязали, жен разлучали с мужьями и вели в плен, младенцы рыдали, смотря на матерей своих; богатства неприятели взяли множество, церкви все были пограблены; половцы зажгли было и монастырь Печерский, но монахам удалось потушить пожар; были в Киеве тогда, говорит летописец, на всех людях стон и тоска, печаль неутешная и слезы непрестанные.

Но не старший сын Юрия, во имя которого совершен был поход, взят и разорен стольный город отцов, не Боголюбский сел в Киеве; сын его Мстислав посадил здесь дядю, Глеба переяславского, который отдал Переяславль сыну своему Владимиру; старший в роде князь остался жить на севере, в далеком Владимире Клязменском, и сын его Мстислав пошел назад к отцу с великою честию и славою, говорит летописец, но в некоторых списках стоит: с проклятием.

Из событий в особых княжествах по смерти Юрия Долгорукого мы упоминали, как потомству Изяслава Ярославича удалось утвердиться в Турове; потомство Игоря Ярославича продолжало княжить в Городне. Ярослав галицкий освободился, наконец, от опасного соперника своего — Ивана Берладника: под 1161 годом летописец говорит, что Берладник умер в Солуне; есть слух, прибавляет он, что смерть приключилась ему от отравы. В Полоцке происходили большие смуты. Мы видели, что в 1151 году полочане выгнали князя Рогволода Борисовича и взяли на его место Ростислава Глебовича, который вошел в сыновние отношения к Святославу Ольговичу. Но, как видно, Ростислав впоследствии позабыл о своих обязанностях относительно черниговского князя, потому что последний принял к себе изгнанника Рогволода и даже в 1158 году дал ему свои полки для отыскания волостей. Приехавши в Слуцк, Рогволод начал пересылаться с жителями Друцка; те обрадовались ему, стали звать к себе: «Приезжай, князь, не мешкай, рады мы тебе; если придется, станем биться за тебя и с детьми». И в самом деле, больше трехсот лодок выехало к нему навстречу, с честью ввели его другчане в свой город, а Глеба Ростиславича выгнали, двор и дружину его разграбили. Когда Глеб пришел к отцу Ростиславу в Полоцк и когда узнали здесь, что Рогволод сидит в Друцке, то сильный мятеж встал между полочанами, потому что многие из них захотели Рогволода, и с большим трудом мог Ростислав установить людей. Одаривши их богато и приведя ко кресту, он пошел со всею братьею на Рогволода к Друцку, но встретил сильный отпор: другчане бились крепко, и много падало людей с обеих сторон; тогда Ростислав, видя, что не возьмет ничего силою, помирился с Рогволодом, придал ему волостей и возвратился домой. Но дело этим не кончилось: в том же году полочане сговорились выгнать Ростислава, позабывши, что говорили ему при крестном целовании: «Ты наш князь, и дай нам Бог с тобою пожить». Они послали тайком в Друцк сказать Рогволоду Борисовичу: «Князь наш! Согрешили мы пред Богом и пред тобою, что встали на тебя без вины, именье твое и дружины твоей все разграбили, а самого, схвативши, выдали Глебовичам на великую муку; если ты позабудешь все то, что мы тебе сделали своим безумием, и поцелуешь к нам крест, то мы твои люди, а ты наш князь; Ростислава отдадим тебе в руки, делай с ним что хочешь». Рогволод поклялся, что забудет все прошлое; но, как обыкновенно водилось в городах, у Ростислава между полочанами были также приятели, которые дали ему знать, что остальные сбираются схватить его. Положено было позвать его обманом на братовщину к святой богородице к старой на Петров день и тут его схватить; но Ростислав, предуведомленный, как сказано выше, приятелями, поддел броню под платье, и заговорщики не смели напасть на него тут, но на другой день опять послали звать его к себе на вече: «Приезжай к нам, князь! — велели они сказать ему, — нам с тобою нужно кой о чем переговорить». Ростислав отвечал послам: «Ведь я вчера был у вас: что ж вы со мною ни о чем не говорили?» Несмотря, однако, на прежнее предуведомление, он поехал на этот раз в город (а жил он тогда на загородном дворе в Белчице, в трех верстах от Полоцка, на другом берегу Двины). Но не успел Ростислав еще доехать до города, как встретил отрока своего, который сказал ему: «Не езди, князь! В городе на тебя вече, уже дружину твою бьют и тебя хотят схватить». Ростислав возвратился, собрал дружину на Белчице и пошел полком в Минск, к брату Володарю, опустошая Полоцкую волость, забирая скот и челядь. Рогволод, по зову полочан, приехал княжить на его место и не хотел оставить Глебовичей в покое: собрал большое войско из полочан, выпросил у Ростислава смоленского на помощь двух сыновей его, Романа и Рюрика, с боярином Внездом, полками смоленскими, новгородскими и псковскими и пошел сперва к Изяславлю, где затворился Всеволод Глебович; этот Всеволод был прежде большим приятелем Рогволоду и потому, понадеявшись на старую дружбу, поехал в стан к Борисовичу и поклонился ему; Рогволод принял его хорошо, но не отдал назад Изяславля, который следовал, как отчина, Брячиславу Васильковичу, а дал вместо того Стрежев; потом Рогволод отправился к Минску, но, простоявши под городом 10 дней без успеха, заключил с Ростиславом мир и возвратился домой. Глебовичи, уступая на время силе, скоро начали опять действовать против остальных двоюродных братьев: в 1159 году овладели опять Изяславлем, схватили там двоих Васильковичей, Брячислава и Володаря, и заключили их в Минске. Это заставило Рогволода опять идти на Минск, и Ростислав Мстиславич из Киева прислал ему на помощь 600 торков; Рогволод шесть недель стоял около города и заключил мир на всей своей воле, т. е. заставил освободить Васильковичей; но торки, потерявши лошадей и сами помирая с голоду, возвратились пешком на юг, не дождавшись мира. Потом летописец опять упоминает о новом походе Рогволода на Ростислава к Минску и о новом мире. В 1161 году Рогволод предпринимал новый поход на одного из Глебовичей, Володаря, княжившего теперь в Городце; Володарь не стал биться с ним днем, но сделал вылазку ночью и с литвою нанес осаждавшим сильное поражение; Рогволод убежал в Слуцк и, пробыв здесь три дня, пошел в старую свою волость — Друцк, а в Полоцк не посмел явиться, погубивши столько тамошней рати под Городцом; полочане посадили на его место одного из Васильковичей — Всеслава. Из полоцких волостей мы встречаем упоминовение о Минске, Изяславле, Друцке, Городце как об отдельных столах княжеских; мы видели выше, что Ярослав I уступил полоцкому князю Брячиславу Витебск; теперь под 1165 годом встречаем известие, что в Витебске сел Давыд Ростиславич смоленский, отдавши прежнему витебскому князю Роману два смоленских города — Васильев и Красный. Между тем Глебовичи не могли равнодушно видеть, что Полоцк вышел из их племени и от Борисовича перешел к Васильковичу; в 1167 году Володарь Глебович городецкий пошел на Полоцк, Всеслав Василькович вышел к нему навстречу, но Володарь, не давши ему собраться и выстроить хорошенько полки, ударил внезапно на полочан, многих убил, других побрал руками и заставил Всеслава бежать в Витебск, а сам пошел в Полоцк и уладился с тамошними жителями, целовал с ними крест, как говорит летописец. Утвердившись здесь, Володарь пошел к Витебску на Давыда и Всеслава, стал на берегу Двины и начал биться об реку с неприятелями; Давыд не хотел вступать с ним в решительное сражение, поджидая брата своего Романа с смольнянами, как вдруг в одну ночь ударил страшный гром, ужас напал на все войско полоцкое, и дружина стала говорить Володарю: «Чего стоишь, князь, не едешь прочь? Роман переправляется через реку, а с другой стороны ударит Давыд». Володарь испугался и побежал от Витебска; на другое утро, узнав о бегстве врага, Давыд послал за ним погоню, которая, однако, не могла настичь самого князя, а переловила только многих ратников его, заблудившихся в лесу; Всеслав, впрочем, отправился по следам Володаревым к Полоцку и опять успел занять этот город.

Мы видели, что в Новгороде наряд был установлен Ростиславом, который в 1158 году посадил здесь сына своего Святослава, а в Торжке другого сына — Давыда. Скоро сам Ростислав был позван племянником на стол киевский, и следовало ожидать, что это обстоятельство упрочит тишину в Новгороде; но вышло противное. Андрей Боголюбский, вступившись за Изяслава Давыдовича, вошедши с ним в родственную связь, захотел нанести Ростиславу чувствительный удар на севере и послал сказать новгородцам: «Будь вам ведомо: хочу искать Новгорода и добром и лихом». Услыхав грозное слово, новгородцы не знали, что делать; начались волнения и частые веча. Не желая оскорбить киевского князя, они начали сперва действовать полумерами, надеясь, что Святослав догадается и сам выедет от них. Так они стали просить его, чтоб вывел брата Давыда из Торжка, потому что содержание двух князей тяжко для их области. Святослав исполнил их требование, не рассердился и не оставил города. Тогда надобно было приступить к мерам решительным; не должно забывать также, что в Новгороде существовала сторона, противная Мстиславичам, и она должна была теперь сильно действовать при этих благоприятных для нее обстоятельствах. Святослав сидел в Городище у Св. Благовещения, как вдруг пригнал к нему вестник и сказал: «Князь! Большое зло делается в городе, хотят тебя люди схватить». Святослав отвечал: «А какое я им зло сделал? Разве они не целовали крест отцу моему, что будут держать меня князем пока я жив, да вчера и мне самому все целовали образ богородицы?» Не успел он еще сказать этого, как толпа народа нахлынула, схватили его, заперли в избе, княгиню послали в монастырь, дружину поковали, именье разграбили; потом отправили Святослава в Ладогу, приставивши к нему крепкую стражу. Когда Ростислав в Киеве узнал, что сына его схватили в Новгороде, то велел перехватать всех новгородцев и пометать их в пересеченское подземелье, где в одну ночь померло их четырнадцать человек; узнавши об этом несчастии, Ростислав стал сильно тужить и велел остальных выпустить из подземелья и развести по разным городам. Между тем новгородцы послали к Андрею просить у него сына к себе на княжение; он не дал им сына, давал брата своего Мстислава, а новгородцы не хотели Мстислава, потому что он уже прежде у них княжил; наконец, уладились так, что в Новгород поехал Мстислав Ростиславич, племянник Андреев от старшего брата; а Святославу удалось бежать из Ладоги в Полоцк, откуда Рогволод Борисович проводил его к родным в Смоленск. Смена князя, как обыкновенно бывало, повлекла смену посадника: вместо Якуна Мирославича выбран был Нежата. Но это не положило конца новгородским смутам: скоро Андрей урядился с Ростиславом; князья уговорились, чтоб Новгород опять перешел к сыну киевского князя — Святославу. Мы видели, что новгородцы не любили брать князей, которые прежде были у них, по очень естественной причине: такой князь не мог установить наряда, доброхотствуя своим прежним приятелям, преследуя врагов, усилиями которых был изгнан. Но что они могли сделать теперь против согласной воли двух сильнейших князей на Руси? Они принуждены были принять Святослава *на всей воле его*. Это выражение в первый раз упомянуто здесь летописцем: если Святослав был принят на всей воле его, то мы должны прямо заключить, что предшественники его были принимаемы на всей воле новгородской, т. е. что прежде Святослава начали заключаться между

Новгородом и князьями условия, изложение которых мы видим в последующих грамотах. Иначе и быть не могло в смутное время, последовавшее за смертию Мстислава Владимировича; вторичное принятие Всеволода Мстиславича после бегства его из Переяславля можно считать временем, когда возникли первые условия, первый ряд новгородцев с князем; вторичное принятие Святослава, когда он дан был новгородцам против воли их силою двух соединенных князей, нарушало установившийся было обычай; это лишение приобретенных льгот произвело сильную ненависть новгородцев к Святославу, которая видна будет из последующих событий. Первым следствием перемены князя была смена посадника: Нежата был избран после изгнания Святослава вследствие торжества неприязненной последнему стороны; теперь, после вторичного принятия Святослава, Нежата был свергнут, и должность его отдана Захарии. Но, как надобно было ожидать, силою посаженный князь не мог сидеть спокойно в Новгороде. Мы видели, что Ростислав киевский при конце жизни своей должен был отправиться на север для установления спокойствия в Новгороде: он знал, что новгородцы дурно живут с его сыном. В Великих Луках имел Ростислав свидание с лучшими новгородцами и взял с них клятву не искать другого князя, кроме сына его Святослава, только смертью разлучиться с ним*. Но в самый год смерти Ростислава недовольные уже начали собирать тайные веча по домам на сына его. Приятели последнего приехали к нему на городище и сказали: «Князь! Народ сбирается на веча по ночам, хотят тебя схватить; промышляй о себе». Святослав объявил об этом дружине; та отвечала: «Только что теперь целовали все они тебе крест после отцовской смерти; но что же с ними делать? Кому из князей были они верны? Станем промышлять о себе, не то начнут об нас другие промышлять». Святослав выехал из города, засел в Великих Луках и послал оттуда сказать новгородцам, что не

---

* Любопытно, что в Новгородской летописи нет ни слова об этой клятве.

хочет у них княжить. Те в ответ поцеловали образ богородицы с клятвою не хотеть Святослава и пошли прогонять его из Лук; Святослав выехал в Торопец, оттуда отправился на Волгу и, получив помощь от Андрея суздальского, пожег Новый Торг; братья его, Роман и Мстислав, пожгли Луки, из лучан — одни заперлись в крепости, другие ушли во Псков; собрался на Новгород Андрей суздальский с смольнянами и полочанами, пути все заняли, послов перехватали, не дали им послать вести в Киев, к тамошнему князю Мстиславу Изяславичу, чтоб отпустил к ним сына; Андрей с Ростиславичами хотели силою поместить опять Святослава в Новгороде: «Нет вам другого князя, кроме Святослава», — говорили они. Это известие летописца показывает нам, что новгородцы входили в переговоры с Андреем и просили себе князя от его руки, только не Святослава. Но упорство Андрея пуще ожесточило новгородцев: они убили приятелей Святославовых: Захарию посадника, Неревина, знатного боярина, которого мы уже видели раз воеводою, Нездубирича, обвинивши всех троих в перевете к Святославу; наконец, отыскали путь на юг чрез владения полоцких князей, Глебовичей, враждебных Ростиславичам смоленским по вышеописанным отношениям, и Данислав Лазутинич с дружиною отправился в Киев к Мстиславу за сыном его, а другой воевода Якун (вероятно, Мирославич, старый посадник) отправился навстречу к Святославу, шедшему к Русе с братьями, смольнянами и полочанами. Неприятели не дошли до Русы, возвратились назад, ничего не сделавши, а новгородцы выбрали Якуна в посадники и стали с ним дожидаться прихода Романа Мстиславича с юга. В 1168 году Роман пришел, и рады были новгородцы своему хотению, говорит их летописец. Получив желанного князя, новгородцы пошли с ним мстить за свои обиды: пошли сперва с псковичами к Полоцку, опустошили всю волость и возвратились, не дойдя тридцати верст до города; потом Роман ходил на Смоленскую волость, к Торопцу, пожег домы, взял множество пленников. Но мы видели, как посылка Романа в Новгород ускорила грозу, сбиравшуюся над отцом его Мстиславом, как заставила раздраженных Ростиславичей тесно соединиться с Андреем, чтоб отмстить киевскому князю, вытеснявшему их с сыном из Новгорода; изгнание отца из Киева не могло предвещать сыну долгого княжения в Новгороде.

При сильных внутренних волнениях, происходивших во время вторичного княжения Святослава Ростиславича, новгородцы должны были выдержать довольно значительную внешнюю борьбу с шведами. Со времен Рюрика шведы не беспокоили русских владений*, и было замечено, что такою безопасностью северо-западные русские волости были обязаны внутренним волнениям, происходившим в Швеции вследствие принятия христианства, которое повело к разложению древних языческих форм жизни. Тесть Ярослава I, король Олоф (Schoosskönig), принявши христианство, не мог более называться упсальским королем, потому что это название означало верховного жреца; таким образом он потерял свое значение в верхней Швеции, жители которой большею частию были язычники. По прекращении рода упсальских королей, происходивших от знаменитого Сигурда Ринга, избран был королем Стенкиль, сын известного нам ярла Рагнвальда, ревностный христианин; его избрание показывало уже господство христианской стороны; несмотря на то, когда христианские проповедники убеждали его разорить языческий храм в Упсале, то он отвечал им, что следствием такого поступка будет их смерть, а его изгнание. По смерти Стенкиля, последовавшей в 1066 году, в Швеции встала сильная усобица: два короля, оба носившие одно имя — Ериха, стали спорить о престоле, и оба пали в этой войне вместе со всеми знатнейшими шведами; язычество опять так усилилось во время усобицы, что ни один епископ не хотел ехать в Швецию, боясь преследований. Борьба продолжалась до половины XII века (1150 г.), т. е. до вступления на престол Ериха Святого, который дал окончательное торжество христианству. Но усобицы между

* Упомянутое под 1142 годом нападение какого-то шведского князька с 60 шнеками на три купеческие лодки не может считаться в числе неприязненных покушений на страну.

разными претендентами на престол продолжались: Ерих Святой лишился жизни в битве с датским принцем Магнусом, который имел притязания на шведский престол по родству с домом Стенкиля; Магнус через год был также убит, и ему наследовал готский король Карл Сверкерсон, первый, который носит название короля шведов и готов; он оставил по себе память короля мудрого и благонамеренного, при нем не было усобиц, вследствие чего шведы получили возможность к наступательному движению на соседей; под 1164 годом летописец новгородский говорит, что они пришли под Ладогу; ладожане пожгли свои хоромы, затворились в кремле с посадником Нежатою и послали звать князя Святослава с новгородцами на помощь. Шведы приступили к крепости, но были отражены с большим уроном и отступили к реке Воронай*, а на пятый день пришел князь Святослав с новгородцами и посадником Захариею, ударил на шведов и разбил их: из 55 шнек шведы потеряли 43; мало их спаслось бегством, да и то раненые.

В том самом году, как новгородцы так счастливо отбились от шведов, Андрей Боголюбский с сыном Изяславом, братом Ярославом и муромским князем Юрием удачно воевал с камскими болгарами, перебил у них много народу, взял знамена, едва с малою дружиною успел убежать князь болгарский в Великий город; после этой победы Андрей взял славный город болгарский Бряхимов и пожег три другие города. На юго-востоке по-прежнему продолжалась борьба с половцами. В начале княжения Ростислава они понесли поражение от волынских князей и галичан; неудачно кончилось в 1162 году нападение их под Юрьевым на черных клобуков, у которых сначала побрали они много веж, но потом черные клобуки собрались все и побили их на берегах Роси, отняли весь полон и самих взяли больше 500 человек с несколькими княжичами. Несмотря на то, в следующем году Ростислав почел за нужное

---

* Теперь Вороновка, или Воронега, впадающая в Ладожское озеро между Пашею и Сясью.

заключить с ними мир и женить сына своего Рюрика на дочери хана Белука. Общего продолжительного мира не могло быть с этими варварами, разделявшимися на многие орды под начальством независимых ханов: в 1165 году племянник Ростислава Василько Ярополкович побил половцев на реке Роси, много взял пленников, которых дал на выкуп за дорогую цену; дружина его обогатилась оружием и конями. В следующем году половцы потерпели поражение в черниговских пределах от Олега Святославича; но другим половцам в то же время за Переяславлем удалось разбить Шварна, перебить его дружину; Шварн должен был заплатить за себя большой окуп. Одни известия говорят, что этот Шварн был воевода князя Глеба переяславского, другие — что богатырь. После этого в лютую зиму Ольговичи — Олег Святославич и двоюродный брат его Ярослав Всеволодович ходили удачно на половцев, взяли их вежи. Но варвары были опасны не одними только прямыми опустошениями своими; они вредили торговле Руси с греками, которая была главною причиною благосостояния Киева, обогащения казны великокняжеской. Мы знаем из свидетельства Константина Багрянородного, как опасно было в старину плавание русских в низовьях Днепра, в степи, где ждали их обыкновенно толпы печенегов; эти затруднения не прекратились и теперь, когда в степях приднепровских господствовали кочевые варвары с новым только именем; торговые лодки не могли безопасно плавать вниз и вверх по Днепру; в 1166 году половцы засели в порогах и начали грабить *гречников*, т. е. купцов греческих, или вообще купцов, производящих торговлю с Грециею; Ростислав послал боярина своего, Владислава Ляха, с войском, под прикрытием которого гречники безопасно прошли пороги и поднялись до Киева. Как важна была греческая торговля для русских князей и как важна была опасность для этой торговли от половцев, доказывает известие летописца под 1166 годом; Ростислав послал к братьям и сыновьям своим с приказом собираться им у себя со всеми своими полками, и пришли: Мстислав Изяславич из Владимира с братьями — Ярославом из Луцка и Ярополком из

Бужска, Владимир Андреевич, Владимир Мстиславич, Глеб Юрьевич, Глеб городенский, Иван Юрьевич туровский, сыновья Ростислава — Рюрик, Давыд и Мстислав, галицкая помощь, и все стояли у Канева долгое время, дожидаясь до тех пор, пока поднялись торговые суда, тогда все князья разошлись по домам. При наследнике Ростислава, Мстиславе, походы на половцев с тою же целию продолжались: в 1167 году вложил бог в сердце Мстиславу мысль добрую о Русской земле, говорит летописец, созвал он братью свою и начал им говорить: «Братья! Пожалейте о Русской земле, о своей отчине и дедине: ежегодно половцы уводят христиан в свои вежи, клянутся нам не воевать и вечно нарушают клятву, а теперь уже у нас все торговые пути отнимают, хорошо было бы нам, братья, возложивши надежду на помощь божию и на молитву святой богородице, поискать отцов и дедов своих пути и своей чести». Речь Мстислава была угодна Богу, всей братьи и мужам их; князья отвечали: «Помоги тебе Бог, брат, за такую добрую мысль; а нам дай Бог за христиан и за всю Русскую землю головы свои сложить и к мученикам быть причтенным». Мстислав послал и за черниговскими князьями, и всем была угодна его дума; собрались в Киев с полками: два Ростиславича — Рюрик и Давыд, четверо черниговских — Всеволодовичи — Святослав и Ярослав, Святославичи — Олег и Всеволод, Изяславичи волынские — Ярослав и Ярополк, Мстислав Всеволодкович городенский, Святополк Юрьевич туровский, Юрьевичи — Глеб переяславский с братом Михаилом. Уже девять дней шли князья из Киева по каневской дороге, как один из их войска дал знать половцам о приближении русских полков, и варвары побежали, бросивши своих жен и детей; князья русские погнались за ними налегке, оставивши за собою у обоза Ярослава Всеволодовича; по рекам Углу и Снопороду захвачены были вежи, у Черного леса настигли самих половцев, притиснули к лесу, много перебили, еще больше взяли в плен; все русские воины обогатились добычею, колодниками, женами и детьми, рабами, скотом, лошадьми; отполоненных христиан отпустили всех на свободу, причем из русских полков было только двое убитых и один взят в плен. Мстислав, впрочем, не думал успокаиваться после такой удачи; скоро он созвал опять князей и стал говорить им: «Мы, братья, половцам много зла наделали, вежи их побрали, детей и стада захватили, так они будут мстить над нашими гречниками и заложниками; надобно нам будет выйти навстречу к гречникам». Братье полюбилась эта речь, они все отвечали: «Пойдем, ведь это будет выгодно и нам, и всей Русской земле». По-прежнему, как при Ростиславе, князья дошли до Канева и *здесь дожидались* гречников. Не одни только половцы мешали греческой торговле: в 1159 году берладники овладели Олешьем; великий князь Ростислав отправил на них Днепром двух воевод, которые настигли разбойников, перебили их и отняли награбленное.

Из дружины княжеской в описанное время упоминаются следующие имена: в Киеве при Изяславе Давыдовиче был Глеб Ракошич, которого князь посылал к двоюродному брату своему Святославу черниговскому; после, при Изяславе, во время борьбы его с Ростиславом, видим Шварна, быть может того самого, который был воеводою при Изяславе Мстиславиче, двоих братьев Милятичей — Степана и Якуна и Нажира Переяславича; все они были захвачены в плен в той битве, где погиб Изяслав; потом при Ростиславе упоминаются Юрий Нестерович и Якун, ходившие на берладников, которые взяли Олешье, и Жирослав Нажирович, ходивший с торками из Киева на помощь Рогволоду полоцкому; Гюрата Семкович, посланный Ростиславом в Константинополь к императору по делам церковным; Владислав Вратиславич Лях, посыланный Ростиславом для охраны гречников от половцев; по некоторым известиям, тысяцким в Киеве при Ростиславе был Жирослав Андреевич; близкими людьми к этому князю были также *покладник*, или спальник, его Иванко Фролович и Борис Захарьич. Из дружины Мстислава Изяславича, когда еще он сидел на Волыни, упоминаются Жирослав Васильевич, которого он отправлял послом к Изяславу Давыдовичу по делу Берладника; потом, во время войны его с Изяславом, Кузьма

Сновидич и Олбырь Шерошевич (происхождение которого явно нерусское); посадником его в Торческе был Вышко, которого схватил Давыд Ростиславич; Владислав Вратиславич Лях, которого Мстислав посылал пред собою в Киев, позванный туда братьями и гражданами; но мы видели этого Владислава боярином и воеводою Ростислава в Киеве; можно думать, что немедленно по смерти Ростислава Владислав явился к Мстиславу в послах от киевлян с приглашением на стол; наконец, при бегстве Мстислава из Киева упоминаются дружинники, взятые в плен врагами: Димитрий Храбрый, Алексей Дворский, Сбыслав Жирославич, быть может сын упомянутого Жирослава Васильевича, Иванко Творимирич, Род или Родион. Из галицких упоминаются известный уже нам прежде Избигнев Ивачевич, отправленный в послах к Изяславу Давыдовичу; в войне с последним воеводою галицкого отряда упоминается Тудор Елцич. Из бояр других юго-западных князей упоминаются бояре Владимира Мстиславича трепольского — Рагуйло Добрынич и Михаил, которые спорили с Василем Настасьичем, обвинявшим их князя во враждебных замыслах против Мстислава Изяславича; потом эти Рагуйло и Михаил вместе с третьим боярином Завидом отъехали от него, когда он без них замыслил опять вражду на киевского князя; обоих первых — Рагуила и Михаила — мы видели прежде: они вместе с своим князем старались защитить Игоря Ольговича от убийц; Рагуил был тогда в сане тысяцкого при Владимире; упоминаются луцкий боярин Онофрий и дорогобужский Гаврило Васильевич в послах от князей своих к Изяславу Давыдовичу. Из черниговских бояр Святослава Ольговича упоминается известный нам Жирослав Иванкович, старый боярин Вячеслава и Юрия; естественно, что по смерти последнего Жирослав отъехал к Святославу Ольговичу, постоянному и единственному приятелю Юриеву; потом упоминается Георгий Иванович, брат Шакушанов, которого Святослав отправлял в послах к Давыдовичу в Киев с увещанием не вступаться за Берладника; по всем вероятностям, он же и был тысяцким в Чернигове во время смерти Святославовой; у сына Святославова, Олега, упоминается боярин Иван Радиславич. Из северских бояр Святослава Всеволодовича упоминается Киянин, имя указывает в нем выходца из Киева. Из переяславских бояр в битве с половцами упоминается Шварн, по некоторым известиям воевода князя Глеба, по другим — богатырь. Из смоленских бояр Ростислава Мстиславича упоминается Иван Ручечник в послах от своего князя к южным князьям, звавшим Ростислава на стол киевский; потом Внезд, как видно тысяцкий смоленский, занимающий место после князя и епископа; его видим также вместе с смоленскими князьями в походе на помощь полоцкому князю Рогволоду против родичей. Из вышегородских бояр Давыда Ростиславича упоминаются Василь Настасьич, тысяцкий вышегородский Радило, быть может тот самый, которого мы видели прежде в дружине Изяслава Мстиславича, и Василий Волкович; потом, как видно, двое братьев Бориславичей отъехали от Мстислава киевского также к Давыду; имя одного из них, Петр, может указывать нам в нем одно лицо с упомянутым прежде боярином Изяславовым Петром Борисовичем, или Бориславичем. Из суздальских бояр Андрея Боголюбского упоминается воевода Борис Жидиславич, участвовавший во взятии Киева; взявши в соображение перемену его отчества Жидиславич на Жирославич, можно предположить, что это был сын известного Жирослава Иванковича. Наконец, упоминаются имена лиц, неизвестно к чьей дружине принадлежавших, например Давыд Борынич, который подтверждал известие Василя Настасьича насчет замыслов Владимира Мстиславича; потом в битве с половцами убит был Константин Васильевич, Ярунов брат, и Константин Хотович взят в плен.

ГЛАВА ШЕСТАЯ

От взятия Киева войсками Боголюбского до смерти Мстислава Мстиславича Торопецкого (1169–1228)

Андрей Боголюбский остается на севере: значение этого явления. — Характер Андрея и его поведение на севере. — Владимир-на-Клязьме. — Брат Андрея Глеб княжит в Киеве. — Война его с Мстиславом Изяславичем. — Смерть обоих соперников. — Андрей Боголюбский отдает Киев Роману Ростиславичу смоленскому. — Ссора Ростиславичей с Андреем. — Мстислав Ростиславич Храбрый. — Неудачный поход рати Андреевой против Ростиславичей. — Ярослав Изяславич княжит в Киеве. — Борьба его с Святославом Всеволодовичем черниговским. — Убиение Андрея Боголюбского и следствия этого события. — Соперничество Ростова и Владимира; соперничество дядей Юрьевичей и племянников Ростиславичей северных. — Торжество Михаила Юрьевича над племянниками и Владимира над Ростовом. — Возобновление борьбы по смерти Михаила. — Торжество Всеволода Юрьевича над племянниками и окончательное падение Ростова. — На юге усобица между Мономаховичами и Ольговичами. — Поход Святослава Всеволодовича черниговского на Всеволода Юрьевича суздальского. — Святослав утверждается в Киеве. — Слабость киевского князя перед суздальским. — Борьба Ярослава галицкого с боярами. — Смерть его. — Усобица между его сыновьями, Владимиром и Олегом. — Бояре изгоняют Владимира и принимают к себе Романа Мстиславича волынского. — Венгерский король Бела III вмешивается в эту усобицу и сажает в Галиче сына своего Андрея. — Гибель Берладникова сына Ростислава. — Насилия венгров в Галиче. — Владимир Ярославич с помощью поляков утверждается здесь. — Смерть Святослава Всеволодовича киевского. — Рюрик Ростиславич занимает его место по воле Всеволода суздальского. — Последний ссорит Рюрика с зятем его, Романом волынским. — Участие Романа в польских усобицах. — Война Мономаховичей с Ольговичами. — Роман волынский утверждается в Галиче по смерти Владимира Ярославича. — Он изгоняет Рюрика Ростиславича из Киева. — Рюрик опять в Киеве и отдает его на разграбление половцам. — Роман постригает Рюрика в мона-

хи. — Роман гибнет в битве с поляками; его характер. — Малолетние сыновья его, Даниил и Василько, окружены врагами. — Рюрик снова в Киеве и воюет против Романовичей. — Последние должны бежать из Галича. — Галицкие бояре призывают к себе на княжение Игоревичей северских. — Бедственная судьба маленьких Романовичей. — Венгры овладевают Галичем и свирепствуют здесь. — Игоревичи северские изгоняют венгров, но вооружают против себя бояр, которые с помощью венгров возводят на престол Даниила Романовича. — Новые волнения бояр и бегство Даниила. — Боярин Владислав княжит в Галиче. — Венгры и поляки делят между собою Галич. — Продолжение усобицы между Мономаховичами и Ольговичами за Киев; Мономахович в Чернигове. — Усиление Всеволода III Юрьевича на севере. — Отношения его к Рязани, Смоленску и Новгороду Великому. — Деятельность Мстислава Храброго на севере. — Смерть его. — Перемены в Новгороде Великом. — Мстислав Мстиславич торопецкий, сын Храброго, избавляет Новгород от Всеволода III. — Предсмертные распоряжения Всеволода III. — Кончина его. — Усобица между его сыновьями Константином и Юрием. — Мстислав торопецкий вмешивается в эту усобицу и Липецкою победою дает торжество Константину. — Смерть последнего. — Юрий опять великим князем во Владимире. — События рязанские и новгородские. — Деятельность Мстислава торопецкого в Галиче. — Перемены в Киеве, Чернигове и Переяславле. — Дружина. — Немцы в Ливонии. — Смуты в Новгороде и Пскове. — Войны новгородцев с ямью. — Их заволоцкие походы. — Борьба суздальских князей с болгарами. — Основание Нижнего Новгорода. — Войны с Литвою, ятвягами и половцами. — Татарское нашествие. — Общий обзор событий от кончины Ярослава I до кончины Мстислава торопецкого

Казалось, что по смерти Ростислава Мстиславича события на Руси примут точно такой же ход, какой приняли они прежде по смерти Всеволода Ольговича: старший стол, Киев, занял Мстислав Изяславич вопреки правам дяди своего Андрея суздальского, точно так же, как отец Мстислава, Изяслав, занял Киев вопреки правам отца Андреева, Юрия; как последний вооружился за это на племянника и несколько раз изгонял его из Киева, так теперь и Андрей вооружается против Мстислава, изгоняет его, берет старшинство — имеем право ожидать продолжения борьбы, которая опять может быть ведена с переменным счастием смотря по тому, поддержится ли союз Андрея с одиннадцатью князьями, удовлетворит ли он их желаниям или нет. Но мы обманываемся совершенно в своих ожиданиях: Андрей не сам привел войска свои к Киеву, не пришел в стольный город отцов и дедов и после, отдал его опустошенный младшему брату, а сам остался на севере, в прежнем месте своего пребывания — во Владимире-на-Клязьме. Этот поступок Андрея был событием величайшей важности, событием *поворотным*, от которого история принимала новый ход, с которого начинался на Руси новый порядок вещей. Это не было перенесение столицы из одного места в другое, потому что на Руси не было единого государя; в ней владел большой княжеский род, единство которого поддерживалось тем, что ни одна линия в нем не имела первенствующего значения и не подчиняла себе другие в государственном смысле, но каждый член рода в свою очередь вследствие старшинства физического имел право быть старшим, главным, великим князем, сидеть на главном столе, в лучшем городе русском — Киеве: отсюда для полноправных князей-родичей отсутствие отдельных волостей, отчин; отчиною для каждого была целая Русская земля; отсюда общность интересов для всех князей, понятие об общей, одинаковой для всех обязанности защищать Русскую землю — эту общую отчину, складывать за нее свои головы; отсюда то явление, что во все продолжение описанных выше княжеских усобиц пределы ни одной волости, ни одного княжества не увеличивались, по крайней мере приметно, на счет других, потому что князю не было выгоды увеличивать волость, которой он был только временным владельцем; мы видели, например, что Изяслав Мстиславич переменил в свою жизнь шесть волостей; какую надобность имел он заботиться об увеличении пределов, об усилении какой-нибудь из них, когда главная забота всей его жизни состояла в борьбе с дядьми за право старшинства, за возможность быть старшим и княжить в Киеве? Или какая надобность была князю Новгорода-Северского заботиться о своей волости, когда он знал, что по смерти дяди своего, князя черниговского, он перейдет в Чернигов и прежнюю свою волость Северскую должен будет уступить двоюродному брату, сыну прежнего князя черниговского? Потом он знал, что и в Чернигове долго не останется, умрет князем киевским, а сына своего оставит в Турове или на Волыни, или в Новгороде Великом; следовательно, главная цель усобиц была поддержать свое право на старшинство, свое место в родовой лествице, от чего зависело владение тою или другою волостию. Но если верховным желанием, главною заветною целию для каждого полноправного князя-родича было достижение первой степени старшинства в целом роде и если с этою степенью старшинства необходимо связывалось владение лучшим городом на Руси, матерью городов русских — Киевом, то понятно великое значение этого города для князей. Самою крепкою основою для родового единства княжеского было отсутствие отдельности владений, отсутствие отдельной собственности для членов рода, общее право на главный стол; к Киеву стремились самые пламенные желания князей, около Киева сосредоточивалась их главная деятельность; Киев был представителем единства княжеского рода и единства земского, наконец, единства церковного, как местопребывания верховного пастыря русской церкви; Киев, по словам самих князей, был *старшим* городом во всей земле; Изяслав Давыдович не хотел выйти из Киева, «потому что, — говорит летописец, — сильно полюбилось ему великое княжение киевское, да и кто не полюбит киевского княжения? Ведь здесь вся честь и слава, и величие, глава всем землям русским Киев; сюда от многих дальних царств стекаются всякие люди и купцы, и всякое добро от всех стран собирается в нем».

И вот нашелся князь, которому не полюбилось киевское княжение, который предпочел славному и богатому Киеву бедный, едва только начавший отстраиваться город на севере — Владимир-Клязменский. Легко понять следствие переворота, произведенного таким поступком Боголюбского: если б перемена в местопребывании старшего князя произошла с согласия всех князей родичей, если бы Киев для всех них утратил совершенно свое прежнее значение, передал его Владимиру-Клязменскому, если б все князья, и северные и южные, и Мономаховичи и Ольговичи, стали теперь добиваться Владимира, как прежде добивались Киева, то и тогда произошли бы большие перемены в отношениях княжеских, и тогда велики были бы следствия этого перенесения главной сцены действия на новую почву, имевшую свои особенности. Но этого не было и быть не могло: для всех южных князей, и для Мономаховичей, и для Ольговичей, Киев не потерял своего прежнего значения; ни один из них не хотел предпочитать далекой и бедной Суздальской земли той благословенной стороне, которая по преимуществу носила название земли Русской; Киев остался по-прежнему старшим городом Русской земли, и между тем самый старший и самый могущественный князь не живет в нем, но, оставаясь на отдаленном севере, располагает Киевом, отдает его старшему после себя князю; таким образом северный суздальский князь, несмотря на то что, подобно прежним великим князьям, признается только старшим в роде, является внешнею силою, тяготеющею над Южною Русью, силою отдельною, независимою; и прежде было несколько отдельных волостей — Галицкая, Полоцкая, Рязанская, Городенская, Туровская, но эти волости обособились вследствие изгойства князей их, которые были относительно так слабы, что не могли обнаруживать решительного влияния на дела Руси, но северная Ростовская и Суздальская область обособилась не вследствие изгойства своих князей: князь ее признается первым, старшим в целом роде и, кроме того, материально сильнейшим, обладающим, следовательно, двойною силою; сознание этой особенности, независимости и силы побуждает его переменить обращение с слабейшими, младшими князьями, требовать от них безусловного повиновения, к чему не привыкли князья при господстве неопределенных, исключительно родовых отношений между старшим и младшими; таким образом, родовым отношениям впервые наносится удар, впервые сталкиваются они с отношениями другого рода, впервые высказывается возможность перехода родовых отношений в государственные. Если б северные князья могли постоянно удерживать свое господствующее положение относительно южных, то судьба последних, разумеется, скоро стала бы зависеть от произвола первых, от чего произошло бы необходимо изменение в целом быте Южной Руси, в отношениях ее к Северной. Если же северные князья потеряют на время свою силу, свое влияние на судьбу Южной Руси, то отсюда необходимо произойдет окончательное разделение обеих половин Руси, имеющих теперь каждая свое особое средоточие, свою особую сферу. Но легко понять, что это отделение Северной Руси от Южной будет гораздо богаче последствиями, чем, например, отделение небольших волостей — Галицкой, Полоцкой или Рязанской; теперь отделится обширная область с особым характером природы, народонаселения, с особыми стремлениями, особыми гражданскими отношениями. То важное явление, которое послужило поводом к разделению Южной и Северной Руси, именно поступок Боголюбского, когда он не поехал в Киев, остался на севере и создал себе там независимое, могущественное положение, давшее ему возможность переменить прежнее поведение старшего князя относительно младших, — это явление будет ли иметь следствия, повторится ли оно, станут ли старшие князья подражать Боголюбскому, станет ли каждый оставаться в своей прежней волости, ее увеличивать, усиливать, создавать для себя в ней независимое, могущественное положение и, пользуясь этим могуществом, изменять родовые отношения к младшим или слабейшим князьям в государственные? И в какой именно части Руси, в Южной или Северной, пример Боголюбского окажется плодотворным, найдет подражателей?

В южной половине Руси он не нашел подражателей, здесь не умели и не хотели понять важности этого явления, не могли подражать ему, здесь самые доблестные князья обнаружили отчаянное сопротивление ему, здесь старые предания были слишком сильно укоренены, здесь ни один князь не обладал достаточною материальною силою, для того чтоб создать для себя независимое и могущественное положение в своей волости; здесь при борьбе разных племен (линий) Ярославова потомства за старшинство это старшинство и стол киевской обыкновенно доставались старшему в том племени, которое одерживало верх; власть великого князя была крепка не количеством волостей, но совокупною силою всей родовой линии, которой он был старшим; он не поддерживался этою совокупною силою и раздавал ближайшие к Киеву города своим сыновьям, братьям, племянникам, что было для него все равно или даже еще выгоднее, чем раздавать их посадникам: посадник скорее мог отъехать к чужому князю, чем князь изменить своему племени и его старшему; наконец, утверждению нового порядка вещей на юге препятствовали разные другие отношения, основанные или по крайней мере развивавшиеся, укреплявшиеся в силу родовых отношений княжеских, — мы говорим об отношениях к дружине, городам, войску, составленному из пограничного варварского народонаселения, известного под именем черных клобуков, и т. п. Но другое дело на севере: здесь была почва новая, девственная, на которой новый порядок вещей мог приняться гораздо легче и, точно, принялся, как увидим впоследствии; здесь не было укорененных старых преданий о единстве рода княжеского; север начинал свою историческую жизнь этим шагом князя своего к новому порядку вещей; Всеволод III наследует стремления брата своего; все князья северные происходят от этого Всеволода III, следовательно, между ними новое предание о княжеских отношениях есть предание родовое, предание отцовское и дедовское, но главное обстоятельство здесь было то, что новым стремлениям князей на севере открывалось свободное поприще, они не могли встретить себе препятствий в других отношениях, в отношениях к народонаселению страны. Мы видели, какое значение имели города при родовых счетах и усобицах княжеских, какое влияние оказывали они на исход этих усобиц, на изменения в этих счетах; мы видели значение Киева при нарушении прав Святославова племени в пользу Мономаха и сыновей его, видели, как по смерти Всеволода Ольговича киевляне объявили, что не хотят переходить к его брату как будто по *наследству*, следовательно, зовя Мономаха к себе на стол и передавая этот стол сыновьям его мимо черниговских, киевляне не хотели утвердить прав наследства в одном каком-нибудь племени, вообще были против наследства; в Полоцке мы видели также явления в этом роде, увидим такие же явления и в Смоленске; следовательно, если бы на юге какой-нибудь князь захотел ввести новый порядок вещей относительно счетов по волостям, то встретил бы сильное сопротивление в городах, которое вместе с сопротивлением многочисленной толпы князей-родичей помешало бы ему достигнуть своей цели. Но существовало ли это препятствие на севере? Господствовали ли там те неопределенные отношения между князьями и гражданами, какие существовали в старых городах, старых общинах, какие были остатком прежних родовых отношений народонаселения к старшинам и поддерживались родовыми отношениями, беспрестанными переходами и усобицами князей Рюриковичей? Здесь, на севере, в обширной области, граничащей, с одной стороны, с областями, принадлежавшими изгнанной линии Святославичей, а с другой — соприкасавшейся с владениями Великого Новгорода, в этой суровой и редко населенной стране находился только один древний город, упоминаемый летописцем еще до прихода варягов, — то был Ростов Великий, от которого вся окружная страна получила название земли Ростовской. Скоро начали возникать около него города новые: сын Мономаха, Юрий, особенно прославил себя как строитель неутомимый, но мы знаем, что города новопостроенные входили к древним в отношении младших к старшим, становились их пригородами и должны были находиться в их воле; отсюда младшие города или пригороды не имели самостоятельного быта и во всем зависели от решения старших, которые для их управления посылали своего посадника или тиуна, эта зависимость выражается в летописи так: «на чем старшие положат, на том и пригороды станут». Ясно, что если в этих младших городах, не имевших самостоятельности, привыкших повиноваться вечевым приговорам старших, князь утвердит свой стол, то власть его будет развиваться гораздо свободнее, при этом не забудем, что в Ростовской области все эти новые города были построены и населены князьями; получив от князя свое бытие, они необходимо считали себя его собственностию. Таким образом, на севере, в области Ростовской, вокруг старых вечников, вокруг одинокого Ростова, князь создал себе особый мир городов, где был властелином неограниченным, хозяином полновластным, считал эти города своею собственностию, которою мог распоряжаться: неудивительно после того, что здесь явился первый князь, которому летописец приписывает стремление к единовластию, неудивительно, что здесь впервые явились понятия об отдельной собственности княжеской, которую Боголюбский поспешил выделить из общей родовой собственности Ярославичей, оставив пример своим потомкам, могшим беспрепятственно им воспользоваться. Если вникнем в свидетельство летописи о различии старых и новых городов, о торжестве последних над единственным из первых на севере, если вникнем в ту противоположность и враждебность, какая обнаружилась впоследствии между городами Северо-Восточной и городами Западной России, если вникнем в быт западнорусских городов в период литовского владычества, быт, явно носящий следы древности и не сходный с бытом городов северо-восточных, то, конечно, не усомнимся уступить этому различию важное влияние на быт Северо-Восточной и потом на быт России вообще; если нам укажут вначале и на северо-востоке такие же явления, какие видим на западе и юге, то мы спросим: почему же эти явления, происходившие на северо-востоке вследствие известных благоприятных обстоятельств, не повторились, остались без следствий? Ясно, что почва здесь была не по них. Наконец, не забудем обратить внимание на указанное выше различие между Северною и Южною Русью, различие в характере ее народонаселения; это различие необходимо содействовало также установлению нового порядка вещей на севере, содействовало тому значению, какое имела северная Суздальская волость для остальных частей России.

Мы видели второго сына Юриева, Андрея, во время борьбы отца его с племянником своим Изяславом Мстиславичем за старшинство, за Киев: он выдавался здесь своею необыкновенною храбростию, любил начинать битву впереди полков, заноситься на ретивом коне в середину вражьего войска, пренебрегать опасностями; но в то же время видно было в нем какое-то нерасположение к югу, к собственной Руси, влечение к северу, что резко отличало его от отца и других братьев, разделявших со всеми остальными Ярославичами любовь к Киеву; когда Юрий, проигравши свое дело на юге, все еще не хотел расстаться с ним, медлил исполнить требования брата и племянника, объявивших, что не могут жить с ним вместе, Андрей спешил впереди отца на север, утверждая, что на юге уже больше делать нечего. Потом, когда Юрий по смерти старшего брата и племянника окончательно утвердился в Киеве и посадил Андрея подле себя в Вышгороде, то он не просидел и году в своей южной волости, без отцовского позволения ушел на север, который после никогда уже не оставлял. Для объяснения этого явления заметим, что Андрей, бесспорно и родившийся на севере, провел там большую половину жизни и ту именно половину, впечатления которой ложатся крепко на душу человека и никогда его не покидают; Юрий жил уже не в Ростове, а в Суздале, городе относительно новом, подчиненном; Андрей, как видно, получил от отца в волость Владимир-на-Клязьме; следовательно, он воспитывался и окреп в новой среде, при тех отношениях, которые господствовали в новых городах или пригородах ростовских. Уже только в 1149 году, лет 30 с лишком от рождения, пришел Андрей на юг, в Русь, с полками отца своего; он привык к северу, к тому порядку вещей, который там господствовал: не мудрено, что не понравился ему юг, что чужд, непонятен и враждебен показался ему порядок вещей, здесь существовавший. На юге все князья с ранней молодости привыкли жить в общем родовом кругу, видеться друг с другом в челе полков и во время мирных совещаний; живя вблизи друг от друга, находясь в беспрерывных сношениях, с ранней молодости привыкали деятельно участвовать во всех родовых столкновениях и принимать к сердцу все родовые счеты и распри, находя в этом самый главный, самый живой интерес. Но Андрей 30 с лишком лет прожил на севере, в одной своей семье, в удалении от остальных племен (линий) княжеских, редко видясь, мало зная в лицо остальных князей родственников своих, близких и дальних; издали только доносились до него слухи о событиях из этого чуждого для него мира; таким образом, вследствие долговременного удаления для Андрея необходимо должна была ослабеть связь, соединявшая его с остальными родичами, почему приготовлялась для него возможность явиться впоследствии таким старшим князем, который станет поступать с младшими не по-родственному; но мало одного удаления: Андрея отделяла от южных родичей и самых близких, от двоюродных братьев Мстиславичей вражда; он привык смотреть на них как на заклятых врагов, которые старались отнять у отца его и у всей семьи Юрия должное ей значение. Это отчуждение, холодность относительно всех родичей, вражда к Мстиславичам и отчуждение от юга вообще не могли измениться, когда Андрей явился на Руси, где, как мы видели, отец и вся семья его не могли приобрести народного расположения, когда вследствие этого было так мало надежды скоро или даже когда-нибудь занять старший стол и удержать его. После всего этого неудивительно покажется нам удаление Андрея из Вышгорода на север: здесь он утвердился в своей прежней волости, Владимире-Клязменском, и во все остальное время отцовской жизни не был князем главных северных волостей, ни Ростова, ни Суздаля, потому что все северные волости вообще Юрий хотел оставить младшим сыновьям своим, а старших испоместить на юге, в собственной Руси, и, как видно, города при жизни Юрия не хотели прямо восстать против его распоряжения. Но как скоро Юрий умер, то ростовцы и суздальцы, посоветовавшись вместе, взяли к себе в князья Андрея и посадили его в Ростове на отцовском столе и в Суздале. Из этого известия летописца мы видим ясно, что жители Ростова, как жители других старых городов, не считали своею обязанностию исполнить волю покойного князя, отдавшего их волость младшим сыновьям своим; думали, что имеют право выбирать кого хотят в князья. Андрей принял стол ростовский и суздальский, но утвердил свое пребывание в прежней волости — Владимире, его украшал по преимуществу, в нем хотел даже учредить особую митрополию для Северной Руси, чтоб дать ей независимость от Южной и в церковном отношении, зная, какое преимущество будет сохранять Киев, если в нем будет по-прежнему жить верховный пастырь русской церкви. Такое поведение Андрея не могло нравиться ростовцам, его поведение не нравилось, как видно, почему-то и старым боярам отцовским; как видно, Андрей не жил с ними по-товарищески, не объявлял им всех своих дум, к чему привыкли бояре в старой Руси; предлог к смуте недовольные могли найти легко: Андрей овладел волостью вопреки отцовскому распоряжению; младшие Юрьевичи, которым отец завещал Суздальскую землю, жили там, их именем недовольные могли действовать, и вот Андрей гонит с севера своих младших братьев, этих опасных соперников — Мстислава, Василька и Всеволода, которые отправились в Грецию; мы видели, что двое других Юрьевичей имели волости на юге: Глеб княжил в Переяславле, Михаил, как видно, — в Торческе; скоро Всеволод Юрьевич с племянниками Ростиславичами возвратился также из Греции и, по некоторым известиям, княжил в Городце-Остерском. Вместе с братьями Андрей выгнал племянников своих от старшего брата Ростислава; наконец, выгнал старых отцовских бояр, мужей отца своего, передних, по выражению летописца; он это сделал, продолжает летописец, желая быть самовластцем во всей Суздальской земле. Но при этом необходимо рождается вопрос: если ростовцы и суздальцы были недовольны, если передние мужи были недовольны, если братья княжеские были недовольны, то какая же сила поддерживала Андрея, дала ему возможность, несмотря на неудовольствие ростовцев и суздальцев, выгнать братьев, выгнать бояр и сделаться самовластцем? Необходимо должно предположить, что сила его утверждалась на повиновении младших, новых городов или пригородов. Андрей, как видно, хорошо понимал, на чем основывается его сила, и не оставил этих новых городов, когда войска его взяли самый старший и самый богатый из городов русских — Киев.

Глеб Юрьевич, посаженный племянником в Киеве, не мог княжить здесь спокойно, пока жив был изгнанный Мстислав Изяславич. Последний начал с ближайшего соседа своего, Владимира Андреевича дорогобужского, который, как мы видели, был союзником Юрьевичей при его изгнании; с братом Ярославом и с галичанами приступил Мстислав к Дорогобужу, стал биться около города, но, несмотря на болезнь Владимира Андреевича, который не мог лично распоряжаться своим войском, несмотря на то, что Глеб киевский вопреки своему обещанию не дал ему никакой помощи, Мстиславу не удалось взять Дорогобуж: он должен был удовольствоваться опустошением других, менее крепких городов Владимировых и возвратился к себе домой. Скоро Владимир Андреевич умер, как видно не оставив детей, но волости его уже дожидался безземельный князь Владимир Мстиславич, приехавший с северо-востока и живший теперь в волынском городе Полонном, который принадлежал киевской Десятинной церкви. Узнав о смерти Андреевича, он явился перед Дорогобужем, но дружина покойного князя не пустила его в город, тогда он послал сказать ей: «Целую крест вам и княгине вашей, что ни вам, ни ей не сделаю ничего дурного»; поцеловал крест, вошел в город и тотчас же позабыл свою клятву, потому что, говорит летописец, был он вертляв между всею братьею; он накинулся на имение, на стада и на села покойного Андреевича и погнал княгиню его из города. Взявши тело мужа своего, она отправилась в Вышгород, откуда хотела ехать в Киев, но князь Давыд Ростиславич не пустил ее: «Как я могу отпустить тебя, — говорил он, — ночью пришла мне весть, что Мстислав в Василеве; пусть кто-нибудь пойдет с телом из дружины». Но дружина дорогобужкая отвечала ему на это: «Князь! Сам ты знаешь, что мы наделали киевлянам, нельзя нам идти, убьют нас». Тогда игумен Поликарп сказал Давыду: «Князь! Дружина его не едет с ним, так отпусти кого-нибудь из своей, чтоб было кому коня повести и стяг (знамя) понести». Но Давыду не хотелось отпускать своей дружины в такое опасное время, он отвечал Поликарпу: «Его стяг и почесть отошли вместе с душою, возьми попов борисоглебских, и ступайте одни». Поликарп отправился и вместе с киевлянами похоронил Владимира в Андреевском монастыре.

Между тем Мстислав с большою силою, братом Ярославом, полками галицкими, туровскими и городенскими, пошел к черным клобукам, соединившись с ними, отправился к Триполю, оттуда к Киеву и беспрепятственно вошел в него, потому что Глеб был в это время в Переяславле по делам половецким. Первым делом Мстислава по занятии Киева был ряд с союзниками своими, которые помогли ему овладеть опять старшим столом; тут же договорился он и с Владимиром Мстиславичем: как видно из последующих известий, Владимир отказался искать Киева не только под Мстиславом, но и под братом его Ярославом и под сыновьями, за что племянники позволили ему остаться в Дорогобуже; о содержании договоров с другими союзниками ничего не известно; заключен был ряд с киевлянами, также и с черными клобуками, но последние по обычаю только обманывали князей. Урядившись со всеми, Мстислав пошел к Вышгороду и стал крепко биться с осажденными; те не уступали, потому что у князя их, Давыда, было много своей дружины, да братья прислали ему помощь, князь Глеб прислал также тысяцкого своего с отрядом; кроме того, были у него половцы дикие и свои берендеи, тогда как союзники Мстислава начали расходиться; первый ушел галицкий воевода Константин с своими полками, он послал сказать Мстиславу: «Князь Ярослав велел мне только пять дней стоять под Вышгородом, а потом идти домой». Мстислав велел отвечать ему на это: «Брат Ярослав мне так говорил: пока не уладишься с братьею, до тех пор не отпускай полков моих от себя». Тогда Константин написал ложную грамоту, в которой будто бы князь Ярослав приказывал ему возвратиться, и ушел с галичанами; по некоторым очень вероятным известиям Константин был подкуплен Давыдом вышегородским; иначе трудно объяснить причину его поступка. По удалению галичан Мстислав отступил к Киеву и стал перед Золотыми воротами, в огородах, а из Вышгорода выезжали половцы с берендеями и наносили большой вред его полкам. Видя, что союзники его все расходятся, изнемогли от упорного боя, и слыша, с другой стороны, что Глеб с половцами переправляется через Днепр, а к Давыду пришли еще вспомогательные отряды, Мстислав созвал на совет братью; те сказали: «От нас войско расходится, а к тем приходит свежее, черные клобуки нас обманывают: нельзя нам дольше стоять, поедем лучше в свои волости и, отдохнувши немного, возвратимся назад». Мстислав видел, что князья говорят правду, и пошел на Волынь, выдержавши на дороге перестрелку с половцами, которых Давыд послал за ним в погоню. Половцы не могли нанести большого вреда Мстиславу, но зато сильно опустошили страну, чрез которую проходили; племянник Мстислава, Василько Ярополкович, сидевший в Михайлове, одном из городов поросских, хотел было ударить на него нечаянно, но потерял только дружину и едва сам успел убежать в свой город, где скоро был осажден Глебом с тремя Ростиславичами: Рюриком, Давыдом и Мстиславом; союзники сожгли Михайлов, раскопали ров, а Василька отпустили в Чернигов.

Мстислав обещал, отдохнувши немного, возвратиться опять к Киеву, но не мог исполнить своего обещания: в августе 1170 года он сильно разболелся и послал за братом Ярославом, чтоб урядиться с ним насчет детей своих; Ярослав поклялся ему, что не отнимет у них волости, после чего Мстислав скоро умер, не успевши, подобно отцу, удержать старшинства пред дядьми. Неизвестно, что заставило Ярослава отказаться от Владимира в пользу племянников и остаться в прежней волости своей Луцке, хотя старшинство в племени осталось за ним: мы увидим после, что он располагал силами всей Волынской земли и явился представителем племени, удерживая свое право на Киев; мы видели примеры, как волости переменяли иногда свое значение смотря по обстоятельствам, как, например, киевский князь сажал старшего сына в Вышгороде или Белгороде, а младшего в Переяславле; с другой стороны, Мстислав добыл силою себе Владимир и отстоял его от Юрия и его союзников, следовательно, имел полное право требовать от брата, чтоб он уже не отнимал у племянников волости, которую отец их добыл *головою*. Глеб Юрьевич киевский не долго пережил своего соперника: он умер в следующем 1171 году, оставив по себе добрую память братолюбца, свято сохранявшего клятвы. Преемником его в Киеве был князь, отличавшийся противоположным свойством, — именно Владимир Мстиславич. Трое Ростиславичей, сидевших около Киева, послали звать его как дядю на старший стол; все Ростиславичи, следуя отцовскому примеру, уважали старшинство, притом не имели пред Владимиром того преимущества, какое имел Мстислав, т. е. старшинства физического, наконец, им выгоднее было видеть в Киеве Владимира, чем Изяславича, с которым были в явной вражде. Таким образом, Владимир, так долго безземельный, изгнанный отовсюду, вдруг благодаря обстоятельствам получил возможность сесть в Киеве; тайком от остальных волынских князей — Ярослава с племянниками, которым прежде поклялся не искать старшинства, Владимир уехал в Киев, оставив Дорогобуж сыну Мстиславу, но счастие его и тут было непродолжительно: Киев был уже теперь в зависимости от северного князя Андрея Боголюбского, которому, говорит летописец, было нелюбо, что Владимир сел в Киеве; он послал сказать ему, чтоб шел оттуда, а на его место приказывал идти Роману Ростиславичу смоленскому; он мог сердиться на Владимира и за то, что тот вступил в союз с Изяславичами волынскими, и за то, что сел без его позволения в Киеве; родных младших братьев своих он не любил по известным причинам и был расположен к одним Ростиславичам, которые признали его старшинство и крепко до сих пор держались его: «Вы назвали меня отцом, — велел он сказать им, — так я хочу вам добра и даю брату вашему Роману

Киев». Так скоро обнаружились уже те следствия, какие должны были произойти для Южной Руси от усиления Северной, которой самовластец вместо всех родовых прав поставлял свой произвол и таким образом перепутывал все прежние родовые счеты: по родовым правам Киев прежде всего принадлежал Владимиру Мстиславичу, потом младшим братьям Андрея, если он сам не хотел сидеть в нем, наконец, Ярославу Изяславичу луцкому, но Андрей мимо всех этих князей отдает его Ростиславичу. Смерть избавила Владимира от изгнания: он умер в Киеве, побывши только четыре месяца старшим князем: «Много перенес он бед, — говорит летописец, — бегая от Мстислава то в Галич, то в Венгрию, то в Рязань, то к половцам, но все по своей вине, потому что неустойчив был в крестном целовании».

Роман по приказу Андрея приехал в Киев и был принят всеми людьми с радостию, но радость эта не могла быть продолжительна: мы видели, как самовластно начал обходиться Андрей с младшими, южными князьями, изгоняя одного из Киева, посылая другого на его место, не разбирая прав их. Ростиславичи молчали, когда это самовластие было в их пользу, но скоро и они должны были увидать необходимость или беспрекословно исполнять все приказания Андрея, или вступить с ним в отчаянную борьбу за старые права родичей. В этой борьбе Ростиславичей с Юрьевичами высказалась противоположность характеров северных и южных князей, противоположность их стремлений. До сих пор мы были свидетелями борьбы или вследствие изгойства, когда князья-сироты по отсутствию отчинности лишались волостей и принуждены бывали добывать их силою, или борьба шла за старшинство между различными племенами (линиями), или в одном племени между дядьми и племянниками. Борьба за старшинство в племени Мономаховом, во время которой нельзя не заметить также борьбы между Северною и Южною Русью, оканчивается, собственно, взятием Киева войсками Боголюбского, торжеством Северной Руси над Южною; с этих пор потомство старшего сына Мстислава Великого, Изяслава, сходит со сцены в борьбе за старшинство, в которой до этого времени играло главную роль, и удаляется на запад, где начинает играть другую роль, не менее блестящую. Ему на смену в борьбе с князьями северными, или Юрьевичами, выступает потомство второго сына Мстислава Великого, Ростислава, но эта третья борьба наших князей носит опять новый характер: здесь борются не безземельные князья, изгои, для того чтоб получить волости, борьба идет и не за старшинство, но князья южные, или Ростиславичи, борются за старый порядок вещей, за старую Русь, за родовые отношения, которые хотят упразднить Юрьевичи. В этой многозначительной борьбе оба враждебных племени или, лучше сказать, обе Руси выставляют каждая по двое князей для борьбы: Русь старая, Ростиславичи, выставляют двоих Мстиславов — отца и сына; новая, Северная Русь имеет представителями двоих братьев Юрьевичей — Андрея Боголюбского и Всеволода III.

Андрею дали знать, что брат его Глеб умер в Киеве насильственною смертию, и указали убийц: Григория Хотовича, бывшего, как мы видели, тысяцким у Глеба, потом какого-то Степанца и Олексу Святославича; Андрей мог легко поверить извету, зная, как не терпели Юрьевичей на юге, и потому прислал сказать Ростиславичам: «Выдайте мне Григория Хотовича, Степанца и Олексу Святославича — это враги всем нам, они уморили брата моего Глеба». Ростиславичи, считая, как видно, донос на бояр неосновательным, не послушались Андрея, но только отпустили от себя Григория Хотовича. Тогда Андрей послал сказать Роману: «Не ходишь в моей воле с братьями своими, так ступай вон из Киева, Давыд — из Вышгорода, Мстислав — из Белгорода; ступайте все в Смоленск и делитесь там как хотите». Сильно обиделись Ростиславичи, что Андрей гонит их из русской земли и отдает Киев брату своему Михаилу; старший из них, Роман, не хотел противиться и выехал в Смоленск, но остальные братья не выезжали из своих волостей; боясь, как видно, их, и Михаил не ехал из Торческа в Киев, а послал туда младшего брата Всеволода с племянником Ярополком Ростиславичем. Уже пять недель сидел Всеволод в Киеве, когда Ростиславичи — Рюрик, Давыд и Мстислав — послали сказать Андрею: «Брат! Мы назвали тебя отцом себе, крест тебе целовали и стоим в крестном целовании, хотим тебе добра, но вот теперь брата нашего, Романа, ты вывел из Киева и нам путь кажешь из Русской земли без нашей вины: так пусть рассудит нас Бог и сила крестная». Не получивши на это никакого ответа, Ростиславичи, сговорившись, въехали тайно ночью в Киев, схватили Всеволода Юрьевича, племянника его Ярополка, всех бояр их и посадили в Киеве брата своего Рюрика. Потом отправились они к Торческу на Михаила: тот держался шесть дней, а на седьмой помирился с Ростиславичами, обещал быть с ними заодно против Андрея и Святослава черниговского, за что Ростиславичи обещали добыть ему к Торческу Переяславль, где сидел молодой племянник его, Владимир, сын покойного Глеба; брат Михаилов, Всеволод, был выпущен из плена, но племянник Ярополк удержан и брат его, Мстислав, выгнан из своей волости Треполя.

Услышав об этих происшествиях на юге, Андрей сильно рассердился, чему очень обрадовались Ольговичи черниговские: они послали к Андрею подущать его на Ростиславичей, велели сказать ему: «Кто тебе враг, тот и нам; мы готовы идти с тобою». Андрей, говорит летописец, принял совет их, исполнился высокоумия, сильно рассердился, надеясь на плотскую силу, огородившись множеством войска, разжегся гневом, призвал мечника своего Михна и наказал ему: «Поезжай к Ростиславичам и скажи им: не хо́дите в моей воле, так ступай же ты, Рюрик, в Смоленск к брату, в свою отчину; Давыду скажи: ты ступай в Берлад, в Русской земле не велю тебе быть; а Мстиславу молви: ты всему зачинщик, не велю тебе быть в Русской земле». Мстислав, по словам летописца, смолоду привык не бояться никого, кроме одного Бога: он велел Андрееву послу остричь перед собою голову и бороду и отослал его назад к Андрею с такими словами: «Ступай к своему князю и скажи от нас ему: мы до сих пор почитали тебя, как отца, по любви, но если ты прислал к нам с такими речами не как к князю, но как к подручнику и простому человеку, то делай, что замыслил, а Бог нас рассудит». Роковое слово *подручник*, в противоположность князю, было произнесено, южные князья поняли перемену в обхождении с ними северного самовластца, поняли, что он хочет прежние родственные отношения старшего к младшим заменить новыми, подручническими, не хочет более довольствоваться только тем, чтоб младшие имели его, как отца, по любви, но хочет, чтоб они безусловно исполняли его приказания, как подданные. Андрей опал в лице, когда услышал от Михна ответ Мстиславов, и велел тотчас же собирать войско: собрались ростовцы, суздальцы, владимирцы, переяславцы, белозерцы, муромцы, новгородцы и рязанцы; Андрей счел их и нашел 50 000, он послал с ними сына своего, Юрия, да воеводу Бориса Жидиславича с таким наказом: «Рюрика и Давыда выгоните из моей отчины, а Мстислава схватите и, не делая ему ничего, приведите ко мне». Умен был князь Андрей, говорит летописец, во всех делах и доблестен, но погубил смысл свой невоздержанием и, распалившись гневом, сказал такие дерзкие слова. Когда рать Андреева шла мимо Смоленска, то князь тамошний, Роман, принужден был отпустить с нею свои полки и сына на родных братьев, потому что был в руках Андреевых; князьям полоцким, туровским, пинским и городенским также велено было идти всем; в земле Черниговской присоединились к Андреевой рати Ольговичи, потом подошли Юрьевичи, Михаил и Всеволод, племянники их Мстислав и Ярополк* Ростиславичи, Владимир Глебович из Переяславля, берендеи, Поросье; всех князей было больше двадцати. Они перешли Днепр и въехали в Киев беспрепятственно, потому что Ростиславичи не затворились в этом городе, но разъехались каждый в свои прежние волости: Рюрик затворился в Белгороде, Мстислава с Давыдовым полком затвори-

---

* Но мы видели, что Ростиславичи не выпускали Ярополка из плена; стало быть, после отпустили.

ли в Вышгороде, а сам Давыд поехал в Галич просить помощи у князя Ярослава. Старшим летами и племенем между всеми союзными князьями был Святослав Всеволодович черниговский, почему и получил главное начальство над всею ратью; он отрядил сперва к Вышгороду Всеволода Юрьевича с Игорем Святославичем северским и другими младшими князьями. Когда они подошли к городу, то Мстислав Ростиславич выстроил свои полки и выехал против неприятеля; с обеих сторон сильно желали боя, и стрельцы уже начали свое дело; Андреева рать была расположена тремя отделами: с одной стороны стояли новгородцы, с другой — ростовцы, а в середине их — Всеволод Юрьевич с своим полком; Мстислав, видя, что его стрельцы смешались уже с неприятельскими ратниками, погнал вслед за ними, закричал дружине: «Братья! Ударим с Божиею помощию и святых мучеников Бориса и Глеба». Они смяли средний полк Всеволодов и смешались с неприятелем, который обхватывал со всех сторон малочисленную дружину; встало страшное смятение, говорит летописец, слышались стоны, крики, какие-то странные голоса, раздавался треск копий, звук мечей, в густой пыли нельзя было различить ни конного, ни пешего; наконец после сильной схватки войска разошлись, много было раненых, но мертвых немного. После этой битвы младших князей подступили к Вышгороду все остальные старшие со своими полками; каждый день делались приступы; Мстислав много терял своих добрых воинов убитыми и ранеными, но не думал о сдаче. Таким образом, девять недель стояли уже князья под Вышгородом, когда явился Ярослав Изяславич луцкий со всею Волынского землею; он пришел искать себе старшинства, но Ольговичи не хотели уступить ему Киева. Тогда он завел переговоры с Ростиславичами: те уступили ему Киев, и он отправился к Рюрику в Белгород. Страх напал на Андреевых союзников, они говорили, что Ростиславичи непременно соединятся с галичанами и черными клобуками и нападут на них; в войске наступило страшное смятение, и, не дождавшись света, все бросилось переправляться через Днепр, причем много людей перетонуло. Мстислав, увидевши всеобщее бегство, выехал с дружиною из Вышгорода и ударил на неприятельский стан, где взял много пленников. Так возвратилась вся сила Андрея, князя суздальского, говорит летописец; собрал он все земли, и войску его не было числа; пришли они с высокомыслием и со смирением отошли в домы свои. Причина такого неожиданного успеха Ростиславичей ясна из рассказа летописца. Огромная рать пришла в надежде на верный успех и с первого же раза увидала, что успех этот должен быть куплен большим трудом — это уже одно обстоятельство должно было произвести упадок духа в войске осаждающих; известно из последующих событий, что северное народонаселение вовсе не отличалось воинским духом; смоленские полки бились поневоле; нельзя думать, чтоб и новгородцы сражались с большою охотою, равно как и князья полоцкие, туровские, пинские, городенские, которым решительно было все равно, кто победит — Андрей или Ростиславичи; Юрьевичи не могли усердно сражаться в угоду брату, с которым вовсе не были в дружеских отношениях, особенно когда видели, что двое князей — черниговский и волынский — спорят, кому должен достаться Киев; можно думать, что Андрей обещал Киев Святославу черниговскому, а если не обещал никому, то ни один из князей не знал, кто воспользуется победою суздальского князя над Ростиславичами, на кого из них северный самовластец бросит благосклонный взгляд; то ясно, как это незнание должно было ослаблять усердие князей; и вот когда увидали, что волынский князь перешел на сторону Ростиславичей, когда, следовательно, он с Рюриком мог ударить на осаждающих, с одной стороны, от Белгорода, Мстислав — из Вышгорода, Давыд мог явиться с галицкою помощью и черные клобуки перейти на сторону Ростиславичей, то неудивительно, что ужас напал на сборную Андрееву рать, и она бросилась бежать за Днепр.

Ростиславичи после победы исполнили свое обещание, положили старшинство на Ярослава и дали ему Киев, но он недолго сидел здесь спокойно: Святослав Всеволодович черниговский прислал сказать ему: «Вспомни прежний наш уговор, на чем ты мне целовал крест; ты мне говорил: если я сяду в Киеве, то я тебя наделю, если же ты сядешь в Киеве, то ты меня надели; теперь ты сел — право ли, криво ли — надели же меня». Ярослав велел отвечать ему: «Зачем тебе наша отчина? Тебе эта сторона не надобна». Святослав прислал опять сказать ему на это: «Я не венгерец и не лях, мы все одного деда внуки, и сколько тебе до него, столько же и мне (т. е. я имею одинаковую с тобой степень старшинства на родовой лествице); если не хочешь исполнять старого договора, то твоя воля». В то время, когда Мстиславичи боролись с новыми стремлениями, явившимися на севере, отстаивали родовые отношения между старшим князем и младшими, в то самое время, с другой стороны, они должны были вести борьбу с князем, для которого они сами являлись нововводителями, нарушителями старого порядка вещей, с князем, который стоит не только за родовые отношения между старшим и младшими князьями, но напоминает об единстве всего потомства Ярославова, борется за общность владения всею Русскою землею, тогда как Мстиславичи хотят удержать Киев навсегда за собою. Черниговский князь, видя, что Ярослав не хочет вспоминать старинных уговоров, решился по примеру отца и дяди попытаться силою овладеть Киевом; время было благоприятное: Андрей утратил свое влияние на юг; Ростиславичи, силою обстоятельств вынужденные признать старшинство Ярослава, равнодушны к нему, Юрьевичи также; и вот Святослав, соединясь с братьею, явился нечаянно под Киевом; Ярослав, боясь затвориться в городе один, побежал в Луцк, а черниговский князь въехал в Киев, захватил все имение Ярославово, жену его, сына, всю дружину и отослал в Чернигов. Но он сам не мог долго оставаться в Киеве, потому что двоюродный брат его, Олег Святославич, напал на Черниговскую волость, желая, как видно, быть здесь преемником Святослава. Но последний, занявши Киев нечаянно (изъездом), не надеялся окончательно утвердиться здесь, боялся судьбы Изяслава Давыдовича и потому не хотел уступить прежней волости двоюродному брату: он пошел на Олега, пожег его волость, наделал по обычаю много зла, а между тем Ярослав, узнав, что Киев стоит без князя, приехал опять и в сердцах задумал взять на киевлянах то, что отнято было у него Святославом: «Вы подвели на меня Святослава, — сказал он им, — так промышляйте, чем выкупить княгиню и сына». Когда киевляне не знали, что ему на это отвечать, то он велел грабить весь Киев, игуменов, попов, монахов, монахинь, иностранцев, гостей, даже кельи затворников. Святослава было ему нечего бояться: тот, сбираясь идти на Олега, помирился с Ярославом, чтоб свободнее защищать свою верную волость. В это время Ростиславичи вошли опять в сношения с Андреем: они, вероятно, знали или по крайней мере должны были догадываться, как неприятно смотрел он на то, что Киев достался опять враждебному племени Изяславичей, которое не думало признавать его старшинства, и потому решились послать к нему с просьбою, чтобы помог овладеть Киевом опять брату их Роману, против которого он не мог питать вражды: «Подождите немного, — велел отвечать им Андрей, — послал я к братье своей в Русь; как придет мне от них весть, тогда дам вам ответ». Из этих слов видно, что Андрей не хотел оставлять в покое юга, сносился с братьями, вероятно замышляя там новые перемены, и Ростиславичи спешили хлопотать о том, чтоб эти перемены были к их выгоде. Но Андрей не дождался вестей от братьев.

Мы видели, что Андрей выгнал из своей волости старых бояр отцовских и окружил себя новыми, видели также, каким повелительным тоном говорил Андрей даже и с князьями: можем заключить, что он был повелителен и строг с окружавшими его; так, он казнил смертью одного из ближайших родственников своих по жене, Кучковича; тогда брат казненного, Яким, вместе с зятем своим Петром и некоторыми другими слугами княжескими решился злодейством освободиться от строгого господина. Мы знаем также, что русские князья принимали к себе в службу пришельцев из разных стран и народов; Андрей подражал в этом отношении всем князьям, охотно принимал пришельцев из земель христианских и нехристианских, латинов и православных, любил показывать им свою великолепную церковь Богоматери во Владимире, чтоб иноверцы видели истинное христианство и крестились, и многие из них крестились действительно. В числе этих новокрещенных иноземцев находился один яс, именем Анбал: он пришел к Андрею в самом жалком виде, был принят в княжескую службу, получил место ключника и большую силу во всем доме; в числе приближенных к Андрею находился также какой-то Ефрем Моизич, которого отчество — Моизич, или Моисеевич, указывает на жидовское происхождение. Двое этих-то восточных рабов выставлены летописцем вместе с Кучковичем и зятем его как зачинщики дела, всех же заговорщиков было двадцать человек; они говорили: «Нынче казнил он Кучковича, а завтра казнит и нас, так промыслим об этом князе!» Кроме злобы и опасения за свою участь, заговорщиков могла побуждать и зависть к любимцу Андрееву, какому-то Прокопию. 28 июня 1174 года, в пятницу, в обеднюю пору, в селе Боголюбове, где обыкновенно жил Андрей, собрались они в доме Кучкова зятя, Петра, и порешили убить князя на другой день, 29 числа, ночью. В условленный час заговорщики вооружились и пошли к Андреевой спальне, но ужас напал на них, они бросились бежать из сеней, зашли в погреб, напились вина и, ободрившись им, пошли опять на сени. Подошедши к дверям спальни, один из них начал звать князя: «Господин! Господин!», чтоб узнать, тут ли Андрей. Тот, услышавши голос, закричал: «Кто там?» Ему отвечали: «Прокопий». «Мальчик! — сказал тогда Андрей спавшему в его комнате слуге, — ведь это не Прокопий?» Между тем убийцы, услыхавши Андреев голос, начали стучать в двери и выломили их. Андрей вскочил, хотел схватить меч, который был всегда при нем (он принадлежал св. Борису), но меча не было. Ключник Анбал украл его днем из спальни. В это время, когда Андрей искал меча, двое убийц вскочили в спальню и бросились на него, но Андрей был силен и уже успел одного повалить, как вбежали остальные и, не различив сперва впотьмах, ранили своего, который лежал на земле, потом бросились на Андрея; тот долго отбивался, несмотря на то что со всех сторон секли его мечами, саблями, кололи копьями. «Нечестивцы! — кричал он им. — Зачем хотите сделать то же, что Горясер (убийца св. Глеба)? Какое я вам зло сделал? Если прольете кровь мою на земле, то Бог отомстит вам за мой хлеб». Наконец Андрей упал под ударами; убийцы, думая, что дело кончено, взяли своего раненого и пошли вон из спальни, дрожа всем телом, но, как скоро они вышли, Андрей поднялся на ноги и пошел под сени, громко стоная; убийцы услыхали стоны и возвратились назад, один из них говорил: «Я сам видел, как князь сошел с сеней». «Ну так пойдемте искать его», — отвечали другие; войдя в спальню и видя, что его тут нет, начали говорить: «Погибли мы теперь! Станем искать поскорее». Зажгли свечи и нашли князя по кровавому следу: Андрей сидел за лестничным столпом; на этот раз борьба не могла быть продолжительна с ослабевшим от ран князем: Петр отсек ему руку, другие прикончили его.

Порешивши с князем, заговорщики пошли — убили любимца его, Прокопия; потом пошли на сени, вынули золото, дорогие камни, жемчуг, ткани и всякое имение, навьючили на лошадей и до света отослали к себе по домам, а сами разобрали княжое оружие и стали набирать дружину, боясь, чтоб владимирцы не ударили на них; для отнятия у последних возможности к этому они придумали также завести смуту в городе, произвести рознь, вражду между гражданами, для чего послали сказать им: «Не сбираетесь ли вы на нас? Так мы готовы принять вас и покончить с вами; ведь не одною нашею думою убит князь, есть и между вами наши сообщники». Владимирцы отвечали: «Кто с вами в думе, тот пусть при вас и останется, а нам не надобен». Убийцы, впрочем, боялись напрасно. Владимирцы не двинулись на них: без князя в неизвестности о будущей судьбе, не привыкши действовать самостоятельно, они не могли ничего предпринять решительного, дожидались, что начнут старшие города, а между тем безначалие везде произвело волнения, грабежи; мы видели, что убийцы начали расхищение казны княжеской; вслед за ними явились на княжий двор жители Боголюбова и остальные дворяне, пограбили, что осталось от заговорщиков, потом бросились на церковных и палатных строителей, призванных Андреем в Боголюбов, пограбили их*; грабежи и убийства происходили по всей волости; пограбили и побили посадников княжеских, тиунов, детских, мечников; надежда добычи подняла и сельских жителей: они приходили в города и помогали грабить. Грабежи начались и во Владимире, но прекратились, когда священники с образом богородицы стали ходить по городу. По словам летописца, народ грабил и бил посадников и тиунов, не зная, что, где закон, там и обид много; эти слова показывают, что при Боголюбском, точно, было много обид на севере.

Во время этих смут тело убитого князя оставалось непогребенным; в первый же день после убийства преданный покойному слуга Кузьма Киевлянин пошел на княжий двор и, видя, что тела нет на том месте, где был убит Андрей, стал спрашивать: «Где же господин?» Ему отвечали: «Вон лежит выволочен в огород, да ты не смей брать его: все хотят выбросить его собакам, а если кто за него примется, тот нам враг, убьем и его». Кузьма пошел к телу и начал плакать над ним: «Господин мой, господин мой! Как это ты не почуял скверных и нечестивых врагов, когда они шли на тебя? Как это ты не сумел победить их: ведь ты прежде умел побеждать полки поганых болгар?» Когда Кузьма плакался над телом, подошел к нему ключник Анбал. Кузьма, взглянувши на него, сказал: «Анбал, вражий сын! Дай хоть ковер или что-нибудь подостлать и прикрыть господина нашего». «Ступай прочь, — отвечал Анбал, — мы хотим бросить его собакам». «Ах ты, еретик, — сказал ему на это Кузьма, — собакам выбросить? Да помнишь ли ты, жид, в каком платье пришел ты сюда? Теперь ты стоишь в бархате,

---

* Это за что? Под делателями можно разуметь архитекторов, иностранцев; последнее обстоятельство могло быть также причиною народного нерасположения к ним.

а князь нагой лежит, но прошу тебя честью, сбрось мне что-нибудь». Анбал усовестился и сбросил ковер и корзно; Кузьма обвертел тело и понес его в церковь. Но когда стал просить, чтоб отворили ему ее, то ему отвечали: «Брось тут в притворе, вот носится, нечего делать», — уже все были пьяны. Кузьма стал опять плакаться: «Уже тебя, господин, и холопы твои знать не хотят; бывало, придет гость из Царя-города или из иной какой страны, из Руси ли, латынец, христианин или поганый, прикажешь: поведите его в церковь, в ризницу, пусть посмотрит на истинное христианство и крестится, что и бывало, крестилось много; болгары и жиды и всякая погань, видевши славу Божию и украшение церковное, сильно плачут по тебе, а эти не пускают тебя и в церковь положить». Поплакавши, Кузьма положил тело в притворе, покрыв корзном, и здесь оно пролежало двое суток. На третий день пришел козмодемьянский игумен Арсений и сказал: «Долго ли нам смотреть на старших игуменов и долго ли этому князю лежать? Отоприте церковь, отпою над ним и положим его в гроб; когда злоба эта перестанет, придут из Владимира и понесут его туда». Пришли клирошане боголюбские, внесли тело в церковь, положили в каменный гроб и отпели с Арсением. На шестой уже день, когда волнение утихло во Владимире, граждане сказали игумену Феодулу и Луке, демественнику Богородичной церкви: «Нарядите носильщиков, поедем, возьмем князя и господина нашего Андрея», а протопопу Микулице сказали: «Собери всех попов, облачитесь в ризы и выходите перед Серебряные ворота с святою богородицею, тут и дожидайтесь князя». Феодул исполнил их волю: с клирошанами Богородичной церкви и с некоторыми владимирцами поехал в Боголюбов и, взявши тело, привез во Владимир с честию и с плачем великим. Увидавши издали княжеский стяг, который несли перед гробом, владимирцы, оставшиеся ждать у Серебряных ворот, не могли удержаться от рыданий и начали приговаривать: «Уже не в Киев ли поехал ты, господин наш, в ту церковь у Золотых ворот, которую послал ты строить на великом дворе Ярославовом; говорил ты: хочу построить церковь такую же, как и ворота эти Золотые, да будет память всему отчеству моему». Андрея похоронили в построенной им церкви Богородичной (1174 г.).

Как скоро весть о смерти Андреевой разнеслась по волости, то ростовцы, суздальцы, переяславцы и вся дружина от мала до велика съехались во Владимир и сказали: «Делать нечего, так уже случилось, князь наш убит, детей у него здесь нет, сынок его молодой — в Новгороде, братья — в Руси; за каким же князем нам послать? Соседи у нас князья муромские и рязанские, надобно бояться, чтоб они не пришли на нас внезапно ратью; пошлем-ка к рязанскому князю Глебу (Ростиславичу), скажем ему: „Князя нашего Бог взял, так мы хотим Ростиславичей Мстислава и Ярополка, твоих шурьев“» (сыновей старшего сына Юрьева). Они забыли, говорит летописец, что целовали крест князю Юрию посадить у себя меньших сыновей его, Михаила и Всеволода, нарушили клятву, посадили Андрея, а меньших его братьев выгнали, и теперь после Андрея не вспомнили о своей прежней клятве, но все слушали Дедильца да Бориса — рязанских послов. Как было решено, так и сделано: поцеловали образ богородицы и послали сказать Глебу: «Твои шурья будут нашими князьями, приставь к нашим послам своих и отправь всех вместе за ними в Русь».

Глеб обрадовался такой чести, что выбрали его шурьев в князья, и отправил к ним послов в Чернигов, где они тогда жили. Послы от северной дружины сказали Ростиславичам: «Ваш отец добр был, когда жил у нас; поезжайте к нам княжить, а других не хотим». Эти другие были младшие Юрьевичи, Михаил и Всеволод, которые тогда находились также в Чернигове, как видно, все четверо, и дяди и племянники, прибежали вместе с Святославом из-под Вышгорода и не смели после того возвратиться в прежние свои волости на Поросьи. Ростиславичи отвечали послам: «Помоги Бог дружине, что не забывает любви отца нашего», но, несмотря на то что звали их одних, они не захотели ехать без дядей Юрьевичей и сказали: «Либо добро, либо лихо всем нам; пойдем все четверо: Юрьевичей двое да Ростиславичей двое». Наперед поехали двое — Михаил Юрьевич и Ярополк Ростиславич; Михаилу дали старшинство, причем все целовали крест из рук черниговского епископа. Когда князья приехали в Москву, то ростовцы рассердились, узнавши, что вместе с Ростиславичем приехал и Юрьевич; они послали сказать Ярополку: «Ступай сюда», а Михаилу — «Подожди немного на Москве». Ярополк тайком от дяди поехал к Переяславлю, где стояла тогда вся дружина, выехавшая навстречу к князьям, а Михаил, узнав, что Ростиславич отправился по ростовской дороге, поехал во Владимир и затворился здесь с одними гражданами, потому что дружина владимирская в числе 1500 человек отправилась также в Переяславль по приказанию ростовцев. Здесь вся дружина поцеловала крест Ярополку и отправилась с ним ко Владимиру выгонять оттуда Михаила. Ко всем силам земли Ростовской присоединились полки муромские и рязанские, окрестности были пожжены, город обложен.

Что же заставило владимирцев, не привыкших к самостоятельной деятельности, воспротивиться приговору старших городов, взять себе особого князя и отстаивать его против соединенных сил всей земли Ростовской и Рязанской? К этому принудила их явно высказавшаяся вражда старого города Ростова, который с ненавистью смотрел на свой пригород, населенный большею частию людьми простыми, ремесленными, жившими преимущественно от строительной деятельности князя Андрея, и, несмотря на то, похитивший у старого города честь иметь у себя стол княжеский. Ростовцы и суздальцы говорили: «Пожжем Владимир или пошлем туда посадника: то наши холопы каменщики». Нельзя не заметить также, что здесь, в этих словах, слышится преимущественно голос высшего разряда ростовских жителей — бояр, дружины вообще, которая, как видно, особенно не любила Андрея за нововведения*. Как бы

---

* И дружина владимирская была с осаждающими; но она могла это делать поневоле; летописец говорит, что она пошла к Переяславлю по приказанию ростовцев, здесь присягнула Ярополку, отстать от общего ополчения не было уже более возможности.

то ни было, важно было начало борьбы между старыми и новыми городами, борьбы, которая должна была решить вопрос: где утвердится стол княжеский — в старом ли Ростове или новом Владимире, от чего зависел ход истории на севере. Заодно с Владимиром, как следует ожидать, были и другие новые города. Переяславцы хотели также Юрьевичей и поневоле признали Ростиславичей. Семь недель владимирцы отбивались от осаждающих. Наконец голод принудил их сказать Михаилу: «Мирись либо промышляй о себе». Михаил отвечал: «Вы правы: не погибать же вам для меня» — и поехал из города назад в Русь; владимирцы проводили его с плачем великим, говорит летописец. По отъезде Михаила они заключили договор с Ростиславичами, те поклялись, что не сделают никакого зла городу, после чего владимирцы отворили ворота и встретили князей со крестами; в Богородичной церкви заключен был окончательный договор: во Владимире оставался княжить младший Ростиславич, Ярополк, а в Ростове старший, Мстислав. Таким образом, благодаря мужеству владимирцев торжество ростовцев было неполное: правда, стол старшего брата поставлен был у них, но зато ненавистный пригород, Владимир, получил своего князя, а не посадника из Ростова. Но ростовцы и особенно бояре, принужденные уступить требованиям владимирцев, продолжали враждовать к последним и вызвали их к возобновлению борьбы, столь важной для судеб севера. Южные волости нередко испытывали неудобство от перемещения князей, когда новые князья приводили с собою свою дружину, своих слуг, которым раздавали разные должности, и те спешили обогащаться за счет граждан, зная, что недолго среди них останутся; теперь север в свою очередь испытал то же неудобство: Ростиславичи приехали в Ростовскую область с дружинниками, набранными на юге, и роздали им посаднические должности; эти *русские* (т. е. южнорусские) детские, как называет их летописец, скоро стали очень тяжки для народа судебными взысками и взятками, но владимирцы терпели не от одних русских детских; князья, говорит летописец, были молоды, слушались бояр, а бояре подучали их как можно больше брать, и вот взяли они из церкви Владимирской богородицы золото и серебро, в первый же день отобрали ключи от ризницы, отняли город и все дани, которые назначил для этой церкви князь Андрей.

Видно, что, кроме корыстолюбия, здесь действовала ненависть к памяти Андрея, ко всему им сделанному: хотели ограбить Владимирский собор — великолепный памятник, который оставил по себе Андрей. Грабеж церквей позволяли себе князья и дружины их только в завоеванных городах; легко после этого понять, как должны были смотреть владимирцы на ограбление своего собора, лучшего украшения, которым так гордился их город; они стали сбираться и толковать: «Мы приняли князей на всей нашей воле, они крест целовали, что не сделают никакого зла нашему городу, а теперь они точно не в своей волости княжат, точно не хотят долго сидеть у нас, грабят не только всю волость, но и церкви; так промышляйте, братья!» Из этих слов видно как будто, что владимирцы не только оскорблялись тем, что князья поступают с их волостью, как с завоеванною, но еще боялись, что Ярополк, ограбивши волость, уйдет от них и ростовцы пришлют к ним своего посадника: «Князь поступает так, как будто не хочет сидеть у нас», — говорили они. Но по старой привычке владимирцы прежде обратились к старшим городам — Ростову и Суздалю — с жалобою на свою обиду; ростовцы и суздальцы на словах были за них, а на деле нисколько не думали за них вступаться; бояре же крепко держались за Ростиславичей, прибавляет летописец и тем опять дает знать, что преимущественно боярам хотелось вести дела в противность тому, как шли они при Андрее. Тогда владимирцы, видя явное недоброжелательство старших городов и бояр, решились вместе с переяславцами действовать собственными силами и послали в Чернигов сказать Михаилу: «Ты старший между братьями: приходи к нам во Владимир; если ростовцы и суздальцы задумают что-нибудь на нас за тебя, то будем управляться с ними как Бог даст и Святая Богородица». Михаил с братом Всеволодом и с Владимиром Святославичем, сыном черниговского князя, отправился на север, но едва успел он отъехать верст 11 от Чернигова, как сильно занемог и больной приехал в Москву, где дожидался его отряд владимирцев с молодым князем Юрием Андреевичем, сыном Боголюбского, который жил у них, будучи изгнан из Новгорода.

Между тем Ростиславичи, узнав о приближении Михаила, советовались в Суздале с дружиною, что делать. Решено было, чтоб Ярополк шел с своим войском против Юрьевичей к Москве, биться с ними и не пускать ко Владимиру. Михаил сел обедать, когда пришла весть, что племянник Ярополк идет на него; Юрьевичи собрались и пошли по владимирской дороге навстречу неприятелю, но разошлись с Ярополком в лесах, тогда москвичи, услыхавши, что Ярополк, миновав их войско, продолжает идти к Москве, возвратились с дороги от Михаила для оберегания своих домов, а Ярополк, видя, что разошелся с Михаилом, пошел от Москвы вслед за ним, послав между тем сказать брату Мстиславу в Суздаль: «Михалко болен, несут его на носилках, и дружины у него мало; я иду за ним, захватывая задние его отряды, а ты, брат, ступай поскорее к нему навстречу, чтоб он не вошел во Владимир». Мстислав объявил об этой вести дружине и на другой день рано выехал из Суздаля, помчался быстро, точно на зайцев, так что дружина едва успевала за ним следовать, и в пяти верстах от Владимира встретился с Юрьевичами; полк Мстиславов, готовый к битве, в бронях, с поднятым стягом вдруг выступил от села Загорья; Михаил начал поскорее выстраивать свое войско, а враги шли на него с страшным криком, точно хотели пожрать его дружину, по выражению летописца. Но эта отвага была непродолжительна: когда дошло до дела и стрельцы начали перестреливаться с обеих сторон, то Мстиславова дружина, не схватившись ни разу с неприятелем, бросила стяг и побежала; Юрьевичи взяли много пленных, взяли бы и больше, но многих спасло то, что победители не могли различать, кто свои и кто чужие; Мстислав убежал в Новгород; Ярополк, узнавши о его поражении, побежал в Рязань, но мать их и жены попались в руки владимирцам.

С честию и славою вступил Михаил во Владимир; дружина и граждане, бывшие в сражении, вели пленников.

Первым делом Юрьевича было возвращение городов, отнятых у Богородичной церкви Ярополком; и была, говорит летописец, радость большая во Владимире, когда он увидал опять у себя великого князя всей Ростовской земли. Подивимся, продолжает тот же летописец, чуду новому, великому и преславному Божия Матери, как заступила она свой город от великих бед и граждан своих укрепляет: не вложил им Бог страха, не побоялись двоих князей и бояр их, не посмотрели на их угрозы, семь недель прожили без князя, положивши всю надежду на святую Богородицу и на свою правду. Новгородцы, смольняне, киевляне и полочане и все власти, как на думу, на веча сходятся, и на чем старшие положат, на том и пригороды станут, а здесь город старый — Ростов и Суздаль, и все бояре захотели свою правду поставить, а не хотели исполнять правды Божией, говорили: «Как нам любо, так и сделаем: Владимир — пригород наш». Воспротивились они Богу и Святой Богородице и правде Божией, послушались злых людей, ссорщиков, не хотевших нам добра по зависти. Не сумели ростовцы и суздальцы правды Божией исправить, думали, что они старшие, так и могут делать все по-своему, но люди новые, худые владимирские, уразумели, где правда, стали за нее крепко держаться, сказали: «Либо Михаила князя себе добудем, либо головы свои сложим за святую Богородицу и за Михаила князя». И вот утешил их Бог и Св. Богородица: прославлены стали владимирцы по всей земле за их правду*.

---

* В южной летописи еще следующие дополнительные известия после рассказа о торжестве Юрьевичей: «Михалко же и Всеволод, одаривше Володимера Святославича, отпусти и во свояси... И потом посла Святослав жены их Михалковую и Всеволожюю, пристави к ним сына своего Олга проводити е до Москве; Олег же проводив и възвратися во свою волость, в Лопасну (село в 27 верстах от Серпухова по Московской дороге). Оттуду послав Олег зая Сверилеск, бяшеть бо и та волость Черниговская; Глеб же, уведав то, посла сыновца своего Гюрьгевича на Ольга; Олег, совокупя дружину свою, и выйде к нему, и бьяхуться на Свирильске, и победи Олег Святославича,

Скоро явились во Владимир к Михаилу послы от суздальцев: «Мы, князь, — говорили они, — не воевали против тебя с Мстиславом, а были с ним одни наши бояре: так не сердись на нас и приезжай к нам». Михаил поехал в Суздаль, оттуда в Ростов, устроил весь наряд людям, утвердился с ними крестным целованием, взял много даров у ростовцев и, посадивши брата своего Всеволода в Переяславле, сам возвратился во Владимир. Таким образом последний пригород, населенный холопами-каменщиками, сделался опять стольным городом князя всей Ростовской земли; князь опять освобождал себя из-под влияния городов, которые привыкли решать дела на вече, и приговоров этого веча должны были слушаться города младшие; мало того, младший брат Михаила, Всеволод, сел также в новом городе Переяславле-Залесском, а не в Ростове: выказалось ли в этом явное предпочтение князей к новым городам пред старыми, хотели ли наградить усердие переяславцев, действовавших заодно с владимирцами, — во всяком случае явление было очень важное, свидетельствовавшее полную победу пригородов, полное низложение того начала, которое могло противодействовать новому порядку вещей.

Если первым делом Михаила по вступлении во Владимир было возвращение соборной церкви городов, отнятых у нее Ростиславичами, то по утверждении своем в целой земле Ростовской он должен был прежде всего идти на рязанского князя Глеба, в руках которого также находилось много сокровищ, пограбленных из этой церкви, и, между прочим, самый образ богородицы, привезенный Андреем из Вышгорода, и книги. Михаил отправился с полками на Рязань, но встретил на дороге послов Глебовых, которым поручено было сказать ему: «Князь Глеб тебе кланяется и говорит: я во всем виноват и теперь возвращаю все, что взял у шурьев своих, Ростиславичей, все до последнего золотника». И точно, воз-

---

шюрина своего, и много дружины изойма, а сам едва утече». Здесь любопытно то, что Олег провожал княгинь только до Москвы; по всему видно, что Москва был первый, пограничный суздальский город па пути с юга, из Чернигова чрез землю вятичей.

вратил все. Михаил, уладившись с ним, поехал назад во Владимир; здесь, по некоторым очень вероятным известиям, казнил убийц Андреевых и потом отправился за чем-то в Городец-Волжский, занемог в нем и умер (1176 г.). Ростовцы, не дождавшись даже верного известия о смерти Михайловой, послали сказать в Новгород прежнему своему князю Мстиславу Ростиславичу: «Ступай, князь, к нам: Михалка Бог взял на Волге в Городце, а мы хотим тебя, другого не хотим». Мстислав приехал на зов, собрал ростовцев, всю дружину и отправился с ними ко Владимиру. Но здесь был уже князь: тотчас по смерти Михайловой владимирцы вышли перед Золотые ворота и, помня старую присягу свою Юрию Долгорукому, целовали крест Всеволоду Юрьевичу и детям его — явление любопытное: владимирцы присягают не только Всеволоду, но и детям его; значит, не боятся, подобно киевлянам, переходить по наследству от отца к сыновьям, не думают о праве выбирать князя. Всеволод, узнавши о приезде Ростиславича в Ростов, собрал владимирцев, дружину свою, бояр, оставшихся при нем (бóльшая часть бояр, как видно, перешла к ростовскому князю), и отправился с ними навстречу к сопернику, а за переяславцами послал племянника Ярослава Мстиславича. Но по своему характеру Всеволод не хотел отдать всей своей будущности на произвол военного счастия, не хотел судиться с племянником судом Божиим, битвою, как любили судиться южные князья, и послал сперва сказать Ростиславичу: «Брат! Если тебя привела старшая дружина, то ступай в Ростов, там и помиримся; тебя ростовцы привели и бояре, а меня с братом Бог привел да владимирцы с переяславцами, а суздальцы пусть выбирают из нас двоих кого хотят». Но ростовцы и бояре не дали мириться своему князю: их злоба на владимирцев и Юрьевичей еще более усилилась от недавнего унижения; они сказали Ростиславичу: «Если ты хочешь с ним мириться, то мы не хотим»; особенно подстрекали к войне бояре — Добрыня Долгий, Матеяш Бутович и другие. Всеволод, получив отказ, поехал к Юрьеву, здесь дождался переяславцев и объявил им, что ростовцы не хотят мира; переяславцы отвечали: «Ты Мстиславу добра хотел, а он головы твоей ловит, так ступай, князь, на него, а мы не пожалеем жизни за твою обиду, не дай нам Бог никому возвратиться назад; если от Бога не будет нам помощи, то пусть, переступив через наши трупы, возьмут жен и детей наших; брату твоему еще девяти дней нет как умер, а они уже хотят кровь проливать». На Юрьевском поле, за рекою Кзою, произошла битва: владимирцы с своим князем опять победили с ничтожною для себя потерею, тогда как со стороны неприятелей часть бояр была побита, другие взяты в плен; сам Мстислав бежал сперва в Ростов, а оттуда в Новгород; победители взяли боярские села, коней, скот; в другой и последний раз старый город был побежден новым, после чего уже не предъявлял больше своих притязаний.

Но Юрьевская победа не прекратила борьбы Всеволода с племянниками: когда Мстислав Ростиславич прибежал в Новгород, то жители встретили его словами: «Как тебя позвали ростовцы, так ты ударил Новгород пятою, пошел на дядю своего Михаила; Михаил умер, а с братом его, Всеволодом, Бог рассудил тебя; зачем же к нам идешь?» Не принятый новгородцами, Мстислав поехал к зятю своему, Глебу рязанскому, и стал подстрекать его к войне со Всеволодом. Глеб тою же осенью пришел на Москву и пожег весь город; Всеволод поехал к нему навстречу, но, когда был за Переяславлем, явились новгородцы и сказали ему: «Князь! Не ходи без новгородцев, подожди их». Всегда осторожный, любивший действовать наверное, Всеволод согласился ждать новгородцев, чтоб с удвоенными силами ударить на врагов, и возвратился. Но он понапрасну дожидался новгородцев: те не приходили, вместо их явились на помощь двое княжичей черниговских — Олег и Владимир Святославичи, да князь Переяславля Южного, или Русского, — Владимир Глебович. Всеволод выступил с ними к Коломне, но здесь получил известие, что Глеб с половцами другою дорогою пошел к Владимиру, разграбил соборную церковь Андрееву, пожег другие церкви, села боярские, а жен, детей и всякое имение отдал на щит (в добычу) поганым. Всеволод немедленно пошел назад в свою волость и встретил Глеба на реке Колакше; целый месяц стояли неприятели без действия по обеим сторонам реки, наконец завязался бой, и Всеволод победил опять, опять Мстислав Ростиславич первый обратился в бегство, а за ним побежал и Глеб, но враги догнали их обоих, взяли также в плен сына Глебова, Романа, перевязали всю дружину рязанскую; между прочими попался в плен Борис Жидиславич — знаменитый воевода Боголюбского, который, как видно, отъехал в Рязань или прямо, или вместе с Ростиславичем, не желая служить Юрьевичам; попался в плен и Дедилец, который так сильно способствовал призванию Ростиславичей в Ростов по смерти Боголюбского. Была большая радость во Владимире, говорит летописец, но тут же он говорит: суд без милости тому, кто сам не знал милости. Эти слова показывают расположение духа владимирцев, которых ненависть к Глебу и Ростиславичам должна была дойти до высшей степени вследствие еще нового бедствия, претерпенного ими от последних. Два дня ждали они от Всеволода суда без милости над племянниками, на третий день поднялся сильный мятеж, встали бояре и купцы и сказали ему: «Князь! Мы тебе добра хотим и головы за тебя складываем, а ты держишь врагов своих на свободе; враги твои и наши — суздальцы и ростовцы*: либо казни их, либо ослепи, либо отдай нам». Всеволод не хотел исполнить этого требования и для утишения мятежа велел только посадить пленников в тюрьму, после чего послал сказать рязанцам: «Выдайте мне нашего врага (Ярополка Ростиславича), или я приду к вам». Рязанцы решили исполнить это требование. «Князь наш и братья наши погибли из-за чужого князя», — говорили они; поехали на Воронеж, схватили там Ярополка

* Странно, что владимирцы не говорят ничего о Глебе рязанском и Мстиславе Ростиславиче, а толкуют только о ростовцах и суздальцах, которые уже давно были взяты в плен и давно, следовательно, нужно было бы рассуждать о их наказании. У Татищева речь владимирцев представлена полнее и связнее: «Ты же наших злодеев рязанских князей и их вельмож и плененных нашими руками держишь на свободе... а с другую сторону злодеи наши ростовцы и суздальцы между нами кроются, смотря только удобного времени, како бы нам какое зло учинить».

и привезли во Владимир, где Всеволод велел посадить и его также в тюрьму. Между тем зять Глеба рязанского, знаменитый Мстислав Ростиславич смоленский, послал сказать Святославу черниговскому, чтоб он попросил Всеволода за Ростиславичей; и княгиня рязанская, жена Глебова, присылала с тем же, прося за мужа и сына; Святослав отправил во Владимир черниговского епископа Порфирия и Ефрема игумена вести переговоры по делу пленников; он предлагал, чтоб Глеб, получив свободу, отказался от Рязани и ехал на житье в Русь, но Глеб никак не соглашался на такие условия: «Лучше умру в тюрьме, — говорил он, — а не пойду в Русь на изгнание». Дело затянулось на два года; Глеб между тем умер, а сын его Роман был отпущен в Рязань под условием полной покорности владимирскому князю. Иначе решена была судьба Ростиславичей: владимирцы, видя, что идут переговоры об освобождении пленников, никак не хотели отпустить Ростиславичей, не отмстивши им за свои обиды; они собрались опять большою толпою, пришли на княжий двор и стали говорить Всеволоду: «До чего их еще додержать? Хотим ослепить их». Всеволоду очень не нравилось это требование, но делать было нечего: Ростиславичей ослепили или по крайней мере сделали вид, что ослепили, и отослали в Смоленск. Таким образом кончилась борьба на севере в пользу последнего из Юрьевичей, который стал так же силен, как и брат его Андрей, и немедленно пошел по следам братним: приведши рязанских князей в свою волю, он захотел также быть самовластцем в Суздальской земле, единодержателем всего отцовского наследства, и выгнал из своей волости племянника Юрия Андреевича, который принужден был искать счастия в Грузии; второй племянник, Ярослав Мстиславич, также не получил волости в земле Ростовской. Но если Всеволод вошел совершенно в положение Андрея на севере, то мы должны ожидать, что и относительно Южной, старой Руси, и относительно Новгорода Великого он примет то же самое значение.

На юге смерть Андрея дала свободу разыграться прежним усобицам между Мономаховичами и Ольговичами; к этим усобицам присоединились, с одной стороны, враждебные отношения в самом племени Олеговом, а с другой — между Ростиславичами и Изяславичами в племени Мономаховом. Мы видели, как Святослав Всеволодович черниговский принужден был оставить намерения свои относительно Киева, чтоб свободнее отбивать Черниговскую волость от нападения двоюродного брата своего Олега северского; мы видели, что он опустошением отплатил последнему за опустошение и возвратился в Чернигов, но Олег не думал так окончить это дело: он заключил союз с шурьями своими, Ростиславичами, также с Ярославом киевским, и союзники решились с двух сторон напасть на Святослава. Но Ростиславичи и Ярослав, пожегши два черниговских города*, заключили мир с Святославом и предоставили Олега одним собственным средствам. Тот с братьями пришел к Стародубу, города не взял, но захватил скот изо всех окрестностей Стародуба и погнал его к Новгороду-Северскому, куда скоро явился за ним Святослав с черниговским войском и приступил к городу; Олег вышел было к нему навстречу, но не успела дружина его пустить по стреле, как обратилась в бегство; сам князь успел вбежать в город, но половина дружины его была перехвачена, другая перебита, острог пожжен; Олег на другой день запросил мира и получил его, неизвестно на каких условиях. Между тем на другой стороне Днепра произошла перемена: к Ростиславичам пришел на помощь старший брат их, Роман, из Смоленска, и Ярослав Изяславич увидал в этом намерение Ростиславичей выгнать его из Киева; он послал сказать им: «Вы привели брата своего Романа, даете ему Киев» — и выехал добровольно из этого города в прежнюю волость свою — Луцк; мы видели, что Ростиславичи просили еще прежде у Андрея Киева для Романа, следовательно, Ярослав имел право подозревать их во враждебных для себя замыслах; скорая же уступка его двоюродным братьям объясняется тем, что он

---

* Лутаву (село в 4 верстах от Остра) и Моравск (местечко Остерского уезда).

никак не мог полагаться на защиту киевлян после недавнего поступка с ними, когда он ограбил весь город. Ростиславичи послали за ним, чтоб ехать опять в Киев, но он не послушался, и Роман сел на его место: действительно ли Ростиславичи не хотели его выгонять или показывали только вид, что не хотели, — решить трудно. Роман недолго княжил спокойно в Киеве: половцы напали на Русь, взяли шесть городов берендеевских и сильно поразили Ростиславичей у Ростова по вине Давыда Ростиславича, который завел ссору с братьями и помешал успеху дела. Бедою Ростиславичей спешил воспользоваться Святослав черниговский; нужен был, однако, предлог, и он послал сказать Роману: «Брат! Я не ищу под тобою ничего, но у нас такой ряд: если князь провинится, то платит волостью, а боярин — головою; Давыд виноват, отними у него волость». Роман не послушался, тогда братья Святослава — Ярослав и Олег — перешли Днепр и послали сказать зятю своему Мстиславу Владимировичу, сыну покойного Владимира Мстиславича, чтоб перешел на их сторону; Мстислав послушался и сдал им Треполь. В это время сам Святослав стоял с полками своими у Витичева, куда приехали к нему черные клобуки с киевлянами и объявили, что Роман ушел в Белгород. Святослав поехал в Киев и сел там, но опять ненадолго: на помощь к братьям явился знаменитый Мстислав из Смоленска, и Ростиславичи объявили, что на другой же день дадут битву Святославу; Святослав испугался и побежал за Днепр, потому что половцы, за которыми он послал, еще не пришли, а с одною дружиною выступить против Мстислава трудно было решиться. Несмотря на то, однако, Ростиславичи почли за лучшее уступить Киев Святославу: Роман, князь, как видно, вовсе не воинственный, знал, что он будет сидеть в Киеве в беспрерывном страхе от Святослава, который уже раз выгнал его и, конечно, не откажется от дальнейших попыток на Киев, вследствие чего будут беспрерывные усобицы; союзники Святослава половцы уже явились у Торческа и захватили много людей; и вот Ростиславичи, не желая губить Русской земли и проливать христианской крови, по словам летописца, подумали и отдали Киев Святославу, а Роман пошел назад в Смоленск*; Чернигов, как видно, достался Олегу Святославичу, но он скоро умер, и в Чернигове сел брат киевского князя, Ярослав Всеволодович, а брат Олегов, Игорь, сел в Новгороде-Северском: так и следовало по родовому счету**.

До сих пор Святослав Всеволодович жил в дружбе со Всеволодом суздальским: мы видели, какую деятельную помощь оказал он последнему в борьбе его с племянниками; союз этот был еще более скреплен родством: Всеволод вызвал к себе сына Святославова, Владимира, и женил его на родной племяннице своей, дочери Михаила Юрьевича. Но скоро эта дружба переменилась во вражду, виною которой были отношения рязанские. Мы видели, что Роман Глебович с братьями поклялся ходить по воле Всеволодовой, но Роман был зять Святослава, который вследствие этого родства считал себя также вправе вмешиваться в рязанские дела, причем его влияние необходимо сталкивалось с влиянием Всеволода; Святослав мог думать, что Всеволод в благодарность за прежнее добро уступит его влиянию в Рязани, но жестоко обманулся в своем ожидании. В 1180 году младшие братья Романа рязанского, Всеволод и Владимир Глебовичи, прислали сказать Всеволоду Юрьевичу владимирскому: «Ты наш господин, ты наш отец; брат наш старший Роман отнимает у нас воло-

---

* Гораздо прежде прихода Романова на юг, под 1175 годом, в летописи встречаем следующее известие: «Смольняне выгнаша от себе Романовича Ярополка, а Ростиславича Мстислава въведоша Смоленьску княжить». — Но в это время в Смоленске сидел не Ярополк, а отец его Роман; итак, мы должны отнести это событие к позднейшему времени, когда Роман ушел на юг, оставив сына своего Ярополка вместо себя в Смоленске; но смольняне, согласно с правом старшинства, выгнали племянника и призвали дядю.

** Что по отъезде Святослава в Киев место его в Чернигове занял Олег Святославич, видно из последовательности летописного рассказа: «Преставися Олег Святославичь... потом же Игорь брат его седе в Новегороде Северском, а Ярослав Всеволодиць в Чернигове седе». — Ярослав садится в Чернигове только по смерти Олега; думаем, что, когда Олег переехал в Чернигов, Ярослав Всеволодич переехал на его место в Новгород-Северский, а потом, по смерти Олега, Ярослав переехал в Чернигов, а Игорь Святославич — в Новгород.

сти, слушаясь тестя своего Святослава, а тебе крест целовал и нарушил клятву». Всеволод немедленно выступил в поход, и когда приближался к Коломне, то двое Глебовичей встретили его с поклоном, но в Коломне сидел сын Святослава, Глеб, посланный отцом на помощь Роману рязанскому; Всеволод послал сказать Глебу, чтоб явился к нему, тот сначала не хотел, но потом, видя, что сопротивляться нельзя, поехал; Всеволод велел его схватить и в оковах отослал во Владимир, где приставили к нему стражу, дружина его подверглась той же участи. Между тем передовой отряд Романа, переправившийся через Оку, потерпел поражение от передового отряда Всеволодова, часть его попалась в плен, часть потонула в реке; Роман, услыхавши об этом несчастии, побежал мимо Рязани в степь, затворивши в городе двоих братьев, Игоря и Святослава, которые не думали сопротивляться Всеволоду, когда тот явился под Рязанью, и заключили с ним мир на всей его воле: владимирский князь урядил всю братью, роздал каждому волости по старшинству и возвратился домой.

Легко понять, как раздосадован был Святослав, когда узнал о поступке Всеволода с его сыном; чем меньше ждал он этого, тем сильнее была его ярость. Он распалился гневом, разжегся яростию, по словам летописца, и сказал: «Отомстил бы я Всеволоду, да нельзя: подле меня Ростиславичи — эти мне во всем делают досады в Русской земле; ну да мне все равно: кто ко мне из Владимирова племени ближе, тот и мой». Из этих слов видно также, что Святославу очень не нравилось близкое соседство Ростиславичей, которыми был окружен. В это самое время Давыд Ростиславич охотился в лодках по Днепру, а Святослав охотился против него на Черниговской стороне; случай этот показался киевскому князю очень удобным для исполнения своего замысла: посоветовавшись только с княгинею да с любимцем своим Кочкарем, не сказавши ничего лучшим боярам своим, он переправился через Днепр и ударил на Давыдов стан, рассуждая: «Схвачу Давыда, Рюрика выгоню, завладею один с братьями Русскою землею и тогда стану мстить Всеволоду за свою обиду». Но замысел не удался:

Давыд с женою своею успел сесть в лодку и уплыть, неприятельские стрелы не сделали ему никакого вреда; успев захватить только дружину и стан Давыдов, Святослав отъехал к Вышгороду и, проведши под ним ночь, стал искать повсюду Давыда, но после долгих безуспешных поисков отправился на восточный берег Днепра, сказавши своим: «Теперь уже я объявил свою вражду Ростиславичам, нельзя мне больше оставаться в Киеве». Приехавши в Чернигов, он созвал всех сыновей своих, младшую братью, собрал все силы Черниговской волости, всю дружину и стал говорить им: «Куда нам ехать? В Смоленск или в Киев?» На это отвечал ему двоюродный брат Игорь северский: «Батюшка! Лучше была бы тишина, но если уже так случилось, то дал бы только Бог тебе здоровья». Святослав тогда сказал: «Я старше Ярослава, а ты, Игорь, старше Всеволода: так я теперь вам остался вместо отца и приказываю тебе, Игорь, оставаться здесь с Ярославом оберегать Чернигов и всю волость, а я со Всеволодом пойду к Суздалю выручать сына своего Глеба, как нас там Бог рассудит со Всеволодом Юрьевичем». Святослав разделил и половцев надвое: половину взял с собою, а другую половину оставил братьи, после чего отправился в поход, взявши с собою Ярополка Ростиславича; подле устья Тверцы соединился он с сыном Владимиром и со всеми полками новгородскими (потому что Владимир княжил тогда в Новгороде), положил всю Волгу пусту, по выражению летописца, пожег все города и в сорока верстах от Переяславля Залесского, на реке Влене, встретился со Всеволодом, который вышел с полками суздальскими, рязанскими и муромскими. Прежде обыкновенно князья любили находиться в челе полков своих, любили первые врезываться в ряды неприятелей, спешили решить дело битвою, в которой видели суд Божий. Но Всеволод руководствовался другими понятиями: он выбрал для своего войска выгодное положение, огородился горами, рытвинами и, несмотря на просьбу дружины, не хотел вступить в решительную битву с южными полками, отличавшимися своею стремительностию в нападениях, тогда как северное народонаселение отличалось противоположным характером, было слабо в чистом поле и неодолимо при защите мест. Всеволод послал только рязанских князей, которые ворвались в обоз Святославов и сначала имели было успех, но потом были прогнаны с большим уроном. Уже две недели стояли таким образом неприятели друг против друга, перестреливаясь через реку; Святославу, наконец, наскучило такое положение, и он послал своих священников сказать Всеволоду: «Брат и сын! Много я тебе добра сделал и не чаял получить от тебя такой благодарности; если же ты уже задумал на меня зло, захватил сына моего, то недалеко тебе меня искать: отступи подальше от этой речки, дай мне дорогу, чтоб мне можно было к тебе переехать, и тогда нас Бог рассудит; если же ты мне не хочешь дать дороги, то я тебе дам, переезжай ты на эту сторону, и пусть нас Бог рассудит». Вместо ответа Всеволод задержал послов, отослал их во Владимир, а сам по-прежнему не двигался с места; Святослав постоял еще несколько времени и, боясь оттепели, пошел назад налегке, бросив обозы, которыми овладели полки Всеволодовы, но по приказанию князя своего не смели гнаться за удалявшимся Святославом. Последний, отпустив брата Всеволода, сына Олега, и Ярополка Ростиславича в Русь, сам с сыном Владимиром поехал в Новгород Великий.

Между тем Давыд Ростиславич, спасшись от плена, которым угрожал ему Святослав, прибежал в Белгород, к брату Рюрику; тот, услыхавши, что Киев оставлен Святославом, поехал туда и сел на столе отцовском и дедовском, но, предвидя сильную борьбу, стал набирать союзников: послал за князьями луцкими, сыновьями Ярослава, Всеволодом и Ингварем, и привел их к себе; послал за помощию к галицкому князю Ярославу, которая явилась с боярином Тудором, а брата Давыда послал в Смоленск на помощь к старшему брату Роману. Но Давыд встретил на дороге гонца, который вез ему весть о смерти Романа; Давыд со слезами продолжал путь, при въезде в Смоленск был встречен духовенством со крестами, всеми гражданами и занял братнее место. По Романе, говорит летописец, плакали все смольняне, вспоминая его доброту (добросердие), а княгиня его, стоя у гроба, причитала: «Царь мой добрый, кроткий, смиренный и правдивый! Вправду дано было тебе имя Роман, всею добродетелию похож ты был на св. Романа (т. е. св. Бориса); много досад принял ты от смольнян, но никогда не видела я, чтоб ты мстил им злом за зло». И летописец повторяет, что этот князь был необыкновенно добр и правдив. Давыд, похоронивши брата, прежде всего должен был думать о защите своей волости, потому что оставшиеся в Чернигове князья, Ярослав с Игорем, не видя ниоткуда нападения на свою волость, решились сами напасть на волость Смоленскую и пошли с половцами сначала к Друцку, где сидел союзник Ростиславичей, Глеб Рогволодович. Но если один из полоцких князей был за Ростиславичей, то большинство его родичей было против них; мы видели здесь усобицу между тремя племенами или линиями — Борисовичами, Глебовичами и Васильковичами, причем Ростиславичи смоленские деятельно помогали Борисовичам и Васильковичам; но теперь, вероятно вследствие родственной связи с Ростиславичами северными*, видим Васильковичей в союзе с черниговскими князьями против Ростиславичей смоленских. У Друцка соединились с черниговскими полками Всеслав Василькович полоцкий, брат его Брячислав витебский и некоторые другие родичи их с толпами ливов и литвы: так, вследствие союза полоцких князей с чер-

* Ярополк Ростиславич, ставши князем владимирским, женился на дочери Всеслава, князя витебского; так говорит летописец, но ошибочно, ибо Всеслав был князь полоцкий, а не витебский, витебским был брат его Брячислав; теперь Ярополк Ростиславич находился в полках Святослава черниговского, который боролся со всеми Мономаховичами, и со Всеволодом суздальским и с Ростиславичами южными; следовательно, Васильковичи, заступаясь за зятя, естественно, должны были быть в союзе с Святославом. Каким образом Витебск перешел опять от Ростиславичей смоленских к полоцким князьям — неизвестно. Имена полоцких князей, находившихся в союзе с черниговскими, суть следующие: «Василькович — Брячьслав из Витебьска, брат его Всеслав с Полочаны, с ним же бяхуть и Либь и Литва, Всеслав Микуличь из Логажеска, Андрей Володшичь и сыновець его Изяслав, и Василко Бряцьславичь».

ниговскими в одном стане очутились половцы вместе с ливами и литвою, варвары черноморские с варварами прибалтийскими. Давыд смоленский со всеми полками приехал к Глебу в Друцк и хотел дать сражение черниговским до прихода Святослава из Новгорода, но Ярослав с Игорем не смели начать битвы без Святослава, выбрали выгодное положение на берегу Davidной Дручи и стояли целую неделю, перестреливаясь с неприятелем через реку, но как скоро явился к ним Святослав, то построили гать на Друче с тем, чтоб перейти реку и ударить на Давыда: тогда последний, в свою очередь, не захотел биться и побежал в Смоленск. Святослав приступил к Друцку, пожег острог, но не стал медлить под городом и, отпустив новгородцев, сам пошел в Рогачев, а из Рогачева Днепром поплыл в Киев, тогда как Игорь с половцами дожидался его против Вышгорода.

Услыхав о приближении Святослава, Рюрик выехал из Киева в Белгород и отправил войско против половцев, которые с Игорем северским расположились станом у Долобского озера; войском начальствовал князь Мстислав Владимирович, при нем находился тысяцкий Рюриков Лазарь с младшею дружиною, Борис Захарыч, любимый воевода Мстислава Храброго, с людьми молодого княжича своего Владимира, которого отец, умирая, отдал ему на руки, и Сдеслав Жирославич — воевода Мстислава Владимировича с трипольскими полками. Половцев было много: они лежали без всякой осторожности, не расставив сторожей, надеясь на силу свою и на Игорев полк. Черные клобуки, не слушаясь приказа русских воевод, бросились на половцев, врезались в их стан, но были отброшены назад и в бегстве смяли дружину Мстиславову, которая также обратилась в бегство, а за нею и сам князь. Но лучшие люди остались: Лазарь, Борис Захарыч и Сдеслав Жирославич; не смутившись нимало, они ударили на половцев и потоптали их; много варваров перетонуло в реке Чарторые, другие были перебиты или захвачены в плен, а князь Игорь сел в лодку и переправился на восточный берег. Но Рюрик воспользовался этою победою только для того, чтоб получить выгодный мир у Святослава, у которого никак не надеялся отнять старшинство; Святославу также не хотелось еще раз выезжать из Киева, и он обрадовался предложению Рюрика, который уступал ему старшинство и Киев, а себе брал всю Русскую землю, т. е. остальные города Киевской волости. Вслед за этим был заключен мир и со Всеволодом суздальским, который возвратил Святославу сына его, Глеба; мир между Мономаховичами и Ольговичами был скреплен двойным родственным союзом: один сын Святослава, Глеб, женился на Рюриковне, другой, Мстислав, — на свояченице Всеволода (1182 г.).

Таким образом, сыну Всеволода Ольговича удалось окончательно утвердить за собою старшинство и Киев, но это старшинство имело значение только на юге; старший в племени Мономаховом не вступал с Святославом в борьбу за Киев, потому что Киев не имел уже для него прежнего значения, какое имел для отца его, Юрия; Всеволод наследовал все могущество того князя, который давал Киев из своих рук кому хотел; как много потерял Киев из своего материального значения после погрома от войск Боголюбского, ясно видно из всех описанных событий: при всех сменах и усобицах князей не слышно об участи киевлян, о сильном полку киевском, который решал судьбу Руси, судьбу князей во время борьбы Юрия Долгорукого с племянником; теперь страдательно подчиняются киевляне всем переменам, ничем не обнаруживают признаков жизни. Как силен был северный князь Всеволод и как слаб был пред ним старший князь Южной Руси, Святослав, доказательством служит следующее происшествие: в 1194 году Святослав созвал братьев своих — родного Ярослава и двоюродных Игоря и Всеволода и начал с ними советоваться, как бы пойти на рязанских князей, с которыми давно уже у Черниговских были ссоры за пограничные волости, но Ольговичи не смели прямо выступить в поход, а послали сперва ко Всеволоду суздальскому просить у него на то позволения; Всеволод не согласился, и Святослав должен был отложить поход. С Ростиславичами Святослав жил мирно, так же как видно из страха пред Всеволодом; в 1190 году грозила было вспыхнуть между ними ссора по причинам, о которых летопись говорит очень неопределенно: у Святослава, по ее словам, была тяжба с Рюриком, Давыдом и Смоленскою землею, поэтому он ездил и за Днепр сговориться с братьями, чтоб как-нибудь не потерять своих выгод, но Рюрик принял также свои меры: он переслался со Всеволодом и с братом Давыдом Смоленским, и все втроем послали сказать Святославу: «Ты, брат, нам крест целовал на Романовом ряду, который был заключен тобою, когда брат наш Роман сидел в Киеве; если стоишь на этом ряду, то ты нам брат, а если хочешь вспомнить давнишние тяжбы, которые были при Ростиславе, то ты договор нарушил, чего мы терпеть не будем; а вот тебе и крестные грамоты назад». Святослав сначала много спорил с послами и отпустил было уже их с отказом, но потом надумался, возвратил их с дороги и целовал крест на всей воле Мономаховичей.

Могущественное влияние Всеволода суздальского обнаружилось даже и в судьбах отдаленного Галича. В этом пограничном Русском княжестве в семидесятых годах XII века обнаружилось явление, подобных которому не видим в остальных волостях русских, именно важное значение бояр, пред которым никнет значение князя. Мы уже раз имели случай заметить своевольный поступок галицкого боярина Константина Серославича, который вопреки воле князя своего Ярослава увел свои полки от Мстислава Изяславича. Этот Константин играет важную роль и в смутах своего княжества. Велико, казалось, в других странах могущество Ярослава Владимировича галицкого — единовластного князя богатой и цветущей волости; вот как описывается это могущество в Слове о полку Игореве: «Ярослав Осмомысл галицкий! Высоко сидишь ты на своем златокованном столе; ты подпер горы Венгерские своими железными полками, заступил путь королю венгерскому, затворил ворота к Дунаю, отворяешь ворота к Киеву». Но этот могущественный князь окружен был людьми, которые были сильнее его, могли подчинять его волю своей. Ярослав дурно жил с женою своею, Ольгою, сестрою суздальских Юрьевичей, и держал любовницу, какую-то Настасью; в 1173 году Ольга ушла из Галича в Польшу с сыном Владимиром, известным уже нам боярином Константином Серославичем и многими другими боярами. Проживши восемь месяцев в Польше, Владимир с матерью пошел на Волынь, где думал поселиться на время, как на дороге встретил его гонец от бояр из Галича: «Ступай домой, велели они сказать ему: отца твоего мы схватили, приятелей его перебили, и враг твой Настасья в наших руках». Галичане сожгли несчастную на костре, сына ее послали в заточение, а с Ярослава взяли клятву, что будет жить с княгинею как следует. В 1187 году умер Ярослав, князь, по словам летописца, мудрый, красноречивый, богобоязливый, честный во всех землях и славный полками; когда бывала ему от кого обида, то он сам не ходил с полками, а посылал воевод; чувствуя приближение смерти, он созвал бояр, белое духовенство, монахов, нищих и говорил им со слезами: «Отцы, братья и сыновья! Вот я отхожу от этого света суетного и иду к творцу моему, согрешил я больше всех; отцы и братья! простите и отдайте». Три дня плакался он пред всеми людьми и велел раздавать имение свое по монастырям и нищим; три дня раздавали по всему Галичу и не могли всего раздать. Обратясь к боярам, умирающий князь сказал: «Я одною своею худою головою удержал Галицкую землю, а вот теперь приказываю свое место Олегу, меньшому сыну моему, а старшему, Владимиру, даю Перемышль». Этот Олег родился от Настасьи и потому был мил Ярославу, говорит летописец, а Владимир не ходил в его воле: мы видели, что он уезжал от отца вместе с матерью и возвратился вследствие торжества врагов Настасьи; Владимир вместе со всеми боярами должен был присягнуть отцу, что не будет искать под братом Галича.

Но можно ли было надеяться на эту клятву, можно ли было думать, что убийцы Настасьи будут спокойно видеть на старшем столе сына ее? И вот, едва только умер Ярослав, как сильный мятеж встал в Галицкой земле; Владимир и бояре нарушили клятву и выгнали Олега из Галича; тот принужден был бежать в Овруч к Рюрику, а Владимир сел на столе отцовском и дедовском. Но бояре скоро увидали, что ошиблись в своем выборе: Владимир, по словам летописца, любил только пить, а не любил думы думать с своими боярами; отнял у попа жену и стал жить с нею, прижил двоих сыновей; мало того, понравится ему чья-нибудь жена или дочь, брал себе насильно. В то время ближайшим соседом галицкого князя на столе владимиро-волынском сидел Роман Мстиславич, получивший в наследство от отца и деда необыкновенную деятельность, предприимчивость, неутомимость; не любил он отставать от раз предпринятого намерения и не разбирал средств при его выполнении. Роман находился в близком свойстве с Владимиром галицким: дочь его была за старшим сыном последнего*. Несмотря на то, узнавши, что бояре галицкие нехорошо живут с своим князем, Роман стал пересылаться с ними, побуждая их выгнать Владимира, на место которого предлагал им себя в князья. Многие бояре охотно согласились на его предложение, собрали полки, утвердились крестным целованием между собою, но не смели явно восстать на Владимира, схватить или убить его, потому что не все бояре были против князя, были между ними и его приятели; заговорщики придумали другое средство освободиться от Владимира, они послали сказать ему: «Князь! Мы не на тебя встали, но не хотим кланяться попадье, хотим ее убить; а ты где хочешь, там и возьми жену». Они надеялись, что он никак не отпустит попадьи и потому грозились убить ее, чтоб тем скорее прогнать его самого, в чем и не ошиблись: Владимир, опасаясь, чтобы и его любовницу не постигла та же участь, какая постигла Настасью, забрал много золота и серебра, жену, двоих сыновей, дружину и поехал в Венгрию.

Мы оставили эту страну под властию короля Гейзы II, зятя и союзника Изяславова; самым опасным врагом Гейзы был

---

* За каким — неизвестно. Летопись упоминает только о двоих сыновьях Владимира, прижитых им от попадьи; если Романовна была за старшим из них, то выходит, что Владимир стал жить с их матерью давно уже, еще при жизни отца своего Ярослава. По рассказу Татищева выходит так.

знаменитый греческий император Мануил Комнин — последний из великих государей, сидевших на престоле византийском; вмешательство Гейзы в дела Сербии дали Мануилу повод враждебно выступить против венгров с целью распространить пределы империи за их счет; сначала он поддерживал против Гейзы известного уже нам Бориса, сына дочери Мономаховой, а потом, когда Борис пал в битве, стал поддерживать родных братьев Гейзы, Стефана и Владислава, нашедших убежище при дворе византийском. Гейза умер в 1161 году, оставив престол двенадцатилетнему сыну своему Стефану III, малолетство короля дало Мануилу полную возможность к осуществлению своих честолюбивых планов относительно Венгрии, и немедленно выступил он с большим войском и обоими князьями, Стефаном и Владиславом, к границам этой страны, послав сказать ее вельможам, что по старому обычаю престол должен переходить не к сыну, а к брату умершего короля и что потому они должны возвести на престол Стефана, брата покойного Гейзы; венгры велели ему отвечать на это, что они не знают ни о каком подобном обычае в своем отечестве, где с незапамятных пор наследует корону старший сын, а не брат умершего короля; они не могут, следовательно, принять к себе в короли герцога Стефана-старшего; не примут его уже и потому, что не хотят иметь королем подручника императорского. Несмотря, однако, на этот смелый ответ, деньги и обещания Мануила произвели свое действие и многие из вельмож отстали от молодого Стефана, который и принужден был уступить престол дяде своему, не Стефану, впрочем, а младшему, Владиславу. Владислав через полгода умер, тогда брату его, Стефану, удалось захватить престол, но ненадолго, ибо когда в Венгрии узнали, что он обещал Мануилу в награду за помощь отдать Сирмию, то почти все перешли на сторону племянника его, который вследствие этого и утвердился окончательно на престоле. Тогда Мануил, видя всеобщее нерасположение венгров к Стефану-дяде, объявил, что признает королем племянника; мало того, не имея сыновей, выдает дочь свою за Белу, младшего брата

Стефана III, и назначает его наследником своего престола с тем только условием, чтоб он был воспитан в Константинополе и удержал за собою Сирмию как полученный от отца удел. Король и вельможи согласились на предложение, и молодой Бела отправился в Константинополь, где получил имя Алексея, был обручен с дочерью императора, провозглашен наследником престола, как вдруг неожиданное обстоятельство переменило совершенно ход дела: у Мануила от второй жены его родился сын. Обрадованный император велел немедленно короновать младенца и отнял у Белы не только надежду на престол, но даже невесту, свою дочь, и обручил его на свояченице. Но в это время умер брат Белы, король венгерский, двадцатичетырехлетний Стефан III, как говорят, отравленный братом (1173 г.); Бела поспешил в Венгрию, но застал там уже три партии: одна хотела иметь его королем; другая, состоящая преимущественно из высшего духовенства, боясь, чтоб воспитанный в Константинополе Бела не стал действовать под влиянием императора и враждовать к католицизму, хотела ждать разрешения от бремени жены Стефана III, третья, наконец, стояла за младшего брата Белы — в челе этой партии находилась старая вдовствующая королева — жена Гейзы II, Евфросинья Мстиславовна, которой хотелось видеть на престоле младшего, любимого сына. Долго боролся Бела III с двумя враждебными партиями, наконец осилил их.

Более десяти лет Бела спокойно правил Венгриею, как явился к нему галицкий изгнанник Владимир с просьбой о помощи; спокойствие внутри и вне давали Беле полную возможность вмешаться в галицкие дела, и он пошел к Галичу со всеми своими полками. Роман, севший было здесь на столе, не видал средств противиться войскам Белы и, захватив остаток княжеской казны, убежал назад на Волынь, но и Владимир не получил отцовского стола, потому что Бела, устроивши галичанам все их дела, счел полезнее для себя и для них дать им в князья сына своего, Андрея, а Владимира повел опять в Венгрию неволею, отнял у него все имение и посадил в башню, он взял также с собою в Венгрию сыновей или братьев лучших бояр, чтоб иметь ручательство в верности последних. Между тем Роман с теми из галицких бояр, которые перезвали его к себе, скитался по разным странам, ища волости. Отъезжая княжить в Галич, он отдал Владимир брату своему, Всеволоду, сказавши ему: «Больше мне не нужно этого города». Теперь, убегая пред венграми из Галича, он приехал было назад во Владимир, но уже не был впущен сюда братом; тогда он поехал в Польшу искать там помощи, а жену свою отправил в Овруч к отцу ее, Рюрику Ростиславичу. Не получивши от польских князей никакой помощи, он и сам отправился к тестю Рюрику вместе с преданными ему галицкими боярами. Приехавши к тестю, он стал проситься у него опять на Галич: «Галичане зовут меня к себе на княжение, — говорил он ему, — отпусти со мной сына своего, Ростислава». Рюрик согласился, и Роман отправил передовой отряд свой, чтоб занять один из пограничных городов, Плеснеск, но отряд этот был разбит наголову венграми и галичанами. Роман, услыхав об этом несчастии, отпустил шурина Ростислава домой, а сам опять поехал в Польшу. На этот раз он был здесь счастливее, получил помощь и пошел с нею на брата Всеволода ко Владимиру, но Всеволод в другой раз не пустил его, и Роман опять отправился к тестю; тот дал ему пока волость — Торческ, а между тем послал ко Всеволоду с угрозами, которые подействовали, и Роман получил опять Владимир, а Всеволод отправился в свою прежнюю волость Бельз.

Романа звали опять в Галич, следовательно, были там люди, недовольные венгерским королевичем; с другой стороны, Бела не мог думать, чтобы русские князья спокойно стали смотреть на владычество иноземца в старинной русской волости, вот почему он спешил обещаниями склонить на свою сторону Святослава киевского. В 1189 году он прислал сказать ему: «Брат! Присылай сына своего ко мне: хочу исполнить свое обещание, в чем тебе крест целовал». Тогда Святослав тайком от Рюрика отправил к королю сына своего, Глеба, думая, что Бела даст ему Галич*. Рюрик, узнавши об этом, послал сказать Святославу: «Ты отправил сына своего к королю, не спросившись со мною, так ты уговор наш нарушил»**. Начались сильные споры между князьями; однако дело не дошло до ссоры; Святослав послал сказать Рюрику: «Брат и сват! Ведь я сына своего посылал не на тебя поднимать короля, а за своими делами; если хочешь идти на Галич, так я также готов с тобою идти». Особенно помогал прекращению спора митрополит, которому очень не нравилось, что католик владеет Галичем; он говорил и Святославу и Рюрику: «Иноплеменники отняли вашу отчину, надобно б вам потрудиться возвратить ее опять себе». Князья послушались и отправились вместе добывать Галич — Святослав с сыновьями, а Рюрик с братьями, но прежде чем добыли волость, стали рядиться насчет ее и опять поссорились: Святослав отдавал Галич Рюрику, а себе хотел взять всю русскую землю около Киева, но Рюрик не хотел лишиться своей отчины и променять старое, верное, на новое и неверное, а хотел поделиться Галичем с Святославом; на это не соглашался последний, и, таким образом, сваты разошлись по домам, ничего не сделавши.

Потерявши надежду получить помощь от кого-либо из сильных русских князей, недовольные королевичем галичане обратились к потомку своих родных князей — Ростиславичей, Ростиславу Ивановичу, сыну знаменитого Берладника. Ростислав, безземельный князь, подобно отцу, жил в это время у смоленского князя Давыда Ростиславича; получивши приглашение, он отправился немедленно к галицким пределам, захватил два пограничных города и оттуда поехал к самому Галичу. Тамошние бояре не все одинаково ему благоприятствовали: некоторые из них крепко держались за королевича, потому что сыновья их и братья находились у Белы,

---

* Из этого видно, что король обещал поделиться со Святославом, и последний мог думать, что Бела уступит ему Галич, а сам возьмет Перемышль или другие какие-нибудь волости.

** Стало быть, у них был договор действовать заодно относительно Галича.

который в это время прислал на помощь сыну большое войско, боясь враждебных покушений со стороны русских князей. Королевич и венгерские воеводы, услыхавши о приходе Ростислава, вызванного галицкими боярами, собрали последних и начали приводить их к кресту: правые целовали охотно, ничего за собою не зная, а виноватые — по нужде, боясь венгров. Между тем Ростислав с малою дружиною подошел к галицким полкам в надежде, что те по обещанию своему тотчас перейдут на его сторону, как только завидят его полк; и, точно, несколько галицких бояр приехало к нему, но они бросили его, как только увидали, что остальные не трогаются. Тогда дружина сказала Ростиславу: «Видишь, что они тебя обманули; поезжай прочь!» «Нет, братья! — отвечал Ростислав, — вы знаете, на чем они мне целовали крест; если же теперь ищут головы моей, то Бог им судья и тот крест, что мне целовали, а уже мне наскучило скитаться на чужой земле, хочу голову положить на своей отчине». Сказавши это, он бросился в середину галицких и венгерских полков; те обхватили его со всех сторон, сбили с лошади и полумертвого от ран понесли в Галич; в городе встало смятение, жители начали толковать, как бы отнять Ростислава у венгров и провозгласить его своим князем; тогда венгры нашли средство покончить дело: они приложили яду к ранам Ростиславовым, и желание Берладникова сына исполнилось: он лег на отчине подле своих предков.

Удостоверившись при этом случае, что галичане хотят русского князя, венгры начали мстить им насилиями: стали отнимать у них жен и дочерей и брать себе в наложницы, начали ставить лошадей своих в церквах и избах; встужили тогда галичане и сильно раскаялись, что прогнали своего князя Владимира. И вот пронесся слух, что Владимиру удалось убежать из венгерской неволи (1190 г.): на башне ему поставлен был шатер; он изрезал полотно, свил из него веревку и спустился по ней на землю; двое сторожей было подкуплено, они довели его до Немецкой земли, к императору Фридриху Барбароссе, который, узнавши, что Владимир родной племянник по матери князю Всеволоду суздальскому, принял его с любовию и большою честию, и когда Владимир обещал ему давать ежегодно по две тысячи гривен серебра, то Фридрих отправил его при своем после к польскому князю Казимиру с приказом, чтоб тот помог ему получить обратно галицкий стол; Казимир послушался и отправил с Владимиром к Галичу воеводу своего, Николая. Когда галичане узнали о приближении своего *дедича* с польскими войсками, то с радостию вышли к нему навстречу, провозгласили князем своим, а королевича прогнали из земли. Но Владимир не считал себя безопасным от соседних князей, иноземных и русских, до тех пор, пока не приобретет покровительства дяди своего, сильного князя суздальского, и потому послал к нему с следующими словами: «Отец и господин! Удержи Галич подо мною, а я Божий и твой со всем Галичем и в твоей воле всегда». Всеволод отправил послов ко всем русским князьям и в Польшу и взял со всех присягу не искать Галича под его племянником. И с тех пор, говорит летописец, Владимир утвердился в Галиче и никто не поднимался на него войною.

Влияние северного князя на дела Южной Руси еще более обозначилось по смерти Святослава Всеволодовича (1194 г.), оставившего по себе в летописи память мудрого князя. Преемником его в Киеве был Рюрик Ростиславич, которого на Руси приняли с большою радостию, и киевляне, и христиане, и поганые, потому что, говорит летописец, он всех принимал с любовию, и христиан и поганых, и не отгонял от себя никого. Севши в Киеве, Рюрик послал сказать брату своему Давыду в Смоленск: «Брат! Мы теперь остались старше всех в Русской земле; приезжай ко мне в Киев, повидаемся и подумаем, погадаем вместе о Русской земле, о братьях, о Владимировом племени и покончим все дела». Но этот князь, считавший себя старшим в Русской земле, получил старшинство по воле другого князя, старейшего и сильнейшего князя Суздальской земли: Всеволод, говорит северный летописец, послал мужей своих в Киев, и те посадили там Рюрика Ростиславича. Давыд смоленский согласился на предложение брата и поплыл к нему вниз по Днепру; в Вышгороде свиделись братья и стали пировать: сперва Рюрик позвал на обед Давыда; князья повеселились, обдарили друг друга и расстались в большой любви; потом позвал Давыда к себе в Белгород племянник его, Ростислав Рюрикович, — здесь было также большое веселье. Давыд отплатил также угощениями и дарами: сперва позвал на обед брата Рюрика и племянников; потом позвал на обед монахов из всех монастырей, роздал им и нищим большую милостыню; наконец, позвал черных клобуков, напоил их всех и одарил богато. Киевляне с своей стороны позвали Давыда на обед и обдарили, и Давыд отблагодарил их веселым пиром. Пируя, братья занимались и делом: покончили все ряды о Русской земле, о братье своей, о Владимировом племени, после чего Давыд отправился назад в Смоленск. Но Ростиславичи скоро увидали, что им не приходилось оканчивать всех рядов своих о Русской земле без ведома князя суздальского; в Киев приехали послы из Владимира и сказали Рюрику от имени своего князя: «Вы назвали меня старшим в своем Владимировом племени; теперь ты сел в Киеве, а мне не дал никакой части в Русской земле, роздал другим, младшей братье; ну если мне в ней нет части, то как ты там себе хочешь: кому дал в ней часть, с тем ее и стереги; посмотрю, как ты ее с ним удержишь, а мне не надобно». По словам владимирских послов выходило, что князь их сердился на Рюрика за то, что он отдал лучшую волость зятю своему, Роману волынскому, именно пять городов: Торческ, Треполь, Корсунь, Богуслав, Канев, лежащих на реке Роси, по границе с степью, в стране, населенной черными клобуками, игравшими такую важную роль в усобицах княжеских. Рюрик начал думать с боярами, как бы уладить дело; ему никак не хотелось брать назад волость у Романа, потому что он поклялся ему не давать ее никому другому; он предлагал Всеволоду другие города, но тот не хотел ничего, кроме Поросья, и грозился начать войну в случае отказа. В таких затруднительных обстоятельствах Рюрик обратился к митрополиту Никифору и рассказал ему все дело, как он целовал крест Роману не отнимать у него Поросья, как не хочет нарушить клятвы и из-за этого начинается у него война со Всеволодом. Митрополит отвечал: «Князь! Мы приставлены от Бога в Русской земле удерживать вас от кровопролития; если станет проливаться христианская кровь в Русской земле из-за того, что ты дал волость младшему, обойдя старшего, и крест целовал, то я снимаю с тебя крестное целование и беру его на себя, а ты послушайся меня: возьми волость у зятя и отдай ее старшему, а Роману дай вместо нее другую». Рюрик послал сказать Роману: «Всеволод просит под тобою волости и жалуется на меня из-за тебя». Роман отвечал: «Батюшка! Нечего тебе из-за меня начинать ссору с сватом: ты мне можешь или другую волость дать вместо прежней, или заплатить за нее деньгами». Рюрик, подумав с братьею и боярами, послал сказать Всеволоду: «Ты жаловался на меня, брат, за волость; так вот тебе та самая, которую просил».

Нельзя думать, чтоб одно только наследственное нерасположение Всеволода к Изяславовым потомкам заставляло его требовать именно той волости, которая была отдана Роману: Юрий мог ненавидеть деда Романова Изяслава, потому что тот отнимал у него старшинство; Андрей Боголюбский мог не любить отца Романова, Мстислава, потому что и этот не признавал его старшинства, хотел сидеть в Киеве старшим и независимым князем, но Всеволоду не за что было сердиться на Романа, который не предъявлял никаких притязаний: Всеволод был признан ото всех и старшим и сильнейшим князем. Он мог желать волости для приобретения большей материальной силы на Руси, но почему же он требовал именно Поросья? Он мог придавать большое значение этой пограничной волости и поселенным в ней черным клобукам, но после он не обратил большого внимания, когда Рюрик отобрал ее у него назад. Всеволод мог не желать усиления Романа, обнаружившего уже в галицких событиях предприимчивость и честолюбие, но все равно Рюрик дал бы ему другую волость, равнозначительную, или деньги, на которые можно было нанять половцев и переманить черных клобуков. Наконец, Всеволод мог оскорбляться, что Рюрик, распоряжаясь волостями, не сделал ему чести, обошел волостию, но такое притязание было странно в положении Всеволода; он был признан старшим, Киев принадлежал ему, он мог приехать в этот город и распоряжаться всеми окружными волостями, но он, по примеру брата, пренебрег Киевом, отдал его младшему, а теперь оскорбляется, что этот младший не наделил его волостью! Если все эти расчеты и могли в какой-нибудь мере иметь влияние на поведение Всеволода, то главным, однако, побуждением его мы должны принять желание поссорить южных Мономаховичей, тесный дружественный союз которых необходимо уменьшал влияние северного князя на юге. Получив от Рюрика требуемую волость, Всеволод немедленно отдал лучший город Торческ сыну его, а своему зятю Ростиславу, а в остальные четыре города послал своих посадников. Расчет был верен, ибо когда Роман узнал, что Торческ взят у него и через руки Всеволода передан Рюрикову же сыну, то начал посылать к тестю с жалобами, будучи уверен, что тот сговорился нарочно со Всеволодом и отнял у него волость для того только, чтоб передать ее своему сыну. Рюрик послал отвечать ему на его жалобы: «Я прежде всех дал тебе эту волость, как вдруг Всеволод наслал на меня с жалобами, что чести на него не положили прежде всех; ведь я тебе объявлял все его речи, и ты добровольно отступился от волости; сам знаешь, что нам нельзя было не сделать по его, нам без него нельзя быть: вся братья положила на нем старшинство во Владимировом племени; а ты мне сын свой, вот тебе и волость, такая же, как та». Но Романа нельзя уже было успокоить и уверить, что тут не было никакого злого умысла против него; он начал советоваться с своими боярами, как бы отомстить за обиду, и придумали послать в Чернигов, к Ярославу Всеволодовичу, уступить ему старшинство и звать в Киев на Рюрика; Ярослав обрадовался случаю и принял предложение. Тогда Рюрик послал объявить Всеволоду о замыслах Романа и Ольговичей: «Ты, брат, во Владимировом племени старше всех нас, — велел он сказать ему, — так думай, гадай о Русской земле, о своей части и о нашей», а к зятю Роману послал бояр своих обличить его и бросить пред ним крестные грамоты. Роман испугался, увидев, что тесть узнал о его сношениях с Ольговичами, и, не будучи приготовлен так скоро начать войну, отправился в Польшу за помощью.

Мы оставили польские события после изгнания Владислава II, когда старшинство принял брат его Болеслав IV Кудрявый (1142 г.). Изгнанник Владислав после неудачных попыток получить опять старшинство умер в Германии, но три сына его — Болеслав, Мечислав и Конрад, — вероятно, по настоянию императора возвратились в отечество и получили Силезию. По смерти Болеслава IV Кудрявого старшинство перешло к брату его, третьему Болеславичу, Мечиславу III, но Мечислав скоро возбудил против себя негодование вельмож, которые, изгнав его, провозгласили великим князем последнего из Болеславичей, Казимира Справедливого (четвертый Болеславич, Генрих, умер прежде). Мы видели участие, какое принимал Казимир и знаменитый палатин его, Николай, при восстановлении Владимира Ярославича на столе галицком. По смерти Казимира (1194 г.) рождался вопрос: кому должно достаться старшинство, потому что жив еще один из Болеславичей, прежде лишенный старшинства, Мечислав Старый. Мечиславу нельзя было надеяться вторично занять краковский стол: прежнее нерасположение к нему было еще живо в вельможах, которым, сверх того, было гораздо выгоднее иметь князем несовершеннолетнего племянника, чем старого дядю, и вот прелаты и вельможи, собранные в Кракове, решили передать старший стол Лешку, малолетнему сыну Казимира Справедливого. Но Мечислав не думал отказываться от своих прав и стал готовиться к войне с племянниками. В это самое время явился к последним в Краков Роман волынский с просьбой о помощи против тестя Рюрика; он имел право надеяться на помощь, потому что вдова Казимирова, Елена, была ему родная племянница от брата Всеволода Мстиславича бельзского. Казимировичи отвечали Роману: «Мы бы рады были тебе помочь, но обижает нас дядя Межко (Мечислав), ищет под нами волости; прежде помоги ты нам, а когда будем все мы поляки за одним щитом, то пойдем мстить за твои обиды». Роман послушался и поехал на Межка с Казимировичами; тот не хотел биться с Романом, но прислал к нему с просьбою быть посредником в споре между ним и племянниками. Роман не послушался ни его, ни бояр своих и вступил в битву, в которой потерпел сильное поражение, и раненный убежал в Краков к Казимировичам, откуда дружина принесла его во Владимир-Волынский. Видя над собою такую беду, он отправил посла к тестю Рюрику с поклонами и мольбою, чтоб простил его, послал просить и митрополита Никифора, чтоб тот ходатайствовал за него пред Рюриком. Митрополит исполнил просьбу, и Рюрик, послушавшись его, созвал бояр и сказал им: «Если Роман просит и раскаивается в своей вине, то я его приму, приведу ко кресту и волость дам; если он устоит в крестном целовании, будет вправду иметь меня отцом и добра моего хотеть, то я буду иметь его сыном, как прежде имел и добра ему хотел». И действительно, Рюрик послал сказать Роману, что перестал на него сердиться, привел его к кресту на всей своей воле и дал ему волость.

Роман был смирён, но нельзя было забыть, что он предлагал старшинство и Киев Ярославу черниговскому и тот принял предложение; вот почему Рюрик, переславшись с сватом Всеволодом и братом Давыдом, послал сказать Ярославу и всем Ольговичам от имени всех Мономаховичей: «Целуй нам крест со всею своею братьею, что не искать вам нашей отчины, Киева и Смоленска, под нами и под нашими детьми и под всем нашим Владимировым племенем: дед наш Ярослав разделил нас по Днепр, потому и Киева вам не надобно»*.

* Здесь явная неправда: Днепром Ярослав никогда не делил Всеволодовичей от Святославичей: и Святославу и Всеволоду он дал волости по одной восточной стороне Днепра. Здесь любопытно, впрочем, то, что Мономаховичи требуют от Ольговичей, чтоб те не искали под ними Смоленска, — новое доказательство отсутствия отчинности, ибо какое право могли иметь Ольговичи на Смоленск? Но если Мономаховичи хотели делиться Днепром, то необходимо должны были отдать Переяславль Ольговичам, и точно, об этом городе они не упоминают, тогда как этот город и был именно их отчина по Ярославову делению.

Ольговичи обиделись таким предложением и послали сказать Всеволоду: «У нас был уговор не искать Киева под тобою* и под сватом твоим, Рюриком, мы и стоим в этом договоре, но если ты приказываешь нам отказаться от Киева навсегда, то мы не венгры и не ляхи, а внуки одного деда: при вашей жизни мы не ищем Киева, но после вас кому Бог его даст». И были между ними распри многие и речи крупные, и не уладились, говорит летописец. Всеволод хотел тою же зимою идти на Чернигов, Ольговичи испугались и послали к нему игумена с поклоном и обещанием исполнить его волю; тот поверил им и сошел с коня. В то же время черниговские послы явились и к Рюрику с следующими словами от своих князей: «Брат! У нас с тобою не было никогда ссоры, мы этой зимой еще не успели заключить окончательного договора ни со Всеволодом, ни с тобою, ни с братом твоим, Давыдом, а так как ты ближе всех к нам, то целуй крест не начинать с нами войны до тех пор, пока мы кончим переговоры со Всеволодом и Давыдом». Рюрик, посоветовавшись с боярами, принял предложение Ярослава, отправил в Чернигов своего посла и взялся хлопотать о том, чтоб помирить с Ольговичами Всеволода и Давыда; при этом Рюрик обещал Ярославу уступить ему Витебск и отправил в Смоленск посла объявить об этой уступке брату своему, Давыду, после чего, надеясь на мир, распустил по домам дружину, братьев, сыновей, половцев, богато одаривши их, а сам отправился в Овруч по своим делам. Но Ярослав, не дождавшись окончания переговоров о Витебске, послал племянника своего, Олега Святославича, захватить этот город, где сидел один из полоцких князей, зять Давыда смоленского. Последний, ничего еще не зная о сделке Рюрика с Ярославом и слыша, что отряд Ольговичей, не доехавши до Витебска, стал пустошить Смоленскую область, выслал против него войско под начальством племянника своего Мстислава Романовича. Мстислав ударил на Олега, потоптал его стяги, изрубил

---

* Вот доказательство, что Киев принадлежал Всеволоду как старшему и уже из его рук был отдан Рюрику.

его сына. Но в то время как Мстислав получил успех на одной стороне, смоленский тысяцкий Михалко потерпел поражение от полочан — союзников черниговского князя; Мстислав, возвращаясь с преследования побежденного Олега, встретил победителей полочан; думая, что это свои, спокойно въехал в ряды их и был взят в плен; тогда обрадованный Олег Святославич послал весть к дяде в Чернигов, приписывая себе весь успех дела: «Мстислава я взял в плен и полк его победил и Давыдов полк смоленский, а пленные смольняне сказывают мне, что братья их не в ладу живут с Давыдом; такого, батюшка, удобного времени уже больше не будет; собравши братью, поезжай поскорее, возьмем честь свою». Ярослав и все Ольговичи обрадовались, помчались к Смоленску, но перехвачены были на дороге послом Рюриковым, который сказал Ярославу от своего князя: «Если ты, обрадовавшись случаю, поехал убить моего брата, то нарушил наш договор и крестное целование, и вот тебе твои крестные грамоты; ступай к Смоленску, а я пойду к Чернигову, и как нас Бог рассудит да крест честный». Ярослав испугался, возвратился в Чернигов и отправил своего посла к Рюрику, оправдывая себя, обвиняя Давыда, зачем помогает зятю своему. Рюрик отвечал ему на это: «Я тебе Витебск уступил и посла отправил к брату Давыду, давая ему знать об этой уступке; ты, не дождавшись конца делу, послал своих племянников к Витебску, а они, идучи, стали воевать Смоленскую волость: Давыд и послал на них племянника своего Мстислава». Долго спорили и не могли уладиться.

В 1196 году Рюрик послал сказать свату своему Всеволоду суздальскому: «Мы уговорились садиться всем на коней с рождества Христова и съехаться в Чернигове: я и собрался с братьею, дружиною, с дикими половцами и сидел наготове, дожидаясь от тебя вести, но ты той зимой не сел на коня, поверил Ольговичам, что станут на всей нашей воле; я, услыхав, что ты на коня не садишься, распустил братью, диких половцев и поцеловал с черниговским Ярославом крест, что не воевать до тех пор, пока или уладимся все, или не уладимся, а теперь, брат, и твой и мой сын Мстислав сидят в плену у Ольговичей: так не мешкая сел бы ты на коня, и, съехавшись все, помстили бы мы за свою обиду и срам, а племянника своего выстояли и правду свою нашли». Долго не было вести от Всеволода; наконец он прислал сказать Рюрику: «Ты начинай, а я буду готов». Рюрик собрал братью свою, диких половцев и стал воевать с Ольговичами, тогда Ярослав прислал сказать ему: «Зачем, брат, стал ты воевать мою волость и поганым руки наполнять? Из-за чего нам с тобою ссориться: разве я ищу под тобою Киева? А что Давыд послал на моих племянников Мстислава, а Бог нас там рассудил, то я выдаю тебе Мстислава без выкупа, по любви. Целуй со мною крест да и с Давыдом меня помири, а Всеволод захочет с нами уладиться — уладимся, а тебе с братом Давыдом нет до того дела». Рюрик отвечал ему: «Если вправду хочешь мира, то дай мне путь через твою волость: я отправлю посла и ко Всеволоду и к Давыду и, согласившись все, уладимся с тобою». Рюрик, по словам летописца, точно, хотел отправить посла для того только, чтоб устроить общий мир, но Ярослав не верил Рюриковым речам: он думал, что Мономаховичи хотят сговориться на него и потому не пускал Рюриковых послов через свою волость; Ольговичи заняли все пути, и целое лето до самой осени продолжалась война набегами. Осенью Ольговичи приобрели себе союзника: Роман волынский, принужденный в беде прибегнуть к милости тестя, теперь оправился и хотел воспользоваться случаем, чтоб отомстить за прежнее унижение; он послал отряд своих людей в пограничный город Полонный и велел им оттуда опустошать Киевскую волость набегами. Услыхав об этом новом враге, Рюрик обратился к князю, которого мог считать естественным союзником своим по вражде к Роману, именно к Владимиру Ярославичу, князю галицкому, и послал к нему племянника своего, Мстислава Мстиславича, сына знаменитого Мстислава Ростиславича, соперника Андреева. Мстислав должен был сказать Владимиру от имени Рюрика: «Зять мой нарушил договор и воевал мою волость, так ты, брат, с племянником моим из Галича воюйте его волость; я и сам хотел идти ко Владимиру (Волынскому), да пришла мне весть, что сват мой Всеволод сел на коня, соединился с братом моим Давыдом и вместе жгут волость Ольговичей, города вятичей взяли и пожгли: так я сижу наготове, дожидаясь вести верной». Владимир поехал с Мстиславом, повоевал и пожег волость Романову, а с другой стороны повоевал и пожег ее Ростислав Рюрикович с Владимировичами (сыновьями Владимира Мстиславича) и с черными клобуками, набрали много рабов и скота.

Весть, полученная Рюриком о движении Всеволода и Давыда, была справедлива: они действительно вступили в землю Ольговичей и пожгли ее. Услыхав об этом, Ярослав собрал братью, посадил двоих Святославичей, Олега и Глеба, в Чернигове, укрепил остальные города, боясь Рюрикова прихода, а сам с остальными родичами и половцами отправился против Всеволода и Давыда; он стал под своими лесами, огородился засеками, на реках велел мосты разобрать и, приготовившись таким образом, послал сказать Всеволоду: «Брат и сват! Отчину нашу и хлеб наш ты взял; если хочешь мириться с нами и жить в любви, то мы любви не бегаем и на всей воле твоей станем, а если ты замыслил что другое, и от того не бегаем, как нас Бог рассудит с вами и св. Спас». Всеволод был не охотник до решительных битв — этих судов Божиих, по понятиям южных князей; притом же Ольговичи обещали без битвы стать на всей его воле; он начал думать с Давыдом, рязанскими князьями, боярами, на каких бы условиях помириться с Ольговичами? Давыд никак не хотел мира, но требовал непременно, чтоб Всеволод шел к Чернигову, он говорил ему: «Ты уговорился с братом Рюриком и со мною сойтись всем в Чернигове и там мириться на всей нашей воле, а теперь ты не дал знать Рюрику о своем приходе; он воюет с ними, волость свою пожег для тебя, а мы без его совета и ведома хотим мириться; как хочешь, брат, а я только тебе то скажу, что такой мир не понравится брату моему». Но Всеволоду не понравились речи Давыдовы и рязанских князей; он начал переговоры с Ольговичами, требуя у них, во-первых, отречения от Киева и Смоленска, во-вторых, освобождения Мстислава Романовича, в-третьих, изгнания давнего врага своего, Ярополка Ростиславича, который жил тогда в Чернигове, в-четвертых, прекращения связи с Романом волынским. Ярослав соглашался на три первые требования, но не хотел отступать от Романа, который оказал ему такую важную услугу, нападши на тестя и отвлекши его от похода на Чернигов. Всеволод не настаивал и тем подтвердил подозрение, что хотел продолжения беспокойств на юге, не хотел окончательного усиления здесь Ростиславичей. Помирившись с Ярославом, он послал сказать Рюрику: «Я помирился с Ярославом, он целовал крест, что не будет искать Киева под тобою, а Смоленска — под братом твоим». Рюрик сильно рассердился и послал ему такой ответ: «Сват! Ты клялся, что кто мне враг, тот и тебе враг; просил ты у меня части в Русской земле, и я дал тебе волость лучшую, не от изобилья, но отнявши у братьи своей и у зятя своего Романа; Роман после этого стал моим врагом не из-за кого другого, как только из-за тебя, ты обещал сесть на коня и помочь мне, но перевел все лето и зиму, а теперь и сел на коня, но как помог? Сам помирился, заключил договор, какой хотел, а мое дело с Романом оставил на волю Ярославову: Ярослав будет нас с ним рядить? А из-за кого же все дело-то стало? Для чего я тебя и на коня-то посадил? От Ольговичей мне какая обида была? Они подо мною Киев не искали; для твоего добра я был с ними недобр и воевал, и волость свою пожег; ничего ты не исполнил, о чем уговаривался, на чем мне крест целовал». В сердцах Рюрик отнял у Всеволода все города, которые прежде дал, и роздал опять своей братье. Всеволод, по-видимому, оставил это без внимания, но уже, разумеется, не мог после этого желать добра Рюрику. На западном берегу Днепра Всеволод потерял волость, но на восточном продолжал держать в своем племени Переяславль Южный, или Русский, — здесь по смерти Владимира Глебовича сидел другой племянник Всеволодов, Ярослав Мстиславич, ходивший совершенно по воле дяди; доказательством служит то, что Переяславль даже и в церковном отношении зависел от Всеволода: в 1197 году он послал туда епископа. В следующем, 1198 году умер Ярослав Мстиславич, и на его место Всеволод отправил в Переяславль сына своего, Ярослава (1201 г.); Всеволод послал также (1194 г.) возобновить отцовский Городок на Остре, разрушенный еще Изяславом Мстиславичем.

Недаром Рюрик так беспокоился насчет отношений обоих к волынскому князю: скоро (1198 г.) могущество последнего удвоилось, потому что по смерти Владимира Ярославича ему удалось опять с помощью поляков сесть на столе галицком и на этот раз уже утвердиться здесь окончательно. Летопись ничего не говорит, почему через три года после этого (1201 г.) Рюрик собрался идти на Романа. Очень естественно, что киевскому князю не нравилось утверждение Романа в Галиче, но почему же он так долго медлил походом на зятя? Под 1197 годом летопись говорит о смерти брата Романова, Давыда смоленского, который по обычаю передал стол свой племяннику от старшего брата, Мстиславу Романовичу, а своего сына Константина отослал старшему брату Рюрику на руки. В 1198 г. умер Ярослав черниговский, и его стол по тому же обычаю занял двоюродный брат его Игорь Святославич северский, знаменитый герой Слова о полку, но скоро и он умер (1202 г.), оставя черниговский стол старшему племяннику Всеволоду Святославичу Чермному, внуку Всеволода Ольговича. Все эти перемены и особенно, как видно, неуверенность в Ольговичах могли мешать Рюрику вооружиться на Романа, но в 1202 году он успел уговорить Всеволода Чермного черниговского действовать с ним заодно против галицко-волынского князя; Ольговичи явились в Киев как союзники тамошнего князя, Мономаховича, чего давно уже не бывало, но Роман предупредил врагов, собрал полки галицкие и владимирские и въехал в Русскую землю; произошло любопытное явление, напомнившее время борьбы деда Романова, Изяслава, с дядею Юрием: или Рюрик не умел приобресть народного расположения, или жива была память и привязанность к деду и отцу Романову, или, наконец, Роман успел переманить черных клобуков на свою сторону обещаниями, или, наконец, все эти причины действовали вместе — Русь (Киевская область) поднялась против Рюрика, все бросилось к Роману: первые отъехали к нему от Рюрика сыновья Владимира Мстиславича, как видно, безземельные, подобно отцу, за ними приехали все черные клобуки, наконец, явились отряды из жителей всех киевских городов; Роман, видя это всеобщее движение в свою пользу, со всеми полками спешил к Киеву; киевляне отворили ему Подольские ворота, и он занял Подол, тогда как Рюрик с Ольговичами стояли в верхней части города (на горе); видя все против себя, они, разумеется, не могли более держаться в Киеве и вступили в переговоры с Романом: Рюрик отказался от Киева и поехал в Овруч, Ольговичи отправились за Днепр в Чернигов, а Киев отдан был великим князем Всеволодом и Романом двоюродному брату последнего Ингварю Ярославичу луцкому. Явление замечательное, бывшее необходимым следствием преобладания сильнейшего северного князя и вместе старшего в роде, который перестал жить в Киеве: Всеволод, враждуя с Рюриком, не хочет поддерживать его против Романа и, по уговору с последним, отдает Киев младшему из Мстиславичей, не имевшему никакого права даже пред Романом, не только пред Рюриком. Сам Роман не мог сесть в Киеве: очень вероятно, что и Всеволод не хотел позволить этого, не хотел допустить соединения Киевской, Владимиро-Волынской и Галицкой волостей в руках одного князя и особенно в руках такого князя, каков был Роман; а с другой стороны, и сам Роман не искал чести сидеть в Киеве: его присутствие было необходимо в новоприобретенном Галиче.

Но Рюрик не хотел спокойно перенести своего изгнания и видеть в Киеве племянника: в следующем (1203) году он опять соединился с Ольговичами, нанял множество половцев и взял с ними Киев. Как видно, союзники, не имея чем заплатить варварам, обещали отдать им Киев на разграбление: Рюрику нечего было жалеть киевлян, которые отворили ворота Роману: и вот половцы рассыпались по городу, пожгли не только Подол, но и Гору, ограбили Софийский собор, Десятинную церковь и все монастыри, монахов и монахинь, священников и жен их, старых и увечных перебили, а молодых и здоровых повели в плен, также и остальных киевлян; пощадили только иностранных купцов, спрятавшихся по церквам, — у них взяли половину имения и выпустили на свободу. После этого страшного опустошения Рюрик не хотел сесть в Киеве: или не хотел он княжить в пожженном, ограбленном и пустом городе, ждал времени, пока он оправится, или боялся опять прихода Романова; как бы то ни было, он уехал назад в Овруч, где скоро был осажден Романом, пришедшим, по выражению летописца, отвести его от Ольговичей и от половцев; Рюрик принужден был целовать крест великому князю Всеволоду и *детям его*, т. е. отказался от старшинства в роде и по смерти Всеволода, обещался снова быть в воле великого князя суздальского и детей его, после чего Роман сказал ему: «Ты уже крест целовал, так отправь посла к свату своему, а я пошлю своего боярина к отцу и господину великому князю Всеволоду: и ты проси, и я буду просить, чтоб дал тебе опять Киев». Всеволод согласился, и Рюрик опять стал княжить в Киеве; Всеволод помирился и с Ольговичами, также по просьбе Романа.

Из всех этих известий видно, что Роман действительно хотел мира на Руси, вероятно для того, чтоб свободнее управляться в Галиче и действовать против врагов внешних, но его желание не исполнилось. Возвратившись в 1203 году из похода против половцев, князья Роман и Рюрик с сыновьями остановились в Треполе и начали толковать о распределении волостей, подняли спор, и дело кончилось тем, что Роман схватил Рюрика, отослал в Киев и там велел постричь в монахи вместе с женою и дочерью, своею женою, с которою развелся, а сыновей Рюриковых, Ростислава и Владимира, взял с собою в Галич; кого оставил в Киеве, дошедшие до нас летописи не говорят. Но Всеволод суздальский не мог смотреть на это спокойно: он отправил послов своих к Роману, и тот принужден был отпустить сыновей Рюриковых, и старшему из них, Ростиславу, зятю Всеволодову, отдать Киев. Рюрик, однако, недолго оставался в монастыре. Мы видели тесную связь Романа с князьями польскими — Казимиром Справедливым и сыновьями его, видели, как он помогал последним в борьбе с дядею их Мечиславом и как они в свою очередь помогли ему овладеть Галичем по смерти Владимира Ярославича. Несмотря на неудачу Романа в битве с Мечиславом, последнему не удалось овладеть старшинством и Краковым, но, не успевши достигнуть своей цели оружием, он прибегнул к переговорам, убеждениям и успел, наконец, склонить вдову Казимира и сына ее Лешка к уступке ему старшинства: им показалось выгоднее отказаться на время от Кракова и потом получить его по праву родового княжеского преемства, чем владеть им по милости вельмож и в зависимости от последних. Вторично получил Мечислав старшинство и Краков и вторично был изгнан; вторично успел обольстить вдову Казимирову и ее сына обещаниями, в третий раз занял Краков и удержался в нем до самой смерти, последовавшей в 1202 году. Смертию Мечислава Старого пресеклось первое поколение Болеславичей. Краковские вельможи опять мимо старших двоюродных братьев отправили послов к Лешку Казимировичу звать его на старший стол, но с условием, чтоб он отдалил от себя сендомирского палатина Говорека, имевшего на него сильное влияние; краковские вельможи, следовательно, хотели отвратить от себя ту невыгоду, которую терпели русские бояре от княжеских перемещений из одной волости в другую, причем новые бояре заезжали старых; здесь же видим и начало условий, предлагаемых польскими вельможами князьям их, но легко понять, что при таковом значении вельмож родовые счеты княжеские не могли продолжаться в Польше. Лешко, который прежде уступил старшинство дяде для того, чтоб избавиться зависимости от вельмож (особенно самого могущественного из них, известного уже нам палатина краковского Николая), и теперь не хотел для Кракова согласиться на условие, предложенное вельможами: он отвечал послам, что пусть вельможи выбирают себе другого князя, который способен будет согласиться на их условия. Тогда вельможи обратились к князю, имевшему более права на старшинство, чем Лешко, именно к Владиславу Ласконогому, сыну Мечиславову, и провозгласили его великим князем, но Владислав скоро вооружил против себя прелатов, которые вместе с вельможами изгнали его из Кракова и перезвали на его место опять Лешка Казимировича, на этот раз, как видно, без условий, вероятно потому, что палатина Николая не было более в живых. Обязанный старшинством преимущественно старанию прелатов и, вероятно, желая найти в духовенстве опору против влияния вельмож, Лешко немедленно после занятия краковского стола предал себя и свои земли в покровительство св. Петра, обязавшись платить в Рим ежегодную подать. Духовенство поспешило отблагодарить своего доброжелателя: уже давно оно смотрело враждебно на родовые отношения и счеты между князьями; уже по смерти Казимира Справедливого епископ краковский Фулкон защищал порядок преемства от отца к сыну против родового старшинства и успел утвердить Краков за сыном Казимировым; теперь же, когда Лешко отдал себя и потомство свое в покровительство св. Петра, церковь римская торжественно утвердила его наследственным князем Кракова с правом передать этот стол после себя старшему сыну своему. Так родовые отношения княжеские встретили в Польше два могущественные начала — власть вельмож и власть духовенства, пред которыми и должны были поникнуть.

Роман волынский, постоянный союзник Лешка, продолжал враждовать и с Мечиславом, и с сыном его, Владиславом Ласконогим, но когда Лешко утвердился в Кракове, то Роман потребовал от него волости в награду за прежнюю дружбу; Лешко не согласился; притом же, по словам летописца, Владислав Ласконогий много содействовал ссоре Лешка с Романом, вследствие чего галицкий князь осадил Люблин; потом, услыхав, что Лешко с братом Кондратом идут против него, оставил осаду и двинулся к ним навстречу; перейдя Вислу, он расположился станом под городом Завихвостом, куда прибыли к нему послы от Лешка и завязали переговоры; положено было прекратить военные действия до окончания последних, и Роман, понадеявшись на это, с малою дружиною отъехал от стана на охоту, но тут в засаде ждал его польский отряд, и Роман после мужественного сопротивления лег на месте с дружиною (1205 г.). Так погиб знаменитый внук Изяслава Мстиславича; предприимчивостию, отвагою будучи похож на отца и деда, получивши чрез приобретение Галича и большие материальные средства, находясь в беспрестанных сношениях с пограничными иностранными государствами, где в это время родовые отношения княжеские сменились государственными, Роман, необходимо подчиняясь влиянию того порядка вещей, который господствовал в ближайших западных странах, мог, по-видимому, явиться проводником этих новых понятий для Южной Руси, содействовать в ней смене родовых княжеских отношений государственными; он мог, подобно отцу и деду, вступить в борьбу с северными князьями, в борьбу, которая, однако, должна была носить уже новый характер, если б и Роман стал стремиться к самовластию на юге, точно так же как стремились к нему Юрьевичи на севере. Но это сходство положения Романа с положением северных князей есть сходство обманчивое, потому что почва Юго-Западной Руси, преимущественно почва Галицкого княжества, вовсе не заключала в себе тех условий крепкого государственного быта, которые существовали на севере и которыми воспользовались тамошние князья для собрания Русской земли, для утверждения в ней единства и наряда. Мы видели, какою силою пользовались бояре в Галиче, силою, пред которою никло значение князя; легко понять, что князь с таким характером, как Роман, скоро должен был враждебно столкнуться с этою силою. «Не передавивши пчел, меду не есть», — говорил он, и вот лучшие бояре погибли от него, как говорят, в страшных муках, другие — разбежались; Роман возвратил их обещанием всяких милостей, но скоро под разными предлогами поверг их той же участи. Оставя по себе такую кровавую память в Галиче, в остальной Руси Роман слыл грозным бичом окрестных варваров — половцев, литвы, ятвягов, добрым подвижником за Русскую землю, достойным наследником прадеда своего, Мономаха. «Он стремился на поганых, как лев, — говорит народное поэтическое предание, — сердит был, как рысь, губил их, как крокодил, перелетал земли их, как орел, и храбр он был, как тур, ревновал деду своему, Мономаху». Мы видели, что одною из главных сторон деятельности князей наших было построение городов, население пустынных пространств: Роман заставлял побежденных литовцев расчищать леса под пашню, но тщетно казалось для современников старание Романа отучить дикарей от грабежа, приучить к мирным, земледельческим занятиям, и вот осталась поговорка: «Роман! Роман! Худым живешь, литвою орешь»*.

Как видно, Роман не успел передавить всех пчел, и дети его долго не могли спокойно есть меда. У него от второго брака осталось двое сыновей: Даниил, четырех лет, и Василько — двух. Но кроме бояр галицких Роман оставил других врагов своим детям: Рюрик, как только узнал о смерти Романа, так тотчас же скинул монашескую рясу и объявил себя князем киевским вместо сына; он хотел было расстричь и жену, но та не согласилась и постриглась в схиму. Ольговичи также поднялись, явились с полками у Днепра; Рюрик вышел к ним навстречу, и уговорились всем вместе идти на Галич, отнимать наследство у сыновей Романовых. На реке Серете встретили союзники галицкое и владимиро-волынское войско, бились с ним целый день и принудили отступить к Галичу, но они не могли ничего сделать этому городу и возвратились домой безо всякого успеха. Причиною неудачи было то, что в Галиче находился сильный венгерский гарнизон, из страха перед которым галичане не смели передаться неприятелям Романовичей. В Венгрии в это время королем был сын Белы III, Анд-

* Это известие находится у Стрыйковского, который говорит, что Роман впрягал пленных литовцев и ятвягов в плуги и заставлял выпахивать коренья по новым местам. — Мы не думаем, впрочем, чтоб должно было, как здесь, принимать эту поговорку буквально. Роман заставлял литовцев и ятвягов заниматься земледелием, от чего современники видели мало проку и произошла приведенная поговорка, впоследствии же эта поговорка объяснена буквально.

рей II, который некоторое время княжил в Галиче; Андрей по смерти отца вел постоянную борьбу с старшим братом своим, королем Емерихом, и потом с сыном последнего, малолетним Владиславом III, до тех пор пока последний не умер и не очистил для него престола. Как видно из летописи, Андрей во время этой борьбы не только не предъявлял своих притязаний на Галич, но даже находился в тесном союзе с Романом: они поклялись друг другу, что кто из них переживет другого, тот будет заботиться о семействе последнего. Андрей вступил на королевский престол в год смерти Романовой и должен был исполнить свою обязанность относительно семейства последнего; в Саноке он имел свидание со вдовствующей княгиней галицкой, принял Даниила, как милого сына, по выражению летописца, и послал пятерых вельмож с сильным войском, которое и спасло Галич от Рюрика и его союзников.

Но опасности и беды для сыновей Романовых только еще начинались. В следующем 1206 году все Ольговичи собрались в Чернигов на сейм — Всеволод Святославич Чермный с своею братьею и Владимир Игоревич северский со своею братьею; к ним пришел смоленский князь Мстислав Романович с племянниками, пришло множество половцев, и все двинулись за Днепр; в Киеве соединился с ними Рюрик с двумя сыновьями, Ростиславом и Владимиром, и племянниками и берендеи и пошли к Галичу, а с другой стороны шел туда же Лешко польский. Галицкая княгиня с приверженными к ней людьми, слыша новую сильную рать, идущую со всех сторон, испугалась и послала просить помощи у венгерского короля; Андрей поднялся сам со всеми своими полками. Но вдова Романова с детьми не могла дожидаться прихода королевского: около них встал сильный мятеж, который принудил их бежать в старинную отцовскую волость Романову — Владимир-Волынский. Галичане остались без князя, а между тем король перешел Карпаты, с двух других сторон приближались русские князья и поляки, но те и другие остановились, услыхав о приходе королевском; Андрей также остановился, боясь столкнуться вдруг с двумя неприятельскими войсками.

Внутренние смуты, возбуждаемые поведением королевы Гертруды и братьев ее, отзывали Андрея домой: он спешил вступить в мирные переговоры с Лешком польским, уговорился с галичанами, чтоб они приняли к себе в князья Ярослава, князя переяславского, сына великого князя Всеволода суздальского, и отправился назад в Венгрию. Русские князья прежде еще двинулись назад, но галичане, ожидая две недели приезда Ярославова и боясь, чтоб Ольговичи, узнав об отступлении короля, не возвратились к их городу, решились послать тайно к Владимиру Игоревичу северскому звать его к себе в князья: этому решению их много содействовали два боярина, которые, будучи изгнаны Романом, проживали в Северской области, а теперь возвратились и расхваливали Игоревичей. Владимир Игоревич с братом Романом, получив приглашение, в ночь украдкою от остальных князей поскакали в Галич, Владимир сел здесь, а Роман — в Звенигороде: Ярослав Всеволодович также был на дороге в Галич, но опоздал тремя днями и, узнав, что Игоревич уже принят галичанами, возвратился назад в Переяславль.

Но ни Игоревичи, ни галицкие бояре, затеявшие мятеж против сыновей Романовых, не хотели успокоиться до тех пор, пока последние были живы и на свободе в своей отчине — Владимире-Волынском: сюда явился священник, посол от галицкого князя, и объявил гражданам от имени последнего: «Не останется в вашем городе камня на камне, если не выдадите мне Романовичей и не примите к себе княжить брата моего, Святослава». Рассерженные владимирцы хотели было убить священника, но трое каких-то людей уговорили их, что не годится убивать посла. Эти трое людей* действовали, впрочем, не из уважения к званию посла, а потому что благоприятствовали галицкому князю. Когда на другой день княгиня узнала, что приезжал посол из Галича и что во Владимире есть люди, которые стоят за Игоревичей, то начала советоваться с дядькою сына своего, Мирославом: тот говорил, что

* Мстибог, Мончук и Никифор.

делать нечего, надобно скорее бежать из города. Ночью в пролом городской стены вышла жена Романа Великого вчетвером с дядькою Мирославом, священником и кормилицею, которые несли маленьких князей, Даниила и Василька, беглецы не знали, куда им идти. Со всех сторон враги! Решились бежать в Польшу к Лешку, хотя и от этого не могли ожидать хорошего приема: Роман был убит на войне с ним, после чего мир еще не был заключен. К счастью, в Лешке жалость пересилила вражду: он с честию принял беглецов, говоря: «Не знаю, как это случилось, сам дьявол поссорил нас с Романом». Он отправил малютку Даниила в Венгрию и с ним посла своего сказать королю: «Я позабыл свою ссору с Романом, а тебе он был друг: вы клялись друг друга, что кто из вас останется в живых, тот будет заботиться о семействе умершего; теперь Романовичи изгнаны отовсюду: пойдем возвратим им отчину их». Андрей сначала принял было к сердцу предложение Лешка, но потом, когда галицкий князь Владимир прислал богатые дары им обоим, то усердие их к Романовой семье охладело, и когда Игоревичи перессорились друг с другом, то один из них, Роман, приехавши в Венгрию, успел убедить Андрея дать ему войско на помощь и с этим войском выгнал из Галича брата Владимира, который принужден был бежать назад в свою волость, в Путивль*. В следующем (1207) году польские князья — Лешко и брат его Кондрат — двинулись наконец на Владимир, где после бегства сыновей Романовых княжил третий Игоревич — Святослав, но и тут Лешко шел на Владимир не для того, чтобы возвратить этот город Романовичам: он хотел посадить там своего дядю по матери, родного племянника Романова, Александра Всеволодовича бельзского. Жители Владимира отворили ворота перед Александром: «Ведь это племянник Романа», — говорили они. Но союзники Александра, поляки, несмотря на то что вошли в город беспрепятственно, ограбили его, стали было

---

* Потому что Новгород-Северский был, вероятно, занят уже кем-нибудь из других Ольговичей.

уже отбивать двери и у соборной Богородичной церкви, как по просьбе Александровой приехали Лешко с братом и отогнали их. Владимирцы сильно жаловались на поляков: «Мы поверили их клятве, — говорили они, — ведь если б с ними не было Александра, то мы не дали б им перейти и Буг». Святослава Игоревича взяли в плен и отвели в Польшу, на его место польские князья посадили сперва Александра, но потом передумали: старшим во всем племени Изяслава Мстиславича был Ингварь Ярославич луцкий, которого мы видели в Киеве, его-то посадили теперь во Владимире, но и здесь он сидел недолго: бояре не полюбили его, и с согласия Лешка Александр опять приехал княжить во Владимир, а Ингварь отправился назад в свой Луцк; младший брат его Мстислав, прозвищем Немой, княжил в Пересопнице; малолетнему Васильку Романовичу Лешко отдал Брест по просьбе тамошних граждан, которые с радостию приняли малютку, видя в нем как бы живого Романа; после мать Василька прислала к Лешку с новою просьбою: «Александр, — говорила княгиня, — держит всю нашу землю и отчину, а сын мой сидит в одном Бресте». Лешко велел Александру отдать Бельз Романовичу, а брат Александра, Всеволод, сел в Червне. Таким образом, смерть сильного Романа дала польскому князю возможность распоряжаться Волынскими волостями.

Между тем в Галиче продолжали происходить беспокойства. Киевский князь Рюрик по соглашению с венгерским королем отправил в Галич сына своего, Ростислава, галичане приняли его с честию, выгнали Романа, но потом скоро выгнали Ростислава и опять приняли Романа; это побудило короля Андрея покончить с Галичем, присоединить его к своим владениям. Он послал на Романа Игоревича палатина Бенедикта Бора, который схватил Романа в бане, стал именем королевским сам управлять в Галиче и управлял так, что его прозвали антихристом: мучил и бояр, и простых граждан, сладострастию своему не знал пределов, бесчестил жен, монахинь, попадей. Угнетенные галичане послали звать к себе на помощь Мстислава Ярославича, князя пересопницкого;

тот приехал, но не нашел еще галичан, готовых к восстанию, или, что всего вероятнее, дружина, приведенная Мстиславом, была, по мнению галичан, слишком слаба для того, чтоб с нею можно было восстать против венгров, и один из главных бояр, Илья Щепанович, взведши Мстислава на Галичину могилу, сказал ему в насмешку: «Князь! Ты на Галичине могиле посидел, так все равно что княжил в Галиче». Осмеянный Мстислав отправился назад в Пересопницу. Тогда галичане обратились опять к Игоревичам северским, послали сказать Владимиру и Роману, которому удалось между тем уйти из венгерского плена: «Виноваты мы перед вами, избавьте нас от этого томителя Бенедикта». Игоревичи явились на зов с сильною ратью, заставили Бенедикта бежать в Венгрию и уселись опять в Галицком княжестве: Владимир в самом Галиче, Роман — в Звенигороде, Святослав — в Перемышле; сыну своему, Изяславу, Владимир дал Теребовль, а другого — Всеволода отправил в Венгрию задаривать короля, чтоб тот оставил их спокойно княжить за Карпатами.

От венгерского короля можно было избавиться дарами, притом же у него было много дела внутри своего государства, но чем было Игоревичам избавиться от бояр галицких, которые не давали им покоя своими крамолами? Игоревичи решились действовать по примеру Романа, решились передавить пчел, чтобы есть спокойно мед, и вот, воспользовавшись первым удобным случаем, они велели бить галицкую дружину: 500 человек из нее погибло, в том числе двое знатнейших бояр — Юрий Витанович и Илья Щепанович, но другие разбежались; между ними Владислав, которому преимущественно Игоревичи были обязаны Галицкою волостью, и двое других, Судислав и Филипп, отправились в Венгрию. Они стали просить короля Андрея: «Дай нам отчича нашего Даниила; мы пойдем с ним и отнимем Галич у Игоревичей». Король согласился, послал изгнанных бояр и с ними молодого Даниила в Галич, давши ему сильное войско под начальством осьми воевод. Владислав пришел прежде всего к Перемышлю и послал сказать тамошним жителям: «Братья! Что вы колеблетесь? Не Игоревичи ли перебили отцов ваших и братьев, имение ваше разграбили, дочерей ваших отдали за рабов ваших, наследством вашим завладели пришельцы! Так неужели вы хотите положить за них свои души?» Слова эти подействовали на перемышльцев: они схватили князя своего Святослава Игоревича и сдали город на имя Даниилово. Оттуда бояре с венграми пошли к Звенигороду, но звенигородцы были за Игоревичей и стали сильно отбиваться от осаждающих, несмотря на то что на помощь к последним пришли полки из Бельза от Василька Романовича, из Польши от Лешка, пришли волынские князья — Мстислав Немой из Пересопницы, Александр с братом из Владимира, луцкий князь Ингварь также прислал свои полки. На помощь к Роману Игоревичу звенигородскому явились только половцы, которых привел племянник его, Изяслав Владимирович, и, несмотря на успех, который получили половцы и звенигородцы в деле с венграми, Роман видел, что не мог долго держаться в городе и бежал, но на дороге был схвачен и приведен в стан к Даниилу и воеводам венгерским, которые тотчас же послали сказать звенигородцам: «Сдавайтесь, князь ваш схвачен». Те сначала было не поверили, но потом, узнавши, что Роман действительно в плену, сдали свой город. От Звенигорода Даниил с союзниками пошел к Галичу; Владимир Игоревич с сыном, не дожидаясь неприятельского прихода, бежали, и Даниил беспрепятственно въехал в Галич, где все бояре владимирские и галицкие посадили его на отцовский стол в соборной церкви Богородицы.

Но бояре недовольны были торжеством своим и хотели мести: в руках у венгров были пленные Игоревичи; воеводы хотели вести их к королю, но бояре галицкие, задаривши воевод, выпросили себе Игоревичей и повесили их. Легко понять, что эти бояре посадили Даниила не для того, чтоб усердно повиноваться малютке; за последнего хотела было управлять его мать, приехавшая в Галич, как скоро узнала об успехе сына, но бояре немедленно же ее выгнали. Маленький Даниил не хотел расстаться с матерью, плакал, и когда Александр, шумавинский тиун, хотел насильно отвести его коня, то Даниил выхватил меч, чтоб ударить Александра, но не попал и ранил только его коня; мать поспешила вырвать у него из рук меч, упросила успокоиться и остаться в Галиче, а сама отправилась в Бельз опять к Васильку и оттуда к королю в Венгрию. Андрей принял ее сторону, призвал бояр владимирских, князя Ингваря луцкого и пошел в Галич, где по изгнании княгини всем управлял боярин Владислав с двумя другими своими товарищами — Судиславом и Филиппом. Король велел схватить всех троих и подвергнуть тяжкому заключению; Судислав успел деньгами откупиться от неволи, но Владислав принужден был следовать за королем в Венгрию, где, впрочем, пробыл недолго: двое братьев его, Яволд и Ярополк, успели спастись бегством в Пересопницу и убедили тамошнего князя, Мстислава Немого, пойти с ними в другой раз на Галич; бояре, узнавши о вступлении Мстислава в их землю, передались ему, и Даниил с матерью опять принужден был бежать в Венгрию, а брат его, Василько, потерял Бельз, который взял у него Лешко польский, чтоб отдать опять Александру Всеволодовичу владимирскому; Василько принужден был удалиться в Каменец. Но в то время как братья Владиславовы так успешно хлопотали в Пересопнице и Галиче, сам Владислав действовал в Венгрии у короля Андрея: как видно из последующего летописного рассказа, он убедил Андрея не давать Галича никому из русских князей, а взять его себе, причем обещал приготовить все в Галиче к новому порядку. Иначе трудно будет объяснить то известие, что король, сбираясь идти на Галич, отправил туда в передовых Владислава. Король, однако, не мог следовать за Владиславом, его задержали страшные события в Венгрии, на которые мы должны обратить внимание по однородности их с знаменитыми явлениями в Галиче, не могшем загородиться Карпатами от венгерского влияния; поведение галицких бояр объясняется поведением вельмож венгерских. Во время усобиц, предшествовавших воцарению Андрея, значение вельмож так возросло, что Андрей, вступая на престол, первый из королей венгерских должен был клятвенно подтвердить права и преимущества высшего сословия, но мы уже заметили, что при этом поведение королевы Гертруды и ее братьев постоянно возбуждало неудовольствие вельмож и наконец повело к явному восстанию, когда один из братьев королевы, Экберт, с ведома сестры и даже в ее комнатах обесчестил жену известного нам галицкого антихриста, палатина Бенедикта Бора. Бенедикт, несмотря на то что сам позволял себе подобные поступки в Галиче, пылал местию к виновникам своего позора и составил заговор вместе с другими вельможами. Пользуясь выступлением Андрея в галицкий поход, заговорщики ворвались во дворец и изрубили королеву в куски, после чего дворец был разграблен. Король должен был отложить поход, чтоб иметь возможность управиться с своими мятежниками; этим обстоятельством воспользовался Владислав: въехал с торжеством в Галич после бегства оттуда Мстислава пересопницкого, *вокняжился и сел на столе*, по выражению летописца, признавая, впрочем, как видно, верховную власть венгерского короля.

Между тем Даниил, видя страшную смуту в Венгрии, удалился оттуда сперва в Польшу и, не получив от Лешка ничего, кроме почетного приема, поехал в Каменец к брату Васильку. На этот раз начал дело Мстислав Немой пересопницкий: он поднял Лешка в поход на Галич; тот взял Даниила из Каменца, Александра из Владимира, брата его Всеволода из Бельза и отправился против нового галицкого князя из бояр. Владислав оставил братьев защищать Галич, а сам с войском, набранным из венгров и чехов (как видно, наемных) вышел навстречу к неприятелю на реку Боброк. Союзникам удалось поразить Владислава, но не удалось взять Галича; они должны были удовольствоваться опустошением волости и возвратились назад, после чего Лешко велел Александру, князю владимирскому, отдать Романовичам два города — Тихомль и Перемышль: здесь, говорит летописец, стали княжить Даниил и Василько с матерью, а на Владимир смотрели, говоря: «Рано или поздно Владимир будет наш». Между тем король Андрей, освободившись несколько от внутренних своих дел, выступил в поход на Лешка за опустошение Галицкой волости, которую он считал своею; Лешко не хотел войны с королем и послал к нему воеводу своего Пакослава с предложением следующей сделки: «Не годится боярину княжить в Галиче, но возьми лучше дочь мою за своего сына Коломана и посади его там». Андрей согласился, имел личное свидание с Лешком, свадьба устроилась, и молодой Коломан стал княжить в Галиче, а боярин Владислав был схвачен и умер в заточении, наделав много зла детям своим и всему племени, потому что ни один князь не хотел приютить у себя сыновей боярина, который осмелился похитить княжеское достоинство. Кроме выгодного брака для своей дочери, Лешко получил от короля из Галицкой волости Перемышль и Любачев, последний город был отдан воеводе Пакославу, который умел устроить этот выгодный союз. Пакослав был приятель молодым Романовичам и их матери, по его совету Лешко послал сказать Александру Всеволодовичу: «Отдай Владимир Романовичам, а не дашь, так пойду на тебя вместе с ними». Александр не дал волею и потом принужден был отдать неволею.

Таким образом иноплеменники поделили между собою отчину Ростиславичей; русские князья один за другим должны были оставить Галич или гибли в нем позорною смертию, остальные князья на Руси сильно сердились на галичан за бесчестье, которое они нанесли роду их, повесивши Игоревичей, но были бессильны отмстить им за это бесчестье, потому что Мономаховичи с Ольговичами продолжали свою обычную борьбу. В 1206 году, по возвращении из второго похода под Галич, Ольговичи, обрадовавшись тому, что успели занять его своими родичами, Игоревичами, решились отнять у Мономаховичей старшинство и Киев; Всеволод Святославич Чермный сел в Киеве, надеясь на свою силу, как говорит летописец, и послал посадников по киевским городам, а Рюрик, видя свое бессилие, или, как выражается летописец, *непогодье*, уехал в свою прежнюю волость, Овруч, сын его Ростислав — в Вышгород, а племянник Мстислав Романович — в Белгород*. Отнявши Киев у Мономаховичей, Ольговичи захотели отнять у них и Переяславль, тем больше, что, как мы видели, переяславский князь Ярослав Всеволодович был соперником Игоревичей по галицкому столу, и вот Всеволод Чермный посылает сказать Ярославу: «Ступай из Переяславля к отцу в Суздаль, а Галича не ищи под моею братьею; если же не пойдешь добром, так пойду на тебя ратью». Ярослав, не имея надежды получить от кого-либо помощь, послал ко Всеволоду просить свободного пропуска на север чрез Черниговские владения и получил его, поцеловавши крест Ольговичам на всей их воле, а в Переяславле сел на его место сын Чермного. Но последний сам недолго сидел в Киеве: в том же году Рюрик, соединясь с сыновьями и племянниками своими, выгнал Ольговичей из Киева и из Переяславля, сам сел в Киеве, а сына своего, Владимира, посадил в Переяславле; Чермный явился зимою с братьею и с половцами добывать Киева, стоял под ним три недели, но не мог взять и ушел назад ни с чем. Счастливее был он в следующем 1207 году: с трех сторон пришли враги Мономаховичей — из Чернигова — Чермный с братьею, из Турова — князь Святополк, из Галича — Владимир Игоревич; Рюрик, слыша, что идет на него отовсюду бесчисленная рать, а помощи нет ни от кого, бежал из Киева в Овруч; Триполь, Белгород, Торческ были отняты у Мономаховичей, которые по причине голода не могли выдерживать продолжительных осад; Всеволод сел опять в Киеве, наделав много зла Русской земле чрез своих союзников-половцев. Тогда поднялся было на него Всеволод суздальский: услыхав, что Ольговичи с погаными воюют землю Русскую, он пожалел об ней и сказал: «Разве тем одним отчина — Русская земля, а нам уже не отчина? Как меня с ними Бог управит, хочу пойти к Чернигову». Всеволод собрал сильное войско, но дела рязанские помешали его походу на Чернигов; когда рязанские князья были схвачены, то Рюрик, обрадо-

* А прежде, после первого похода на Галич в предыдущем году, Рюрик отдал Белгород Ольговичам, которые посадили здесь Глеба Святославича.

вавшись успеху Всеволода над союзниками Ольговичей, явился нечаянно у Киева и выгнал из него Чермного; тот напрасно после старался получить обратно этот город силою, ему удалось овладеть им только посредством переговоров со Всеволодом: в 1210 году Чермный и все Ольговичи прислали в Суздаль митрополита Матфея, прося мира и во всем покоряясь Всеволоду; последний, получивши незадолго перед тем неприятность от одного из Ростиславичей, Мстислава Мстиславича Удалого, в Новгороде, не мог быть очень расположен в пользу этого племени и потому согласился, чтоб Всеволод Чермный, как старший между пятиюродными братьями в Ярославовом роде, сел в Киеве, а Рюрику отдал Чернигов. Таким образом, когда на севере обозначились ясно стремления к новому порядку вещей, в южной Руси после долгой борьбы старинные представления об единстве рода Ярославова и ненаследственности волостей в одном племени получают полное торжество: мало того, что Ольгович получает Киев, старший по нем Мономахович садится в Чернигове, возобновляется, следовательно, тот первоначальный порядок княжеских переходов по волостям, который был нарушен еще при Мономахе исключением Ольговичей из старшинства. Мир суздальского князя с Ольговичами был скреплен браком сына Всеволодова, Юрия, на дочери Чермного.

Но в то время, когда Южная Русь оставалась так верна своей старине, которая не могла дать ей силы, возвратить утраченное значение, первенство, северный князь усиливал себя все более и более. С 1179 года рязанские князья, Глебовичи, находились в воле Всеволодовой; в 1186 году встала между ними опять усобица: старшие братья Роман, Игорь и Владимир вооружились против младших — Всеволода и Святослава, сидевших в Пронске. Чтоб легче разделаться с последними, старшие братья послали звать их на общий съезд, намереваясь тут схватить их; младшие узнали об умысле и, вместо того чтобы ехать к старшим, стали укреплять свой город, ожидая нападения; ждали они недолго: старшие явились с большим войском и стали опустошать все около города. Тогда Всеволод суздальский послал сказать им: «Братья! Что это вы делаете? Удивительно ли, что поганые воевали нас: вы вот теперь хотите и родных братьев убить».

Но те вместо послушания стали сердиться на Всеволода за его вмешательство и еще больше поднимать вражду на братьев. Тогда младшие Глебовичи послали просить Всеволода о помощи, и тот отправил с ним сперва триста человек из владимирской дружины, которые сели в Пронске и отбивались вместе с осажденными, а потом отправил еще другое войско, к которому присоединились князья муромские. Слыша о приближении войска из Владимира, старшие Глебовичи сняли осаду Пронска и побежали к себе в Рязань, а Всеволод Глебович поехал навстречу к полкам *Великого* Всеволода; те, узнавши от него, что осада Пронска снята и им идти дальше незачем, пошли назад во Владимир, куда поехал также и Глебович, чтоб посоветоваться со Всеволодом, как быть им с старшими братьями. Но в это время рязанские князья, узнавши, что владимирское войско возвратилось и что в Пронске один Святослав, пошли и осадили опять этот город, перехватили воду у жителей, а к брату Святославу послали сказать: «Не мори себя голодом с дружиною и людей не мори, ступай лучше к нам, ведь ты нам свой брат, разве мы тебя съедим? Только не приставай к брату своему Всеволоду». Святослав объявил об этом своим боярам, те сказали: «Брат твой ушел во Владимир, а тебя выдал: так что ж тебе его дожидаться?» Святослав послушался и отворил город. Братья отдали ему Пронск назад, но взяли жену, детей, дружину Всеволода Глебовича и повели в Рязань; вместе с дружиною Всеволода Глебовича перевязали дружину Великого Всеволода, сидевшую в Пронске в осаде. Всеволод Глебович, услыхав, что семья и дружина его взяты, а брат Святослав передался на сторону старших, стал сначала сильно горевать, потом захватил Коломну и начал из нее пустошить волости братьев; те мстили ему тем же, и ненависть между ними разгоралась все больше и больше.

Всеволода Великого также сильно раздосадовал поступок Святослава, который позволил братьям перевязать владимирскую дружину, он послал сказать ему: «Отдай мне мою дружину добром, как ты ее у меня взял; захотел помириться с братьями — мирись, а людей моих зачем выдал? Я к тебе их послал по твоей же просьбе, ты у меня их челом выбил; когда ты был ратен, и они были ратны, когда ты помирился, и они стали мирны». Глебовичи, услыхав, что Всеволод Великий хочет идти на них, послали ему сказать: «Ты отец наш, ты господин, ты брат; где твоя обида будет, то мы прежде тебя головы свои положим за тебя, а теперь не сердись на нас; если мы воевали с братом своим, то оттого, что он нас не слушается, а тебе кланяемся и дружину твою отпускаем». Всеволод не захотел мира, а когда Всеволод не хотел мира, то это значило, что война была очень выгодна и успех верен. Но в следующем году (1187) явился во Владимир черниговский епископ Порфирий с ходатайством за Глебовичей, потому что Рязань принадлежала к черниговской епархии; он уговорил владимирского епископа Луку действовать с ним заодно, и оба вместе стали просить Всеволода за Глебовичей: Всеволод послушался их и послал Порфирия в Рязань с миром; вместе с епископом отправились послы Всеволодовы и послы князей черниговских, они повели и пленников рязанских, отпущенных Всеволодом в знак своего расположения к миру. Но Порфирий, пришедши в Рязань, повел дело не так, как хотел Всеволод, и тайком от его послов. Всеволод рассердился, хотел было послать в погоню за Порфирием, но потом раздумал; впрочем, оставя в покое Порфирия, он не хотел оставить в покое Глебовичей и тем же годом выступил против них в поход, взявши с собою князя муромского и Всеволода Глебовича из Коломны; он переправился чрез Оку и страшно опустошил Рязанскую волость. Этим походом Всеволод, как видно, достиг своей цели, потому что после, во время войны с Ольговичами, мы видим рязанских князей в его войске; притом же Пронск был возвращен Всеволоду Глебовичу, который там вскоре и умер. Но когда в 1207 году Всеволод Великий собрался идти на Ольговичей к Чернигову и, соединившись в Москве с сыном своим, Константином новгородским, дожидался здесь также и прихода князей рязанских, то вдруг пришла к нему весть, что последние обманывают его, сговорились с Ольговичами и идут к нему для того, чтоб после удобнее предать его. Все рязанские действительно явились с дружинами, их было восьмеро: Роман и Святослав Глебовичи, последний с двумя сыновьями, да племянники их, сыновья умерших Игоря и Владимира, двое Игоревичей — Ингварь и Юрий, и двое Владимировичей — Глеб и Олег. Всеволод принял их всех радушно и позвал к себе на обед; стол был накрыт в двух шатрах: в одном сели шестеро рязанских князей, а в другом — великий князь Всеволод и с ним двое остальных рязанских, именно Владимировичи — Глеб и Олег. Последние стали говорить Всеволоду: «Не верь, князь, братьям нашим: они сговорились на тебя с черниговскими»*. Всеволод послал уличать рязанских князей князя Давыда муромского и боярина своего Михаила Борисовича: обвиненные стали клясться, что и не думали ничего подобного; князь Давыд и боярин Михаил долго ходили из одного шатра в другой, наконец в шатер к рязанским явились родичи их — Глеб и Олег и стали уличать их; Всеволод, слыша, что истина обнаружилась наконец, велел схватить уличенных князей вместе с их думцами, отвести во Владимир, а сам на другой же день переправился через Оку и пошел к Пронску, где сидел сын умершего Всеволода Глебовича, Михаил; этот князь, слыша, что дядья его схвачены и Всеволод приближается с войском к его городу, испугался и убежал к тестю своему в Чернигов — знак, что он был также на стороне схваченных князей и на стороне черниговского князя, своего тестя: иначе для чего было бы ему бояться Всеволода, всегда благосклонного к отцу его?

Жители Пронска взяли к себе третьего Владимировича, Изяслава, не бывшего, как видно, заодно с родными братья-

* Ясно, что и первое известие прислано было от Владимировичей: иначе зачем бы Всеволод посадил только их двоих у себя обедать, скорее он посадил бы старших Романа и Святослава с собою. Владимирский летописец верит справедливости доноса, Новгородский — называет Владимировичей клеветниками.

ми, и затворились в городе. Всеволод послал к ним боярина Михаила Борисовича с мирными предложениями, но они не хотели о них слышать, летописец называет ответ их буйною речью. Тогда Всеволод велел приступить к городу со всех сторон и отнять воду у жителей, но те не унывали, бились крепко из города и ночью крали воду; Всеволод велел стеречь и день и ночь и расставил полки свои у всех ворот. Старшего сына своего, Константина, с новгородцами и белозерцами поставил на горе у одних ворот, Ярослава с переяславцами — у других, Давыда с муромцами — у третьих, а сам с сыновьями Юрием и Владимиром и с двумя Владимировичами стал за рекою с поля Половецкого (степи). Проняне все не сдавались и делали частые вылазки не для того, впрочем, чтоб биться с осаждающими, но чтоб достать воды, потому что помирали от жажды. Между тем у осаждающих стали выходить съестные припасы, и Всеволод отправил отряд войска под начальством Олега Владимировича на Оку, где стояли лодки его с хлебом. На дороге Олег узнал, что двоюродный брат его, третий Игоревич, Роман, оставленный дядьями в Рязани, вышел из нее с войском и напал на владимирских лодочников, стоявших у Ольгова*; получивши эту весть, Владимирович бросился на помощь к лодочникам; рязанцы оставили последних и сразились с новоприбывшим отрядом, но были побеждены, ставши между двумя неприятелями — между полком Олега и лодочниками. Олег возвратился к войску с победою и хлебом, тогда проняне после трехнедельной осады принуждены были сдаться; Всеволод дал им в князья Олега Владимировича, а сам пошел к Рязани, сажая по всем городам своих посадников, чем обнаруживал намерение укрепить их за собою. Он уже был в двадцати верстах от старой Рязани, у села Доброго Сота, и хотел переправляться через реку Проню, как явились к нему рязанские послы с поклоном, чтоб не приходил к их городу; епископ рязанский Арсений также не раз присылал к нему говорить: «Князь великий!

---

* Теперь Льгов, в 11 верстах от Рязани по Спасской дороге.

Не пренебреги местами честными, не пожги церквей святых, в которых жертва Богу и молитва приносится за тебя, а мы исполним всю твою волю, чего только хочешь». Всеволод склонился на их просьбу и пошел назад через Коломну во Владимир: воля Всеволода состояла в том, чтобы рязанцы выдали ему всех остальных князей своих и с княгинями; рязанцы повиновались, и в следующем, 1208 году приехал к ним княжить сын Всеволода — Ярослав. Рязанцы присягнули ему, но замышляя измену: стали хватать и ковать людей его и некоторых уморили, засыпавши в погребах. Тогда Всеволод пошел опять на Рязань, под которою был встречен сыном Ярославом; рязанцы по приказанию Всеволода вышли на Оку *на ряды*, т. е. на суд с князем своим Ярославом, но вместо оправдания прислали буйную речь по своему обычаю и непокорству, говорит летописец, тогда Всеволод приказал захватить их, потом послал войско в город захватить их жен и детей; город был зажжен, а жители его расточены по разным городам; таким же образом поступил он и с Белгородом и пошел назад во Владимир, ведя с собою всех рязанцев и епископа их, Арсения. Прежний князь пронский, Михаил Всеволодович, с двоюродным братом Изяславом Владимировичем (выпущенным, как видно, по сдаче Пронска) приходили в том же году воевать волости Всеволодовы около Москвы, но были побеждены сыном великого князя Юрием и спаслись только бегством, потерявши всех своих людей. Так рассказывается в большей части известных нам летописей, но в летописи Переяславля-Суздальского читаем, что Всеволод, взявши Пронск, посадил здесь муромского князя Давыда и что в следующем году Олег, Глеб, Изяслав Владимировичи и князь Михаил Всеволодович рязанские приходили к Пронску на Давыда, говоря: «Разве ему отчина Пронск, а не нам?» Давыд послал им сказать: «Братья! Я бы сам не набился на Пронск: посадил меня в нем Всеволод, а теперь город ваш, я иду в свою волость». В Пронске сел кир Михаил, Олег же Владимирович умер в Белгороде в том же году. Думаем, что должно предпочесть это известие, ибо трудно предположить, чтобы приход рязанских князей к Пронску на Давыда был выдуман со всеми подробностями. Под тем же 1208 годом у переяславского летописца находится новое любопытное известие, что Всеволод III посылал воеводу своего Степана Здиловича к Серенску и город был пожжен. Посылка эта очень вероятна, как месть Всеволода черниговским князьям за изгнание сына его Ярослава из Переяславля Южного.

Так же грозен был Всеволод и другим соседним князьям смоленским: под 1206 годом находим в летописи известие, что смоленский епископ Михаил вместе с игуменом Отроча монастыря приезжали во Владимир упрашивать Всеволода, чтоб простил их князя Мстислава Романовича за союз с Ольговичами. Новгороду Великому при Всеволоде также начинала было грозить перемена в его старом быте. Мы оставили Новгород в то время, когда вопреки воле Боголюбского и Ростиславичей жители его приняли к себе в князья сына Мстислава Изяславича, знаменитого Романа, вследствие чего должны были готовиться к опасной борьбе с могущественным князем суздальским. В 1169 году Данислав Лазутинич, тот самый, который успел провести Романа в Новгород, отправился на Северную Двину за данью с 400 человек дружины; Андрей послал семитысячный отряд войска перехватить его, но Данислав обратил в бегство суздальцев, убивши у них 1300 человек, а своих потерявши только 15. После этого Лазутинич отступил, как видно боясь идти дальше, но потом спустя несколько времени двинулся опять вперед и благополучно взял всю дань, да еще на суздальских подданных другую. Андрей, однако, недолго сносил торжество новгородцев; выгнавши отца из Киева, он послал сильную рать выгонять сына из Новгорода: это было зимою 1169 года; войско повели сын Андреев, Мстислав, да воевода Борис Жирославич, была тут вся дружина и все полки ростовские и суздальские, к ним присоединились князья смоленские — Роман и Мстислав Ростиславичи, потом князья рязанские и муромские, войску, по свидетельству летописца, и числа не было. После страшного опустошения Новгородской волости оно подошло к городу, но жители его затворились с своим молодым князем Романом, с посадником Якуном и бились крепко; четыре приступа не удались; в последний из них, продолжавшийся целый день, князь Мстислав* въехал было уже в ворота городские и убил несколько человек, но был принужден возвратиться к своим. Новгородцы и Роман торжествовали победу, а между тем в полках у осаждающих обнаружился мор на людях и конский падеж. Рать Андреева должна была отступить, ничего не сделавши, и отступление это было гибельно по опустошенной стране: одни померли в дороге, другие кое-как дошли пешком до домов, много попалось в плен к новгородцам, которые продавали по две ногаты человека. Но опустошение, причиненное Андреевою ратью, имело тяжкие следствия и для Новгорода: в нем сделался сильный голод, а хлеба можно было только достать с востока, из областей Андреевых; притом же Мстислав Изяславич умер, не было больше основания держать его сына, и вот новгородцы показали путь Роману, а сами послали к Андрею за миром и за князем. К ним явился княжить Рюрик Ростиславич; неизвестно, каким образом Якун лишился посадничества: по всем вероятностям, мир с Андреем и Ростиславичами условливал смену посадника, так сильно поддерживавшего в новгородцах сопротивление суздальскому князю. Преемником Якуна является Жирослав, но Рюрик отнял посадничество и у этого и дал его Ивану Захарьичу, сыну прежнего посадника Захарии, который был убит народом за приверженность к брату Рюрикову, Святославу; Рюрик не только отнял посадничество у Жирослава, но даже выгнал его из города, и тот ушел к Андрею в Суздаль. Но в тот же год сам Рюрик ушел из Новгорода: брат его Роман, севши в Киеве, дал ему волость на Руси, и новгородцы отправили к Андрею послов просить другого князя; Андрей пока отпустил к ним Жирослава посадничать с своими боярами, а потом в сле-

* Который — Андреевич или Ростиславич? По отваге можно думать, что второй.

дующем году прислал сына Юрия, но Жирославом, как видно, были недовольны в Новгороде, и архиепископ Илья отправился во Владимир к Андрею, чтоб уладить окончательно все дела; следствием поездки было то, что посадничество опять отдали Ивану Захарьевичу.

Смерть Боголюбского повела снова к переменам в Новгороде: сын его Юрий должен был уступить место сыну Мстислава Ростиславича, призванного ростовцами, но в тот же год сам Мстислав, разбитый дядею Михаилом и выгнанный из Ростова, сменил сына в Новгороде. В том же 1175 году умер посадник Иван Захарьевич, посадничество получил опять было Жирослав, но в конце года лишился его снова, и место его заступил Завид Неревинич, сын того боярина Неревина, который был убит вместе с Захариею. Только что успел Мстислав Ростиславич жениться в Новгороде на дочери старого Якуна Мирославича, как был позван опять ростовцами, опять был побежден, выгнан дядею Всеволодом и пришел назад в Новгород, но здесь показали ему путь вместе с сыном, которого, как видно, он вторично оставил вместо себя, и взяли князя из рук победителя Всеволода, который прислал в Новгород племянника своего Ярослава Мстиславича. Но Ростиславич, по всем вероятностям, оставил по себе в Новгороде сильную сторону, в челе которой, разумеется, должен был стоять тесть его Якун; в следующем же 1177 году он явился в Новгороде, был посажен на стол, брату его Ярополку дали Торжок, а Ярославу, прежнему князю, — Волок-Ламский — знак, что он отступил от Всеволода к врагам его, Ростиславичам. Легко понять, что Всеволод не мог спокойно видеть последних князьями в соседних волостях новгородских, притом же не мог он простить новгородцам нарушение обещания признавать его верховную власть и другого обещания придти к нему на помощь в войне с Глебом рязанским; в 1178 году, когда Мстислав Ростиславич умер и новгородцы посадили себе князем брата его, Ярополка, Всеволод велел захватить по своей волости купцов новгородских; новгородцы испугались и выгнали Ярополка, но князю новых городов мало было одной чести давать из своих рук князей старому городу: он хотел какой-нибудь более существенной пользы и выступил в поход к Торжку, жители которого обещали давать ему дань; подойдя к городу, Всеволод сначала не хотел было брать его приступом, дожидаясь исполнения обещаний, но дружина стала жаловаться и побуждать его к приступу, говоря: «Мы не целоваться с ними приехали; они, князь, Богу лгут и тебе». Войско бросилось к городу и взяло его, жителей перевязали, город сожгли — за новгородскую неправду, прибавляет летописец, потому что новгородцы на одном дне целуют крест и нарушают свою клятву. Отправив пленных новоторжан во Владимир, Всеволод пошел к Волоку-Ламскому; жители его успели выбежать, но князь их Ярослав Мстиславич был схвачен и город сожжен. Новгородцы между тем послали за ближайшим к себе князем Романом Ростиславичем смоленским, который и приехал к ним, а Всеволод, довольный большою добычею и не желая, как видно, иметь дела с Ростиславичами южными, возвратился во Владимир.

Роман недолго пожил в Новгороде: в следующем же 1179 году он уехал назад в Смоленск, и новгородцы послали звать на княжение брата его, Мстислава Ростиславича, знаменитого своею борьбою с Боголюбским. Здесь начинается союз Новгорода с двумя Мстиславами — отцом и сыном, самыми блестящими представителями старой, Юго-Западной, Руси в борьбе ее с новою, Северо-Восточною. Союз этот был необходим по одинаковости стремлений: как Новгород, так и Мстиславы хотели поддержать старый порядок вещей против нового, поддержать родовые отношения между князьями и вместе старый быт старых городов. Сперва Мстислав не хотел было идти в Новгород по общей князьям того племени привязанности к югу, к собственной Руси и по опасности, которая грозила там Мономаховичам от Ольговичей: «Не могу выйти из своей отчины и разойтись с братьями», — говорил Мстислав. Он всеми силами старался, говорит летописец, трудиться для отчины своей, всегда стремился он к великим делам, думая думу с мужами своими, желая быть верен своему происхождению, своему значению княжескому (хотя исполнити отечествие свое). Но братья и дружина уговаривали его идти в Новгород, они говорили ему: «Если зовут тебя с честию, то ступай, разве там не наша же отчина?» Мстислав пошел, но положил на уме: «Если Бог даст мне здоровья, то никак не могу забыть Русской земли». Каков был характер этого Мстислава, представителя наших старых князей, как понимал он обязанности своего звания, *исполнение отечествия своего*, видно из того, что едва успел он придти в Новгород, как начал думать: куда бы пойти повоевать? Незадолго перед тем, в 1176 году, чудь приходила на Псковскую землю, имела злую битву с псковичами, в которой с обеих сторон легло много народу. И вот Мстислав вздумал пойти на чудь; он созвал новгородцев и сказал им: «Братья! Поганые нас обижают; чтобы нам, призвавши на помощь Бога и Святую Богородицу, отомстить за себя и освободить землю Новгородскую от поганых?» Люба была его речь всем новгородцам, и они отвечали ему: «Князь! Если это Богу любо и тебе, то мы готовы». Мстислав собрал новгородское войско и, сочтя его, нашел 20 000 человек; с такими-то сильными полками вошел он в Чудскую землю, пожег ее всю, набрал в плен челяди и скота и возвратился домой с победою, славою и честью великою, по словам летописца. Возвращаясь из Чудской земли, по дороге заехал Мстислав во Псков, перехватил там сотских, которые не хотели иметь князем племянника его, Бориса Романовича, и, утвердившись с людьми, пошел в Новгород, где и провел зиму.

На весну он опять стал думать с дружиною: куда бы еще пойти повоевать? И придумал пойти на зятя своего, полоцкого князя Всеслава: с лишком лет сто тому назад ходил дед Всеславов на Новгород, взял утвари церковные и один новгородский погост завел за Полоцк; так теперь Мстислав хотел возвратить Новгородскую волость и отомстить за обиду; он уже стоял с войском на Луках, когда явился к нему посол от старшего брата Романа из Смоленска; Роман велел сказать ему: «Всеслав тебя ничем не обижал, а если идешь на него так, без причины, то прежде ступай на меня». Верный во всем старине, Мстислав не хотел оскорбить старшего брата, тем более что последний уже отправил сына своего на помощь Всеславу и новгородцам пришлось бы сражаться с смолянами вместо полочан. По возвращении в Новгород Мстислав крепко занемог, потерял все силы, едва мог говорить; чувствуя, что должен скоро умереть, он взглянул на дружину свою, потом на княгиню, вздохнул глубоко, заплакал и начал говорить: «Приказываю дитя свое, Владимира, Борису Захарьевичу и обоих их отдаю братьям Рюрику и Давыду и с волостью на руки, а обо мне как Бог промыслит»*. После этого распоряжения Мстислав поднял руки к небу, вздохнул, прослезился опять — и умер. Новгородцы похоронили его в той же гробнице, где лежал первый князь, умерший у них, Владимир Ярославич, основатель Софийской церкви. Плакала по Мстиславе вся земля Новгородская, говорит летописец, особенно плакали горько лучшие мужи, они так причитали на похоронах: «Уже нельзя теперь нам будет поехать с тобою на чужую землю, привести поганых рабами в область Новгородскую; ты замышлял много походов на все стороны поганые; лучше бы нам теперь было умереть с тобою! Ты дал нам большую свободу от поганых, точно так как дед твой Мстислав освободил нас ото всех обид, ты поревновал ему и наследовал путь деда своего, а теперь уже не увидим тебя больше, солнце наше зашло, и остались мы беззащитные, всякий может теперь обижать нас». Мстислав, по свидетельству летописца, был среднего роста, хорош лицом, украшен всякою доброде-

* Почему же Мстислав отдал сына на руки братьям Давыду и Рюрику, а не старшему Роману? Быть может, вследствие недавней размолвки за Полоцк; впрочем, и прежде были у них столкновения: в 1175 году Роман, отправляясь в Киев, отдал Смоленск сыну своему Ярополку, но смольняне выгнали последнего и призвали на его место дядю Мстислава. Впрочем, у Мстислава остался старший брат, знаменитый после Мстислав Мстиславич Удалой. Он, вероятно, остался княжить в отцовской волости, в Торопце; а младшего Владимира отец отдал Рюрику и Давыду, княжившим в Киевской области, чтоб они там дали ему волость; и действительно, в 1180 году мы видим его в Треполи с дядькою Борисом Захарьичем, который предводительствует полком малолетнего князя.

телию и благонравен, имел ко всем любовь, особенно был щедр к бедным, снабжал монастыри, кормил монахов и с любовию принимал их, снабжал и мирские церкви, потом и всему святительскому чину воздавал достойную честь; был крепок на рати, не жалел жизни за Русскую землю и за христиан; когда видел христиан, уводимых в плен погаными, то говорил дружине своей: «Братья! Не сомневайтесь: если теперь умрем за христиан, то очистимся от грехов и Бог вменит кровь нашу в мученическую; если Бог подаст милость свою, то слава Богу, а если придется умереть, то все равно: надобно же когда-нибудь умирать». Такими словами он придавал смелость дружине и от всего сердца бился за отчину свою, а дружину свою любил, имения не щадил для нее, золота и серебра не собирал, а раздавал дружине или раздавал церквам и нищим для спасения души своей. Не было уголка на Руси, где бы его не хотели и не любили; сильно горевали братья, услыхавши о его смерти, плакала по нем вся Русская земля, не могши забыть доблестей его, и черные клобуки все не могли забыть его *приголубления* (1180 г.).

По смерти Мстислава новгородцам предстоял выбор: у кого просить себе князя? Взять ли его из рук Всеволода III суздальского, князя новой, Северной Руси, или из рук Святослава Всеволодовича, который сидел в Киеве и потому считался старшим в старой, Южной Руси? Новгородцы поступили по старине и взяли у Святослава сына его, Владимира, тем более что Всеволод недавно показал уже свою неприязнь к Новгороду, показал, что был братом Боголюбского.

Взявши себе в князья Владимира, новгородцы участвовали в войне отца его, Святослава, со Всеволодом и, конечно, по желанию Святослава посадили опять в Торжке племянника и старого врага Всеволодова, Ярополка Ростиславича, что не могло не повести к враждебным столкновениям с суздальским князем: в то время, когда новгородцы отправили полки свои к Друцку на помощь Святославу, Всеволод явился в другой раз у Торжка и осадил в нем Ярополка; новоторжане пять недель сидели в осаде, терпя страшный голод, и когда князь их, Ярополк, был ранен в сшибке, то сдались Всеволоду, тот повел с собою в оковах Ярополка, вывел и всех новоторжан с женами и детьми, а город их сжег. Новгородцы увидали, что опасность от Всеволода близка и велика, а на помощь из Чернигова плохая надежда, и потому, выгнавши Владимира Святославича, послали за князем ко Всеволоду: тот дал им свояка своего, Ярослава Владимировича, безземельного сына безземельного отца Владимира Мстиславича. Но Ярослав немного нажил в Новгороде: он возбудил против себя сильное негодование, и Всеволод вывел его из Новгорода, жители которого, как видно, не без ведома и согласия его призвали к себе из Смоленска Мстислава Давыдовича. Посадник Завид Неревинич был сменен тотчас по прибытии Владимира Святославича в Новгород — знак, что он не был за Ольговича; место его получил Михаил Степанович; изгнание Ольговича должно было повести и к смене посадника: Михаил Степанович был свержен, и на его место возведен опять Завид, но в 1186 году Завид снова потерял свою должность и ушел к Давыду в Смоленск, а на его место был возведен опять Михаил Степанович. Родственники и приятели Завида не переставали, однако, действовать, но были пересилены противною стороною: родной брат Завида, Гаврило Неревинич, был свергнут с моста вместе с каким-то Ивачем Свеневичем. Любопытно, что в то же время вспыхнуло восстание смольнян против князя Давыда и пало, говорит летописец, много голов лучших мужей. Быть может, эти события в Новгороде и Смоленске имеют какую-нибудь связь между собою; нет сомнения, что новгородские волнения, борьба сторон Завидовой и Михайловой были связаны с переменою князей: Завид, бывший посадником при Мстиславе Храбром, стоял за Ростиславичей, на это указывает смена его при Ольговиче и уход к Давыду в Смоленск после вторичной потери должности; сторона Михаила Степановича была вместе стороною князя Ярослава, и потому неудивительно, что когда она восторжествовала над противною стороною, то в следующем же 1187 году Мстислав Давыдович был изгнан и новгородцы послали ко Всеволоду во

Владимир опять просить Ярослава Владимировича — знак, что последний был прежде выведен не вследствие всеобщего негодования, но вследствие негодования одной только стороны. Посадник при этом не был сменен, но через год противная сторона начала брать верх: у Михаила Степановича отняли посадничество и дали его Мирошке Нездиничу, которого отец Незда был убит за приверженность к Ростиславичам смоленским, следовательно, имеем право думать, что Мирошка наследовал от отца эту приверженность и стоял за Мстислава Давыдовича против Ярослава. В справедливости последнего утверждает нас известие, что в 1195 году Мирошка вместе с Борисом Жирославичем и сотским Никифором, Иванком, Фомою отправились к Всеволоду с просьбою сменить Ярослава и дать на его место сына своего. Что же сделал Всеволод? Чтоб оставить Ярослава спокойным в Новгороде, он задержал Мирошку с товарищами как глав противной Ярославу стороны, потом отпустил Бориса и Никифора, но продолжал держать Мирошку, Иванка и Фому, несмотря на просьбы из Новгорода о их возвращении; наконец отпустил Фому, но все держал Мирошку и Иванка. Это рассердило новгородцев, т. е. сторону, противную Ярославу, последний был изгнан, и посол отправился в Чернигов просить сына у тамошнего князя; что здесь действовала только одна сторона, доказывают слова летописца, который говорит, что добрые люди жалели об Ярославе, а злые радовались его изгнанию. Но прошло то время, когда изгнанные князья уезжали из Новгорода, не думая о мести; мы видели, что уже Святослав Ростиславич, надеясь на помощь Боголюбского, не хотел спокойно оставить области Новгородской; Ярослав Владимирович последовал его примеру: он засел в Торжке, где жители приняли его с поклоном, и стал брать дани по всему верху, по Мсте и даже за Волоком, а Всеволод в то же время перехватывал везде новгородцев и не пускал из Владимира; впрочем, здесь держал их не взаперти.

Между тем из Чернигова приехал князь Ярополк Ярославич, но просидел в Новгороде только шесть месяцев: вражда с владимирским князем и с Ярославом, который сидел в Торжке и брал дани, не могла быть выгодна для новгородцев; пользуясь этим, сторона Ярославова восторжествовала, изгнала в 1197 году Ярополка и послала в Торжок за Ярославом; тот, однако, не поехал прямо в Новгород, но сперва отправился во Владимир ко Всеволоду, который, как видно, не хотел позволить, чтоб новгородцы присвоили себе право ссориться и мириться с князьями без его ведома; во Владимир должны были ехать из Новгорода лучшие люди (передние мужи) и сотские; там из рук Всеволода приняли они Ярослава со всею правдою и честию, по выражению летописца; когда, говорит тот же летописец, Ярослав приехал в Новгород, то помирился с людьми, и стало все по добру, возвратился по здорову и посадник Мирошка, просидевши два года за Новгород, и рады были в Новгороде все от мала и до велика; сын Ярославов, Изяслав, был посажен в Луках, чтоб быть защитою (оплечьем) Новгороду от Литвы*. Есть очень вероятное по обстоятельствам известие, что новгородцы приняли Ярослава на всей воле великого Всеволода, который с этих пор стал располагать Новгородом, как располагал им Мономах или сын его Мстислав. Но мир Ярослава с Мирошкою и его стороною был непродолжителен, и через год (1199 г.) приехали во Владимир из Новгорода лучшие люди, родственники и приятели Мирошки, которые отдали князю поклон и просьбу от всего Новгорода: «Ты господин, — говорили они, — ты Юрий, ты Владимир! Просим у тебя сына княжить в Новгород, потому что тебе отчина и дедина Новгород». Всеволод согласился, вывел Ярослава из Новгорода, приказал ехать к себе, а владыке, посаднику Мирошке и лучшим людям велел также явиться во Владимир и взять оттуда к себе на княжение сына своего, десятилетнего Святослава, на всей воле великокняжеской; на дороге преставился архиепископ Мартирий, и Всеволод вопреки старому обычаю новгородцев — выби-

* Но Изяслав и другой брат его, Ростислав, умерли оба в следующем 1198 году. В том же году Ярослав со всею областью Новгородскою ходил на Полоцк, но на озере Каспле был встречен полочанами и взял с ними мир.

рать владыку на вече — сам, поговоря только с посадником, выбрал и послал к ним архиепископа Митрофана, которого потом отправили к митрополиту на постановление с новгородскими мужами и Всеволодовыми. В 1203 году умер посадник Мирошка, и его место заступил соперник его, старый посадник Михаил Степанович; через год Всеволод прислал сказать новгородцам: «В земле вашей рать ходит*, а князь ваш, сын мой Святослав, мал, так даю вам старшего сына своего, Константина». О рати в продолжение трех предыдущих лет нет известий, а что Всеволод при этой перемене мог руководиться какими-нибудь внутренними волнениями в Новгороде, доказательством служит смена посадника тотчас по смене князя или, лучше сказать, по смене бояр владимирских, управлявших именем малолетнего Святослава, у Михаила Степановича посадничество отняли и дали сыну покойного Мирошки Дмитрию**; что малолетний Святослав и посадник Михаил были сменены по жалобам новгородцев, доказывают слова летописца, что по прибытии Константина весь город обрадовался исполнению своего желания. Владимирский летописец говорит, что когда Всеволод отпускал Константина в Новгород, то сказал ему: «Сын мой Константин! На тебя Бог положил старшинство во всей братье твоей, а Новгород Великий — старшее княжение во всей Русской земле; по имени твоем и хвала твоя такая: не только Бог положил на тебе старшинство в братьи твоей, но и во всей Русской земле, и я тебе даю старшинство, поезжай в свой город».

Новый посадник Мирошкинич с братьею и приятелями, опираясь на силу суздальского князя, захотели обогатиться на счет жителей и позволили себе такие поступки, которые восстановили против них весь город; в числе недовольных, как видно, стоял какой-то Алексей Сбыславич; брат посадника, Борис Мирошкинич, отправился во Владимир ко Всеволо-

---

* Три года назад летописец упомянул о набеге литвы, и только; больше ни о какой рати нет известий; с варягами в 1201 году была ссора, но тогда же кончилась миром.

** Михаил умер в следующем, 1206 году.

ду и возвратился оттуда с бояриным последнего, Лазарем, который привез повеление убить Алексея Сбыславича, и повеление было исполнено: Алексея убили на Ярославовом дворе — без вины, прибавляет летописец, потому что обычного условия с князем — не казнить без объявления вины — не существовало более: Всеволод распоряжался самовластно в Новгороде. Вслед за этим событием Всеволод пошел на Чернигов и велел Константину с новгородскими полками следовать за собою в поход; мы видели, что Константин соединился с отцом в Москве, но вместо Чернигова пошли на Рязань. Как видно, во время этого похода новгородцам удалось довести до сведения великого князя о поступках посадника с товарищами; по окончании похода, отпуская новгородцев с Коломны домой, Всеволод щедро одарил их и, по выражению летописца, дал им всю волю и уставы старых князей, чего они именно хотели; он сказал им: «Кто до вас добр, того любите, а злых казните»; сына Константина, посадника Дмитрия, тяжело раненного под Пронском, и семерых из лучших мужей он оставил при себе; первое и последнее обстоятельство могут показывать, что новые распоряжения Всеволода происходили именно вследствие жалоб новгородских, возбудивших неудовольствие великого князя на посадника с приятелями его и на самого сына, который позволял им насильственные поступки. Как бы то ни было, когда новгородские полки пришли домой, то немедленно созвали вече на посадника Дмитрия и на братью его, обвиняя их в том, что они приказывали на новгородцах и по волости брать лишние поборы, купцам велели платить дикую виру и возить повозы, и в разных других насильственных поступках, во всяком зле, по выражению летописца. На вече положили идти на домы обвиненных грабежом, двор Мирошкин и двор Дмитриев зажгли, имение их взяли, села и рабов распродали и разделили по всему городу, а долговые записи оставили князю; кто при этом тайком нахватал разных вещей, о том Бог один знает, говорит летописец; известно только, что многие разбогатели после грабежа Мирошкиничей. Народное озлобление против бывшего посадника дошло до того, что когда привезли тело Дмитрия, умершего во Владимире, то новгородцы хотели сбросить его с моста, едва архиепископ Митрофан успел удержать их. Князем явился в Новгород прежде бывший здесь Святослав Всеволодович, а в посадники выбрали Твердислава Михайловича, по всем вероятностям сына покойного Михаила Степановича — соперника Мирошки: ненависть к роду последнего естественно должна была побудить к этому выбору; новгородцы поцеловали крест, что не хотят держать у себя ни детей Дмитриевых, ни братьев, ни приятелей, и новый князь Святослав отослал их в заточение к отцу, другие откупились большими деньгами.

Перемена князя, впрочем, не переменила дел в Новгороде, не удовлетворила всем сторонам: сын Всеволода, как бы он ни назывался — Константин или Святослав, не мог обходиться с новгородцами, как обходились с ними прежние князья из Юго-Западной Руси, и вот по некоторым очень вероятным известиям недовольные послали в Торопец к тамошнему князю Мстиславу, сыну знаменитого Мстислава Храброго, с просьбою избавить Новгород от суздальских притеснений. Мстислав согласился принять на себя наследственную обязанность ратовать за старую Русь, за старый порядок вещей против нового, который вводили Юрьевичи северные, но не будучи уверен еще, как видно, хотят ли его новгородцы всем городом, захватил сперва Торжок, заковал дворян Святославовых и посадников, имение их разграбили, чья только рука до него дошла, после чего послал сказать новгородцам: «Кланяюсь св. Софии, гробу отца моего и всем новгородцам, пришел я к вам, услыхав о насилиях, которые вы терпите от князей, жаль мне стало своей отчины». Новгородцы послали к нему с ответом: «Ступай, князь, на стол», а Святослава Всеволодовича заперли в архиепископском доме и с дружиною до тех пор, пока управятся с отцом. Мстислав приехал в Новгород, был принят с большою радостию и тотчас же двинулся к Торжку, потому что Всеволод захватил купцов новгородских по своим волостям и отправил сыновей с войском к новгородским границам; но битвы не было: мы видели, как Всеволод остерегался вступать в решительные сражения с князьями старой Руси, притом же теперь сын его сидел пленником в Новгороде; Всеволод, по словам летописца, прислал сказать Мстиславу слова, совершенно тому понятные: «*Ты мне сын, а я тебе отец*; отпусти Святослава с дружиною и отдай все, что захватил, а я так же отпущу гостей и товары их». Мстислав согласился, и мир был заключен. Как видно из последующего поведения посадника Твердислава, так сильно стоявшего за старину, он не мог быть на стороне Юрьевичей: вероятно, он не менее других радовался и содействовал перемене и потому не мог быть сменен вследствие этой перемены. Но скоро по утверждении Мстислава в Новгороде явился с юга, из Руси, Дмитрий Якунович, сын старого посадника Якуна Мирославича; мы видели, что Якун был в тесной связи с Ростиславичами северными, врагами Всеволода, дочь его была за Мстиславом Ростиславичем; когда Всеволод утвердил свою власть над Новгородом, то сын Якуна, Димитрий, принужден был искать убежища в Руси и возвратился теперь в Новгород, когда уже нечего было более бояться суздальского князя; Твердислав уступил ему добровольно посадничество, как старшему. Но если Твердислав не мог быть заподозрен в приязни ко Всеволоду, то очень легко мог быть заподозрен ерхиепископ Митрофан, данный Новгороду Всеволодом вопреки старому обычаю: и вот Мстислав вместе с новгородцами свергнул Митрофана, который был отведен в Торопец (1211 г.).

Таким образом, и Великий Всеволод при конце жизни своей, подобно брату Андрею, должен был потерпеть неудачу в своих стремлениях благодаря князьям старой Руси: войска Андрея бежали со стыдом от Мстислава-отца, Всеволод должен был уступить Новгород Мстиславу-сыну, должен был заговорить с ним его языком. В 1212 году Всеволод стал изнемогать и хотел при жизни урядить сыновей, которых у него было шестеро — Константин, Юрий, Ярослав, Святослав, Владимир, Иван. Он послал за старшим Константином, княжившим в Ростове, желая дать ему после себя Владимир, а в Ростов послать второго сына, Юрия. Но Константин не соглашался на такое распоряжение, ему непременно хотелось получить и Ростов, и Владимир: старшинство обоих городов, как видно, было еще спорное и тогда, и Константин боялся уступить тот или другой младшему брату; как видно, он опасался еще старинных притязаний ростовцев, которыми мог воспользоваться Юрий: «Батюшка! — велел он отвечать Всеволоду, — если ты хочешь меня сделать старшим, то дай мне старый начальный город Ростов и к нему Владимир или, если тебе так угодно, дай мне Владимир и к нему Ростов». Всеволод рассердился, созвал бояр и долго думал с ними, как быть; потом послал за епископом Иоанном и, по совету с ним, порешил отдать старшинство младшему сыну Юрию, мимо старшего, ослушника воли отцовской — явление важное! Мало того, что на севере отнято было старшинство у старого города и передано младшему, пригороду, отнято было отцом старшинство и у старшего сына в пользу младшего; нарушен был коренной обычай, и младшие князья на севере не приминут воспользоваться этим примером; любопытно, что бояре не решились присоветовать князю эту меру, решился присоветовать ее епископ. 14 апреля умер Всеволод на 64 году своей жизни, княжив в Суздальской земле 37 лет Он был украшен всеми добрыми нравами, по отзыву северного летописца, который не упускает случая оправдывать вводимый Юрьевичами порядок и хвалить их за это: Всеволод, по его словам, злых казнил, а добромысленных миловал, потому что князь не даром меч носит в месть злодеям и в похвалу добро творящим; одного имени его трепетали все страны, по всей земле пронеслась его слава, всех врагов (зломыслов) Бог покорил под его руки. Имея всегда страх Божий в сердце своем, он подавал требующим милостыню, судил суд истинный и нелицемерный, невзирая на сильных бояр своих, которые обижали меньших людей.

Северная Русь лишилась своего Всеволода; умирая, он ввергнул меч между сыновьями своими, и злая усобица между ними грозила разрушить дело Андрея и Всеволода, если только это дело было произведением одной их личности; Юго-Западная, старая, Русь высвобождалась от тяготевшего над нею влияния Северной, последняя связь между ними — старшинство и сила Юрьевичей — рушилась, и надолго теперь они разрознятся, будут жить особою жизнию до тех пор, пока на севере не явятся опять государи единовластные, собиратели Русской земли; тогда опять послышится слово, что нельзя Южной Руси быть без Северной, и последует окончательное соединение их. Но по смерти Всеволода казалось, что Южная Русь не только освободится от влияния Северной, но, в свою очередь, подчинит ее своему влиянию, ибо, когда Северная Русь лишилась Всеволода и сыновья его губили свои силы в усобицах, у Руси Южной оставался Мстислав, которого доблести начали с этих пор обнаруживаться самым блистательным образом: ни в русской, ни в соседних странах не было князя храбрее его; куда ни явится, всюду принесет с собою победу; он не будет дожидаться, пока северный князь пришлет на юг многочисленные полки, чтобы отразить их, как отец его отразил полки Андреевы, он сам пойдет в глубь этого страшного, сурового, сжимающего севера и там поразит его князей, надеющихся на свое громадное ополчение, и вместе уничтожит завещание Всеволода; в Руси Днепровской он не даст Мономахова племени в обиду Ольговичам; наконец, вырвет Галич из рук иноплеменников. Казалось бы, какая блистательная судьба должна была ожидать Юго-Западную Русь при Мстиславе, какие важные, продолжительные следствия должна была оставить в ней его деятельность, если только судьба Юго-Западной Руси могла зависеть от одной личности Мстиславовой!

В 1212 году умер Всеволод Великий, и в 1213 году уже встречаем известие об усобице сыновей его. Константин не мог спокойно сносить потерю старшинства, по словам летописи, он разгорелся яростию, воздвигнул брови свои гневом на брата Юрия и на всех думцев, которые присоветовали старому Всеволоду отнять у него старшинство, и тотчас же наступило сильное волнение в Суздальской земле: люди толпами стали перебегать с одной стороны на другую. Между прочими князь Святослав Всеволодович, рассердившись за что-то на брата Юрия, бежал от него к большому брату, Константину, в Ростов; другой Всеволодович, Владимир, князь юрьевский, также был против владимирского князя. Видя это, последний спешил заключить крепкий союз по крайней мере с Ярославом Всеволодовичем, князем переяславским; он сказал ему: «Брат Ярослав! Если пойдет на меня Константин или Владимир, будь ты со мною заодно, а они против тебя пойдут, то я приду к тебе на помощь». Ярослав согласился, поцеловал с Юрием крест и отправился в свой Переяславль, где созвал жителей к св. Спасу и сказал им: «Братья переяславцы! Отец мой отошел к Богу, вас отдал мне, а меня дал вам на руки: скажите же, братцы: хотите ли иметь меня своим князем и головы свои сложить за меня?» Переяславцы отвечали в один голос: «И очень хотим; ты наш господин, ты Всеволод!» После чего все целовали ему крест.

В то время, как это происходило в Переяславле, в Ростове Константин все злобился на Юрия, толковал: «Ну разве можно сидеть на отцовском столе меньшему, а не мне, большему?» — и сбирался идти на Владимир с братом Святославом. Юрий боялся войны и послал сказать ему: «Брат Константин! Если хочешь Владимира, то ступай садись в нем, а мне дай Ростов». Но Константин не хотел этого; он хотел в Ростове посадить сына своего Василька, а сам хотел сесть во Владимире и отвечал Юрию: «Ты садись в Суздале». Юрий не согласился и послал сказать брату Ярославу: «Идет на меня брат Константин; ступай к Ростову, и как там Бог даст: уладимся или станем биться». Ярослав пошел с своими переяславцами, а Юрий с владимирцами и суздальцами, и стали у Ростова за рекою Ишнею, а Константин расставил свои полки на бродах подле реки, и начали биться об нее; река была очень грязна, и потому Юрию с Ярославом нельзя было подойти к городу, они пожгли только села вокруг, скот угнали да жито потравили; потом, простоявши друг против друга четыре недели, братья помирились и разошлись по своим городам. Но усобица была далека до конца; Юрий знал, что мир ненадежен, и принимал свои меры: ему, как видно, трудно было удерживать за собою отцовское приобретение, рязанские волости, которых князья и дружины их томились в тюрьмах владимирских; он освободил их, одарил и князей и дружину золотом, серебром, конями, утвердился крестным целованием и отпустил в Рязань.

Скоро началась опять усобица, начал ее Владимир Всеволодович: он выбежал из своего Юрьева сперва на Волок, а оттуда на Москву и сел здесь, отнявши этот город у Юрия. Потом начал наступать и Константин: отнял у Юрия Солигалич, пожег Кострому, а у Ярослава отнял Нерехту; обиженные братья собрали полки и пошли опять к Ростову вместе с князем Давыдом муромским, остановились на старом месте за рекою Ишнею и велели людям своим жечь села. Между тем Владимир с москвичами и дружиною своею пошел к Дмитрову, городу Ярославову; дмитровцы сами пожгли все посады, затворились и отбили все приступы, и Владимир, испуганный вестию о приближении Ярослава, бежал от города назад в Москву, потерявши задний отряд своей дружины, который перерезали дмитровцы, гнавшиеся за беглецами. Юрий и Ярослав стояли все у Ростова, не вступая в битву по северному обычаю, и опять помирились, выговоривши у Константина, чтоб он не только не помогал Владимиру, но чтоб еще дал полки свои для отнятия у последнего Москвы. Пришедши к Москве, Юрий послал сказать Владимиру: «Приезжай ко мне, не бойся, я тебя не съем, ты мне свой брат». Владимир поехал, и братья уговорились, чтоб Владимир отдал Москву назад Юрию, а сам отправился княжить в Переяславль Южный.

Таким образом, два раза младший Всеволодович, Юрий, одержал верх над старшим Константином, и казалось, что последний, потерпя два раза неудачу, должен был отказаться от попыток добыть Владимир, как вдруг Северная Русь пришла в столкновение с Южной, последняя одержала блистательную победу над первою, необходимым следствием чего было восстановление старины, хотя на время. Местом столкновения был Новгород Великий. Три года княжил здесь Мстислав, ходил на чудь до самого моря, брал с нее дань, две части отдавал новгородцам, третью — дружине своей; новгородцам нравился такой князь, все было тихо, как вдруг в 1214 году пришла к Мстиславу весть из Руси от братьев, что Ольговичи обижают там Мономаховичей. Рюрик Ростиславич, как видно, умер почти в одно время с сватом своим, Всеволодом Великим*, и Всеволод Чермный спешил воспользоваться их смертию, чтобы вытеснить из Руси Мономаховичей; предлогом к войне послужили события галицкие, именно повешение Игоревичей боярами; так как место Ольговичей занял в Галиче Мономахович Даниил, то Чермный объявил ближайшим к себе Мономаховичам: «Вы повесили в Галиче двоих братьев моих, князей, как злодеев, и положили укоризну на всех: так нет вам части в Русской земле!» Тогда внуки Ростиславовы послали в Новгород сказать Мстиславу: «Всеволод Святославич не дает нам части в Русской земле; приходи, поищем своей отчины». Мстислав созвал вече на Ярославовом дворе и стал звать новгородцев в Киев на Всеволода Чермного; новгородцы отвечали ему: «Куда, князь, ты посмотришь, туда мы бросимся головами своими». Мстислав пошел с ними на юг, но в Смоленске новгородцы завели ссору с жителями, убили одного смольнянина и не хотели идти дальше; по некоторым очень вероятным известиям, новгородцы не хотели уступить первого места полкам смоленским, которые вел Мстислав Романович, старший между внуками Ростиславовыми. Мстислав Мстиславич стал звать новгородцев на вече, но они не пошли, тогда он, перецеловавши всех, поклонился и пошел один с дружиною при смоленских полках. Новгородцы начали одумываться, собрались на вече и стали рассуждать, что делать. Посадник Твердислав** сказал им:

---

* Хотя летописи и полагают смерть его в 1215 году, но неупоминовение имени его при описании борьбы Ольговичей с Мономаховичами заставляет положить смерть его ранее 1214 года.

** Не сказано, каким образом Твердислав явился опять посадником; очень вероятно, что Дмитрий Якунич остался отправлять свою должность в Новгороде, а Твердислав называется посадником в смысле старого.

«Как трудились наши деды и отцы за Русскую землю, так, братья, и мы пойдем за своим князем». Новгородцы послушались посадника, нагнали Мстислава и начали все вместе воевать черниговские волости по Днепру, взяли Речицу *на щит* и многие другие города; под Вышгородом встретил их Чермный и дал битву, в которой Мстислав с братьями остался победителем: двое Ольговичей попались в плен, вышгородцы отворили ворота, а Всеволод бежал за Днепр, в Черниговскую область; посадивши в Киеве Мстислава Романовича, Мстислав новгородский осадил Чернигов, простоял под ним 12 дней и заключил мир с Чермным, который скоро после того умер.

Мстислав Мстиславич возвратился в Новгород, но недолго здесь оставался: при постоянной борьбе сторон, при наследственных ненавистях и стремлениях ни один князь не мог быть приятен всем одинаково; каждый должен был держаться одной какой-нибудь стороны, которая в свою очередь поддерживала его самого. Сторона, державшаяся князей суздальских, должна была уступить враждебному большинству, образовавшемуся вследствие поведения Всеволодова, но теперь Всеволода не было более, а между тем Мстислав и его сторона преследовали сторону противную, что́ ясно показывает известие об участии владыки Митрофана; Якунич пришел из Руси и получил посадничество, а каждый знаменитый дом имел своих приверженцев и своих врагов; враги тех бояр, которые держались Мстислава, необходимо поэтому были и врагами последнего, искали случая, как бы избавиться от него. И вот Мстислав узнал, что враждебная сторона собирает тайные веча, хочет изгнать его; быть может, она воспользовалась его отсутствием, чтоб усилиться; посадником был уже не Дмитрий Якунич, не Твердислав, но Юрий Иванович*.

Мстислав не стал дожидаться, чтоб ему показали путь, но созвал сам вече на Ярославовом дворе и сказал новгородцам:

---

* Имя отца его Иванка упоминается под 1195 и 1196 годом вместе с именем Мирошки.

«У меня есть дела в Руси, а вы вольны в князьях». Проводивши Мстислава, новгородцы долго думали; наконец отправили посадника Юрия Ивановича, тысяцкого Якуна и старших купцов 10 человек за Ярославом Всеволодовичем, князем переяславским — ясный знак, что пересилила сторона, державшаяся суздальских князей; знаком ее торжества служит и то, что Ярослав, приехавши в Новгород, схватил двоих бояр и, сковавши, заточил в свой ближний город Тверь; оклеветан был и тысяцкий Якун Намнежич; князь Ярослав созвал вече, народ бросился с него ко двору Якуна, дом его разграбили, жену схватили: сам Якун с посадником пришел к князю, и тот велел схватить сына его Христофора. Но волнение, возбужденное враждою сторон, этим не кончилось: жители Прусской улицы убили боярина Овстрата с сыном и бросили тела их в ров. Такое своеволие не понравилось Ярославу, он не захотел оставаться долее в Новгороде, выехал в Торжок, сел здесь княжить, а в Новгород послал наместника, последовавши в этом случае примеру деда, дядей и отца, которые покинули старый город Ростов и утвердили свое пребывание в новых.

Скоро предоставился ему благоприятный случай стеснить Новгород и привести его окончательно в свою волю: мороз побил осенью весь хлеб в Новгородской волости, только на Торжку все было цело; Ярослав не велел пропускать в Новгород ни одного воза с хлебом из Низовой земли; в такой нужде новгородцы послали к нему троих бояр с просьбою переехать к ним опять; князь задержал посланных. А между тем голод усиливался: кадь ржи покупали по десяти гривен, овса — по три гривны, воз репы — по две гривны, бедные люди ели сосновую кору, липовый лист, мох, отдавали детей своих в вечное холопство; поставили новую скудельницу, наклали полную трупов — недостало больше места, по торгу валялись трупы, по улицам трупы, по полю трупы, собаки не успевали съедать их; бо́льшая часть вожан померла с голоду, остальные разбежались по чужим странам; так разошлась наша волость и наш город, говорит летописец. Новгородцы, оставшиеся в живых, послали к Ярославу посадника Юрия Ивановича, Степана Твердиславича и других знатных людей звать его опять к себе, он велел задержать и этих, а вместо ответа послал в Новгород двух своих бояр вывести оттуда жену свою, дочь Мстислава Мстиславича. Тогда новгородцы послали к нему Мануила Яголчевича с последнею речью: «Ступай в свою отчину, к св. Софии, а нейдешь, так скажи прямо». Ярослав задержал Яголчевича, задержал и всех гостей новгородских, и были в Новгороде печаль и вопль, говорит летописец. Расчет Ярослава был верен, старине новгородской трудно было устоять при таких обстоятельствах, но старая Русь была еще сильна своим Мстиславом: узнавши, какое зло делается в Новгороде, Мстислав приехал туда (11 февраля 1216 г.), схватил Ярославова наместника Хота Григорьевича, перековал всех его дворян, въехал на двор Ярославов и целовал крест к новгородцам, а новгородцы к нему — не расставаться ни в животе, ни в смерти. «Либо отыщу мужей новгородских и волости, либо головою повалю за Новгород», — сказал Мстислав.

Между тем Ярослав, узнавши о новгородских новостях, стал готовиться к защите, велел поделать засеки по новгородской дороге и реке Тверце, а в Новгород отправил сто человек из его жителей, казавшихся ему преданными, с поручением поднять противную Мстиславу сторону и выпроводить его из города, но эти сто человек как скоро пришли в Новгород, так единодушно стали вместе со всеми другими за Мстислава, который отправил в Торжок священника сказать Ярославу: «Сын! Кланяюсь тебе: мужей и гостей отпусти, из Торжка выйди, а со мною любовь возьми». Ярославу не полюбилось такое предложение, он отпустил священника без мира и всех новгородцев, задержанных в Торжке, числом больше 2000, созвал на поле за город, велел схватить их, перековать и разослать по своим городам, имение их и лошадей роздал дружине. Весть об этом сильно опечалила новгородцев, их оставалось мало: лучшие люди были схвачены Ярославом, а из меньших одни разошлись, другие померли с голоду, но Мстислав не унывал, он созвал вече на Ярославовом дворе и сказал народу: «Пойдемте искать свою братью и своих волостей, чтоб не был Торжок Новгородом, а Новгород — Торжком, но где св. София, там и Новгород; и в силе Бог, и в мале Бог да правда!» — и новгородцы решились идти за ним.

1 марта 1216 года, в первый день нового года по тогдашнему счету, выступил Мстислав с новгородцами на зятя своего Ярослава, и через день же обнаружилось, как сильно было разделение и вражда сторон в Новгороде: несмотря на то что в Новгороде все целовали крест стоять единодушно за Мстислава, четыре человека, собравшись с женами и детьми, побежали к Ярославу*. Мстислав отправился озером Селигером и, вошедши в свою Торопецкую волость, сказал новгородцам: «Ступайте сбирать припасы, только людей не берите в плен»; те пошли, набрали корму для себя и для лошадей, и когда достигли верховьев Волги, то получили весть, что брат Ярославов, Святослав Всеволодович, с десятитысячным войском осадил Мстиславов город Ржевку, где посадник Ярун отбивался от него с сотнею человек. У Мстислава с братом Владимиром псковским было всего 500 человек войска; несмотря на это, они двинулись на выручку Ржевки, и Святослав побежал от нее, не дождавшись новгородских полков, а Мстислав пошел дальше и занял Зубцов, город Ярославов. На реке Вазузе настиг его двоюродный брат Владимир Рюрикович смоленский с своими полками; несмотря на эту помощь, Мстислав не хотел идти дальше и, ставши на реке Холохольне**, послал в Торжок к Ярославу с мирными предложениями, но тот велел отвечать: «Мира не хочу; пошли — так ступайте; на одного вашего придется по сту наших». Ростиславичи, получив этот ответ, сказали друг другу: «Ты, Ярослав, с плотию, а мы с крестом честным» — и стали думать, куда бы пойти дальше; новгородцы, которым прежде всего хотелось очистить свою волость, уговаривали князей идти к Торжку, но те отвечали им: «Если пойдем к Торжку, то по-

---

* Их имена: Володислав Завидиць, Гаврила Игоревиць, Гюрги Олькситниць, Гаврильць Милятиниць.

** Впадает в Волгу ниже обеих рек Стариц, при селении Холохольне.

пустошим Новгородскую волость; пойдем лучше к Переяславлю: там у нас есть третий друг». Ростиславичи были уверены, что Константин ростовский вступит в союз с ними против младших братьев. Они двинулись к Твери и стали брать села и жечь их, а об Ярославе не знали, где он — в Торжке или Твери. Услыхав, что Ростиславичи воюют тверские села, он выехал из Торжка в Тверь, взявши с собою старших бояр и новгородцев, молодых — по выбору, а новоторжцев — всех, и послал из них сто человек с небольшим отборных людей в сторожу, но в 15 верстах от города 25 марта наехал на них воевода Мстислав Ярун с молодою дружиною, тридцать три человека взял в плен, семьдесят положил на месте, остальным удалось убежать в Тверь.

Получивши этот первый успех, который дал ратникам их возможность беспрепятственно собирать съестные припасы, Ростиславичи послали смоленского боярина Яволода в Ростов к князю Константину Всеволодовичу приглашать его к союзу против братьев; провожать посла до рубежа отправили Владимира псковского с псковичами и смольнянами, а сами с новгородцами пошли дальше, пожгли села по рекам Шоше и Дубне, тогда как Владимир псковский взял город Константинов (Кснятин) на устье большой Мерли и пожег все Поволжье. Константин ростовский не замедлил ответом; он послал воеводу своего Еремея сказать Ростиславичам: «Князь Константин кланяется вам; обрадовался он, услыхавши о вашем приходе, и посылает вам в помощь 500 человек, а для остальных рядов пошлите к нему шурина его Всеволода (сына Мстислава Романовича киевского)». Ростиславичи отпустили к нему Всеволода с сильным отрядом, а сами пошли вниз по Волге; потом, чтоб скорее окончить поход, бросили возы и, севши на коней, поехали к Переяславлю. 9 апреля, в Светлое воскресенье, к Ростиславичам, стоявшим на реке Саре*, пришел Константин ростовский с своими полками, но он боялся, что оставил свой город без защиты, почему Рости-

---

* Ярославской губернии Ростовского уезда.

славичи отправили в Ростов Владимира псковского с дружиною, а сами с Константином пошли к Переяславлю и стали против него на Фоминой неделе. Здесь под городскими стенами они захватили в плен одного человека, от которого узнали, что Ярослава нет в городе — пошел к брату Юрию с полками, с новгородцами и новоторжанами, а князь Юрий с братьями Святославом и Владимиром выступил также из своего города. Войско младшие Всеволодовичи собрали большое: муромцев, бродников, городчан и всю силу Суздальской земли, погнали всех и из сел, у кого не было лошади, тот шел пешком. Страшное было чудо и дивное, братья, говорит летописец: пошли сыновья на отца, отцы на детей, брат на брата, рабы на господина, а господин на рабов*.

Ярослав и Юрий с братьями стали на реке Кзе, Мстислав и Владимир с новгородцами поставили полки свои близь Юрьева, а Константин ростовский стал дальше с своими полками на реке Липице. Когда Ростиславичи завидели полки Ярославовы и Юрьевы, то послали сотского Лариона сказать Юрию: «Кланяемся; у нас с тобою нет ссоры, ссора у нас с Ярославом»; Юрий отвечал: «Мы с братом Ярославом один человек». Тогда они послали сказать Ярославу: «Отпусти новгородцев и новоторжан, возврати волости новгородские, которые ты захватил, Волок; с нами помирись и крест целуй, а крови не проливай». Ярослав отвечал: «Мира не хочу, новгородцев и новоторжан при себе держу; вы далеко шли и вышли, как рыба насухо». Когда Ларион пересказал все эти слова Ростиславичам, те отправили к обоим братьям с последнею речью: «Мы пришли, брат князь Юрий и Ярослав, не на кровопролитие, крови не дай нам Бог видеть, лучше упра-

---

* Каким же образом это случилось? Не должно забывать летописного известия, где говорится о смуте по смерти Всеволода, когда одни признали старшинство Юрия и остались у него, а другие пошли к Константину в Ростов; могло случиться, что члены одного семейства могли разойтись таким образом в разные стороны; бояре, убежавшие в Ростов, оставили села во Владимирской области, и теперь рабы их, погнанные из поселий, шли против них с Юрием; не забудем также, что новгородцы, преданные Ярославу, шли против своих братий, находившихся с Мстиславом.

виться прежде; мы все одного племени: так дадим старшинство князю Константину, и посадите его во Владимире, а вам Суздальская земля вся». Юрий отвечал на это послу: «Скажи братье моей, князьям Мстиславу и Владимиру: пришли, так ступайте куда хотите, а брату князю Константину скажи: перемоги нас, и тогда тебе вся земля».

Младшие Всеволодовичи, ободренные мирными предложениями врагов, видя в этом признак слабости, отчаянного положения, начали пировать с боярами; на пиру один старый боярин, Андрей Станиславович, стал говорить молодым князьям: «Миритесь, князья Юрий и Ярослав! А меньшая братья в вашей воле; по-моему, лучше бы помириться и дать старшинство князю Константину, нечего смотреть, что перед нами мало Ростиславова племени, да князья-то все они мудрые, смышленые, храбрые; мужи их, новгородцы и смольняне, смелы на бою, а про Мстислава Мстиславича и сами знаете в том племени, что дана ему от Бога храбрость больше всех; так подумайте-ка, господа, об этом!» Не люба была эта речь князьям Юрию и Ярославу, и один из юрьевых бояр сказал: «Князья Юрий и Ярослав! Не было того ни при прадедах. ни при деде, ни при отце вашем, чтоб кто-нибудь вошел ратью в сильную землю Суздальскую и вышел из нее цел, хотя б тут собралась вся Русская земля, и Галицкая, и Киевская, и Смоленская, и Черниговская, и Новгородская, и Рязанская, никак им не устоять против нашей силы; а эти-то полки — да мы их седлами закидаем». Эта речь понравилась князьям, они созвали бояр своих и начали им говорить: «Когда достанется нам неприятельский обоз в руки, то вам будут кони, брони, платье, а кто вздумает взять живого человека, тот будет сам убит; у кого и золотом будет шитое платье, и того убивай, не оставим ни одного в живых; кто из полку побежит и будет схвачен, таких вешать или распинать, а о князьях, если достанутся нам в руки, подумаем после». Отпустивши людей своих, князья вошли в шатер и начали делить волости; князь Юрий сказал: «Мне, брат Ярослав, Владимирская земля и Ростовская, тебе Новгород, Смоленск — брату нашему Святославу, Киев отдай черниговским князьям, а Галич нам же». Младшие братья согласились, поцеловали крест и написали грамоты. Здесь всего любопытнее для нас презрение северных князей к Киеву, с которым для их предков и для всех южных князей соединялась постоянно мысль о старшинстве, о высшей чести, но богатый Галич Всеволодовичи берут себе.

Поделивши между собою все русские города, Юрий с Ярославом стали звать врагов к бою; Ростиславичи с своей стороны призвали князя Константина, долго думали с ним, взяли с него клятву, что не будет в нем перевету к братьям, и двинулись в ночь к ростовскому стану на реку Липицу; во всех полках их раздавались крики, в Константиновом войске трубили в трубы — это навело страх на Юрия и Ярослава, они отступили за дебрь и расположили свои полки на Авдовой горе; Ростиславичи на рассвете пришли к Липицам и, видя, что враги отступили на Авдову гору, расположились на противоположной горе Юрьевой и послали ко Всеволодовичам троих мужей опять с мирными предложениями. «А не дадите мира, — велели они сказать им, — так отступите подальше на ровное место, а мы пойдем на вашу сторону; или мы отойдем к Липицам, а вы перейдете на наши станы». Князь Юрий отвечал: «Ни мира не беру, ни отступаю; вы прошли через всю землю, так неужели этой дебри не перейдете?» Всеволодовичи надеялись на свои укрепления: они обвели свой стан плетнем и насовали кольев, боясь, чтоб Ростиславичи не ударили на них в ночь. Получивши их ответ, Ростиславичи послали своих молодых людей биться против Ярославовых полков; те бились целый день до ночи, но бились неусердно, потому что была буря и очень холодно. На другое утро, 21 апреля, в четверг, на второй неделе по Пасхе, Ростиславичи решились было идти прямо ко Владимиру, не схватываясь с неприятелем, и полки их стали уже готовиться к выступлению; видя это, полки Юрьевы начали также сходить с своей горы, думая, что враги бегут, но те остановились и опрокинули их назад. В это время явился князь Владимир псковский из Ростова, Ростиславичи стали думать, куда идти, причем Константин сказал им: «Братья, князь Мстислав и Владимир! Если пойдем мимо них, то ударят на нас в тыл, а потом мои люди на бой не охочи, того и гляди, что разойдутся по городам». На это Мстислав отвечал: «Князь Владимир и Константин! Гора нам не поможет, гора нас и не победит; призвавши на помощь крест честный и свою правду, пойдем к ним». Все согласились и начали ставить полки: Владимир Рюрикович смоленский поставил полки свои с краю, подле него стал Мстислав и Всеволод с новгородцами, да Владимир псковский с псковичами, а подле него стал князь Константин с ростовцами; с противной стороны Ярослав стал с своими полками, т. е. переяславскими и тверскими, также с муромскими, с городчанами и бродниками против Владимира и смольнян, Юрий стал против Мстислава и новгородцев со всею землею Суздальскою, а меньшие братья — против князя Константина.

Мстислав и Владимир начали ободрять своих новгородцев и смольнян: «Братья! — говорили они им. — Вошли мы в землю сильную, так, положивши надежду на Бога, станет крепко; нечего нам озираться назад; побежавши не уйти; забудем, братья, про домы, жен и детей; ведь надобно же будет когда-нибудь умереть! Ступайте, кто как хочет, кто пеш, кто на коне». Новгородцы отвечали: «Мы не хотим помирать на конях, хотим биться пеши, как отцы наши бились на Кулакше». Мстислав обрадовался этому, и новгородцы, сойдя с лошадей, посметавши с себя порты и сапоги, ударились бежать босые на врагов, смольняне побежали за ними также пешком, за смольнянами князь Владимир отрядил Ивора Михайловича с полком, а старшие князья и все воеводы поехали сзади на лошадях. Когда полк Иворов въехал в дебрь, то под Ивором споткнулся конь, что заставило его приостановиться, но пешие, не дожидаясь Ивора, ударили на пешие полки Ярославовы с криком, бросая палки и топоры, суздальцы не выдержали и побежали, новгородцы и смольняне стали их бить, подсекли стяг Ярославов, а когда приспел Ивор, то досеклись и до другого стяга. Увидавши это, Мстислав сказал Владимиру Рюриковичу: «Не дай нам Бог выдать добрых людей!» — и все князья разом ударили на врагов сквозь свою пехоту. Мстислав трижды проехал по вражьим полкам, посекая людей: был у него на руке топор с паворозою, которым он и рубил; князь Владимир не отставал от него, и после лютой битвы досеклись, наконец, до обоза Всеволодовичей; тогда последние, видя, что Ростиславичи жнут их полки, как колосья, побежали вместе с муромскими князьями, а князь Мстислав закричал своим: «Братья новгородцы! Не останавливайтесь над товаром, доканчивайте бой, а то воротятся назад и взметут вас». Новгородцы, говорит летописец, отстали от обоза и бились, а смольняне напали на добычу, одирали мертвых, о битве же не думали. Велик, братья, промысл Божий, говорит тот же летописец: на этом страшном побоище пало только пять человек новгородцев да один смольнянин, все сохранены были силою честного креста и правдою; с противной стороны было убито множество, а в плен взято 60 человек во всех станах; если бы князья Юрий и Ярослав знали это да ведали, то мирились бы, потому что слава их и хвала погибла, и полки сильные ни во что пошли: было у князя Юрия 13 стягов, труб и бубнов 60, говорили и про Ярослава, что у него было стягов 16, а труб и бубнов 40. Люди больше всего жаловались на Ярослава: от тебя, говорили они, потерпели мы такую беду, о твоем клятвопреступлении сказано: придите, птицы небесные, напитайтесь крови человеческой; звери! наешьтесь мяс человеческих. Не десять человек убито, не сто, но всех избито 9233 человека; крик, вытье раненых слышны были в Юрьеве и около Юрьева, не было кому погребать, многие перетонули во время бегства в реке; иные раненые, зашедши в пустое место, умерли без помощи; живые побежали одни к Владимиру, другие к Переяславлю, некоторые в Юрьев.

Юрий прибежал во Владимир на четвертом коне, а трех заморил, прибежал в одной первой сорочке, подклад и тот бросил; он приехал около полудня, а схватка была в обеденную пору. Во Владимире оставался один безоружный народ: попы, монахи, жены да дети; видя издали, что кто-то скачет к ним на коне, они обрадовались, думая, что то вестник от князя с победою; «Наши одолевают», — говорили они. И вдруг приезжает князь Юрий один, начинает ездить около города, кричит: «Укрепляйте стены!» Все смутились, вместо веселья поднялся плач; к вечеру и в ночь стали прибегать и простые люди: один прибежит раненый, другой нагой. На другое утро Юрий созвал народ и стал говорить: «Братья владимирцы! Затворимся в городе, авось отобьемся от них». Ему отвечали: «Князь Юрий! С кем нам затвориться? Братья наши избиты, другие взяты в плен, остальные пришли без оружия, с кем нам стать?» Юрий сказал: «Все это я сам знаю, только не выдавайте меня брату Константину и Ростиславичам, чтоб мне можно было выйти по своей воле из города». Это владимирцы ему обещали. Ярослав также прибежал в Переяславль на пятом коне, а четырех заморил и затворился в городе. Недовольно было ему первого зла, говорит летописец, не насытился крови человеческой: избивши в Новгороде много людей и в Торжке, и на Волоке, этого было ему все мало; прибежавши в Переяславль, он велел и тут теперь перехватить всех новгородцев и смольнян, зашедших в землю его для торговли, и велел их покидать одних в погреба, других запереть в тесной избе, где они и перемерли все, числом полтораста; на смольнян он не так злобился и велел запереть их 15 человек особо, отчего они все и остались живы.

Не так поступали князья из милостивого племени Ростиславова: они остальную часть дня оставались на месте побоища, а если бы погнались за неприятелем, то князьям Юрию и Ярославу не уйти бы, да и Владимир был бы взят врасплох, но Ростиславичи тихо пришли ко Владимиру, объехали и стали думать, откуда взять, а когда ночью загорелся княжий двор и новгородцы хотели воспользоваться этим случаем для приступа, то Мстислав не пустил их; через день вспыхнул опять пожар в городе, и горело до света, смольняне также стали проситься на приступ, но князь Владимир не пустил их*. Тогда

* Этот двукратный пожар, быть может, был произведен приятелями Константина.

князь Юрий выслал к осаждающим князьям с челобитьем: «Не ходите на меня нынче, а завтра сам пойду из города». И точно, на другой день рано утром выехал он из города, поклонился князьям Мстиславу и Владимиру Рюриковичу и сказал: «Братья! Вам челом бью, вам живот дать и хлебом меня накормить, а брат мой, Константин, в вашей воле». Он дал им богатые дары; те помирились с ним, помирили его и с братом Константином, который взял себе Владимир, а Юрий должен был удовольствоваться Радиловым Городцем на Волге; владыка, княгиня и весь двор его сели немедленно в лодки и поплыли вниз по Клязьме, а сам князь Юрий, зашедши перед отъездом в Соборную церковь, стал на колени у отцовского гроба и со слезами сказал: «Суди, Бог, брату моему, Ярославу, что довел меня до этого».

Проводивши Юрия, владимирцы — духовенство и народ — пошли встречать нового князя, Константина, который богато одарил в тот день князей и бояр, а народ привел к присяге себе. Между тем Ярослав все злобился и не хотел покоряться, заперся в Переяславле и думал, что отсидится здесь, но когда Ростиславичи с Константином двинулись к Переяславлю, то он испугался и стал слать к ним с просьбою о мире, а наконец и сам приехал к брату Константину, ударил ему челом и сказал: «Господин! Я в твоей воле: не выдавай меня тестю моему, Мстиславу, и Владимиру Рюриковичу, а сам накорми меня хлебом». Константин помирил его с Мстиславом еще на дороге, и когда князья пришли к Переяславлю, то Ярослав одарил их и воевод богатыми дарами; Мстислав, взявши дары, послал в город за дочерью своею, женою Ярославовою, и за новгородцами, которые остались в живых и которые находились в полках с Ярославом, тот не раз после этого посылал к нему с просьбою отдать ему жену, но Мстислав не согласился.

Так Мстислав уничтожил завещание Всеволода III, восстановил, по-видимому, старину на севере, хотя, собственно, здесь торжеством Константина прокладывался путь к торжеству нового порядка вещей, потому что старший брат становился материально несравненно сильнее младших, получив и Ростов и Владимир, чего прежде желал; племени Константинову следовало теперь усиливаться на счет остальных сыновей Всеволодовых, но судьба хотела иначе и предоставляла честь собрания Северной Руси племени третьего сына Всеволода, того самого Ярослава, который был виновником описанных событий.

Слабый здоровьем Константин недолго накняжил во Владимире, он чувствовал приближение смерти, видел сыновей своих несовершеннолетними и потому спешил помириться с братом Юрием, чтоб не оставить в нем для последних опасного врага: уже в следующем 1217 году он вызвал к себе Юрия, дал ему Суздаль, обещал и Владимир по своей смерти, много дарил и заставил поцеловать крест, разумеется, на том, чтобы быть отцом для племянников. В 1218 году Константин послал старшего сына своего, Василька, на стол ростовский, а Всеволода — на ярославский; по словам летописца, он говорил им: «Любезные сыновья мои! Будьте в любви между собою, всею душою бойтесь Бога, соблюдая его заповеди, подражайте моим нравам и обычаям: нищих и вдов не презирайте, церкви не отлучайтеся, иерейский и монашеский чин любите, книжного поученья слушайтесь, слушайтесь и старших, которые вас добру учат, потому что вы оба еще молоды; я чувствую, дети, что конец мой приближается, и поручаю вас Богу, Пречистой Его Матери, брату и господину Юрию, который будет вам вместо меня».

Константин умер 2 февраля 1218 года; летописец распространяется в похвалах его кротости, милосердию, попечению о церквах и духовенстве, говорит, что он часто читал книги с прилежаньем и делал все по-писаному в них. После имя Константина поминается с прозванием *добрый*. Брат его, Юрий, стал по-прежнему княжить во Владимире.

С княжеством Суздальским по природным условиям тесно были соединены княжества Рязанское и Муромское. Князь муромский, Давыд*, ходил постоянно в воле великого Всево-

---

* Наследовавший Владимиру Юрьевичу, умершему в 1203 году.

лода, помогал ему в покорении рязанских князей; во время Липецкой битвы муромские князья с своими полками находились в войске младших Всеволодовичей. Рязанские князья были отпущены Юрием из плена в свои волости, но недолго жили здесь в мире: тот самый Глеб Владимирович, который прежде с братом Олегом обносил остальную братью пред Всеволодом III, теперь с другим братом, Константином, вздумал истребить всех родичей и княжить вдвоем во всей земле Рязанской. Мы видели причины сильной вражды между Ярославичами рязанскими в крайнем размельчении волостей; причину же братоубийственного намерения Владимировичей, почти единственного примера* между русскими князьями после Ярослава, можно объяснить из большой грубости и одичалости нравов в Рязани, этой оторванной, отдаленной славяно-русской колонии на финском востоке. Как бы то ни было, в 1217 году, во время съезда рязанских князей для родственного совещания, Владимировичи позвали остальную братью, шестерых князей**, на пир к себе в шатер; те, ничего не подозревая, отправились к ним с своими боярами и слугами, но когда начали пить и веселиться, то Глеб с братом, вынувши мечи, бросились на них с своими слугами и половцами, скрывавшимися подле шатра: все гости были перебиты. Остался в живых не бывший на съезде Ингварь Игоревич, который и удержал за собою Рязань; Глеб в 1219 году пришел на него с половцами, но был побежден и едва успел уйти.

Мстислав, возвратившись с победою в Новгород, недолго оставался в нем: в следующем же 1217 году он ушел в Киев, оставив в Новгороде жену и сына Василия и взявши с собою троих бояр, в том числе старого посадника Юрия Иванковича; как видно, он взял их в заложники за безопасность жены и сына: так сильна была вражда сторон и возможность торжества стороны суздальской! На существование этой вражды, на существование в Новгороде людей, неприязненных Мстисла-

---

* Вспомним, что Ростиславичей галицких только подозревали в смерти Ярополка Изяславича.

** Изяслава, Кюр Михаила, Ростислава, Святослава, Глеба и Романа.

ву, указывает известие, что Мстислав по возвращении в Новгород в том же году должен был схватить Станимира Дерновича с сыном Нездилою, заточить их в оковах, взявши себе богатое имение их, а в 1218 году он пошел в Торжок и схватил там Борислава Некуришинича, причем также овладел большим имением; после, однако, все эти люди были выпущены на свободу. В том же году Мстислав созвал вече на Ярославовом дворе и сказал новгородцам: «Кланяюсь св. Софии, гробу отца моего и вам; хочу поискать Галича, а вас не забуду; дай мне Бог лечь подле отца у св. Софии». Новгородцы сильно упрашивали его: «Не ходи, князь», но не могли удержать его.

Проводивши Мстислава, новгородцы послали в Смоленск за племянником его, Святославом, сыном Мстислава Романовича, но в том же 1218 году встала смута: как-то Матей Душильчевич, связавши одного чиновника, Моисеича, убежал; беглеца схватили и привели на Городище, как вдруг пронесся в городе ложный слух, что посадник Твердислав выдал Матея князю*, встало волнение: жители Заречья (ононоловцы) зазвонили у св. Николы и звонили целую ночь, а жители Неревского конца стали звонить у 40 святых, сбирая также людей на Твердислава. Князь, услыхав о мятеже, выпустил Матея, но народ уже не мог успокоиться; ононоловцы выступили в бронях, как на рать, неревляне также, а загородцы не присоединялись ни к тем ни к другим, но смотрели, что будет. Тогда Твердислав, взглянувши на св. Софию, сказал: «Если я виноват, то пусть умру; если же прав, то ты меня оправи, Господи!» — и пошел на бой с Людиным концом и с жителями Прусской улицы. Битва произошла у городских ворот, и ононоловцы с неревцами обратились в бегство, потерявши из своих Ивана Душильчевича, Матеева брата, а неревляне Константина Прокопьича, да кроме этих еще шесть человек; победители, жители Людина конца и Прусской улицы, поте-

---

* Как принимать здесь слово выдал? В смысла ли физическом — отдал, сдал, или в том смысле, что он выдал его на суде, т. е. не вступился за него пред князем? По следующему известию, что князь выпустил Матея, можно принимать первое, но можно также принять и то и другое.

ряли по одному человеку, а раненых было много с обеих сторон. Целую неделю после этого побоища всё были веча в городе; наконец сошлись братья вместе единодушно и целовали крест. Но тут князь Святослав прислал своего тысяцкого на вече: «Не могу, — говорил князь, — быть с Твердиславом и отнимаю у него посадничество». Новгородцы спросили: «А какая вина его?» «Без вины», — велел отвечать князь. Тогда Твердислав сказал: «Тому я рад, что вины на мне нет никакой, а вы, братья, вольны и в посадничестве и в князьях». Новгородцы велели отвечать Святославу: «Князь! Если Твердислав ни в чем не виноват, то ты нам клялся без вины не отнимать ни у кого должности; тебе кланяемся, а вот наш посадник, и до того не допустим, чтоб отняли у него без вины посадничество». Святослав не настаивал больше, и наступило спокойствие.

В следующем году Мстислав Романович, князь киевский, прислал в Новгород сына своего, Всеволода: «Примите к себе, — велел он сказать новгородцам, — этого Всеволода, а Святослава, старшего, отпустите ко мне». Новгородцы исполнили его волю. Тою же зимою Семьюн Емин с отрядом из четырехсот человек пошел на финское племя тоймокаров, но суздальские князья, ни Юрий, ни Ярослав, не пропустили их чрез свою землю; принужденные возвратиться назад в Новгород, Семьюн с товарищами стали шатрами по полю, а в городе начали распускать слух, что посадник Твердислав и тысяцкий Якун нарочно заслали к Юрию, чтоб он не пускал их, и этими слухами взволновали город: Твердислав и Якун лишены были своих должностей, посадничество отдано Семену Борисовичу, кажется внуку знаменитого Мирошки, а тысяча — Семьюну Емину. Но оба они и году не пробыли в своих должностях: в том же 1219 году посадничество опять отдано было Твердиславу, а тысяча — Якуну. Смуты, борьба сторон касались даже и владык: мы видели, что Мстислав с своими приверженцами свергнул владыку Митрофана как избранника Всеволодова, но по уходе Мстислава в 1218 году Митрофан возвратился из Владимира в Новгород и стал жить в Благовещенском монастыре; в 1219 году, когда преемник его, Антоний, пошел в Торжок, новгородцы провозгласили опять Митрофана своим владыкою, а к Антонию послали сказать: «Ступай, куда тебе любо»; он отправился на житье в Спасонередицкий монастырь; наконец, князь Всеволод и новгородцы сказали обоим владыкам: «Ступайте к митрополиту в Киев, и кого он из вас пришлет опять к нам, тот и будет нашим владыкою». В 1220 году пришел назад архиепископ Митрофан, оправданный Богом и св. Софиею, по выражению летописца. Антония же митрополит удержал у себя в чести и дал ему епископство Перемышльское.

Всеволод Мстиславич наследовал вражду брата своего, Святослава, к посаднику Твердиславу: в 1220 году он отправился по своим делам в Смоленск, оттуда проехал в Торжок, и когда возвратился в Новгород, то поднял половину его жителей на Твердислава, хотел убить его, а Твердислав был в это время болен. Всеволод пошел с Городища, где жил со всем своим двором, одевшись в брони, как на рать, и приехал на двор Ярославов, куда сошлись к нему новгородцы, также вооруженные, и стали полком на княжом дворе; больного Твердислава вывезли на санях к Борисоглебской церкви, куда к нему на защиту собрались жители Прусской улицы, Людина конца, загородцы и стали около него пятью полками. Князь, увидавши, что они хотят крепко отдать свой живот, по выражению летописца, не поехал на них, но прислал владыку Митрофана с добрыми речами, и владыка успел помирить обе стороны. Но Твердислав сам отказался от посадничества по причине болезни и, видя, что болезнь все усиливается, тайком от жены, детей и всей братьи ушел в Аркажь монастырь и там постригся. В преемники ему был избран Иванко Дмитриевич, как видно, сын Дмитрия Якунича.

Между тем примирение князя Всеволода с Твердиславовою стороною не было прочно; в следующем же 1221 году новгородцы показали путь Всеволоду: «Не хотим тебя, ступай куда хочешь», — сказали они ему. Необходимым следствием изгнания Ростиславича было обращение к Юрьевичам суздальским, и вот владыка Митрофан, посадник Иванко, старейшие мужи отправились во Владимир к Юрию Всеволодовичу за сыном, и тот дал им своего Всеволода на всей их воле; после Липецкой битвы суздальским князьям нельзя было вдруг опять начать прежнее поведение с новгородцами; Юрий, как видно, был очень рад обращению новгородцев к своему племени: богато одарил владыку и других послов и прислал брата своего Святослава с войском на помощь новгородцам против чуди. Но Юрьеву сыну не понравилось в Новгороде, в том же году он тайком выехал оттуда со всем двором своим; новгородцы опечалились и отправили снова старших мужей сказать Юрию: «Если тебе неугодно держать Новгорода сыном, так дай нам брата». И Юрий дал им брата своего Ярослава, того самого, который прежде поморил их голодом. Новгородцы были рады Ярославу, говорит летописец, и когда в 1223 году он ушел от них в свою волость — Переяславль-Залесский, то они кланялись ему, уговаривали: «Не ходи, князь», но он не послушал их просьбы; опять новгородцы послали за князем к Юрию, и тот опять дал им сына своего Всеволода. В 1224 году пришел Всеволод вторично в Новгород и в том же году опять тайком ночью ушел оттуда; на этот раз, впрочем, дело только этим не кончилось: Всеволод по примеру дяди засел в Торжке, куда пришел к нему отец Юрий с полками, дядя Ярослав, двоюродный брат Василько Константинович с ростовцами, шурин Юрьев Михаил с черниговцами. Новгородцы послали сказать Юрию: «Князь! Отпусти к нам сына своего, а сам пойди с Торжка прочь». Юрий велел отвечать: «Выдайте мне Якима Ивановича, Никифора Тудоровича, Иванка Тимошкинича, Сдилу Савинича, Вячка, Иваца, Радка, а если не выдадите, то я поил коней Тверцою, напою и Волховом». Новгородцы собрали всю волость, около города поставили острог и послали опять сказать Юрию: «Князь! Кланяемся тебе, а братьи своей не выдаем; и ты крови не проливай, впрочем, как хочешь: твой меч, а наши головы». И в то же время новгородцы расставили сторожей по дорогам, поделали засеки, твердо решась умереть за св. Софию; Юрий не решился идти поить коней Волховом и послал сказать новгородцам: «Возьмите у меня в князья шурина моего Михаила черниговского». Новгородцы согласились и послали за Михаилом, Юрий вышел из Торжка, но не даром: новгородцы заплатили ему семь тысяч; здесь в первый раз они принуждены были откупиться деньгами от северного князя; преемники Юрия не преминут воспользоваться его примером.

Южный князь из старой Руси был по нраву новгородцам; при нем было легко их волости. Но подобно всем князьям Михаил не мог долго у них оставаться. Он пошел сперва во Владимир выпрашивать у Юрия назад товаров новгородских, которые тот захватил на Торжку и по своей волости; возвратясь с товарами в Новгород, он стал на Ярославовом дворе и сказал новгородцам: «Не хочу у вас княжить, иду в Чернигов; пускайте ко мне купцов, пусть ваша земля будет, как моя земля». Новгородцы много упрашивали его остаться и не могли упросить.

Проводивши Михаила с честию, новгородцы принуждены были опять послать в Переяславль к Ярославу. Тот пришел к ним и на этот раз пробыл в Новгороде почти три года, и когда уходил назад в свой Переяславль, то оставил новгородцам двоих сыновей, Федора и Александра, с boярином Федором Даниловичем и с тиуном Якимом. Но при Ярославе и сыновьях его Новгородской волости не было так легко, как при Михаиле черниговском: явились новые подати, новые распоряжения, каких не было означено в старых грамотах Ярославовых. С другой стороны, молодым князьям или, лучше сказать, дядьке их Федору Даниловичу не могло нравиться в Новгороде, где происходили беспрерывные волнения и вечевые самоуправства, неизвестные в Низовой земле. Осенью 1228 года полили сильные дожди день и ночь, с Успеньева дня до Николина не видать было солнца; ни сена нельзя было добыть, ни пашни пахать. Тогда дьявол, по выражению летописца, завидуя христианским подвигам владыки Арсения, возбудил против него чернь: собрали вече на Ярославовом дворе и пошли на двор владычин, крича: «Это из-за Арсения так долго стоит у нас тепло, он выпроводил прежнего владыку Антония на Хутынь, а сам сел, задаривши князя»; вытолкали его за ворота, как злодея, чуть-чуть не убили; едва успел он запереться в Софийской церкви, откуда пошел в Хутынь монастырь. На его место вывели опять прежнего архиепископа Антония, но этим дело не кончилось: взволновался весь город, вооружились и пошли с веча на тысяцкого Вячеслава, разграбили двор его, двор брата его Богуслава, двор Андреича, владыкина стольника, и других; послали грабить двор и Душильца, липитского старосты, а самого хотели повесить, но он успел убежать к Ярославу, так взяли его жену, говоря: «Эти люди наводят князя на зло».

Отнявши должность тысяцкого у Вячеслава и давши ее Борису Негочевичу, новгородцы послали сказать князю Ярославу: «Приезжай к нам, новые пошлины оставь, судей по волости не шли, будь нашим князем на всей воле нашей и на всех грамотах Ярославовых, или ты себе, а мы себе». Вместо ответа Федор Данилович и тиун Яким, взявши двух княжичей, побежали из Новгорода, новгородцы сказали: «Что же это он побежал? Разве какое зло задумал на св. Софию, а мы их не гнали, только братью свою казнили, а князю никакого зла не сделали, пусть на них будет Бог и крест честный, а мы себе князя промыслим»; поцеловали образ Богородицы, что быть всем заодно, и послали за Михаилом в Чернигов; послы их были задержаны в Смоленске тамошними князьями по Ярославову научению, да и потому, вероятно, что Ростиславичи не могли желать добра новгородцам после изгнания Всеволода.

Несмотря на то что Михаил как-то узнал о новгородских происшествиях, о том, что послы, отправленные за ним, задержаны в Смоленске, и поскакал в Торжок, а оттуда в 1229 году явился в Новгороде, к величайшей радости новгородцев, которым целовал крест на всей их воле и на всех грамотах Ярославовых, освободил смердов от платежа дани за пять лет, платеж сбежавшим на чужую землю установил на основании распоряжений прежних князей. Получив желанного князя, сторона Михайлова обратилась против своих противников, приверженцев Ярославовых, преимущественно городищан: дворов их не грабили, но взяли с них много денег и дали на строение большого моста. Тогда же отняли посадничество у Ивана Дмитриевича и отдали его Внезду Водовику, а Иванку дали Торжок; но жители этого города не приняли его, и он пошел к Ярославу.

Михаил, впрочем, и на этот раз недолго оставался в Новгороде: в том же 1229 году, оставив здесь сына Ростислава и взявши с собою несколько знатных новгородцев, он пошел в Чернигов к братьям; к Ярославу послали сказать: «Отступись от Волока и от всего новгородского, что взял силою, и целуй крест». Ярослав отвечал: «Ни от чего не отступаюсь и креста не целую: вы себе, а я себе» — и продержал послов все лето. В следующем году Михаил явился в Новгород, справил постриги своему сыну Ростиславу, посадил его на столе, а сам опять пошел в Чернигов. Иметь малолетнего князя для новгородцев было все равно что не иметь его вовсе; начались опять сильные волнения: новый посадник Водовик поссорился с сыном старого посадника Степаном Твердиславичем, сторону которого принял Иванко Тимошкинич; слуги посадничьи прибили Тимошкинича, который на другой день собрал вече на Ярославовом дворе, вследствие чего двор посадничий был разграблен. Но Водовик вместе с Семеном Борисовичем, старым посадником, соперником Твердислава, а следовательно, и сына его, подняли снова весь город на Иванка и его приятелей, пошли с веча и много дворов разграбили, а Волоса Блудкинича убили на вече, причем Водовик приговаривал: «Ты мой двор хотел зажечь». Водовик после убил также и Тимошкинича, сбросивши его в Волхов. Но зимою, когда посадник вместе с княжичем Ростиславом поехал в Торжок, то на другой же день враги его убили Семена Борисовича, дом и села его разграбили, жену схватили; также разграбили двор и села Водовиковы, брата его и приятелей, тысяцкого Бориса. Услыхав об этом, Водовик с братьями, тысяцкий Борис и торжокские бояре побежали к Михаилу в Чернигов, а в Новгороде дали посадничество Степану Твердиславичу, должность тысяцкого — Никите Петриловичу, имение Семена и Водовика разделили по сотням, а князю Ростиславу показали путь из Торжка, послали сказать ему: «Твой отец обещался сесть на коня и в поход идти с Воздвижения, а теперь уже Николин день; с нас крестное целование долой, а ты ступай прочь, мы себе князя промыслим» — и послали за Ярославом на всей воле новгородской; тот приехал немедленно, поклялся исполнять все грамоты Ярославовы, но по-прежнему непостоянно жил в Новгороде, где занимали его место сыновья — Федор и Александр; новые льготы, данные Михаилом, были уничтожены, по некоторым известиям.

Таким образом, следствия дела Мстиславова, Липецкой победы, не были продолжительны на севере: Юрий по-прежнему сидел во Владимире, и новгородцы после многих волнении и перемен должны были опять принять Ярослава, который, несмотря на все неудачи, не переменяет своего поведения, не отказывается от намерения стеснять старинный быт новгородский вопреки южному черниговскому князю, который дает старым вечникам новые льготы. Обратимся теперь к деятельности Мстиславовой на Юго-Западе. Сваты, Андрей венгерский и Лешко польский, скоро поссорились; король отнял у Лешка Перемышль и Любачев, и тот, не имея возможности сам отомстить за свое бесчестье и овладеть Галичем, послал сказать Мстиславу: «Ты мне брат: приходи и садись в Галиче». Мстислав должен был обрадоваться этому приглашению, потому что в Новгороде в это время (1215 г.*) приходилось ему плохо; он явился в Галич, венгры побежали, и Мстислав утвердился на столе Романа, выдавши за сына его, Даниила, дочь свою Анну. Даниил возмужал, и скоро все увидали, что он пойдет в знаменитого отца своего. Пользуясь слабостию Волыни по смерти Романа и во время малолетства сыновей его, поляки овладели пограничными местами, украйною; теперь Даниил вздумал отнять у них эту украйну

---

* В Волынской летописи первое прибытие Мстислава в Галич полагается в 1212 году; но мы предпочитаем хронологию Новгородской летописи.

и, приехав к тестю Мстиславу, сказал ему: «Батюшка! Ляхи держат мою отчину!»; тот отвечал ему: «Сын! За прежнюю любовь я не могу подняться на Лешка, ищи себе других союзников». У Даниила был один неизменный союзник во всю жизнь — родной брат Василько; вместе с ним он пошел на поляков и возвратил Волынскую украйну. Лешко сильно рассердился за это на Романовичей, послал против них войско, но войско это возвратилось пораженное. Несмотря на то что Мстислав отказался помогать зятю против Лешка, он не избежал подозрения, что война начата по его совету, и Лешко, злобясь на него, соединился снова с венгерским королем, приглашая его снова овладеть Галичем для сына своего, зятя Лешкова. Королевич Коломан пришел с сильными полками, против которых Мстислав, по нерасположении бояр, с одною своею дружиною не мог бороться; он вышел из страны, сказавши молодому Даниилу, который отличался необыкновенною храбростию, при отступлении из Галича: «Князь! Ступай во Владимир, а я пойду к половцам: отомстим за стыд свой».

Но не к половцам отправился Мстислав: он пошел на север, там освободил Новгород от Ярослава Всеволодовича, одержал Липецкую победу и только в 1218 году явился опять на юге. Нанявши половцев, в следующем году он пошел на Галич; войсками Коломана начальствовал воевода Филя, которому летописец придает название прегордого, Филя с презрением отзывался о русских полках, он говаривал: «Один камень много горшков побивает»; говаривал также: «Острый меч, борзый конь — много Руси». Но в тяжкой битве с Мстиславом не спасли его ни острый меч, ни борзый конь, ни польская помощь: он проиграл битву и был взят в плен. После победы Мстислав осадил Галич; венгры заперлись на крепкой башне, которую Филя построил над Богородичною церковию, и там защищались, стреляя и метая камни на граждан; летописец смотрит на это обращение церкви в крепость как на осквернение святого места, укоряет Филю и говорит, что Богородица, не стерпевши поругания над домом своим, предала башню и защитников ее в руки Мстиславу — венгры, изнемогая от жажды, сдались. Была радость большая, говорит летописец, спас Бог от иноплеменников, потому что из венгров и ляхов одни были перебиты, другие взяты в плен, иные перетонули в реках, некоторых перебили сельские жители, ни один не ушел. Между пленными находился и знаменитый боярин Судислав; когда его привели к Мстиславу, то он припал к ногам победителя, клянясь быть ему верным слугою; Мстислав поверил, стал держать его в большой чести и отдал Звенигород в управление. Когда Романовичи во время отсутствия Мстиславова должны были бороться с опасными врагами — венграми и поляками — и не было им ниоткуда помощи, кроме одного Бога, по выражению летописца, против них встал также ближний родственник, двоюродный брат Александр Всеволодович бельзский, но теперь, когда Мстислав восторжествовал над венграми и Лешко поспешил примириться с Романовичами, то последние пошли отомстить Александру и попленили всю его землю; только заступничеству Мстислава бельзский князь был обязан сохранением своей волости.

Но понятно, что злоба Александрова на двоюродных братьев не уменьшилась от этого, и ему скоро представился случай отомстить им, потому что Даниил недолго жил в дружбе с тестем. Причин к нерасположению не могло не быть, потому что права их на Галич сталкивались: Мстислав добыл Галич оружием от иноплеменников, но Даниил не забывал, что это была волость отца его; притом же смутников было много: бояре крамолили, Александр бельзский поджигал еще больше. Узнавши, что Мстислав не в ладах с зятем, он сильно обрадовался и стал понуждать Мстислава к рати против Романовичей. Началась усобица между двумя из знаменитейших князей русских — старого и нового поколения: Даниил соединился с поляками, Мстислав привел половцев, поднял и Владимира Рюриковича, князя киевского, но в этой усобице больше всех потерпел главный ее виновник, Александр бельзский; Мстислав действовал как-то вяло в его пользу, и волость Бельзская снова была страшно опустошена Романовичами; озлобленный Александр еще больше стал поджигать Мстислава на Даниила: «Зять твой хочет тебя убить», — твердил он ему; но напоследок Удалому открыли глаза: он увидал, что все это была клевета на Даниила, и помирился с зятем. Но и после этого спокойствие не восстановилось, боярин Жирослав завел смуту: он уверил остальных бояр, что Мстислав идет в степь к тестю своему, половецкому хану Котяну, дабы там перебить их всех. Бояре всполошились и побежали в Перемышльский округ, в Карпатские горы, откуда послали объявить Мстиславу о причине своего бегства, прямо указывая на Жирослава. Мстислав, который, по уверению летописца, и не думал ничего предпринимать против бояр, послал к ним духовника своего Тимофея разуверить их; Тимофей исполнил поручение и привел назад бояр, после чего Жирослав был изгнан Мстиславом от себя. Жирослав был изгнан, но товарищи его остались, и потому смута следовала за смутой. Бояре уговорили Мстислава обручить меньшую дочь свою венгерскому королевичу Андрею и дать нареченному зятю Перемышль; Андрей недолго пожил здесь в покое: послушавшись боярина Семена Чермного, он бежал к отцу в Венгрию и поднял его на войну против тестя Мстислава; с венграми соединились поляки, и король с сильным войском стал забирать галицкие города, но под Звенигородом потерпел сильное поражение от Мстислава и поспешил уйти назад в свою землю. Романовичи, приехавши на помощь к Мстиславу, побуждали его преследовать короля, но последнему благоприятствовали бояре, и один из самых знаменитых, Судислав, да другой еще, Глеб Зеремеевич, — они не только удержали Мстислава от преследования, но уговорили его выдать дочь за обрученного жениха, королевича, и отдать последнему не Перемышль только, но все Галицкое княжество; они говорили Мстиславу: «Князь! Сам ты не можешь держать Галича: бояре не хотят тебя; если отдашь его королевичу, то можешь взять его под ним назад, когда захочешь; если же отдашь Даниилу, то уже никогда не будет больше твой Галич, потому что народ крепко любит Даниила». Мстислав исполнил желание бояр, отдал королевичу Андрею Галич, а сам взял Понизье; потом раскаялся и послал сказать Даниилу: «Сын! Согрешил я, что не дал тебе Галича, но отдал его иноплеменнику по совету льстеца Судислава — обольстил он меня, но если Богу угодно, то дело еще можно поправить: пойдем на них — я с половцами, а ты с своими; когда Бог нам поможет, то ты возьмешь Галич, а я Понизье». Но Удалой не успел загладить своей неосторожности и до самой смерти не мог освободиться из-под влияния Глеба Зеремеевича, который не допустил его перед кончиною повидаться с Даниилом и отдать последнему дом свой и детей на руки.

Мстислав умер в 1228 году: князь, знаменитый подвигами славными, но бесполезными, показавший ясно несостоятельность старой, Южной Руси, неспособность ее к дальнейшему государственному развитию. На севере Мстислав освободил Новгород сперва от Всеволода, потом от сына Всеволодова, наконец, Липецкою победою нарушил завещание Всеволода, но мы видели, продолжительны ли были следствия Липецкой победы; на юге Мстислав овладел Галичем, отнял его у венгров, но потом сам добровольно отдал им назад это русское княжество, изъявил только перед смертию бесполезное раскаяние в своей бесхарактерности; и все здесь, на юге, осталось по-прежнему, как будто бы Мстислава и не было: попрежнему Южная Русь стала доживать свой век в бесконечных ссорах Мономаховичей с Ольговичами, Ростиславичей с Изяславичами.

Мы видели, что Мстислав Удалой в 1214 году, выгнавши из Киева Всеволода Чермного, посадил на его место старшего между Ростиславовыми внуками Мстислава Романовича, который и сидел на старшем столе до 1224 года; по смерти Романовича Киев достался по очереди старшему по нем двоюродному брату Владимиру Рюриковичу. В Чернигове по смерти Всеволода Чермного княжил брат его Мстислав, а по смерти последнего в 1224 году — племянник его, сын Всеволода Чермного Михаил, которого мы видели действующим в Новгороде, но занял ли Михаил Чернигов тотчас по смерти Мстислава, трудно решить утвердительно, ибо как-то странно, что в 1224 году он решился променять Чернигов на Новгород; верно одно, что Михаил не мог утвердиться в Чернигове без борьбы с дядею своим Олегом курским; неизвестно, чем бы кончилась эта борьба, если бы на помощь к Михаилу не явился сильный союзник, зять его, князь суздальский Юрий с двумя племянниками Константиновичами (1226 г.); разумеется, курский князь не мог противиться соединенным силам суздальского и черниговского князей и должен был уступить права свои племяннику; в летописи сказано, что Юрий помирил их с помощию митрополита Кирилла; так северному князю удалось нарушить старину и на юге еще при жизни Мстислава Удалого. Племя Ольговичей было многочисленно: летопись упоминает о князьях козельских, трубчевских, путивльских, рыльских. Старшие Юрьевичи суздальские, уступая Киев следующим после них по племенному старшинству Мстиславичам, удерживают Переяславль для своих младших Юрьевичей, которые соответствуют по старшинству Мстиславичам, сидящим в Киеве. Мы видели, как сын Всеволода, Ярослав, был изгнан из Переяславля Всеволодом Чермным в 1207 году, после чего Переяславль одно время был за Ростиславичами, но в 1213 году Всеволодовичи послали туда младшего брата своего Владимира, который было засел на время в Москве; взятый в плен половцами в 1215 году и освободившись из плена в 1218 г., Владимир отправился с братьями на север, где получил от них Стародуб и некоторые другие волости, и умер в 1227 году; в этом же самом году Юрий Всеволодович отправил в Переяславль на стол племянника своего Всеволода Константиновича; кто же сидел здесь во время плена Владимирова и пребывания его на севере — неизвестно; но Всеволод Константинович не пробыл и года в Переяславле, куда на его место Юрий отправил брата своего Святослава. На запад от Днепра мы видели судьбу старшей линии Изяслава Мстиславича, княжившей во Владимире Волынском, что касается до младшей линии князей луцких, то по смерти Ярослава Изяславича в Луцке княжил Ингварь, сын его, которого мы видели одно время и в Киеве; по смерти Ингваря в Луцке сел брат его Мстислав Немой, который, умирая, поручил отчину свою и сына Ивана Даниилу Романовичу; Иван скоро умер, и Луцк был занят двоюродным братом его Ярославом Ингваревичем, а Чарторыйск — князем пинским Ростиславом, но Даниил взял и Луцк, и Чарторыйск и отдал Луцк и Пересопницу брату своему Васильку, который владел также и Брестом, а Ярославу дал Перемышль и Межибожь. Мы упомянули о князе пинском; после того как внуку Святополкову, Юрию Ярославичу, удалось утвердиться в Туровской волости, волость эта стала делиться в его поколении между двумя княжескими линиями, пошедшими от сыновей его — Святополка и Глеба; главным образом Туровская волость делилась на два княжества — Туровское и Пинское, кроме того, были другие мельчайшие волости. Святополк Юрьевич, шурин Рюрика Ростиславича, умер в 1195 году. Между разными линиями князей полоцких по-прежнему происходили усобицы, ничем особенно не замечательные.

Рассматривая деятельность князей русских в период времени от взятия Киева войсками Боголюбского до смерти Мстислава Удалого, мы заметили при них бояр и слуг: на севере, в Суздальской области, видели знаменитого воеводу Боголюбского, Бориса Жидиславича, который по смерти Андрея вместе с другими своими товарищами держал сторону Ростиславичей против Юрьевичей, вследствие торжества последних перешел в службу к врагу их, князю Глебу рязанскому, вместе с которым попался в плен ко Всеволоду III в сражении при Прусковой горе. На одной стороне с Борисом были Добрыня Долгий, Иванко Степанович, Матеяш Бутович; двое первых погибли в битве Всеволода III с Мстиславом ростовским, последний, как видно, тут же был взят в плен. Кроме имен лиц, находившихся при дворе Андреевом и участвовавших в заговоре на его жизнь, мы встречаем имя Михна — посла его к Ростиславичам южным. Из мужей Всеволода III встречаем исполнителями его поручений Михаила Борисовича (быть может, сына Бориса Жидиславича), который водил Ольговичей ко кресту в 1207 году, участвовал в делах рязанских и новгородских; Лазаря, который распоряжался именем своего князя в Новгороде; тиуна Гюря, которого Всеволод посылал на юг для обновления Городца-Остерского в 1195 году; меченошу Кузьму Ратьшича, который воевал Тепру в 1210 году; Фому Лазковича и Дорожая, участвовавших в болгарском походе 1182 года; боярина Якова — племянника великого князя Всеволода от сестры. Из бояр при сыновьях Всеволодовых упоминается Иван Родиславич, убитый в сражении под Ростовом; Андрей Станиславич, который уговаривал младших Всеволодовичей перед Липецкою битвою мириться с Мстиславом Удалым; Еремей Глебович, служивший сперва Константину, а потом Юрию; Воислав Добрынич — ростовский воевода при сыновьях Константиновых. Из бояр при князьях Южной Руси под 1171 годом упоминается шумский посадник Паук — кормилец дорогобужского князя Владимира Андреевича; при Глебе Юрьевиче в Киеве тысяцким был Григорий — неизвестно, киевский ли боярин или пришлый с Глебом из Переяславля. Известный нам прежде выезжий поляк Владислав Вратиславич по изгнании Мстислава из Киева отступил от последнего к враждебным ему князьям: Давыд Ростиславич вышегородский посылает его преследовать Мстислава в 1127 году; во время войны Глеба и Михаила Юрьевичей с половцами (1172 г.) воеводою у них был Владислав, Янев брат — быть может, тот же самый лях, быть может, и другой, и *Янев брат* сказано именно для отличия его от известного ляха; по смерти Глеба последний оставался в Киеве и держал сторону Боголюбского против Ростиславичей, которые захватили его там вместе со Всеволодом Юрьевичем в 1174 году. Поводом к знаменитой борьбе Боголюбского с Ростиславичами было обвинение троих киевских бояр — Григория Хотовича, Степанца и Олексы Святославича в отравлении князя Глеба; Григорий Хотович был, вероятно, упомянутый выше тысяцкий Григорий, брат Константина Хотовича, плененного прежде половцами. Из бояр в Киеве при Святославе Всеволодовиче упоминается любимец его Кочкарь, по всем вероятностям, приведенный им из Чернигова; летописец говорит, что князь открывал свои тайные намерения одному этому Кочкарю, мимо других. По походам на половцев известны черниговские бояре Ольстин Олексич и Роман Нездилович (1184, 1185, 1187 гг.). У Рюрика Ростиславича белгородского и потом киевского упоминается воевода Лазарь, Сдеслав Жирославич, Борис Захарьич — кормилец Владимира, сына Мстислава Храброго; Сдеслав Жирославич упоминается после в числе бояр Мстислава Удалого; потом у Рюрика в Белграде встречаем воеводу Славна Борисовича, бывшего потом тысяцким в Киеве, где видим также при Рюрике боярина Чурыню, посыланного в 1187 году вместе с Славном за дочерью Всеволода III; у сына Рюрикова, Ростислава, был боярин Рогволд, которого он в 1192 году посылал к отцу толковать о половецком походе. Смоленским тысяцким при князе Давыде Ростиславиче был Михалко; у Владимира Рюриковича во время Липецкого боя упоминается боярин Яволод и потом Ивор Михайлович, быть может сын упомянутого выше Михалка. Из бояр князя Глеба рязанского упоминаются Борис и Дедилец, которые так много содействовали отстранению Юрьевичей в пользу Ростиславичей по смерти Боголюбского; Дедилец вместе с другим рязанским боярином Олстиным попался в плен Всеволоду III в 1177 году*; потом из рязанских бояр во время войны Святослава черниговского со Всеволодом III упоминается Иван Мирославич.

Рассмотревши отношения внутренние, обратимся ко внешним, которые в последнее время начинают принимать особый, очень важный характер. Мы знаем, что древние русские владения в прибалтийских областях делились на две части: северную, зависевшую более или менее от Новгорода, и южную, зависевшую от Полоцка. К берегам этой-то южной части русских владений, к устью Двины, в 1158 году прибит был бурею корабль бременских купцов. Негостеприимно

---

* Мы не упоминаем здесь о боярах новгородских, галицких и волынских, которых деятельность и отношения ясно обозначены на своем месте.

встретили их туземцы, но после схватки, в которой победа осталась на стороне немцев, ливы стали сговорчивее и позволили пришельцам производить мену. Выгода этой мены заставила бременцев несколько раз возвращаться с товарами к устью Двины, наконец выпросили они себе у туземцев позволения основать здесь постоянную контору; место было выбрано подле Двины на горе, где построили большой дом и острожек, который получил название Укскуль; скоро потом построена была другая фактория Дален.

Известие о поселениях, заведенных немцами при устье Двины среди языческого народонаселения, обратило на себя внимание бременского архиепископа, который не мог пропустить благоприятного случая для распространения пределов церкви. Он объявил об этом папе Александру III, и тот велел ему отправить в Ливонию искусного миссионера; архиепископ отправил туда Мейнгарда — монаха Августинского ордена. Мейнгард выпросил позволение у князя полоцкого проповедовать Евангелие между подвластными ему язычниками, построил церковь в Укскуле и успел обратить несколько туземцев. Скоро литовцы напали на окрестности Укскуля, Мейнгард с жителями последнего спрятался в лесах, где имел бой с врагами. По их удалении начал укорять ливов за то, что они живут оплошно, не имеют крепостей, и обещал им построить крепкие замки, если они за это обяжутся принять христианство. Ливы согласились, и на следующее лето явились из Готланда строители и каменосечцы. Еще прежде, чем начали строить замок Укскуль, часть народа окрестилась, остальные обещали креститься, как скоро весь замок будет готов. Замок выстроили, Мейнгард посвящен был в епископы, но никто не думал креститься; под условием такого же обещания выстроили другой замок — Гольм, и также никто не думал принимать христианство; мало того, язычники начали явно обнаруживать неприязненные намерения против епископа, грабили его имение, били его домашних, но всего больше огорчало Мейнгарда то, что уже крещенные туземцы стали погружаться в Двину, чтоб, по их словам, смыть с себя крещение и отослать его в Германию. У Мейнгарда был товарищ в деле проповеди, брат Феодорих — монах Цистерциенского ордена, этого Феодориха ливонцы вздумали однажды принесть в жертву богам, чтоб жатва была обильнее, чтоб дожди не повредили ей. Народ собрался, положили копье на землю, вывели священного коня, смотрят, какою ногою прежде ступит конь: правою — определит смерть, левою — жизнь; конь ступает ногою жизни, но волхв противится, утверждает, что тут чары со стороны враждебной религии; опять ведут коня, опять ступает он левою ногою, и Феодорих спасен. В другой раз тот же Феодорих находился в Эстонии, когда в день св. Иоанна Крестителя случилось солнечное затмение; несчастному монаху грозила опять страшная опасность от язычников, которые приписали затмение ему, говоря, что он съедает солнце.

Когда Мейнгард увидал, что мирными средствами трудно будет распространить христианство между ливами, то отправил посла к папе представить жалкое положение юной церкви своей; папа велел проповедовать крестовый поход против ливонских язычников, но Мейнгард не дождался прибытия крестового ополчения — он умер в 1196 году; в этом же году датский король Канут VI пристал к эстонскому берегу и утвердился здесь, принудив туземцев силою принять христианство. Между тем ливонские христиане отправили посольство к бременскому архиепископу с просьбою о присылке преемника Мейнгарду; новый епископ, Бартольд, явился сперва без войска, собрал туземных старшин и пытался привлечь их к себе угощениями и подарками, однако напрасно, при первом удобном случае они завели спор о том, каким способом погубить нового епископа: сжечь ли его в церкви, или убить, или утопить в Двине. Бартольд тихонько ушел на корабль и отплыл сперва на Готланд, а потом в Германию, откуда послал к папе с известием о своем печальном положении; папа объявил отпущение грехов всем, кто отправится в крестовый поход против ливонцев, вследствие чего около Бартольда собрался значительный отряд крестоносцев, с которым он и отправился назад в Ливонию. Туземцы вооружились и послали спросить епископа, зачем он привел с собою войско? Когда Бартольд отвечал, что войско пришло для наказания отступников, то ливонцы велели сказать ему: «Отпусти войско домой и ступай с миром на свое епископство: кто крестился, тех ты можешь принудить оставаться христианами, других убеждай словами, а не палками». Урок не подействовал на Бартольда: он позволил себе принять участие в битве между крестоносцами и туземцами, и когда последние были обращены в бегство, то быстрый конь занес епископа в ряды язычников, которые изрубили его. Немцы воспользовались своею победою и страшно опустошили страну; туземцы принуждены были к покорности, крестились, приняли к себе священников, определили на их содержание известное количество съестных припасов с плуга, но только что крестоносцы успели сесть на корабли, как уже ливонцы начали окунываться в Двину, чтоб смыть с себя крещение, ограбили священников, выгнали их из страны; хотели сделать то же и с купцами, но те задарили старшин и остались.

Скоро возвратились также и священники; с ними приехал новый епископ, Альберт, в сопровождении крестового отряда, помещавшегося на 23 кораблях. Альберт принадлежал к числу тех исторических деятелей, которым предназначено изменять быт старых обществ, полагать твердые основы новым: приехавши в Ливонию, он мгновенно уразумел положение дел, нашел верные средства упрочить торжество христианства и своего племени над язычеством и туземцами, с изумительным постоянством стремился к своей цели и достиг ее. Враждебно встретили туземцы нового епископа, он должен был выдержать от них осаду в Гольме; новоприбывшие крестоносцы освободили его, но Альберт хорошо видел, что с помощию этих временных гостей нельзя утвердиться в Ливонии; туземцы не умели выдерживать битв с искусными немецкими ополчениями; потерпев поражение, видя жилища и нивы свои опустошенными, они покорялись, обещаясь принять христианство, но стоило только крестоносцам сесть на корабли, как они возвращались к прежней вере и начинали враждебно действовать против пришельцев. Нужно было, следовательно, вести борьбу не временными, случайными наездами; нужно было стать твердою ногою на новой почве, вывести сильную немецкую колонию, основать город, в стенах которого юная церковь могла бы находить постоянную защиту. С этою целию в 1200 году Альберт основал при устье Двины город Ригу; но мало было основать, нужно было дать народонаселение новому городу, и Альберт сам ездил в Германию набирать колонистов и привозил их с собою. Но одного города с немецким народонаселением было еще недостаточно: народонаселение это не могло предаваться мирным занятиям, потому что должно было вести постоянную борьбу с туземцами; нужно было, следовательно, военное сословие, которое бы приняло на себя обязанность постоянно бороться с туземцами, обязанность защищать новую колонию; для этого Альберт сперва начал было вызывать рыцарей из Германии и давать им замки в ленное владение, но это средство могло вести к цели только очень медленно, и потому он скоро придумал другое, более верное, именно основание ордена воинствующих братий по образцу военных орденов в Палестине; папа Иннокентий III одобрил мысль Альберта, и в 1202 году был основан орден рыцарей Меча, получивший устав Храмового ордена; новые рыцари носили белый плащ с красным мечом и крестом, вместо которого после стали нашивать звезду: первым магистром их был Винно фон Рорбах.

Таким образом немцы стали твердою ногою при устьях Двины; как же смотрели на это князья полоцкие? Они привыкли ходить войною на чудь и брать с нее дань силою, если она не хотела платить ее добровольно. Точно так же хотели они теперь действовать против немцев: в 1203 году полоцкий князь внезапно явился пред Укскулем и осадил его; неприготовленные к осаде жители предложили ему дань, он взял ее и пошел осаждать другой замок — Гольм, но сюда епископ уже успел послать гарнизон, и русские, потеряв много лошадей от стрельбы осажденных, отступили от замка. В Ливонии по берегам Двины роду полоцких князей принадлежали две волости — Кукейнос (Кокенгузен) и Герсик; князь последнего с литовцами (которые для полоцких князей служили тем же, чем половцы служили для остальных русских князей) опустошил окрестности Риги, но все эти набеги не могли нанести большого вреда пришельцам. Наконец в 1206 году отношения между последними и полоцкими князьями начали, по-видимому, принимать более важный оборот. Альберт, желая беспрепятственно утвердиться в низовьях Двины, решился на время усыпить внимание полоцкого князя и потому отправил к нему аббата Феодориха с подарками и дружелюбными предложениями. Прибывши в Полоцк, Феодорих узнал, что там находятся посланцы от ливонских старшин, приехавшие жаловаться князю на насилия немцев и просить его об изгнании ненавистных пришельцев. В присутствии ливонцев князь спросил Феодориха, за чем он пришел к нему, и когда тот отвечал, что за миром и дружбою, то ливонцы закричали, что немцы не хотят и не умеют сохранять мира. Князь отпустил епископских послов, приказав им дожидаться решения в отведенном для них доме: он не хотел отпустить их тотчас в Ригу, чтоб там не узнали о его неприятельских намерениях. Но аббату удалось подкупить одного боярина, который и открыл ему, что русские в согласии с туземцами готовятся к нападению на пришельцев; аббат, узнавши об этом, не терял времени: он отыскал в городе какого-то нищего из замка Гольм и нанял его отнести к епископу в Ригу письмо, в котором извещал его о всем виденном и слышанном. Епископ приготовился к обороне, а князь, узнавши, что его намерение открылось, вместо войска отправил послов в Ригу с наказом выслушать обе стороны — как епископа, так и ливонцев, и решить, на чьей стороне справедливость. Послы, приехавши в Кукейнос, послали оттуда дьякона Стефана в Ригу к епископу звать его на съезд с ними и ливонскими старшинами для решения всех споров, а сами между тем рассеялись по стране для созвания туземцев. Альберт оскорбился предложением Стефана и отвечал, что по обычаю всех земель послы должны являться к тому владельцу, к которому посланы, а не он должен выходить к ним навстречу. Между тем ливонцы, собравшись в назначенное время и место и видя, что немцы не явились на съезд, решили захватить замок Гольм и оттуда добывать Ригу, но их намерение не имело желанного конца: потерпев сильное поражение, потеряв старшин, из которых одни пали в битве, другие были отправлены в оковах в Ригу, они принуждены были снова покориться пришельцам; в числе убитых находился старшина Ако, которого летописец называет виновником всего зла — он возбудил полоцкого князя против рижан, он собрал леттов и всю Ливонию против христиан. Епископ после обедни находился в церкви, когда ему один рыцарь поднес окровавленную голову Ако как весть победы.

Когда все опять успокоились, хотя на время, неутомимый Альберт поспешил в Германию, чтоб набрать новых крестоносцев: он предвидел новую, продолжительную борьбу. Его отсутствием воспользовались туземцы и отправили опять послов к полоцкому князю с просьбою освободить их от притеснителей. Князь приплыл с войском по Двине и осадил Гольм; по его призыву встало окружное народонаселение, но мало принесло ему пользы при осаде: гарнизон гольмский при всей своей малочисленности наносил сильный вред русскому войску камнестрельными машинами, употребление которых не знали полочане; они сделали было себе также маленькую машину по образцу немецких, но первый опыт не удался — машина била своих. Несмотря, однако, на это, жители Гольма и Риги недолго могли держаться против русских, потому что должны были бороться также против врагов, находившихся внутри стен, — туземцев, которые беспрестанно сносились с русскими; как вдруг на море показались немецкие корабли; князь, потерявши много народу от камнестрельных машин при осаде Гольма, не решился вступить в борьбу с свежими силами неприятеля и отплыл назад в Полоцк. Эта неудача нанесла страшный удар делу туземцев: самые упорные из них отправили послов в Ригу требовать крещения и священников; немцы исполнили их просьбу, взявши наперед от старшин их сыновей в заложники. Торжество пришельцев было понятно: в челе их находился человек, одаренный необыкновенным смыслом и деятельностью, располагавший сильными средствами — рыцарским орденом и толпами временных крестоносцев, приходивших на помощь Рижской церкви; против него были толпы безоружных туземцев; что же касается до русских, то епископ и орден имели дело с одним полоцким княжеством, которое вследствие известного отделения Рогволодовых внуков от Ярославичей предоставлено было собственным силам, а силы эти были очень незначительны; князья разных полоцких волостей вели усобицы друг с другом, боролись с собственными гражданами, наконец, имели опасных врагов в литовцах; могли ли они после того успешно действовать против немцев? Доказательством разъединения между ними и происходившей от того слабости служит поступок князя кукейносского Вячеслава: не будучи в состоянии собственными средствами и средствами родичей бороться с Литвою, он в 1207 году явился в Ригу и предложил епископу половину своей земли и города, если тот возьмется защищать его от варваров. Епископ с радостию согласился на такое предложение; несмотря на то, однако, из дальнейшего рассказа летописца не видно, чтоб он немедленно воспользовался им; вероятно, Вячеслав обещался принять к себе немецкий гарнизон только в случае литовского нападения. Как бы то ни было, русский князь скоро увидал на опыте, что вместо защитников он нашел в рыцарях врагов, которые были для него опаснее литовцев. Между ним и рыцарем Даниилом фон Леневарден произошла частная ссора; последний напал нечаянно ночью на Кукейнос, овладел им без сопротивления, перевязал жителей, забрал их имение, самого князя заключил в оковы. Епископ, узнав об этом, послал приказ Даниилу немедленно освободить князя, возвратить ему город и все имение; потом позвал Вячеслава к себе, принял с честию, богато одарил лошадьми и платьем, помирил с Даниилом, но при этом припомнил прежнее обещание его сдать немцам половину крепости и отправил в Кукейнос отряд войска для занятия и укрепления города на случай литовского нападения. Князь выехал из Риги с веселым лицом, но в душе затаил месть: он видел, что в Риге все готово было к отъезду епископа и многих крестоносцев в Германию, и решился воспользоваться этим удобным случаем для освобождения своего города от неприятных гостей. Думая, что епископ с крестоносцами уже в море, он посоветовался с дружиною, и вот в один день, когда почти все немцы спустились в ямы, где добывали камень для городских построек, а мечи свои и прочее оружие оставили наверху, отроки княжеские и мужи прибегают к ямам, овладевают оружием и умерщвляют беззащитных его владельцев. Троим из последних, однако, удалось спастись бегством и достигнуть Риги: они рассказали, что случилось с ними и их товарищами в Кукейносе. Вячеслав, думая, что положено доброе начало делу, послал к полоцкому князю коней и оружие неприятельское с приглашением идти как можно скорее на Ригу, которую легко взять, лучшие люди перебиты им в Кукейносе, другие отъехали с епископом в Германию. Полоцкий князь поверил и начал уже собирать войска. Но Вячеслав жестоко ошибался в своих надеждах; противные ветры задержали Альберта в двинском устье, и когда пришла в Ригу весть о происшествиях в Кукейносе, то он немедленно возвратился, убедил и спутников своих опять послужить святому делу; немцы, рассеянные по всем концам Ливонии, собрались в Ригу. Тогда русские, видя, что не в состоянии бороться против соединенных сил ордена, собрали свои пожитки, зажгли Кукейнос и ушли далее на восток, а окружные туземцы в глубине дремучих лесов своих искали спасения от мстительности пришельцев, но не всем удалось найти его: немцы преследовали их по лесам и болотам и если кого отыскивали, то умерщвляли жестокою смертию.

Падение Кукейноса скоро повлекло за собою покорение и другого княжества русского в Ливонии — Герсика. В 1209 году епископ, говорит летописец, постоянно заботясь о защите лифляндской церкви, держал совет с разумнейшими людьми, как бы освободить юную церковь от вреда, который наносит ей Литва и Русь. Решено было выступить в поход против врагов христианского имени; летописец, впрочем, спешит оговориться и прибавляет, что князь Герсика, Всеволод, был страшным врагом христианского имени, *преимущественно латынян*; он женат был на дочери литовского князя, был с литовцами в постоянном союзе и часто являлся предводителем их войска, доставлял им безопасную переправу через Двину и съестные припасы. Литовцы тогда, продолжает летописец, были ужасом всех соседних народов: редкие из леттов отваживались жить в деревнях; большая часть их искали безопасности от Литвы в дремучих лесах, но и там не всегда находили ее; литовцы преследовали их и в лесах, били одних, уводили в плен других, отнимали у них все имение. И русские бегали также пред литовцами, многие пред немногими, как зайцы пред охотниками; ливы и летты были пищею литовцев, как овцы без пастыря бывают добычею волков. И вот Бог послал им доброго и верного пастыря, именно епископа Альберта. Добрый и верный пастырь нечаянно напал с большим войском на Герсик и овладел им; князь Всеволод успел спастись на лодках через Двину, но жена его со всею своею прислугою попалась в плен. Немецкое войско пробыло целый день в городе, собрало большую добычу, снесло изо всех углов города платье, серебро, из церквей колокола, иконы и всякие украшения. На следующий день, приведши все в порядок, немцы собрались в обратный путь и зажгли город. Когда князь Всеволод увидал с другого берега Двины пожар, то стал жалостно вопить: «Герсик! Любимый город, дорогая моя отчина! Пришлось мне увидать, бедному, сожжение моего города и гибель моих людей!» Епископ и все войско, поделивши между собою добычу, с княгинею и со всеми пленниками возвратились в Ригу, куда послали звать и князя Всеволода, если хочет получить мир и освобождение своих. Князь приехал в Ригу, называл епископа отцом, всех латынцев братьями, просил только, чтоб выпустили из плена жену и других русских. Ему предложили условие: «Хочет он отдать свое княжество на веки в дар церкви Св. Богородицы, и потом взять его назад из рук епископа, так отдадут ему княгиню и других пленников». Всеволод согласился и поклялся открывать епископу и ордену все замыслы русских и литовцев, но когда возвратился домой с женою и дружиною, то забыл обещание, начал опять сноситься с литовцами и подводить язычников против немцев кукейносских.

В то время, когда немцы утверждались в Ливонии, отнимая низовые двинские страны у Полоцка, новгородцы и псковичи продолжали бороться с чудью, жившею на юге и на севере от Финского залива; в 1176 году вся Чудская земля, по выражению летописца, приходила под Псков, но была отбита с большим уроном; но мы видели, как Мстислав Храбрый отомстил чуди за эти обиды; обыкновенно наступательные движения новгородцев на чудь происходили в минуты ладов их с своими князьями, но такие минуты были очень редки, и потому движения новгородцев не могли отличаться постоянством — вот причина, почему они не могли утвердиться в Эстонии и успешно спорить с немцами о господстве над нею. В 1190 году чудь снова пришла ко Пскову на судах по озеру, но и на этот раз псковичи не упустили из нее ни одного живого. Юрьев был снова захвачен чудью и снова взят новгородцами и псковичами в 1191 году, причем по обычаю земля Чудская была пожжена, полону приведено бесчисленное множество, а в следующем году псковичи снова ходили на чудь и взяли у нее Медвежью Голову (Оденпе). Потом не слышно о походах на Эстонию до 1212 года — в этом году, по счету нашего летописца, и двумя годами ранее, по счету немецкого, Мстислав Удалой с братом Владимиром вторгнулись в страну чуди-тормы, обитавшей в нынешнем Дерптском уезде, и по обычаю много людей попленили, скота бесчисленное множество домой привели. Потом на зиму пошел Мстислав с новгородцами на чудской город Медвежью Голову, истребивши села вокруг, пришли под город: чудь поклонилась, дала дань, и новгородцы по здорову возвратились домой. Но летописец немецкий гораздо подробнее описывает этот поход: князь новгородский с князем псковским и со всеми своими русскими пришли с большим войском в Унганнию и осадили крепость Оденпе; восемь дней отбивалась от них чудь; наконец, почувствовавши недостаток в съестных припасах, запросила мира. Русские дали ей мир, окрестили некоторых своим крещением, взяли 400 марок *ногат* и отступили в свою землю, обещавшись, что пришлют своих священников, чего, однако, потом не сделали из страха пред немцами, прибавляет летописец; должно думать, что не столько из страха пред немцами, сколько по недостатку надлежащего внимания к делам эстонским. Так, новгородцы, пока жил у них Мстислав, ходили сквозь Чудскую землю к самому морю, села жгли, укрепления брали и заставляли чудь кланяться и давать дань, но Мстислав скоро ушел на юг, новгородцы по-прежнему начали ссориться с северными суздальскими князьями, чудь была опять забыта, а немцы между тем соединенными силами действовали постоянно в одном направлении, с одною целию. Чтоб удобнее заняться покорением эстов, леттов и других туземцев и чтоб обогатить Ригу торговлею с странами, лежащими при верхних частях Двины и Днепра, они решились заключить мирный договор с полоцким князем, причем епископ обязался вносить последнему ежегодную дань за ливов, порабощенных рижской церковью и орденом.

В то время, когда полоцкий князь, довольный данью, заключил мир с опасными пришельцами, Псков впервые обнаруживает к ним ту сильную неприязнь, какою будет отличаться во всей последующей истории своей: в 1213 году псковичи выгнали князя своего Владимира за то, что он выдал дочь свою за брата епископа Альберта; изгнанник пошел было сначала в Полоцк, но, найдя там не очень приветливый прием, отправился к зятю в Ригу, где принят был с честию, по свидетельству немецкого летописца. Владимир скоро имел случай отблагодарить епископа за это гостеприимство. Полоцкий князь, видя, что орден воспользовался временем мира с русскими для того только, чтобы тем удобнее покорить туземцев и принудить их к принятию христианства, назначил в Герсике съехаться Альберту для переговоров. Епископ явился на съезд с князем Владимиром, рыцарями, старшинами ливов и леттов и с толпою купцов, которые были все хорошо вооружены. Князь сперва говорил с Альбертом ласково, потом хотел угрозами принудить его к тому, чтоб он перестал насильно крестить туземцев, его подданных. Епископ отвечал, что не отстанет от своего дела, не пренебрежет обязанностью, возложенною на него великим первосвященником Рима. Но, кроме насильственного крещения, из слов летописца можно заметить, что епископ не соблюдал главного условия договора, не платил дани князю под тем предлогом, что туземцы, не желая работать двум господам, и немцам и русским, умоляли его освободить их от ига последних. Князь, продолжает летописец, не хотел принимать справедливых причин, грозился, что сожжет Ригу и все немецкие замки, и велел войскам своим выйти из стана и выстроиться к бою, провожатые епископа сделали то же самое; в это время Иоанн, пробст рижской Богородичной церкви, и псковский изгнанник князь Владимир подошли к полоцкому князю и начали уговаривать его, чтоб он не начинал войны с христианами, представили, как опасно сражаться с немцами — людьми храбрыми, искусными в бою и жаждущими померить силы свои с русскими. Князь будто бы удивился их отваге, велел войску своему возвратиться в стан, а сам подошел к епископу, называя его духовным отцом; тот, с своей стороны, принял его как сына; начались мирные переговоры, и князь, как будто под внушением свыше, уступил епископу всю Ливонию безо всякой обязанности платить дань, с условием союза против Литвы и свободного плавания по Двине.

Как ни мало удовлетворителен является этот рассказ немецкого летописца, историк должен принять одно за достоверное, что епископ перестал платить дань полоцкому князю и что тот не имел средств принудить его к тому. Владимир псковский был награжден за свои услуги местом фохта в одной из провинций ливонских, но, творя суд и расправу над туземцами, он много пожинал такого, чего никогда не сеял, по выражению летописца; не понравился его суд ратцебургскому епископу и всем другим, так что он увидел себя в необходимости отправиться в Россию, исполняя желание многих, прибавляет летописец; скоро, однако, он опять возвратился с женою, сыновьями и всем семейством и вступил снова в исправление своей должности, не к удовольствию подчиненных, прибавляет тот же летописец, потому что скоро опять поднялись против него жалобы, опять он должен был выслушивать упреки немецких духовных: это ему наскучило наконец, и он в другой раз выехал в Россию, где был принят снова псковичами.

Избавившись от Владимира, немцы захотели избавиться и от другого русского князя, остававшегося в Ливонии хотя в качестве подручника епископского, — князя Всеволода герсикского. Кокенгаузенские (кукейносские) рыцари начали обвинять его в том, что он не является к епископу, своему отцу и господину, держит совет с литвою, подает ей помощь во всякое время. Несколько раз требовали они его к ответу, Всеволод не являлся; тогда рыцари, по согласию с епископом, подступили нечаянно к городу, взяли его хитростью, ограбили жителей и ушли назад; это было в 1214 году; в следующем, 1215 году, немцы опять собрали войско и в другой раз овладели Герсиком, в другой раз опустошили его, но Всеволод уже успел послать к литовцам за помощию: те явились, принудили немцев оставить город и нанесли им сильное поражение. Так рассказывает древнейший летописец ливонский, но в позднейших хрониках читаем иное, а именно что князь Всеволод был убит во время второго нападения немцев на его город и последний окончательно разрушен; о литовской помощи не говорится ни слова, тогда как в древнейшей летописи под 1225 годом упоминается опять о герсикском князе Всеволоде, который приезжал в Ригу видеться с папским легатом. Как бы то ни было, верно одно, что Герсик раньше или позднее подпал власти немцев. Между тем Владимиру псковскому удалось отомстить за свои обиды: в 1217 году он отправился с новгородцами и псковичами к постоянной цели русских походов — к Оденпе и стал под городом. Чудь по обычаю начала слать с поклоном, но на этот раз обманывала, потому что послала звать немцев на помощь; новгородцы собрали вече поодаль от стану и начали толковать с псковичами о предложениях чуди; ночные сторожа сошли с своих мест, а дневные еще не пришли к ним на смену, как вдруг нечаянно явились немцы и ворвались в покинутые палатки; новгородцы побежали с веча в стан, схватили оружие и выбили немцев, которые побежали к городу, потерявши трех воевод, новгородцы взяли также 700 лошадей и возвратились по здорову домой, немецкий летописец прибавляет, что русские заключили договор с немцами, чтоб последние оставили Оденпе, причем Владимир захватил зятя своего Феодориха, епископского брата, и отвел во Псков. Вероятно, удачный поход Владимира ободрил эстов, и они решились свергнуть иго пришельцев. С этою целью они отправили послов в Новгород просить помощи; новгородцы обещали прийти к ним с большим войском и не исполнили обещания, потому что у них с 1218 по 1224 год пять раз сменялись князья, происходили постоянные смуты, ссоры князей с знаменитым посадником Твердиславом. Эсты, понадеявшись на новгородские обещания, встали, но не могли одни противиться немцам и принуждены были опять покориться.

Новгородцы явились уже поздно в Ливонию с князем своим Всеволодом, в 1219 году, имели успех в битве с немцами, но понапрасну простояли две недели под Венденом и возвратились домой по здорову. Так же без следствий остались два других похода новгородцев в 1222 под Венден и 1223 году под Ревель; в обычных выражениях рассказывает летописец, что они повоевали всю Чудскую землю, полона привели без числа, золота много взяли, но городов не взяли и возвратились все по здорову. Тут же в летописи видим и причины, почему все эти походы, кроме опустошения страны, не имели других следствий: после первого похода в 1223 году князь Всеволод тайком ушел из Новгорода со всем двором своим и оставил граждан в печали, после второго — князь Ярослав также ушел в свою постоянную волость — Переяславль-Залесский, сколько новгородцы ни упрашивали его остаться. А между тем немцы действовали: в роковой 1224 год, когда Южная Русь впервые узнала татар, на западе пало пред немцами первое и самое крепкое поселение русское в Чудской земле — Юрьев, или Дерпт. Здесь начальствовал в это время тот самый князь Вячеслав, или Вячко, который принужден был немцами покинуть свою отчину Кукейнос. Вячко хорошо помнил обиду и был непримиримым врагом своих гонителей: брал он дань со всех окружных стран, говорит немецкий летописец, а которые не давали дани, на те посылал войско и опустошал, причиняя немцам всякое зло, какое только было в его власти, в нем находили себе защиту все туземцы, восстававшие против пришельцев. Это особенно возбуждало злобу последних к Вячку; наконец решились они собрать все свои силы, чтоб овладеть ненавистным притоном, где, по словам их летописца, собраны были все злодеи, изменники и убийцы, все враги церкви ливонской, под начальством того князя, который исстари был корнем всех зол для Ливонии. Отправились под Юрьев все рыцари ордена, слуги римской церкви, пришлые крестоносцы, купцы, граждане рижские, крещеные ливы и летты, и 15 августа, в день Успения Богородицы, Юрьев был осажден. Немцы приготовили множество осадных машин, из огромных деревьев выстроили башню в уровень с городскими стенами, и под ее защитою начали вести подкоп; ночь и день трудилась над этим половина войска, одни копали, другие относили землю. На следующее утро большая часть подкопанного рухнула и машина была придвинута ближе к крепости. Несмотря на то, осаждающие попытались еще завести переговоры с Вячко: они послали к нему несколько духовных особ и рыцарей предложить свободный выход из крепости со всею дружиною, лошадьми, имением, если согласится покинуть отступников-туземцев; Вячко, ожидая прихода новгородцев, не принял никаких предложений. Тогда осада началась с новою силою и продолжалась уже много дней без всякого успеха: искусство и мужество с обеих сторон было равное, осаждающие и осажденные равно не знали покоя ни днем ни ночью: днем сражались, ночью играли и пели. Наконец немцы собрали совет: двое вождей пришлых крестоносцев, Фридрих и Фредегельм, подали мнение: «Необходимо, — сказали они, — сделать приступ и, взявши город, жестоко наказать жителей в пример другим. До сих пор при взятии крепостей оставляли гражданам жизнь и свободу, и оттого остальным не задано никакого страха. Так теперь положим: кто из наших первый взойдет на стену, того превознесем почестями, дадим ему лучших лошадей и знатнейшего пленника, исключая этого вероломного князя, которого мы вознесем выше всех, повесивши на самом высоком дереве». Мнение было принято. На следующее утро осаждающие устремились на приступ и были отбиты. Осажденные сделали в стене большое отверстие и выкатили оттуда раскаленные колеса, чтоб зажечь башню, которая наносила столько вреда крепости; осаждающие должны были сосредоточить все свои силы, чтоб затушить пожар и спасти свою башню. Между тем брат епископа Иоганн фон Аппельдерн, неся огонь в руке, первый начинает взбираться на вал, за ним следует слуга его Петр Оге, и оба беспрепятственно достигают стены; увидав это, остальные ратники бросаются за ними, каждый спешит, чтоб взойти первому в крепость, но кто взошел первый — осталось неизвестным; одни поднимали друг друга на стены, другие ворвались сквозь отверстие, сделанное недавно самими осажденными для пропуска раскаленных колес; за немцами ворвались летты и ливы и началась резня: никому не было пощады, русские долго еще бились внутри стен, наконец были истреблены; немцы окружили отовсюду крепость и не позволили никому спастись бегством. Из всех мужчин, находившихся в городе, оставили в живых только одного, слугу князя суздальского: ему дали лошадь и отправили в Новгород донести своим о судьбе Юрьева, и новгородский летописец записал: «Того же лета убиша князя Вячка немцы в Гюргеве, а город взяша».

Что же новгородцы? Перенесли спокойно уничтожение русских владений в Чудской земле? Следующий рассказ летописца всего лучше покажет нам, имели ли возможность новгородцы предпринять что-нибудь решительное. В 1228 году князь Переяславля-Залесского, Ярослав Всеволодович, призванный княжить в Новгород, отправился с посадником и тысяцким во Псков. Псковичи, узнавши, что идет к ним князь, затворились в городе и не пустили его к себе: пронеслась весть во Псков, что Ярослав везет с собою оковы, хочет ковать лучших мужей. Ярослав возвратился в Новгород, созвал вече на владычнем дворе и объявил гражданам, что не мыслил никакого зла на псковичей: «Я, — говорил он, — вез к ним не оковы, а дары в коробьях, ткани, овощи, а они меня обесчестили», и много жаловался на них новгородцам. Скоро после этого он привел полки из Переяславля, с тем чтобы идти на Ригу. Псковичи, узнавши об этом, заключили отдельный мир с немцами, дали им 40 человек в заложники с условием, чтоб они помогли им в случае войны с новгородцами. Но последние также заподозрили Ярослава, стали говорить: «Князь-то нас зовет на Ригу, а сам хочет идти на Псков». Ярослав опять послал сказать псковичам: «Ступайте со мною в поход: зла на вас не думал никакого, а тех мне выдайте, кто наговорил вам на меня». Псковичи велели отвечать ему: «Тебе, князь, кланяемся и вам, братья новгородцы, но в поход нейдем и братьи своей не выдаем, а с рижанами мы помирились; вы к Колываню (Ревелю) ходили, взяли серебро и возвратились, ничего не сделавши, города не взявши, также и у Кеси (Вендена), и у Медвежьей Головы (Оденпе), и за то нашу братью немцы побили на озере, а других в плен взяли; немцев только вы раздразнили, да сами ушли прочь, а мы поплатились. А теперь на нас что ли идти вздумали? Так мы против вас с Святой Богородицей и с поклоном: лучше вы нас перебейте, а жен и детей наших в полон возьмите, чем поганые; на том вам и кланяемся». Новгородцы сказали тогда князю: «Мы без своей братьи, без псковичей, нейдем на Ригу, а тебе, князь, кланяемся»; много уговаривал их Ярослав, но все понапрасну, тогда он отпустил свои полки назад в Переяславль. Можно ли было при таких отношениях успешно бороться с немцами?

На север от Финского залива новгородцы ходили на чудское племя — ямь; походы эти имели такой же характер, как и походы на эстов: так, в 1188 году ходили на ямь новгородские *молодцы* с каким-то Вышатою Васильевичем и пришли домой по здорову, добывши полона. В 1191 году ходили новгородцы вместе с корелою на ямь, землю ее повоевали и пожгли и скот перебили. В 1227 году князь Ярослав Всеволодович пошел с новгородцами на ямь, землю всю повоевали, полона привели без числа, но в следующем году ямь захотела отомстить за опустошение своей земли, пришла Ладожским озером на судах и стала опустошать новгородские владения, новгородцы, услыхавши о набеге, сели на суда и поплыли Волховом к Ладоге, но ладожане с своим посадником Владиславом не стали дожидаться их, погнались на лодках за ямью, настигли и вступили в битву, которую прекратила ночь; ночью ямь прислала просить мира, но ладожане не согласились; тогда финны, перебивши пленников и побросавши лодки, побежали в лес, где бóльшая часть их была истреблена корелою; что же делали в это время новгородцы? Они стояли на Неве, да вече творили, хотели убить одного из своих, какого-то Судимира, да князь скрыл его в своей лодье, потом возвратились домой, ничего не сделавши.

Были также столкновения у новгородцев с финскими племенами и за Волоком, в области Северной Двины и далее на восток: под 1187 годом встречаем известие, что новгородские сборщики даней (ясака) были перебиты в Печоре и за Волоком, погибло их человек сто; восстание, как видно, было в разных местах в одно время. В 1193 году новгородцы пошли ратью за Урал, в Югру, с воеводою Ядреем; пришли в Югру, взяли один город, потом осадили другой и стояли под ним пять недель; осажденные стали подсылать к ним обманом, говорили: «Мы копим серебро, соболей и разное другое добро, зачем же вы хотите погубить своих смердов и свои дани?»

Но вместо серебра и соболей они копили войско да сносились с изменником новгородским, каким-то Савкою, который держал перевет к югорскому князю. Когда войско было собрано, то осажденные послали сказать новгородскому воеводе, чтоб приходил к ним в город с 12 лучшими людьми за данью; тот, ничего не подозревая, пошел и был убит вместе с товарищами, потом было приманено в город еще тридцать человек, потом еще пятьдесят. Изменник Савка сказал при этом князю югорскому: «Если, князь, не убьешь Якова Прокшинича и пустишь его в Новгород живого, то он опять приведет сюда войско и опустошит твою землю, вели убить его», и Яков был убит, сказавши перед смертию Савке: «Брат! Судит тебя Бог и св. София, что подумал на свою братью; станешь ты с нами перед Богом и отдашь ответ за кровь нашу». Наконец осажденные, истребивши лучших людей, ударили на остальных, полумертвых от голода, и бóльшую часть их истребили; спаслось только 80 человек, которые с великою нуждою добрались до Новгорода. Приход их, разумеется, должен был произвести сильное волнение, когда узнали, что беда приключилась от измены; сами путники убили троих граждан, обвиняя их в злом умысле на свою братью, другие обвиненные откупились деньгами; летописец говорит, что одному Богу известно, кто тут был прав, кто виноват*.

Из этих, хотя очень редких, известий летописи, мы можем составить себе понятие об отношениях Новгорода к его Заволоцким владениям, к тамошнему финскому народонаселению: ходили отряды так называемых *данников* (сборщиков дани) собирать ясак с туземцев серебром и мехами, иногда эти данники встречали сопротивление, были истребляемы вдруг в разных местах; неизвестно, поход Ядрея был ли попыткою взять ясак с племен, еще до сих пор его не плативших, или с старых плательщиков, отказавшихся на этот раз платить; слова князька «Мы копим серебро... зачем вы хотите губить своих смердов» могут указывать на

* О походе на тоймокаров было упомянуто выше.

последнее*. Но если новгородские данники не всегда были счастливы в своих заволоцких походах, то новгородским выходцам, принужденным оставить по разным причинам родную землю, удалось в последней четверти XII века утвердиться в стороне Прикамской на берегах реки Вятки, где они основали независимую общину, ставшую на северо-востоке притоном всех беглецов, подобно южному Берладу и Тмутаракани.

Если новгородцы боролись с финскими племенами за Волоком, в нынешней Финляндии и Эстонии — там для того, чтоб сбирать с них богатый ясак серебром и мехами, здесь — частию также для добычи, частию для защиты собственных владений, опустошаемых дикарями, то северные, суздальские князья, повинуясь природным указаниям, распространяли свои владения вниз по Волге, причем постоянно должны были бороться с болгарами, мордвою и другими инородцами. Зимою 1172 года Андрей Боголюбский отправил на болгар сына своего Мстислава, с которым должны были соединиться сыновья муромского и рязанского князей; поход этот, говорит летописец, не нравился всем людям, потому что не время воевать зимою болгар, и полки шли очень медленно и неохотно; при устье Оки соединенные князья две недели дожидались разных людей и решились наконец ехать с одною передовою дружиною, в которой всем распоряжался тогда воевода Борис Жидиславич. Русские неожиданно въехали в поганую землю, взяли шесть сел да седьмой город, мужчин перебили, женщин и детей побрали в плен; болгары, услыхав, что князья пришли с небольшою дружиною, собрали шесть тысяч человек рати и погнались за русскими, но, не дошедши до них 20 верст, возвратились. Наши, говорит летописец, прославили Бога, потому что, очевидно, спасла их от неминуемой беды Святая Богородица и христианская молитва.

---

* После этого ясно, как мы должны понимать выражения, что Новгороду принадлежали обширные страны от северной Двины до Урала и за Урал.

В 1184 году Всеволод III вздумал пойти на болгар и послал просить помощи у киевского князя Святослава Всеволодовича; тот отправил к нему сына Владимира, велел сказать северному князю: «Дай Бог, брат и сын, повоевать нам в наше время с погаными». С осьмью князьями* выступил Всеволод в поход водою по Оке и Волге; вышедши на берег, великий князь оставил у лодок белозерский полк с двумя воеводами — Фомою Лясковичем и Дорожаем и пошел с остальным войском на конях к Великому городу серебряных болгар, отправя вперед сторожевой отряд. Сторожа увидали в поле войско и подумали сначала, что это болгары, но оказалось, что то были половцы; пять человек из них приехали к Всеволоду, ударили перед ним челом и сказали: «Кланяются тебе, князь, половцы ямяковские, пришли мы также воевать болгар». Всеволод, подумавши с князьями и дружиною, привел половцев к присяге по их обычаю и пошел с ними вместе к Великому городу, приблизившись к которому стал думать с дружиною; в это время племянник его Изяслав Глебович, схватив копье, помчался с своею дружиною к городу, подле которого пешие болгары устроили себе укрепление; Изяслав выбил их отсюда и проскакал к самым городским воротам, но здесь изломал свое копье, получил рану стрелою сквозь броню под самое сердце и полумертвый принесен был в стан. А между тем белозерский полк, оставленный при лодках, выдержал нападение от болгар, приплывших Волгою из разных городов в числе 6000 человек, и обратил их в бегство, причем перетонуло их больше тысячи человек. Всеволод стоял еще 10 дней под Великим городом, но, видя, что племянник изнемогает, а болгары просят мира, отправился назад к своим лодкам, где Изяслав и умер; великий князь после этого возвратился во Владимир, пославши конницу на мордву.

---

* С племянником своим Изяславом Глебовичем, с Владимиром Святославичем черниговским, Мстиславом Давыдовичем смоленским, с четырьмя Глебовичами рязанскими — Романом, Игорем, Всеволодом и Владимиром — да с муромским Владимиром.

В 1186 году Всеволод посылал опять воевод своих с городчанами на болгар — русские взяли много сел и возвратились с полоном. После того при Всеволоде не встречаем больше известий о походах на болгар; по смерти его усобица между его сыновьями долго не давала русским возможности обратить внимание на соседние народы, пользуясь тем, болгары предприняли наступательное движение и взяли Устюг в 1217 году. Только в 1220 году великий князь Юрий Всеволодович собрался послать сильную рать на болгар: он послал брата своего Святослава, князя юрьевского, и с ним полки свои под начальством воеводы Еремея Глебовича; Ярослав Всеволодович переяславский послал также свои полки; племяннику Васильку Константиновичу великий князь велел послать полки из Ростова и из Устюга на верх Камы; муромский князь Давыд послал сына своего Святослава, Юрий — Олега, и все снялись на устье Оки, откуда поплыли на лодках вниз по Волге и высадились на берег против города Ошела. Святослав выстроил войско: ростовский полк поставил по правую руку, переяславский — по левую, а сам стал с муромскими князьями посередине и в таком порядке двинулся к лесу, оставив один полк у лодок. Прошедши лес, русские полки вышли на поле к городу; здесь были они встречены болгарскою конницею, которая, постоявши немного, пустила в наших по стреле и помчалась к городу; Святослав двинулся за нею и осадил Ошел. Около города был сделан острог, огороженный крепким дубовым тыном, за острогом были еще два укрепления и между ними вал: по этому валу бегали осажденные и бились с русскими. Князь Святослав, подошедши к городу, отрядил наперед людей с огнем и топорами, а за ними стрельцов и копейников; русские подсекли тын, разорили и два других укрепления и зажгли их, потом зажгли и самый город, но тут поднялся противный ветер и понес клубы дыма на русские полки; дым, в котором нельзя было различить человека, зной и пуще всего безводие заставили осаждающих отступить от города. Когда они отдохнули от трудов, то Святослав сказал: «Пойдем теперь за ветром на другую сторону города!» Полки встали и пошли, и когда были у городских ворот, то князь сказал им: «Братья и дружина! Сегодня предстоит нам или добро или зло, так пойдемте скорее!» И сам князь поскакал впереди всех к городу, за ним остальное войско, подсекли тын и оплоты и зажгли их, потом зажгли город со всех сторон, причем встала сильная буря, так что страшно было смотреть, а в городе раздавался громкий вопль; князь болгарский успел убежать на лошадях с малою дружиною, а которые болгары выбежали пешком, тех всех русские перебили, жен и детей в плен побрали, другие болгары сгорели в городе, а иные перебили сперва своих жен и детей, а потом и сами себя лишили жизни; некоторые из русских ратников осмелились войти в город за добычею, но едва убежали от пламени, а иные так и сгорели. Пожегши город, Святослав пошел назад к лодкам; когда он пришел к ним, то поднялась сильная буря с дождем, так что с трудом можно было удержать лодки у берега; потом буря начала стихать, и Святослав, переночевавши тут и пообедавши на другой день, поплыл назад вверх по Волге.

Между тем болгары из Великого и других городов, услыхавши об истреблении Ошела, собрались с князьями своими и пришли к берегу; Святослав знал о приближении врагов и велел своим приготовиться к битве: пошли полк за полком, били в бубны, играли в трубы и сопели, а князь шел сзади всех. Болгары, подошедши к берегу, увидали между русскими своих пленников — кто отца, кто сына и дочь, кто братьев и сестер — и стали вопить, кивая головами и закрывая глаза, но напасть на русских не посмели, и Святослав благополучно достиг устья Камы, где соединился с ростовским и устюжским полками, бывшими под начальством воеводы Воислава Добрынича. Ростовцы и устюжане пришли с большою добычею, потому что воевали вниз по Каме, взяли много городов и сел. С устья Камы пошли все к Городцу, здесь вышли на берег и отправились на конях к Владимиру. Князь Юрий встретил брата у Боголюбова и задал ему и всему войску большой пир: пировали три дня, причем Святослав и все войско получили богатые подарки. Следствием Святославова похода было то, что на ту же зиму болгарские послы явились к великому князю с просьбою о мире, но Юрий сначала не согласился на мир и послал собирать войско, хотел сам теперь идти в поход и действительно выступил к Городцу; на дороге встретили его новые послы от болгар с челобитьем, но он и тех не послушал; наконец уже в Городец пришли к нему еще послы с дарами и с выгодными условиями, на которые великий князь и согласился: заключен был мир по-прежнему, как было при отце и дяде Юрия.

После этого удачного похода на болгар Юрий решился укрепить за Русью важное место при устье Оки в Волгу, где привыкли собираться суздальские и муромские войска: здесь в 1221 году заложен был Нижний Новгород. Он был основан на земле мордвы, с которою, следовательно, необходимо должна была возникнуть борьба; в 1226 году великий князь посылал братьев своих Святослава и Ивана на мордву, которую они победили и взяли несколько сел. В 1228 году в сентябре Юрий послал было на мордву племянника Василька Константиновича ростовского с воеводою своим, известным Еремеем Глебовичем, но возвратил их за непогодою, потому что лили дожди день и ночь, а зимою в генваре месяце отправился в поход сам с братом Ярославом, племянниками Константиновичами и муромским князем Юрием; русские вошли в землю мордовского князя Пургаса, пожгли и потравили хлеб, перебили скот, а пленников отправили домой; мордва скрылась в лесах и твердях, а которые не успели спрятаться, тех перебила младшая дружина Юрьева. Видя успех Юрьевой дружины, младшая дружина Ярославова и Константиновичей тайком отправилась на другой день в дремучий лес на поиски за мордвою; мордва дала им зайти в глубину леса, потом окружила их и одних истребила на месте, других поволокла в свои укрепления и там перебила. Между тем болгарский князь пришел было на Пуреша, присяжного князька Юрьева, но услыхав, что великий князь жжет села мордовские, побежал ночью назад, а Юрий с братьею и со всеми полками возвратился домой по здорову. Вообще, несмотря на всю медленность, недружность наступательного движения Руси на финские племена, последним не было возможности с успехом противиться ей, потому что Русь мимо всех препятствий к государственному развитию все шла вперед по пути этого развития, тогда как финские племена оставались и теперь на той же ступени, на какой славянские племена дреговичи, северяне, вятичи находились в половине IX века, жили особными и потому бессильными племенами, которые, раздробляясь, враждовали друг с другом. Местное предание очень верно указывает на причину подчинения финских племен Руси: на месте Нижнего Новгорода, говорит оно, жил некогда Мордвин Скворец, друг Соловья Разбойника, у него было 18 жен и 70 сыновей. Чародей Дятел предсказал ему, что если дети его будут жить мирно, то останутся владетелями отцовского наследия, а если поссорятся, то будут покорены русскими; потомки Скворца начали враждовать между собою, и Андрей Боголюбский изгнал их с устья Оки.

Не таковы были отношения Руси к западным ее диким соседям — литовцам, которых набеги становятся все сильнее и дружнее; в 1190 году Рюрик Ростиславич, будучи еще князем белгородским, по родству своему с князьями пинскими, которые должны были особенно терпеть от Литвы, предпринял было поход на нее, но не мог дойти до земли Литовской, потому что сделалось тепло и снег растаял, а в этой болотистой стране только и можно было воевать в сильные холода. Счастливее был зять его, знаменитый Роман волынский, о поведении которого относительно пленных литвы и ятвягов уже было упомянуто; в 1196 году, по словам летописи, Роман ходил на ятвягов *отмщеваться*, потому что они воевали его волость; когда Роман вошел в их землю, то они не могли стать против его силы и бежали в свои тверди, а Роман пожег их волость и, *отомстившись*, возвратился домой. Усобицы, возникшие на Волыни по смерти Романа Великого, дали ятвягам и литве возможность опустошать эту страну: под 1205 годом читаем известие, что литва и ятвяги повоевали землю от Турийского до Червеня, бились у самых ворот Червенских; беда была в земле Владимирской от воеванья литовского и ятвяжского, говорит летописец. В 1215 году литовские князья, числом 21, дали мир вдове Романовой, которая немедленно употребила их против поляков. В 1227 году ятвяги пришли было воевать около Бреста, но потерпели поражение от Даниила Романовича. Северо-западные русские границы не были также безопасны от литвы: в 1183 году бились псковичи с литвою и много потерпели зла от нее. В 1200 году литовцы опустошили берега Ловати, новгородцы погнались за ними и обратили их в бегство, убивши 80 человек и отнявши добычу. В тот же год воевода великолуцкий Нездила Пехчинич ходил с небольшою дружиною на летголу, застал неприятелей спящими, убил 40 человек, а жен и детей увел в плен. Под 1210 годом упоминается снова о набеге литовском на Новгородскую область; в 1213 году литовцы пожгли Псков; в 1217 литва опять воевала по Шелони; в 1225 около Торопца; в 1224 пришла к Русе: посадник Федор выехал было против нее, но был побежден; в 1225 литовцы, в числе 7000, страшно опустошили села около Торжка, не дошедши до города только трех верст, побили много купцов, попленили и Торопецкую волость всю; князь Ярослав Всеволодович нагнал их близ Усвята, разбил, истребил 2000 человек, отнял добычу, из русских пал здесь торопецкий князь Давыд — сын Мстислава Храброго.

На юге и юго-востоке продолжалась прежняя борьба с степняками, или половцами. Когда Андрей Боголюбский посадил брата своего Глеба в Киеве, то в русских пределах явилось множество половцев; одна половина их вошла в пределы Переяславского княжества, а другая — Киевского, и обе послали к Глебу с такими речами: «Бог и князь Андрей посадили тебя на твоей отчине и дедине в Киеве, а мы хотим урядиться с тобою обо всем, после чего мы присягнем тебе, а ты нам, чтоб вы нас не боялись, а мы вас». Глеб отвечал: «Я готов идти к вам на сходку» и стал думать с дружиною, к каким половцам идти прежде? Решили, что лучше идти сперва к Переяславлю, потому что князь тамошний, Владимир Глебович, был тогда мал, всего 12 лет. Глеб и пошел на сходку к переяславским половцам, а другим русским (т. е. киевским) послал сказать: «Подождите меня здесь: теперь я еду к Переяславлю, и когда умирюсь с теми половцами, то приду и к вам на мир». Но киевские половцы, услыхав, что Глеб пошел на ту сторону Днепра, начали рассуждать: «Глеб-то поехал на ту сторону, к тем половцам, и там долго пробудет, а к нам не поехал, так мы пойдем на Киев, возьмем села и пойдем домой с добычею».

И действительно, отправились воевать киевские волости, жители которых, не ожидая нападения, не успели убежать, были все перехватаны и вместе со стадами погнаны в степи. Глеб возвращался от Переяславля и хотел было отправиться к Корсуню, где стояли прежде половцы, как дали ему знать, что варвары, не дождавшись съезда, поехали воевать и воюют. Глеб хотел немедленно сам гнаться за ними, но берендеи схватили за повод его коня и сказали: «Князь, не езди! Тебе пристойно только ездить в большом полку, когда соберется вся братья, а теперь пошли кого-нибудь из князей да с ним отряд из нас, берендеев».

Глеб послушался и отправил брата своего Михаила с сотнею переяславцев и с 1500 берендеев; Михаил перенял у половцев дорогу, напал без вести на сторожей их, которых было 300 человек, и одних перебил, а других взял в плен; когда у этих начали спрашивать, много ли ваших назади, и они отвечали, что много, тысяч семь, то русские стали думать: «Половцев назади много, а нас мало, если оставим пленников в живых, то во время битвы они будут нам первые враги» — и перебили их всех; потом пошли на других половцев, разбили их, добычу отняли и опять спросили у пленников: «Много ли еще ваших назади?» — те отвечали: «Теперь великий полк идет». Русские дождались и великого полка и поехали против него: у поганых было 900 копий, а у русских только 90. Переяславцы хотели было ехать наперед с князем Михаилом, но берендеи опять схватили у Михаила коня за повод и сказали: «Вам не след ехать наперед, потому что вы наш *город* (защита), а мы, стрельцы, пойдем наперед». Битва была злая, князь Михаил получил три раны, наконец половцы побежали, причем полторы тысячи их попалось нашим в плен. Зимою 1174 года половцы снова явились на Киевской стороне и взяли множество сел, больной Глеб выслал против них торков и берендеев под начальством братьев своих Михаила и Всеволода, которые нагнали и разбили половцев за рекою Бугом, причем отполонили 400 человек своих.

По смерти Глеба, в княжение Романа Ростиславича в Киеве, летописец упоминает о половецких набегах на пограничные земли по реке Роси, но гораздо замечательнее шла борьба с варварами по ту сторону Днепра, где северский князь Игорь Святославич пошел на половцев в степи за Ворсклу. Узнавши на дороге, что два хана, Кобяк и Кончак, отправились пустошить Переяславскую волость, Игорь погнался за ними, принудил бежать и отнял всю добычу: так счастливо начал борьбу свою с половцами Игорь Святославич, которому суждено было приобрести такую знаменитость от несчастного похода своего на них. В 1179 году Кончак много зла наделал христианам у Переяславля, в 1184 году — новое известие о нашествии Кончака. До сих пор усобицы между Мономаховичами и Ольговичами на юге не давали князьям возможности отплачивать половцам походами в степи, но теперь с окончательным утверждением Святослава Всеволодовича в Киеве усобицы прекратились, и начинается ряд степных походов. Уже в 1184 году, после нашествия Кончака, князь Святослав, посоветовавшись с сватом своим Рюриком, пошел на половцев и стал у Ольжич, ожидая Ярослава Всеволодовича из Чернигова; Ярослав приехал и сказал им: «Теперь, братья, не ходите, но лучше назначим срок и пойдем, даст Бог, на лето». Старшие князья послушались и возвратились, приказавши вместо себя идти в степь младшим: Святослав отправил Игоря Святославича северского, а Рюрик — Владимира Глебовича переяславского. Но эти младшие — Мономахович Владимир и Ольгович Игорь сейчас же начали спор за старшинство и поссорились: Владимир стал проситься у Игоря ехать напереди, а Игорь не пустил его, тогда Владимир рассердился и вместо половцев пошел на северские города, где взял большую добычу; Игорь один с своими Ольговичами отправился на половцев и принудил их бежать, но далеко не мог идти за ними, потому что от дождя вода поднялась в реках.

Старшие князья Святослав и Рюрик исполнили свое обещание, летом повестили поход на половцев, собрали князей — переяславского, волынских, смоленских, туровских, взяли вспомогательный галицкий отряд и пошли вниз по Днепру. Черниговские отказались идти вместе, они послали сказать Святославу Всеволодовичу: «Далеко нам идти вниз Днепром, не можем своих земель оставить пустыми, но если пойдешь на Переяславль, то сойдемся с тобою на Суле». Святославу не понравилось это неповиновение младшей братьи; он продолжал без них путь по Днепру, вышел на восточный берег при Инжире броде и отрядил младших князей на поиски за половцами с 2100 берендеев; Владимир Глебович переяславский отпросился у него ехать прежде всех: «Моя волость пуста от половцев, — говорил он, — так пусти меня, батюшка Святослав, наперед с сторожами!» Половцы, увидавши идущий на себя полк Владимиров, ударились бежать, так что русский сторожевой отряд не мог нагнать их и возвратился к реке Ерелу; остановились и половцы, и хан Кобяк, думая, что русских всего только, что с Владимиром, погнался за последним и стал перестреливаться с его отрядом через реку; услыхав об этом, Святослав и Рюрик отправили на помощь к сторожам большие полки, вслед за которыми пошли и сами, но половцы, увидавши первые полки, отправленные на помощь к сторожам, подумали, что это сами Святослав и Рюрик идут и побежали, русские — за ними, стали их бить и хватать в плен и набрали 7000 человек; взяли тут самого Кобяка с двумя сыновьями и много других князей, возвратились Святослав и Рюрик со славою и честию великою, по словам летописца.

Между тем Игорь Святославич северский, услыхав, что киевский Святослав пошел на половцев, призвал к себе брата

Всеволода, племянника Святослава Ольговича, сына Владимира, дружину и сказал им: «Половцы обратились теперь против русских князей, так мы без них ударим на их вежи». Князья поехали и за рекою Мерлом встретились с половецким отрядом в 400 человек, которые пробирались воевать Русь, Игорь ударил на них и прогнал назад.

В следующем 1185 году пошел окаянный, безбожный и треклятый Кончак со множеством половцев на Русь с тем, чтоб попленить города русские и пожечь их огнем; нашел он одного бусурманина, который стрелял живым огнем, были у половцев также луки тугие самострельные, которые едва могли натянуть 50 человек. Половцы сначала пришли и стали на реке Хороле; Кончак хотел обмануть Ярослава Всеволодовича черниговского, послал к нему как будто мира просить, и Ярослав, ничего не подозревая, отправил к нему своего боярина для переговоров. Но Святослав киевский послал сказать Ярославу: «Брат! Не верь им и не посылай боярина, я на них пойду» — и действительно, вместе с Рюриком Ростиславичем и всеми своими полками пошел на половцев, отправивши вперед молодых князей — Владимира Глебовича и Мстислава Романовича. На дороге купцы, ехавшие из земли Половецкой, указали князьям место, где стоял Кончак; Владимир и Мстислав напали на него и обратили в бегство, причем был взят в плен и тот бусурман, что стрелял живым огнем, хитреца привели к Святославу со всем снарядом его.

Ярослав черниговский не ходил с братом на половцев, он велел сказать ему: «Я уже отправил к ним боярина и не могу ехать на своего мужа». Но не так думал Игорь Святославич северский, он говорил: «Не дай Бог отрекаться от похода на поганых, поганые всем нам общий враг» — и начал думать с дружиною, куда бы поехать, чтоб нагнать Святослава; дружина сказала ему: «Князь! По-птичьи нельзя перелететь: приехал к тебе боярин от Святослава в четверг, а сам он идет в воскресенье из Киева; как же тебе его нагнать?» Игорю не нравилось, что дружина так говорит, он хотел ехать степью возле Сулы реки, но вдруг сделалась такая оттепель, что никак нельзя было никуда идти. Святослав, возвратясь в Киев, тою же весною послал боярина своего Романа Нездиловича с берендеями на половцев, и Роман в самое Светлое воскресенье (21 апреля) взял половецкие вежи, забрал в них много пленников и лошадей.

Между тем Игорь Святославич не хотел оставить своего намерения идти на половцев; северским князьям не давали покоя счастливые походы с той стороны Днепра, в которых они не участвовали: «Разве уже мы не князья, — говорили они, — добудем и мы такой же себе чести». И вот 23 апреля Игорь выехал из Новгорода-Северского, велевши идти с собою брату Всеволоду из Трубчевска, племяннику Святославу Ольговичу из Рыльска, сыну Владимиру из Путивля, а у Ярослава черниговского выпросил боярина Олстина Олексича с коуями черниговскими; северские князья шли тихо, собирая дружину, потому что кони у них были очень тучны. Как дошли они до реки Донца, время было уже к вечеру, Игорь взглянул на небо и увидел, что солнце стоит точно месяц. «Посмотрите-ка, что это значит?» — спросил он у бояр и у дружины. Те посмотрели и опустили головы. «Князь! — сказали они потом. — Не на добро это знамение». Игорь отвечал им на это: «Братья и дружина! Тайны Божией никто не знает, а знамению всякому и всему миру своему Бог творец; увидим, что сотворит нам Бог, на добро или на зло наше». Сказавши это, Игорь переправился за Донец и пришел к Осколу, где два дня дожидался брата Всеволода, который шел иным путем из Курска, и из Оскола отправились все к реке Сальнице, куда приехали сторожа, посланные ловить языка, и объявили князьям: «Виделись мы с неприятелем, неприятели ваши ездят наготове: так или ступайте скорее, или ворочайтесь домой, потому что не наше теперь время». Игорь и другие князья сказали на это: «Если мы теперь не бившись возвратимся, то стыд нам будет хуже смерти; поедем на милость Божию» — и ехали всю ночь, а утром, в обеднее время встретили полки половецкие: поганые собрались от мала до велика и стояли по той стороне реки Сюурлия. Русские князья выстроили шесть полков: Игорев полк стоял посередине, по правую сторону — полк брата его Всеволода, по левую — племянника Святослава, а напереди полк сына Владимира с отрядом коуев черниговских, а напереди этого полка стояли стрельцы, выведенные из всех полков. Игорь сказал братьям: «Братья! Мы этого сами искали, так и пойдем» — и пошли. Из половецких полков выехали стрельцы, пустили по стреле на русь и бросились бежать, русь не успела еще переехать реку, как побежали и остальные половцы; передовой русский полк погнался за ними, начал бить их и хватать в плен, а старшие князья, Игорь и Всеволод, шли потихоньку, не распуская своего полка; половцы пробежали мимо своих веж, русские заняли последние и захватили много пленных. Три дня стояли здесь северские полки и веселились, говоря: «Братья наши с великим князем Святославом ходили на половцев и бились с ними, озираясь на Переяславль, в землю Половецкую не смели войти, а мы теперь в самой земле Половецкой, поганых перебили, жены и дети их у нас в плену, теперь пойдем на них за Дон и до конца истребим их; если там победим их, то пойдем в Лукоморье, куда и деды наши не хаживали, возьмем до конца свою славу и честь». Когда передовой полк возвратился с погони, то Игорь стал говорить братьям и боярам своим: «Бог дал нам победу, честь и славу; мы видели полки половецкие, много их было, все ли они тут были собраны? Пойдем теперь в ночь, а остальные пусть идут за нами завтра утром». На это Святослав Ольгович отвечал дядьям: «Я далеко гонялся за половцами и утомил лошадей, если теперь опять поеду, то останусь на дороге». Дядя Всеволод принял его сторону, положено было еще переночевать тут. Но на другой день на рассвете начали вдруг выступать один за другим полки половецкие, русские князья изумились, Игорь сказал: «Сами мы собрали на себя всю землю», князья стали советоваться, как быть. «Если побежим, — говорили они, — то сами спасемся, но черных людей оставим, и будет на нас грех пред Богом, что их выдали; уже лучше — умрем ли, живы ли будем, все на одном месте». Порешивши на этом, все сошли с коней и пошли на битву, хотя уже изнемогли от безводья: бились крепко целый день до вечера, и много было раненых и мертвых в полках русских; бились вечер и ночь, на рассвете замешались коуи и побежали. Игорь еще в начале битвы был ранен в руку и потому сел на лошадь; увидев, что коуи бегут, он поскакал к ним, чтоб удержать беглецов, но тут был захвачен в плен; окруженный половцами, которые держали его, Игорь увидал брата Всеволода, отбивавшегося от врагов, и стал просить себе смерти, чтоб только не видать гибели брата своего, но Всеволод не погиб, а был также взят в плен; из многочисленных полков северских спаслось очень мало: русских ушло человек 15, а коуев еще меньше, потому что, как стенами крепкими, были они огорожены полками половецкими. Ведомый в плен, Игорь вспомнил грех свой, как однажды, взявши на щит город Глебов у Переяславля, не пощадил крови христианской: «Недостоин был я жизни, — говорил он, — теперь вижу месть от Господа Бога моего; где теперь возлюбленный мой брат, где племянник, где сын, где бояре думающие, где мужи *храборствующие*, где ряд полчный? Где кони и оружие многоценное? Всего я лишился, и связанного предал меня Бог в руки беззаконным!»

В это время Святослав киевский был в Корачеве* и собирал в верхних землях войско, хотел идти на половцев к Дону на все лето. На возвратном пути из Корачева, будучи у Новгорода-Северского, он узнал, что Игорь с братьею пошли на половцев тайком от него, и не понравилось ему это своевольство. Из Новгорода-Северского Святослав приплыл по Десне в Чернигов, и тут дали ему знать о беде северских князей. Святослав заплакал и сказал: «Ах любезные мои братья и сыновья и бояре Русской земли! Дал бы мне Бог притомить поганых, но вы не сдержали молодости своей и отворили им ворота в Русскую землю; воля Господня да будет; как прежде сердит я был на Игоря, так теперь жаль мне его стало».

---

* Стало быть, Святослав, не считая себя крепким в Киеве, подобно отцу Всеволоду, оставил за собою страну вятичей.

Святослав, однако, не терял времени в пустых жалобах и отправил сыновей своих Олега и Владимира в Посемье (страну по реке Сейму); плач поднялся по всем городам посемским, в Новгороде-Северском и во всей волости Черниговской о том, что князья в плену, а из дружины одни схвачены, другие перебиты; жители метались в отчаянии, по словам летописца, не стало никому мило свое ближнее, но многие отрекались от душ своих из жалости по князьям. Святослав принимал и другие меры, послал сказать Давыду смоленскому: «Мы было сговорились идти на половцев и летовать на Дону, а теперь вот половцы победили Игоря с братьею, так приезжай, брат, постереги Русскую землю». Давыд приплыл по Днепру, пришли и другие полки на помощь и стали у Треполя, а Ярослав, собравши войска свои, стоял наготове в Чернигове.

Между тем половцы, победивши Игоря с братьею, загордились, собрали весь свой народ на Русскую землю, но когда стали думать, в какую сторону идти им, то начался спор между их ханами. Кончак говорил: «Пойдем на киевскую сторону, где перебита наша братья и великий князь наш Боняк», а другой хан, Кза, говорил: «Пойдем на Сейм, где остались одни жены да дети, готов нам там полон собран, возьмем города без всякой трудности»; и разделились надвое: Кончак пошел к Переяславлю, осадил город и бился целый день; в Переяславле был князем известный Владимир Глебович, смелый и крепкий на рати, по словам летописца, он выехал из города и ударил на половцев с очень небольшою дружиною, потому что остальные не осмелились выйти на вылазку; Владимир был окружен множеством половцев и ранен тремя копьями: тогда остальная дружина, видя князя в опасности, ринулась из города и высвободила Владимира, который тяжело раненый въехал в свой город и утер мужественный пот за отчину свою. Он слал и к Святославу, и к Рюрику, и к Давыду: «Половцы у меня, помогите мне!» Святослав слал к Давыду, а Давыд не трогался с места, потому что его смольняне собрали вече и толковали: «Мы шли к Киеву только; если б здесь была рать, то мы и стали б биться, а теперь нам нельзя искать другой рати, мы уже и так устали». Давыд принужден был идти назад с ними в Смоленск. Но Святослав с Рюриком сели на суда и поплыли Днепром вниз против половцев, которые, услыхав об этом, отошли от Переяславля, но по дороге осадил город Римов*, римовичи затворились и взошли на стены биться, как вдруг две *городницы* (стенные укрепления) рухнули вместе с людьми прямо к половцам, ужас напал на остальных жителей, и город был взят; спаслись из плена только те из римовичей, которые вышли из города и бились с неприятелем по Римскому болоту. Таким образом половцы, благодаря медленности князей, дожидавшихся понапрасну Давыда смоленского, успели взять Римов и с добычею безопасно возвратились в свои степи; князья не преследовали их туда, но с печалью разошлись по волостям своим. Другие половцы с ханом Кзою пошли к Путивлю, пожгли села вокруг, острог у самого Путивля и возвратились с добычею.

Игорь Святославич все жил в плену у половцев, которые, как будто стыдясь воеводства его, по выражению летописца, не делали ему никаких притеснений; приставили к нему 20 сторожей, но давали ему волю ездить на охоту, куда хочет, и брать с собою слуг своих, человек по пяти и по шести; да и сторожа слушались его и оказывали всякую честь: куда кого пошлет, исполняли приказ беспрекословно; Игорь вызвал было уже к себе и священника со всею службою, думая, что долго пробудет в плену. Но Бог, говорит летописец, избавил его по христианской молитве, потому что многие проливали слезы за него. Нашелся между половцами один человек по имени Лавор; пришла ему добрая мысль, и стал он говорить Игорю: «Пойду с тобою в Русь». Игорь сперва не поверил ему, по молодости своей держал он мысль высокую, думал, схвативши Лавора, бежать с ним в Русь; он говорил: «Я для славы не бежал во время боя от дружины и теперь бесславным путем не пойду». С Игорем вместе были в плену сын

* Селение Рим на границе уездов Роменского, Лохвицкого и Прилуцкого.

тысяцкого и конюший его, оба они понуждали князя принять предложение Лавора, говорили: «Ступай, князь, в Русскую землю, если Бог захочет избавить тебя»; Игорь все медлил, но когда возвратились половцы от Переяславля, то думцы его начали опять говорить: «У тебя, князь, мысль высокая и Богу неугодная, ты все ждешь случая, как бы схватить Лавора и бежать с ним, а об том не подумаешь, какой слух идет: говорят, будто половцы хотят перебить вас, всех князей и всю Русь, так не будет тебе ни славы, ни жизни». На этот раз Игорь послушался их, испугался половецкого прихода и стал искать случая к бегству; нельзя было бежать ни днем, ни ночью, потому сторожа стерегли его, только и было можно, что на самом солнечном закате. И вот Игорь послал конюшего своего сказать Лавору, чтоб тот переехал на ту сторону реки с поводным конем. Наступило назначенное время, стало темнеть, половцы напились кумыса, пришел конюший и объявил, что Лавор ждет. Игорь встал в ужасе и трепете, поклонился Спасову образу и кресту честному, говоря: «Господи сердцеведче, спаси меня, недостойного», надел на себя крест, икону, поднял стену и вылез вон. Сторожа играли, веселились, думая, что Игорь спит, а он уже был за рекою и мчался по степи; в одиннадцать дней достиг он города Донца, откуда поехал в свой Новгород-Северский, а из Новгорода сперва поехал к брату Ярославу в Чернигов, а потом к Святославу в Киев просить помощи на половцев; все князья обрадовались ему и обещались помогать.

Но только через год (1187 г.) Святослав с сватом своим Рюриком собрались на половцев, хотели напасть на них внезапно, получивши весть, что половцы у Татинца на днепровском броде*. Владимир Глебович приехал к ним из Переяславля с дружиною и выпросился ехать наперед с черными клобуками, Святославу не хотелось было отпустить Владимира впереди своих сыновей, но Рюрик и все другие хотели этого, пото-

* Близ устья Золотоноши в Днепр, напротив города Черкас, есть село Мутатинцы.

му что переяславский князь был смел и крепок в битве, всегда стремился на добрые дела. В это время черные клобуки дали знать сватам своим, половцам, что русские князья идут на них, и те убежали, а князьям нельзя было их преследовать, потому что Днепр уже трогался, весна наступала. По возвращении из этого похода разболелся и умер знаменитый защитник украйны от половцев переяславский князь Владимир Глебович, плакали по нем все переяславцы, говорит летописец, потому что он любил дружину, золота не собирал, имения не щадил, но раздавал дружине, был князь добрый, мужеством крепким и всякими добродетелями исполненный. Украйна много стонала об нем, и недаром, потому что немедленно половцы начали воевать ее.

Зимою Святослав стал опять пересылаться с Рюриком, звать его на половцев, Рюрик отвечал ему: «Ты, брат, поезжай в Чернигов, сбирайся там с своею братьею, а я здесь буду сбираться с своею». Все князья собрались и пошли по Днепру: иначе нельзя было идти, потому что снег был очень велик; у реки Снопорода перехватали сторожей половецких, и те объявили, что вежи и стада половецкие у Голубого леса. Ярославу черниговскому не хотелось идти дальше, и стал он говорить брату Святославу: «Не могу идти дальше от Днепра: земля моя далеко, а дружина изнемогла». Рюрик начал слать к Святославу, понуждая его продолжать поход. «Брат и сват! — говорил он ему, — исполнилось то, чего нам следовало у Бога просить, пришла весть, что половцы только за полдень пути от нас; если же кто раздумывает и не хочет идти, то ведь мы с тобою вдвоем до сих пор ни на кого не смотрели, а делали, что нам Бог давал». Святославу самому хотелось продолжать поход, и он отвечал Рюрику: «Я, брат, готов, но пошли к брату Ярославу, понудь его, чтоб нам всем вместе поехать». Рюрик послал сказать Ярославу: «Брат! Не следовало бы тебе дело расстраивать; к нам дошла верная весть, что вежи половецкие всего от нас на полдень пути, велика ли эта езда? Прошу тебя, брат, поезжай еще только полдня для меня, а я для тебя десять дней еду». Но Ярослав никак не соглашался: «Не могу поехать один, — говорил он, — полк мой пеш; вы бы мне дома сказали, что так далеко идти». Князья завели распрю: Рюрик понуждал Всеволодовичей идти вперед, Святослав хотел идти дальше, но вместе с братом, и когда тот не согласился, то все возвратились ни с чем домой. В конце года, зимою, Святослав с Рюриком отправили черных клобуков с воеводою Романом Нездиловичем на половцев за Днепр; Роман взял вежи и возвратился домой со славою и честью великою, потому что половцев не было дома — пошли к Дунаю. Под 1190 годом читаем в летописи, что Святослав с Рюриком утишили Русскую землю и половцев примирили в свою волю, после чего поехали на охоту вниз по Днепру на лодках к устью Тясмины, наловили множество зверей и провели время очень весело. Но мир с половцами не был продолжителен. Осенью того же года Святослав по доносу схватил Кондувдея, торцкого князя; Рюрик вступился за торчина, потому что был он отважен и надобен в Руси; по словам летописца, Святослав послушался Рюрика, привел Кондувдея к присяге и отпустил на свободу. Но торчин хотел отомстить за свой позор и ушел к половцам, которые обрадовались случаю и стали с ним думать, куда бы поехать им на Русскую землю; решили ехать на Чурнаев (город князя Чурная); взяли острог, зажгли княжий двор, захватили имение князя, двух жен, множество рабов; потом, давши отдохнуть коням, пошли было к другому городу, Боривому, но, услыхав, что Ростислав Рюрикович в Торческе, возвратились к своим ватагам и отсюда стали часто наезжать с Кондувдеем на места по реке Роси.

Святослава этою осенью не было в Киеве, он поехал за Днепр к братьям на думу; Рюрик также поехал в Овруч по своим делам, оставив на всякий случай сына Ростислава в Торческе: он знал, что Кондувдей станет воевать Русь из мести Святославу. С этою же мыслию он послал сказать Святославу: «Мы вот свои дела делаем, так и Русской земли не оставим без обороны; я оставил сына своего с полком, оставь и ты своего». Святослав обещал ему послать сына Глеба и не послал, потому что ссорился с Мономаховичами, но, к счастию, князья скоро помирились. Между тем зимою лучшие люди между черными клобуками приехали в Торческ к Рюриковичу и сказали ему: «Половцы этою зимою часто нас воюют, и не знаем, подунайцы что ли мы? Отец твой далеко, а к Святославу нечего и слать: он сердит на нас за Кондувдея». Ростислав после этого послал сказать Ростиславу Владимировичу, сыну Владимира Мстиславича: «Брат! Хотелось бы мне поехать на вежи половецкие; отцы наши далеко, а других старших нет, так будем мы за старших, приезжай ко мне поскорее».

Соединившись с черными клобуками, Ростислав Рюрикович внезапно напал на половецкие вежи, захватил жен, детей и стад множество. Половцы было, услыхав, что вежи взяты, погнались за Ростиславом и настигли его; Рюрикович не испугался, что половцев было много, и велел молодым стрельцам своим начать дело, половцы начали было с ними перестреливаться, но когда увидали знамена самого Ростислава, то ударились бежать, причем русские стрельцы и черные клобуки взяли 600 человек пленных; черные клобуки взяли, между прочим, половецкого хана Кобана, но не повели его в полк, опасаясь князя Ростислава, а тайком договорились с ним о выкупе и отпустили. Тою же зимою половцы с двумя ханами въехали в Русь Ростиславовою дорогою, но, заслышав, что сам Святослав киевский стоит наготове, бросились бежать, побросавши знамена и копья. Святослав после этого поехал в Киев, оставив сына Глеба в Каневе, и вот половцы, услыхав, что Святослав поехал домой, возвратились с Кондувдеем, но были встречены Глебом, побежали и обломились на реке Роси: тут их много перехватали и перебили, другие потонули, а Кондувдей ушел.

В следующем 1191 году ходил Игорь северский опять на половцев и на этот раз удачно; на зиму пошли в другой раз Ольговичи в степи, но половцы приготовились встретить их, и русские не решились биться с ними, ночью ушли назад. В 1192 году Святослав с Рюриком и со всею братьею стояли целое лето у Канева, уберегли землю свою от поганых и разошлись по домам. Потом Святослав и Ростислав Владимировичи с черными клобуками пошли было на половцев, но черные клобуки не захотели идти за Днепр, потому что там сидели их сваты и, поспоривши с князьями, возвратились назад. Наконец Рюрику удалось перезвать к себе от половцев Кондувдея: он посадил его в своей волости, дал ему город на Роси Дверен.

Помирившись с Кондувдеем, захотели договориться и с прежними союзниками его, половцами; в 1193 году Святослав послал сказать Рюрику: «Ты договорился с половцами лукоморскими, а теперь пошлем за остальными, за бурчевичами». Рюрик послал за лукоморскими, за двумя ханами, а Святослав — за бурчевичами, также за двумя ханами. На осень Святослав с Рюриком съехались в Каневе, лукоморские ханы пришли туда же, но бурчевичи остановились на той стороне Днепра и послали сказать князьям: «Если хотите договориться с нами, то приезжайте к нам на эту сторону». Князья, подумавши, велели отвечать им: «Ни деды, ни отцы наши не езжали к вам; если хотите, то приезжайте сюда к нам, а не хотите, то ваша воля». Бурчевичи не согласились и уехали прочь, тогда Святослав не захотел мириться и с лукоморцами: «Нечего нам мириться с одною половиною», — говорил он Рюрику, и таким образом князья разъехались по домам, ничего не сделавши. Рюрик после этого, подумавши с боярами своими, послал сказать Святославу: «Вот, брат, ты мира не захотел, так нам уже теперь нельзя не быть наготове, станем же думать о своей земле: идти ли нам зимою? — так ты объяви заранее, я велю тогда братьям и дружине готовиться; если же думаешь только стеречь свою землю, то объяви и об этом». Святослав отвечал: «Теперь, брат, нельзя нам идти в поход, потому что жито не родилось у нас; теперь, дай Бог, только свою землю устеречь». Тогда Рюрик велел сказать ему: «Брат и сват! Если в поход мы не пойдем на половцев, то я пойду на литву по своим делам». Святослав с сердцем отвечал ему: «Брат и сват! Если ты идешь из отчины по своим делам, так и я пойду за Днепр по своим же делам, а в Русской земле кто останется?» — и этими речами он помешал Рюрику идти на литву. Но зимою лучшие люди между черными клобуками приехали к Ростиславу Рюриковичу и стали опять звать его на половцев: «Князь! — говорили они, — поезжай с нами на вежи половецкие, теперь самое время; прежде мы хотели было просить тебя у отца, да услыхали, что отец твой сбирается идти на литву, так, пожалуй, тебя и не отпустит, а уж такого случая, как теперь, после долго ждать». Ростислав согласился и прямо с охоты поехал в Торческ, не сказавшись отцу, а к дружине послал сказать: «Время нам теперь вышло удобное, поедем на половцев, а что отец мой идет на литву, так еще успеем съездить до его похода». В три дня собралась дружина, Ростислав послал и в Треполь за двоюродным братом Мстиславом Мстиславичем (Удалым), тот немедленно поехал с боярином своим Сдеславом Жирославичем и нагнал Ростислава за Росью. Соединившись с черными клобуками, князья перехватали половецких сторожей, от которых узнали, что половцы стоят с вежами и стадами своими на западной, русской, стороне Днепра за день пути; по этим указаниям русские князья отправились ночью, на рассвете ударили на половцев и взяли бесчисленную добычу. Услыхав об этом, Святослав послал сказать Рюрику: «Вот уже твой сын затронул половцев, зачал рать, а ты хочешь идти в другую сторону, покинув свою землю; ступай лучше в Русь стеречь свою землю». Рюрик послушался и, отложив поход в Литву, поехал со всеми своими полками в Русь. Долго стоял Святослав с Рюриком у Василева, сторожа свою землю, половцы не показывались, но только что Святослав уехал за Днепр в Корачев, а Рюрик — в свою волость, то поганые стали опять воевать украйну.

Святославу и Рюрику даже во время мира не под силу были наступательные движения на половцев: если они и ходили в степи, то озираясь на Переяславль; удалые северские князья вздумали было пойти подальше, но дорого заплатили за свою отвагу. Сила, которая давала Мономаху и сыну его Мстиславу возможность прогонять поганых за Дон, к морю, эта сила теперь перешла на север, и вот под 1198 годом встречаем известие, что Великий Всеволод с сыном Константином выступил в поход на половцев, каким путем, неизвестно*. Половцы, услыхавши об этом походе, бежали с вежами к морю; великий князь походил по зимовищам их возле Дона и возвратился назад. Скоро потом на юге явился сильный князь, который мог напомнить половцам времена Мономаховы, — то был Роман волынский и галицкий. В 1202 году зимою он ходил на половцев, взял их вежи, привел много пленных, отполонил множество христианских душ, и была радость большая в земле Русской. Но радость эта переменилась в печаль, когда в следующем году Рюрик и Ольговичи со всею Половецкою землею взяли и разграбили Киев, когда жителей последнего иноплеменники повели к себе в вежи. Потом Всеволод и Роман умирили было на время всех князей; южные князья в 1208 году, в жестокую зиму, отправились на половцев, и была поганым большая тягость, говорит летописец, и большая радость всем христианам Русской земли; в то же время рязанские князья ходили также на половцев и взяли их вежи. Но скоро опять встали смуты между князьями, знаменитый Роман умер, половцам некого стало бояться на юге, и в 1210 году они сильно опустошили окрестности Переяславля. В 1215 году половцы опять отправились к Переяславлю; тамошний князь Владимир Всеволодович вышел к ним навстречу с полками, но был разбит и взят в плен.

В то время как Русь, европейская украйна, вела эту бесконечную и однообразную борьбу с степными народами, половцами, в дальних, восточных степях Азии произошло явление, которое должно было дать иной ход этой борьбе. Исстари китайские летописцы в степях на северо-запад от страны своей обозначали два кочевых народа под именем монгкулов и тата; образ жизни этих народов был одинаков с образом жизни других собратий их, являвшихся прежде в истории, — скифов, гуннов, половцев. В первой четверти XIII века среди них обнаружилось сильное движение: один из монгольских ханов, Темучин, известный больше под именем Чингисхана,

* По всей вероятности, он шел от верховьев Дона вниз по этой реке.

начал наступательные движения на других ханов, стал покорять их: орда присоединялась к орде под одну власть, и вот образовалась огромная воинственная масса народа, которая, пробужденная от векового сна к кровавой деятельности, бессознательно повинуясь раз данному толчку, стремится на оседлые народы к востоку, югу и западу, разрушая все на своем пути. В 1224 году двое полководцев Чингисхановых, Джебе и Субут, прошли обычные ворота кочевников между Каспийским морем и Уральскими горами, попленили ясов, обезов и вошли в землю Половецкую.

Половцы вышли к ним навстречу с сильнейшим ханом своим Юрием Кончаковичем, но были поражены и принуждены бежать к русским границам, к Днепру. Хан их Котян, тесть Мстислава галицкого, стал умолять зятя своего и других князей русских о помощи, не жалел даров им, роздал много коней, верблюдов, буйволов, невольниц; он говорил князьям: «Нашу землю нынче отняли татары, а вашу завтра возьмут, защитите нас; если же не поможете нам, то мы будем перебиты нынче, а вы — завтра».

Князья съехались в Киеве на совет; здесь было трое старших: Мстислав Романович киевский, Мстислав Святославич черниговский, Мстислав Мстиславич галицкий, из младших были Даниил Романович волынский, Всеволод Мстиславич, сын князя киевского, Михаил Всеволодович — племянник черниговского. Мстислав галицкий стал упрашивать братью помочь половцам, он говорил: «Если мы, братья, не поможем им, то они передадутся татарам, и тогда у них будет еще больше силы». После долгих совещаний князья наконец согласились идти на татар; они говорили: «Лучше нам принять их на чужой земле, чем на своей».

Татары, узнавши о походе русских князей, прислали сказать им: «Слышали мы, что вы идете против нас, послушавшись половцев, а мы вашей земли не занимали, ни городов ваших, ни сел, на вас не приходили; пришли мы попущением Божиим на холопей своих и конюхов, на поганых половцев, а с вами нам нет войны; если половцы бегут к вам, то вы бейте их оттуда и добро их себе берите; слышали мы, что они и вам много зла делают, потому же и мы их отсюда бьем». В ответ русские князья велели перебить татарских послов и шли дальше; когда они стояли на Днепре, не доходя Олешья, пришли к ним новые послы от татар и сказали: «Если вы послушались половцев, послов наших перебили и все идете против нас, то ступайте, пусть нас Бог рассудит, а мы вас ничем не трогаем». На этот раз князья отпустили послов живыми.

Когда собрались все полки русские и половецкие, то Мстислав Удалой с 1000 человек перешел Днепр, ударил на татарских сторожей и обратил их в бегство; татары хотели скрыться в половецком кургане, но и тут им не было помощи, не удалось им спрятать и воеводу своего Гемябека; русские нашли его и выдали половцам на смерть. Услыхав о разбитии неприятельских сторожей, все русские князья переправились за Днепр, и вот им дали знать, что пришли татары осматривать русские лодки; Даниил Романович с другими князьями и воеводами сел тотчас на коня и поскакал посмотреть новых врагов; каждый судил об них по-своему: одни говорили, что они хорошие стрельцы, другие, что хуже и половцев, но галицкий воевода Юрий Домамерич утверждал, что татары — добрые ратники. Когда Даниил с товарищами возвратились с этими вестями о татарах, то молодые князья стали говорить старым: «Нечего здесь стоять, пойдем на них». Старшие послушались, и все полки русские перешли Днепр; стрельцы русские встретили татар на половецком поле, победили их, гнали далеко в степи, отняли стада, с которыми и возвратились назад к полкам своим. Отсюда восемь дней шло войско до реки Калки, где было новое дело с татарскими сторожами, после которого татары отъехали прочь, а Мстислав галицкий велел Даниилу Романовичу с некоторыми полками перейти реку, за ними перешло и остальное войско и расположилось станом, пославши в сторожах Яруна с половцами. Удалой выехал также из стана, посмотрел на татар, возвратившись, велел поскорее вооружаться своим полкам, тогда как другие два Мстислава сидели спокойно в стане, ничего не зная: Удалой не сказал им ни слова из зависти, потому что, говорит летописец, между ними была большая распря.

Битва началась 16 июня; Даниил Романович выехал наперед, первый схватился с татарами, получил рану в грудь, но не чувствовал ее по молодости и пылу: ему было тогда 18 лет, и был он очень силен, смел и храбр, от головы до ног не было на нем порока. Увидавши Даниила в опасности, дядя его Мстислав Немой луцкий бросился к нему на выручку; уже татары обратили тыл перед Даниилом с одной стороны и пред Олегом курским — с другой, когда половцы и здесь, как почти везде, побежали пред врагами и потоптали станы русских князей, которые, по милости Мстислава Удалого, не успели еще ополчиться. Это решило дело в пользу татар: Даниил, видя, что последние одолевают, оборотил коня, прискакал к реке, стал пить, и тут только почувствовал на себе рану. Между тем русские потерпели повсюду совершенное поражение, какого, по словам летописца, не бывало от начала Русской земли.

Мстислав киевский с зятем своим Андреем и Александром Дубровицким*, видя беду, не двинулся с места, стоял он на горе над рекою Калкою; место было каменистое, русские огородили его кольем и три дня отбивались из этого укрепления от татар, которых оставалось тут два отряда с воеводами Чегирканом и Ташуканом, потому что другие татары бросились в погоню к Днепру за остальными русскими князьями. Половцы дали победу татарам, другая варварская сбродная толпа докончила их дело, погубив Мстислава киевского: с татарами были бродники с воеводою своим Плоскинею; последний поцеловал крест Мстиславу и другим князьям, что если они сдадутся, то татары не убьют их, но отпустят на выкуп; князья поверили, сдались и были задавлены — татары подложили их под доски, на которые сели обедать. Шестеро** дру-

---

* Дубровица была волость Туровско-Пинская, следовательно, эти князья принадлежали к племени Святополкову.

** Князь Святослав яневский, быть может, сын Владимира Мстиславича, тем более что в некоторых списках он назван Мстиславом; Изяслав гих князей погибло в бегстве к Днепру, и между ними — князь Мстислав черниговский с сыном; кроме князей, погиб знаменитый богатырь Александр Попович с семидесятью собратиями.

Василько ростовский, посланный дядею Юрием на помощь к южным князьям, услыхал в Чернигове о Калкской битве и возвратился назад. Мстиславу галицкому с остальными князьями удалось переправиться за Днепр, после чего он велел жечь и рубить лодки, отталкивать их от берега, боясь татарской погони; но татары, дошедши до Новгорода Святополчского, возвратились назад к востоку; жители городов и сел русских, лежавших на пути, выходили к ним навстречу со крестами, но были все убиваемы; погибло бесчисленное множество людей, говорит летописец, вопли и вздохи раздавались по всем городам и волостям. Не знаем, продолжает летописец, откуда приходили на нас эти злые татары Таурмени и куда опять делись? Некоторые толковали, что это, должно быть, те нечистые народы, которых некогда Гедеон загнал в пустыню и которые пред концом мира должны явиться и попленить все страны.

* * *

Обозрев главные явления, характеризующие стосемидесятичетырехлетний период от смерти Ярослава I до смерти Мстислава Мстиславича торопецкого, скажем несколько слов вообще о ходе этих явлений. Сыновья Ярослава начали владеть Русскою землею целым родом, не разделяясь, признавая за старшим в целом роде право сидеть на главном столе и быть названным отцом для всех родичей. Но при первых же князьях начинаются уже смуты и усобицы: вследствие общего родового владения, по отсутствию отдельных волостей для каждого князя, наследственных для его потомства, являются

Ингворович, внук Ярослава луцкого; Святослав шумский, Шумск — также Волынская волость; Юрий несвежьский — Несвежь, местечко Слуцкого уезда, Минской губернии, Туровская волость.

изгои, князья-сироты; преждевременною смертию отцов лишенные права на старшинство, на правильное движение к нему по ступеням родовой лестницы, предоставленные милости старших родичей, осужденные сносить тяжкую участь сиротства, эти князья-сироты, изгои, естественно, стремятся выйти из своего тяжкого положения, силою добыть себе волости в Русской земле; средства у них к тому под руками: в степях всегда можно набрать многочисленную толпу, готовую под чьими угодно знаменами броситься на Русь в надежде грабежа.

Но сюда присоединяются еще другие причины смут: отношения городского народонаселения к князьям непрочны, неопределенны; старший сын Ярослава, Изяслав, должен оставить Киев, где на его место садится князь полоцкий, мимо родовых прав и счетов. Последний недолго оставался на старшем русском столе, Изяслав возвратился на отцовское место, но скоро был изгнан опять родными братьями; возвратился в другой раз по смерти брата Святослава, но это возвращение повело к новым усобицам, потому что Изяслав включил в число изгоев и сыновей Святославовых; Изяслав погибает в битве с племянниками-изгоями, княжение брата его Всеволода проходит также в смутах. При первом старшем князе из второго поколения Ярославичей прекращаются усобицы, от изгойства происшедшие и на восточной и на западной стороне Днепра, прекращаются на двух съездах княжеских: Святославичи входят во все права отца своего и получают отцовскую Черниговскую волость; на западе вследствие испомещения изгоев, кроме давно отделенной Полоцкой волости, является еще отдельная волость Галицкая с князьями, не имеющими права двигаться к старшинству и переходить на другие столы, образуется также отдельная маленькая волость Городенская для потомства Давыда Игоревича.

Казалось, что после родовых княжеских рядов при сыне Изяславовом смуты должны были прекратиться, но вышло иначе, когда по смерти Святополка киевляне провозглашают князем своим Мономаха мимо старших двоюродных братьев его, Святославичей. Благодаря материальному и нравственному могуществу Мономаха и он, и старший сын его Мстислав владели спокойно Киевом; родовая общность владения между тремя линиями Ярославова потомства и, следовательно, самая крепкая связь между ними должна была рушиться: Святославичи черниговские должны были навсегда ограничиться восточною стороною Днепра, их волость должна была сделаться такою же отдельною волостию, каковы были на западе волость Полоцкая или Галицкая; между самими Святославичами дядя потерял старшинство перед племянником, он сам и потомки его должны были ограничиться одною Муромскою волостью, которая вследствие этого явилась также особною от остальных волостей черниговских; старшая линия Изяславова теряет также старшинство и волости вследствие неуважения Ярослава Святополковича к дяде и тестю. Впоследствии она приобретает волость Туровскую в особное владение.

Но вот по смерти Мстислава Великого и в самом племени Мономаховом начинается усобица между племянниками от старшего брата и младшими дядьми, что дает возможность Ольговичам черниговским добиться старшинства и Киева и восстановить таким образом нарушенное было общее владение между двумя линиями Ярославова потомства. По смерти Всеволода Ольговича вследствие всеобщего народного нерасположения к Ольговичам на западной стороне Днепра они лишаются старшинства, которое переходит к сыну Мстислава Великого мимо старших дядей; это явление могло быть богато следствиями, если б Изяславу Мстиславичу удалось удержать за собою старшинство; благодаря исключению из старшинства и из общего владения Ольговичей, с одной стороны, и младшего Мономаховича Юрия, с другой, главные, центральные владения Рюриковичей распадались на три отдельные части: Русь Киевскую, Русь Черниговскую и Русь Ростовскую или Суздальскую. Но крепкие еще родовые понятия на юге, в старой Руси, и другие важные характеристические черты ее древнего быта, неопределенность в отношениях городского народонаселения и пограничных варваров помешали разделению, нарушению общего родового владения между князьями: когда дядя Юрий явился на юге, то племянник его Изяслав услыхал с разных сторон: «Поклонись дяде, мирись с ним, мы не пойдем против сына Мономахова», и вот Изяслав, несмотря на все свои доблести, на расположение народное к нему, должен был покаяться в грехе своем и признать старшинство дяди Вячеслава, вступить к нему в сыновние отношения.

Изяслав умер прежде дядей, брат его не был в уровень своему положению, и вот представление о старшинстве всех дядей над племянниками торжествует, а вместе с тем торжествует представление об общности родового владения: Юрий умирает на старшем столе в Киеве; после него садится здесь черниговский Давыдович, последний изгоняется Мстиславом, сыном знаменитого Изяслава Мстиславича; Мстислав призывает в Киев из Смоленска дядю Ростислава, по смерти которого занимает старший стол, но сгоняется с него дядею — Андреем Боголюбским.

Андрей дает событиям другой ход: он не едет в Киев, отдает его младшему брату, а сам остается на севере, где является новый мир отношений, где старые города уступают новым, отношения которых к князю определеннее, где подле городов, живших по старине, нет и черных клобуков, которые не привыкли ни к чему государственному. В силу поступка Андреева Южная, старая, Русь явственно подпала влиянию Северной, где сосредоточилась и сила материальная и вместе нравственная, ибо здесь сидел старший в племени Мономаховом; все эти отношения, существовавшие при Андрее, повторяются и при брате его, Всеволоде III. Таким образом, поколение младшего сына Мономахова, Юрия, благодаря поселению его на севере усиливается пред всеми другими поколениями Ярославичей; и в этом усилении является возможность уничтожения родовых отношений между князьями, общего родового владения, является возможность государственного объединения Руси; но какая же судьба предназначена доблестному потомству старшего Мономаховича, Мстислава Великого? Мы видели, что Изяслав Мстиславич и сын его Мстислав потерпели неудачу в борьбе с господствовавшим представлением о старшинстве дядей над племянниками; Мстислав Изяславич по изгнании своем из Киева войсками Боголюбского должен был удовольствоваться одною Волынью, и здесь он сам и потомки его обнаруживают наследственные стремления, обнаруживая притом и наследственные таланты; обстоятельства были благоприятны: Волынь была пограничною русскою областью, в беспрерывных сношениях с западными государствами, где в это время, благодаря различным условиям и столкновениям, родовые княжеские отношения рушатся: в ближайшей Польше духовные сановники рассуждают о преимуществе наследственности в одной нисходящей линии пред общим родовым владением; в Венгрии давно уже говорили, что не хотят знать о правах дядей пред племянниками от старшего брата: все это как нельзя лучше согласовалось с наследственными стремлениями потомков Изяслава Мстиславича; быть может, сначала бессознательные, вынужденные обстоятельствами, эти стремления получают теперь оправдание, освящение и вот, быть может, недаром старший стол на Волыни — Владимир — перешел по смерти Мстислава к сыну его Роману помимо брата: недаром, говорят, Роман увещевал русских князей переменить существовавший порядок вещей на новый, как водилось в других государствах, но князья старой Руси остались глухи к увещанию Романову; их можно было только силою заставить подчиниться новому порядку, и Роман ищет приобрести эту силу, приобретает княжество Галицкое, становится самым могущественным князем на юге, для Южной Руси, следовательно, открывается возможность государственного сосредоточения; все зависит от того, встретит ли потомство старшего Мономахова сына на юго-западе такие же благоприятные для своих стремлений условия и обстоятельства, какие потомство младшего Мономахова сына встретило на севере? Почва Юго-Западной Руси так же ли способна к восприятию нового порядка вещей, как почва Руси Северо-Восточной? История немедленно же дала ответ отрицательный, показавши ясно по смерти Романа галицкие отношения, условия быта Юго-Западной Руси. А между тем умер Всеволод III; Северная Русь на время замутилась, потеряла свое влияние на Южную, которой, наоборот, открылась возможность усилиться на счет Северной благодаря доблестям знаменитого своего представителя Мстислава Удалого.

Но в действиях этого полного представителя старой Руси и обнаружилась вся ее несостоятельность к произведению из самой себя нового, прочного государственного порядка: Мстислав явился только странствующим героем, покровителем утесненных, безо всякого государственного понимания, безо всяких государственных стремлений, и отнял Галич у иноплеменника для того только, чтоб после добровольно отдать его тому же иноплеменнику! Но Северная Русь идет своим путем: с одной стороны, ее князья распространяют свои владения все дальше и дальше на восток, с другой, не перестают теснить Новгород — рано или поздно их верную добычу, наконец, обнаруживают сильное влияние на ближайшие к себе области Южной Руси, утверждают на черниговском столе племянника мимо дяди.

Таким образом, вначале мы видим, что единство Русской земли поддерживается единством рода княжеского, общим владением. Несмотря на независимое в смысле государственном управление каждым князем своей волости, князья представляли ряд временных областных правителей, сменяющихся если не по воле главного князя, то, по крайней мере, вследствие рядов с ним, общих родовых счетов и рядов, так что судьба каждой волости не была независимо определена внутри ее самой, но постоянно зависела от событий, происходивших на главной сцене действия, в собственной Руси, в Киеве, около старшего стола княжеского; Северская, Смоленская, Новгородская, Волынская области переменяли своих князей смотря по тому, что происходило в Киеве: сменял ли там Мономахович Ольговича, Юрьевич — Мстиславича или наоборот, а это необходимо поддерживало общий интерес, сознание о земском единстве.

Но мы скоро видим, что некоторые области выделяются в особые княжества, отпадают от общего единства области крайние на западе и востоке, которых особность условливалась и прежде причинами физическими и историческими: отпадает область западной Двины, область Полоцкая, которая при самом начале истории составляет уже владение особого княжеского рода; отпадает область Галицкая, издавна переходная и спорная между Польшею и Русью; на востоке отпадает отдаленный Муром с Рязанью, далекая Тмутаракань перестает быть русским владением. Обособление этих крайних волостей не могло иметь влияния на ход событий в главных срединных волостях; здесь, в южной, Днепровской половине мы не замечаем изменения в господствующем порядке вещей, обособления главных волостей, ибо никакие условия, ни физические, ни племенные, ни политические не требуют этого обособления, но как скоро одна ветвь, одно племя княжеского рода утверждается в северной, Волжской половине Руси, как скоро князь из этого племени получает родовое старшинство, то немедленно же и происходит обособление Северной Руси, столь богатое последствиями, но обособление произошло не по требованию известных родовых княжеских отношений, а по требованию особых условий — исторических и физических; нарушение общего родового владения и переход родовых княжеских отношений в государственные условливались различием двух главных частей древней Руси и проистекавшим отсюда стремлением к особности.

Благодаря состоянию окружных государств и народов все эти внутренние движения и перемены на Руси могли происходить беспрепятственно. В Швеции еще продолжалась внутренняя борьба, и столкновения ее с Русью, происходившие в минуты отдыха, были ничтожны. Польша, кроме внутренних смут, усобиц, была занята внешнею борьбою с опасными соседями: немцами, чехами, пруссами; Венгрия находилась в том же самом положении, хотя оба эти соседние государства принимали иногда деятельное участие в событиях Юго-Западной Руси, каково, например, было участие Венгрии в борьбе Изяслава Мстиславича с дядею Юрием, но подобное участие никогда не имело решительного влияния на ход событий, никогда не могло изменить этого хода, условленного внутренними причинами. Влияние быта Польши и Венгрии на быт Руси было ощутительно в Галиче; можно заметить его и в пограничной Волыни, но дальше это влияние не простиралось. Польша и Венгрия не могли быть для Руси проводниками западноевропейского влияния, скорее можно сказать, уединяли ее от него, потому что и сами, кроме религиозной связи, имели мало общих форм быта с западною Европою, но если и Польша с Венгриею, несмотря на религиозную связь, мало участвовали в общих явлениях европейской жизни того времени, тем менее могла участвовать в них Русь, которая не была связана с западом церковным единением, принадлежала к церкви восточной, следовательно, должна была подвергаться духовному влиянию Византии. Византийская образованность, как увидим, проникала в Русь, греческая торговля богатила ее, но главная сцена действия перенеслась на северо-восток, далеко от великого водного пути, соединявшего Северо-Западную Европу с Юго-Восточною; Русь уходила все далее и далее вглубь северо-востока, чтоб там, в уединении от всех посторонних влияний, выработать для себя крепкие основы быта; Новгород не мог быть для нее проводником чуждого влияния уже по самой враждебности, которая проистекала от различия его быта с бытом остальных северных областей. Но если Русь в описываемое время отделялась от Западной Европы Польшею, Венгриею, Литвою, то ничем не отделялась от востока, с которым должна была вести беспрерывную борьбу.

Собственная, Южная Русь была украйною, так сказать европейским берегом степи, и берегом низким, не защищенным нисколько природою, следовательно, подверженным частому наплыву кочевых орд; искусственные плотины, города, которые начали строить еще первые князья наши, недостаточно защищали Русь от этого наплыва. Мало того что степняки, или половцы, сами нападали на Русь, они отрезывали ее от черноморских берегов, препятствовали сообщению с Византиею: русские князья с многочисленными дружинами должны были выходить навстречу к греческим купцам и провожать их до Киева, оберегать от степных разбойников; варварская Азия стремится отнять у Руси все пути, все отдушины, которыми та сообщалась с образованною Европою. Южная Русь, украйна, европейский берег степи заносится уже с разных сторон степным народонаселением; по границам Киевской, Переяславской, Черниговской области садятся варварские толпы, *свои поганые*, как называли их в отличие от диких, т. е. независимых степняков, или половцев.

Находясь в полузависимости от русских князей, чуждое гражданских связей с новым европейским отечеством своим, это варварское пограничное народонаселение по численной значительности и воинственному характеру своему имеет важное влияние на ход событий в Южной Руси, умножая вместе с дикими половцами грабежи и безнарядье, служа самою сильною поддержкою для усобиц, представляя всегда ссорящимся князьям готовую дружину для опустошения родной страны. Точно так, как позднейшие черкасы, и пограничные варвары описываемого времени, по-видимому, служат государству, борются за него с степняками, но между тем находятся с последними в тесных родственных связях, берегут их выгоды, выдают им государство. Будучи совершенно равнодушны к судьбам Руси, к торжеству того или другого князя, сражаясь только из-за добычи, и дикие половцы и свои поганые, или черные клобуки, первые изменяют, первые обыкновенно обращаются в бегство. С такими-то народами должна иметь постоянное дело Южная Русь, а между тем историческая жизнь отливает от нее к северу, она лишается материальной силы, которая переходит к области Волжской, лишается политического значения, материального благосостояния; честь и краса ее, старший стольный город во всей Руси — Киев презрен, покинут старейшими и сильнейшими князьями, несколько раз разграблен.

Дополнения ко второму тому

Изложенный нами во втором томе взгляд на междукняжеские отношения встретил с разных сторон возражения, когда впервые был высказан в книге нашей: «История отношений между русскими князьями Рюрикова дома». Теперь считаем небесполезным разобрать эти возражения.

Г-н Кавелин в рецензии своей, напечатанной в «Современнике» 1847 года, представил следующие возражения:

«Г-н Соловьев говорит о родовых отношениях, потом о государственных, которые сначала с ними боролись и наконец их сменили. Но в каком отношении они находились между собою, откуда взялись государственные отношения в нашем быту вслед за родовыми — этого он не объясняет или объясняет слишком неудовлетворительно. Во-первых, он не показывает естественной преемственности быта юридического после родового, во-вторых, взгляд его не вполне отрешился от преувеличений, которые так изукрасили древнюю Русь, что ее нельзя узнать. Правда, его взгляд несравненно проще, естественнее, но надо было сделать еще один шаг, чтоб довершить полное высвобождение древней русской истории от несвойственных ей представлений, а его-то г-н Соловьев и не сделал. Этим и объясняется, почему автор по необходимости должен был прибегнуть к остроумной, но неверной гипотезе о различии новых княжеских городов от древних вечевых для объяснения нового порядка вещей, народившегося в Северо-Восточной России.

Представляя себе в несколько неестественных размерах Владимирскую и Московскую Русь, г-н Соловьев увидел в них то, что они или вовсе не представляли, или представляли, но не в том свете, который им придает автор. Оттого у г-на Соловьева между Русью до и после XIII века целая пропасть, которую наполнить можно было чем-нибудь внешним, не лежавшим в органическом развитии нашего древнейшего быта. Таким вводным обстоятельством является у автора система новых городов; вывести эту систему из родовых начал, наполнявших своим развитием государственную историю России до Иоанна III, нет никакой возможности.

Объяснимся. Мы уже сказали, что государственный, политический элемент один сосредоточивает в себе весь интерес и всю жизнь древней Руси. Если этот элемент выразился в родовых, патриархальных формах, ясно, что в то время они были высшей и единственно возможной формой быта для древней Руси. Никаких сильных переворотов во внутреннем составе нашего отечества не происходило; отсюда можно apriori безошибочно заключить, что все изменения, происшедшие постепенно в политическом быту России, развились органически из самого патриархального, родового быта. В самом деле, мы видим, что история наших князей представляет совершенно естественное перерождение кровного быта в юридический и гражданский. Сначала князья составляют целый род, владеющий сообща всею Русскою землею. Отношений по собственности нет и быть не может, потому что нет прочной оседлости. Князья беспрестанно переходят с места на место, из одного владения в другое, считаясь между собою только по родству, старшинством. Впоследствии они начинают оседаться на местах. Как только это сделалось, княжеский род раздробился на ветви, из которых каждая стала владеть особенным участком земли — областью или княжеством. Вот первый шаг к собственности. Правда, в каждой отдельной территории продолжался еще прежний порядок вещей: общее владение, единство княжеской ветви, им обладавшей, и переходы князей. Но не забудем, что эти территории были несравненно меньше, княжеские ветви малочисленнее; стало быть, теперь гораздо легче могла возникнуть мысль, что княжество ни более, ни менее, как княжеская вотчина, наследственная собственность, которою владелец может распоряжаться безусловно. Когда эта мысль, конечно бессознательно, наконец укрепилась и созрела, территориальные, владельческие интересы должны были одержать верх над личными, т. е., по-тогдашнему, кровными и родственными... Братья между собою считались старшинством и, таким образом, даже по смерти отца составляли целое, определяемое постоянными законами, но дети каждого из них имели ближайшее отношение к отцу и только второстепенное, посредственное — к роду. Для них их семейные интересы были главное и первое, род был уже гораздо дальше и не мог так живо, всецело поглощать их внимание и любовь. Прибавьте к этому, что и для их отца выгоды своей семьи были близки и, во многих случаях приходя в столкновение с выгодами рода, могли их перевешивать. Но пока род был немногочислен и линии еще недалеко разошлись, род еще мог держаться, а что ж должно было произойти, когда после родоначальника сменились три, четыре поколения, когда каждая княжеская линия имела уже свои семейные и родовые предания, а общеродовые интересы ступили на третье, четвертое место? Естественно, к роду, обратившемуся теперь в призрак, все должны были охладеть. Вследствие чего же? Вследствие того, что вотчинное, семейное начало, нисходящие разорвали род на самостоятельные, друг от друга независящие части или отрасли. Этот процесс повторялся несколько раз: из ветвей развивались роды. Эти роды разлагались семейным началом и т. д. до тех пор, пока родовое начало не износилось совершенно».

Объяснимся и мы теперь, с своей стороны. Г-н Кавелин говорит: «Сначала князья составляют целый род, владеющий сообща всею Русскою землею. Князья беспрестанно переходят с места на место; впоследствии они начинают оседаться на местах. Вот первый шаг к собственности». Но спрашиваем: почему же они вдруг начинают оседаться на местах? Что их к этому принудило? Решение этого-то вопроса, отыскание причины, почему князья начинают усаживаться на местах, и есть главная задача для историка. Князья могли усесться только тогда на местах, когда получили понятие об отдельной собственности, а по мнению г-на Кавелина, выходит наоборот: у него следствие поставлено причиною, и как произошло основное явление — не объяснено. «Правда, — говорит он, — в каждой отдельной территории продолжался еще прежний порядок вещей: общее владение, единство княжеской ветви, им обладавшей, и переходы князей. Но не забудем, что эти территории были несравненно меньше, княжеские ветви малочисленнее; стало быть, теперь гораздо легче могла возникнуть мысль, что княжество ни более ни менее, как княжеская отчина, наследственная собственность». Но не забудем, что, когда территория меньше, когда княжеская ветвь малочисленнее, тогда-то и представляется полная возможность развиваться родовым отношениям, укорениться понятию об общем владении, потому что обширная территория и многочисленность княжеских ветвей всего более содействуют раздроблению рода, порванию родовой связи; таким образом, здесь г-н Кавелин причиною явления ставит то, что должно необходимо вести к следствиям противоположным, но нам не нужно возражать г-ну Кавелину, он сам себе возражает: «Пока род, — говорит он, — был немногочислен и линии еще не далеко разошлись, род еще мог держаться, а что ж должно было произойти, когда после родоначальника сменились три, четыре поколения, когда княжеская линия имела уже свои семейные и родовые предания и общеродовые интересы ступили на третье, четвертое место? Естественно, к роду должны были все охладеть». Разве здесь не противоречие? Сперва говорится, что родовое начало рушиться, когда княжеская ветвь становится малочисленнее, а потом утверждают, что родовое начало ослабело вследствие разветвления рода! Род раздробляется вследствие разветвления, к роду все должны были охладеть. Вследствие чего же, спрашивает г-н Кавелин и отвечает: «Вследствие того, что вотчинное, семейное начала нисходящие разорвали род на самостоятельные, друг от друга независящие части или отрасли». Но теперь, когда большой род разорвался на малые роды или семьи, то что мешает им развиваться опять в роды или большие семьи? Быть может, малочисленность ветвей, как прежде говорил г-н Кавелин? Нет, ничто не мешает. «Этот процесс, — говорит г-н Кавелин, — повторялся несколько раз; из ветвей развивались роды. Эти роды разлагались семейным началом и т. д. до тех пор, пока родовое начало не износилось совершенно».

Итак, сначала говорилось, что родовое начало ослабевало вследствие малочисленности княжеской ветви, потом говорилось, что оно ослабевало вследствие разветвления рода, многочисленности его членов; наконец, показали нам, что ни то ни другое не могло уничтожить родовых отношений, ибо когда род раздробится на несколько отдельных княжеских линий, то эти линии стремятся опять развиваться в роды, следовательно, малочисленность княжеской ветви нисколько этому не мешает; что же уничтожило родовые отношения? Да так, ничто, родовое начало износилось само собою! Как будто бы в истории и в природе вообще может что-нибудь исчезнуть, износиться само собою, без влияния внешних условий!

Нужно ли говорить, как приведенное мнение г-на Кавелина соответствует действительности, фактам? Но оно именно явилось вследствие отрешенности от фактов, от всякой живой, исторической связи событий, от живых исторических взаимодействующих начал, между которыми главное место занимают личности исторических деятелей и почва, на которой они действуют, ее условия. Родовым княжеским отношениям нанесен был первый сильный удар, когда Северо-Восточная Русь отделилась от Юго-Западной, получила возможность действовать на последнюю благодаря деятельности Андрея Боголюбского; но как образовался характер, взгляд, отношения последнего, почему он пренебрег югом, почему начал новый порядок вещей и почему этот порядок вещей принялся и укоренился на севере и не мог приняться на юге — это объяснит только исследование почвы севера и юга, а не сухое, отвлеченное представление о том, как семейное начало разлагало родовое, но не могло разложить, пока то само не износилось совершенно. Сперва старшие князья смотрели и могли только смотреть на младших как на равноправных родичей, ибо кроме вкорененных понятий не имели материальной силы, зависели от младших родичей, но потом явился князь, который, получив независимость от родичей, материальную силу, требует от младших, чтоб они повиновались ему беспрекословно; те ясно понимают, что он хочет переменить прежние родовые отношения на новые, государственные, хочет обращаться с ними не как с равноправными родственниками, но как с подручниками, простыми людьми; начинается продолжительная борьба, в которой мало-помалу младшие должны признать новые отношения, должны подчиниться старшему, как подданные государю. Историк смотрит на эту борьбу как на борьбу родовых отношений с государственными, начавшуюся в XII веке кончившуюся полным торжеством государственных отношений в XVI веке, а ему возражают, что он о государственных отношениях не должен говорить до самого Петра Великого, что со времен Андрея Боголюбского начинает господствовать семейное начало, которое разлагает, сменяет родовое, а до государственного еще далеко. Но, стало быть, Андрей Боголюбский переменил родовые отношения к Ростиславичам на семейные? Новые, подручнические отношения, каких не хотели признать Ростиславичи, выходят семейные, в противоположность родовым? Что может быть проще, естественнее, непосредственнее перехода от значения великого князя как старшего в роде, только зависимого от родичей, к значению государя, как скоро он получает независимость от родичей, материальную силу? А г-н Кавелин говорит, что между этими двумя значениями целая пропасть, которую мы ничем не наполнили и которая, по его мнению, наполняется господством семейного начала.

Но г-н Кавелин, объясняя исчезновение родового начала разложением его посредством начала семейного, изнашиванием без причины, без всякого постороннего влияния, отвергая объяснение наше относительно старых и новых городов, сам принимает влияние городов за разлагающее родовой быт начало и упрекает нас в том, что мы не выставили его как движущее начало, тогда как мы именно выставили отношения городов движущим началом, выставили отношения новых городов к князьям главным условием в произведении нового порядка вещей и отношения старых городов условием для поддержания старого, потому что старые общины не понимали наследственности и потому препятствовали князьям усаживаться в одних и тех же волостях, смотреть на последние как на отдельную собственность; если старые общины переменяли иногда княжеские родовые счеты, то этим они подавали повод к усобицам, но не могли вести к разложению родового начала, ибо предпочтенное племя развивалось опять в род с прежними счетами и отношениями, а на отношения к старым общинам князья опереться не могли по шаткости, неопределенности этих отношений. Прежде г-н Кавелин утверждает, что родовое начало исчезло само собою вследствие повторительного разложения семейным началом, без всякого участия посторонних условий, которых, по мнению г-на Кавелина, вовсе не было на Руси, а потом подле семейного, или вотчинного, начала он ставит влияние общин на разложение родового быта. Мы видим здесь непоследовательность, противоречие, но все рады за автора, что он признал наконец возможность посторонних влияний, но если он признал влияние городов, то зачем же он так сильно вооружается на нас за то, что мы выставили это влияние, а не приняли его объяснения, по которому родовое начало должно было безо всякой причины, безо всякого постороннего влияния само собою износиться? Мы принимаем влияние городовых отношений, и он принимает теперь это влияние, следовательно, вопрос должен идти о том только, как рассматривать это влияние, а не о том, нужно или не нужно вводить его. Зачем же г-н Кавелин говорит, что наша гипотеза о влиянии городовых отношений не нужна в науке?

Г-н Кавелин утверждает, что рядом с родовыми, кровными интересами у древних князей наших развивались и другие, владельческие, которые впоследствии мало-помалу вытеснили все другие. Он говорит: «Мы позволили себе даже пойти далее и утверждать в противность мнению г-на Соловьева, что эти интересы уже стояли теперь на первом плане, но только прикрывались формами родовых отношений, так сказать, сдерживались ими, и потому-то борьба за старшинство, которою автор характеризует междукняжеские отношения в эту эпоху, не что иное, как выражение тех же владельческих стремлений, которые князья старались узаконить господствовавшим тогда родовым правом». Отвечаем: историку нет дела до владельческих интересов, отрешенно взятых, ему дело только до того, как выражались эти владельческие интересы, как владеют князья, что дает им возможность владеть теми или другими волостями, как эта возможность определяется ими самими и целым современным обществом, потому что только эти стремления характеризуют известный век, известное общество, а эта-то характеристика прежде всего и нужна для историка. Впрочем, это мнение о преобладании владельческих интересов более развито г-ном Погодиным, который в статье «О междоусобных войнах» выражается так:

«Где право, там и обида, говорит русская пословица. У нас же наследственное право состояло в одном семейном обычае, который искони передавался от отцов к детям, из рода в род, без всякой определенной формы, всего менее — юридической. Простираясь, по самому естеству вещей, только на ближайшее потомство и завися во многих отношениях от произвола действующих лиц, он подавал легко поводы к недоразумениям, спорам и, следовательно, войнам при всяких *новых* случаях вследствие неизбежного умножения княжеских родов. Присоедините бранный дух господствующего племени, избыток физической силы, неукротимость первых страстей. жажду деятельности, которая нигде более по переменившимся обстоятельствам не находила себе поприща, и вы поймете, почему междоусобия занимают самое видное место в нашей истории от кончины Ярослава до владычества монголов, 1054–1240 гг. Впрочем, они были совсем не таковы, какими у нас без ближайшего рассмотрения представлялись и представляются. Итак, подвергнем их строгому, подробному химическому анализу или разложению и исследуем, за что, как, где, когда, кем они велись и какое могли иметь влияние на действующие лица, на всю землю и ее судьбы. Постараемся вести наши исследования путем строгим, *математическим*».

Мы видим здесь, что г-н Погодин начинает свое исследование как должно, с главной причины разбираемого явления; указывает на главный источник — семейный обычай. Но, найдя главную причину, главный источник междоусобий в семейном обычае, мы должны, идя *путем строгим*, прежде всего исследовать, какой же это был семейный обычай, как подавал он поводы к спорам, какие это были новые случаи, зарождавшие войны? Для этого мы должны рассмотреть все междоусобные войны из года в год по летописям и, зная, что источник каждой войны заключался в семейном праве, должны объяснять, какая междоусобная война произошла вследствие каких семейных счетов и рассчетов, какое право по господствовавшим тогда понятиям имел известный князь считать себя обиженным и начинать войну; за то ли начата она, что младшему дали больше волостей, чем старшему, или старший обидел младшего, или, быть может, младший не уважил прав старшего? Так мы должны исследовать междоусобные войны, если хотим идти путем строгим, математическим. Но так ли поступает г-н Погодин? Показав в начале статьи главную причину междоусобий в семейном обычае, он потом задает вопрос: за что князья воевали? И отвечает: «Главною причиною, источником, целью всех междоусобных войн были *волости*, т. е. владения. Переберите все войны и, в сущности, при начале или конце вы не найдете никакой другой причины, именно (начинает пересчитывать): Ростислав отнял Тмутаракань у Глеба Святославича, Всеслав полоцкий взял Новгород, Изяслав воротил себе Киев и отнял Полоцк у Всеслава» и проч.

Прежде всякого возражения попробуем взглянуть точно таким же образом на события всеобщей истории и начнем рассуждать так: главною причиною, источником, целью всех войн между народами в древней, средней и новой истории были волости, т. е. владения.

Переберите все войны и, в сущности, при начале или конце вы не найдете никакой другой причины, а именно: персы воевали с греками, взяли Афины и другие города, греки возвратили свои города от персов. Спартанцы воевали с афинянами, взяли Афины. Афиняне возвратили свой город от спартанцев. Филипп Македонский победил греков. Александр Македонский завоевал Персию. Римляне взяли Карфаген. Крестоносцы овладели Иерусалимом. Испанцы взяли Гренаду и т. д.

До сих пор мы думали, что историк обязан представлять события в связи, объяснять причины явлений, а не разрывать всякую связь между событиями; если один князь пошел и взял город, а другой пришел и отнял у него добычу, то неужели это только и значит, что князья воевали именно за этот город и, следовательно, война Юрия Долгорукого с племянником его Изяславом Мстиславичем совершенно похожа на войну карфагенян с римлянами, потому что и здесь и там воюют за волости. Войны характеризуются причинами, а не формою, которая постоянно везде и всегда одинакова. Г-н Погодин назвал статью свою «Междоусобные войны», но из этой статьи нельзя догадаться, чтобы войны, о которых говорится, были междоусобные, в выписках из летописи читатель решительно не поймет, какие отношения между воюющими князьями, что они — независимые владельцы совершенно отдельных государств или есть между ними какая-нибудь связь. Видно, что они родня друг другу, но по каким отношениям действуют они и какое значение имеют города, которые они отнимают друг у друга — этого не видно.

На пяти печатных листах помещены выписки из летописей, и в конце статьи узнаем, что жили в старину князья, которые отнимали друг у друга владения — и только. Но взглянем на эти выписки. «1064 г. Ростислав отнял Тмутаракань у Глеба Святославича». Какая же причина этому явлению? Не знаем; по крайней мере, г-н Погодин не объясняет нам ее; он говорит в другом месте, что Ростислав взял Тмутакарань безо всякого предлога. Да кто же такой был Ростислав? Он был сын старшего сына Ярославова, Владимира, князя новгородского; стало быть, и Ростислав был князь новгородский же? Нет, но каким же это образом могло случиться? Сын старшего сына Ярославова не получил не только старшего стола — Киева, но даже и отцовского стола — Новгорода, принужден добывать себе волость мечом? Это явление объясняется семейным обычаем, по которому Ростислав считался изгоем. Итак, причина взятия Тмутаракани Ростиславом у Глеба — был семейный обычай, который и сам г-н Погодин в начале статьи поставил главною причиною междоусобий; вследствие того же семейного обычая происходили и другие междоусобия в волости Черниговской и Волынской. Волости раздавались вследствие родовых отношений, вследствие родового обычая (который г-н Погодин называет семейным, боясь употребить слово родовой, как будто здесь дело в словах), на основании старшинства: старший получал больше, младший — меньше, *обида* происходила, если тот, кто считал себя *старшим*, получал меньше, нежели тот, кого он считал младшим или равным себе; обиженный начинал действовать вооруженною рукою, и происходило междоусобие. Отчего же происходило оно? Где главная его причина, источник? Родовой счет по старшинству, а не волость, которая сама условливается старшинством, междоусобие происходило от обиды, а обида — от неправильного, по мнению обиженного, счета, неправильного представления об его старшинстве. Я обижен потому, что мне дали мало, но почему я думаю, что мне дали мало — вот главная причина, ибо ее только я могу выставить при отыскании своего права.

Но пусть говорят за нас сами действующие лица: по смерти великого князя Всеволода сын его Владимир сказал: «Если я сяду на столе отца своего, то будет у меня война с Святополком, потому что этот стол принадлежал прежде отцу его». Будет междоусобие, говорит Мономах, *потому что* (главная и единственная причина междоусобий!) Святополк старше меня: он сын старшего Ярославича, который прежде моего отца сидел на старшем столе. На этот раз Мономах не нарушил права старшинства и междоусобия не было: с уничтожением причины уничтожилось и следствие, но по смерти Святополка Мономах принужден был нарушить право старшинства Святославичей черниговских, и отсюда междоусобие между Мономаховичами и Ольговичами. Послушаем опять, как рассуждают сами действующие лица, сами князья: Всеволоду Ольговичу удалось восстановить свое право старшинства и овладеть Киевом; приближаясь к смерти, он говорил: «Мономах нарушил наше право старшинства, сел в Киеве мимо отца нашего Олега, да и после себя посадил Мстислава, сына своего, а тот после себя посадил брата своего Ярополка; так и я сделаю то же, после себя отдаю Киев брату своему Игорю». Нарушение права старшинства Святославичей со стороны Мономаха и его потомков заставляет и Ольговича действовать таким же образом. Против этого, разумеется, должны были восстать Мономаховичи, и вот междоусобие. Но опять послушаем, какую причину этому междоусобию выставляет Мономахович Изяслав — опять те же родовые счеты, родовой обычай. «Я терпел Всеволода на столе киевском, — говорит Изяслав, — *потому что* он был *старший* брат; брат и зять старший для меня вместо отца, а с этими (братьями Всеволода) хочу управиться, как мне Бог даст».

Выписывая известия из летописи, где упоминаются волости, хотят убедить нас, что за них идет все дело и скрывают все причины, всю связь событий, но, раздробив события, отняв у них связь, можно доказать все что угодно. Так и война у Мономаховичей между дядею Юрием и племянником Изяславом, причиною которой были родовые счеты, спор о старшинстве, у г-на Погодина представлена только борьбою за волости; читаем: «Юрий говорил: я выгоню Изяслава и возьму его область. Изяслав возвратил Киев от Георгия и хотел взять Переяславль. Георгий отнял Киев». Но при этом выпущены из княжеских речей самые важные места. Юрий говорит Изяславу: «Дай мне Переяславль, и я посажу там сына, а ты царствуй в Киеве». Но эта речь в подлиннике начинается так: «Се брате, на мя еси приходил и землю повоевал, *старейшинство с мене снял*». Пропущена и речь Вячеслава к брату Юрию, в которой объявлена прямая причина войны: «Ты мне говорил (Юрий Вячеславу): *не могу поклониться младшему* (т. е. племяннику Изяславу); но вот теперь добыл Киев, поклонился мне, назвал меня отцом, и я сижу в Киеве; если ты прежде говорил: младшему не поклонюсь, то я старше тебя и не малым». Скажите человеку, вовсе незнакомому с русскою историею, что междоусобные войны, происходившие в древней Руси, были родовые споры между князьями, владевшими своими волостями по старшинству, и всякий поймет вас, для всякого будет ясен характер древнего периода нашей истории, отличие ее от истории других народов; но сказать, что причиною, источником наших древних междоусобных войн были волости, владения, значит все равно что не сказать ничего. Какое понятие о древней русской истории можно получить от такого определения? Чем отличить тогда древний период нашей истории от феодального периода в истории западных народов? И здесь и там происходили междоусобные войны за владения.

Вот почему в предисловии к «Истории отношений между русскими князьями Рюрикова дома» мы почли необходимым вооружиться против обычных выражений: разделение России на уделы, удельные князья, удельный период, удельная система, ибо эти выражения должны приводить к ложному представлению о нашей древней истории, они ставят на первый план разделение владения, области, тогда как на первом плане должны быть отношения владельцев, то, как они владеют. Г-н Кавелин говорит: «Мы не скажем с автором, что князья бьются за старшинство, тем менее, что Святославичи хотят Киева не для Киева, а для старшинства. Напротив, мы утверждаем, что князья стараются приобрести лучшие и возможно большие владения, оправдывая себя родовым старшинством». Но прежде всего спросим у г-на Кавелина, что давало князю возможность получить лучшую волость? Право старшинства? Сам г-н Кавелин говорит: «Изяслав сам собою не мог удержаться в Киеве и должен был признать киевским князем и отцом ничтожного дядю своего Вячеслава, потому что последний был старший. Это признание было пустой формой; Вячеслав ни во что не вмешивался, не имел детей, и вся власть на деле принадлежала Изяславу». Здесь историк видит не ничтожную форму, но могущественное, господствующее представление о праве, которое заставило доблестного Изяслава преклониться пред слабым дядею; Вячеслав был неспособен сделать для себя что-либо, и одно право старшинства дало ему все, отнявши все у доблестного племянника его; если Вячеслав дал все ряды Изяславу, то на то была его добрая воля.

Г-н Кавелин говорит: «По той же самой причине, т. е. потому, что нужны были предлоги, не искали киевского престола бесспорно младшие в княжеском роде». Но это-то и важно для историка, что нужны были известные предлоги, ибо эти-то предлоги и характеризуют время: сперва младший не мог без предлога доискиваться старшего города, а потом мог делать это безо всякого предлога; историк и разделяет эти два периода: в одном показывает господство родовых отношений, в другом выставляет господство владельческих интересов с презрением родовых счетов. Во-вторых, г-н Кавелин говорит, что князья стараются приобрести лучшие и возможно большие владения. Но дело в том, что в описываемое время сила князя основывалась не на количестве и качестве волостей, а на силе племени, но чтоб пользоваться силою племени, нужно было быть в нем старшим; а первое право и вместе первая обязанность старшего по занятии старшего стола была раздача волостей племени, так что ему самому иногда не оставалось кроме Киева ничего, и он не имел никакого материального значения, а одно значение нравственное, основанное на его старшинстве. Племя зовет Ростислава Мстиславича на старший киевский стол, если б он имел в виду получить только лучшую волость, то, разумеется, он пошел бы безо всяких условий, а если б Киев давал ему материальное значение, силу, то он не хлопотал бы ни о каком другом значении, но Ростислав хочет идти в Киев только с условием, чтоб члены племени действительно признавали его старшим, отцом, и слушались бы его; следовательно, вот что нужно было Ростиславу, а не лучшая волость. Вячеслав, как скоро услыхал, что племянник зовет его отцом и честь на нем покладывает, успокоился и отказался от участия в правлении. Святослав Всеволодович, осердившись на Всеволода III, говорит: «Давыда схвачу, а Рюрика выгоню вон из земли и приму один власть русскую *и с братьею*, и тогда мьщуся Всеволоду обиды свои». В-третьих, г-ну Кавелину хорошо известно, к каким поступкам побуждало бояр наших опасение нарушить родовую честь при местнических спорах; как же он хочет, чтоб древние князья, находясь в таких же отношениях, думали только о волостях? Под 1195 годом один из Ольговичей, видя возможность осилить Мономаховичей, пишет к своему старшему в Чернигов: «Теперь, батюшка, удобный случай, ступай скорее, собравшись с братьею, возьмем честь свою». Не говорит же он: возьмем волости, добудем Киева!

В 1867 году вышла книга г-на Сергеевича: «Вече и князь». Автор говорит: «Несмотря на неполноту наших летописных источников, они представляют, однако, указания на существование веча не только во всех главных городах, но и в очень многих из городов второстепенного и даже третьестепенного значения». Затем автор начинает перечислять все известия о вечах. Но такой неосторожный прием не ведет к цели. Мы знаем, что в наших источниках слово *вече* употребляется в самом широком, неопределенном смысле, означает всякое совещание нескольких лиц и всякое собрание народа; следовательно, надобно обращать внимание на то, при каких обстоятельствах упоминается о народном собрании и его решениях, но, главное, надобно смотреть на дело исторически, следить за развитием веча, за условиями, способствовавшими его усилению или ослаблению, а не собирать из различных эпох известия о явлении и заключать, что оно было повсеместно. Первое известие, приводимое г-ном Сергеевичем о вече, относится к 997 году: «Белгородцы должны были выдержать продолжительную осаду печенегов. Когда все запасы истощились, а помощи от князя не предвиделось, они сотворили вече и решили сдаться». Город в страшной опасности покинут на время без помощи, предоставлен самому себе, и вот жители его собираются и решают сдаться. Но спрашивается: в каком городе, в какой стране и в какое время при подобных условиях мы не будем иметь права предположить то же явление? Если начальник школы бросит в минуту опасности вверенных ему детей, то первым делом последних будет собраться и толковать о том, как быть. Теперь пойдем путем историческим. Первое известие, приводимое г-ном Сергеевичем, относится к 997 году, а второе — к 1097 году. В продолжение 100 лет автор не мог отыскать известия о вече! Для историка это имеет важный смысл. С конца XI века о вечах начинаем встречать более частые упоминания; что же это значит? Это значит, что явилось благоприятное условие для усиления веча; и действительно, благоприятное условие налицо: это родовые счеты княжеские с своим следствием — усобицами. Во время этих счетов и усобиц князья, воюя друг с другом, стараются поднять народонаселение известных городов против князя их, склонить его на свою сторону; народонаселение или остается глухо к этим внушениям, или склоняется на них — явление обычное во все времена, у всех народов, из которого о повсеместном развитии вечевого быта ничего заключить нельзя. Наполеон I во время нашествия на Россию также делал нашему народу разные внушения, но кому придет в голову от этого поступка заключить к формам быта нашего народа в 1812 году? А наши исследователи именно это делают, заключая из известий о подговоре городских жителей враждующими князьями к развитию вечевого быта этих городов. Историк заметит, что частое повторение подобных подговоров в известных городах, частое повторение случаев, где горожанам давалась возможность самим решать свою участь, должны были развить вечевой быт, привычку к вечам, но никак не позволит себе заключать, что это развитие было повсеместное, ибо если какому-нибудь городу во время своего существования случилось раз принять самостоятельное участие в решении своей судьбы, то этот один случай не может установить новой привычки и уничтожить старую; а в чем состояла старая привычка — об этом свидетельствует знаменитое место летописи, что к вечам привыкли главные, старшие города, а младшие, пригороды, привыкли исполнять решения старших: «На чем старшие положат, на том пригороды станут». Пока существует это место в летописи, до тех пор будет непоколебимо основанное на нем объяснение происхождения нового порядка вещей на севере из этого отношения старых и новых городов. Г-н Сергеевич в своем стремлении приписать вечевой быт младшим городам цитует известие о народных волнениях в Москве: одно — относящееся к XIV, а другое — к XV веку; в обоих случаях жители взволновались, покинутые правительством; мы опять обращаемся к нашему сравнению и утверждаем, что даже и дети в школе сделали бы то же самое, если бы были покинуты своим надзирателем. Но почему же г-н Сергеевич не пошел дальше, не указал на волнения москвичей в царствование Алексея Михайловича и потом в XVIII веке, во время чумы? Явления совершенно однородные! Неужели потому, что слово *вече* для обозначения этих явлений уже вышло из употребления? Но он указывает же вечевые явления и там, где это слово не употреблено. Он относит к вечевым явлениям и восстание северных городов против татар, но в таком случае восстания башкирцев и других инородцев будет свидетельствовать о сильном развитии у них вечевого быта.

Знаменитое место летописца об отношениях между старшими городами и пригородами стало подвергаться в нашей литературе такой же ученой пытке, какой прежде подвергались места летописца о призвании первых князей с ясным доказательством их скандинавского происхождения. Разумеется, очень утешительно, что вопрос о происхождении варягов-руси сменен вопросом о внутренних отношениях, но не утешительно то, что при старании как-нибудь отвязаться от неприятного свидетельства употребляются прежние приемы, прежняя пытка. «На что же старейшие сдумают, на том же пригороды станут», — говорит летописец; и вот, согласно с этими отношениями, владимирцы, которые находились в пригородных отношениях к Ростову, притесняемые князьями, обращаются с жалобою к ростовцам в силу привычки к природной подчиненности старшим городам, привычки, которая не могла очень ослабеть в короткое время, хотя этому ослаблению содействовало очень важное обстоятельство — поднятие значения Владимира вследствие утверждения в нем княжеского стола Андреем Боголюбским. Ростовцы на словах были за владимирцев, но на деле не удовлетворяли их жалобам, и тогда владимирцы призывают других князей. Г-н Сергеевич рассуждает: «Летописец не говорит, что владимирцы, недовольные своим князем, не должны были высказываться против него и таким образом возбуждать вопрос о его перемене. Высказанное ими желание изгнать Ростиславичей он приводит как факт и не порицает их за него. Ростовцы и суздальцы, с своей стороны, в ответ на это желание не говорят, что призвание князя есть их исключительное право и что поэтому владимирцы должны оставаться при Ростиславичах до тех пор, пока это будет угодно им, ростовцам и суздальцам. Наоборот, на словах они были за владимирцев и тем показали, что последним принадлежит такое же участие в деле призвания князей, как и им самим».

Но с какой же стати было летописцу говорить то, чего не бывало? Будучи далеки от преувеличенных представлений о высокой степени развития древней Руси, о высокой степени свободы, которою она пользовалась, мы, однако, никак не решимся предположить, чтобы в ней существовали такие отношения, что обиженный не имел права высказываться против обидчика и жаловаться на него. Владимирцы жалуются своим старшим, ростовцам, на обижающих их князей, которых ростовцы же им дали или, лучше сказать, навязали. Ростовцам также не нужно было говорить, что призвание князей есть их исключительное право по той простой причине, что и вопроса об этом не было: владимирцы являются жалобщиками только; дело ростовцев решить, справедлива или не справедлива жалоба, а не толковать о своих правах, которых никто не затрагивал; напротив, владимирцы признали торжественно эти права, обратившись с своею жалобою в старший город. Но всего лучше следующий вывод, сделанный г-ном Сергеевичем: «На словах они (ростовцы) были за владимирцев и тем показали, что последним принадлежит такое же участие в деле призвания князей, как и им самим». Город жалуется на губернатора королю, король объявляет, что жалоба справедлива, следовательно, король этим самым объявляет, что горожанам принадлежит такое же право в назначении губернатора, как и самому королю! Летописец заступается за владимирцев, за меньших, слабых, которым, однако, Бог помог в их деле; летописец заступается за них потому, что имеет два основания для этого: во-первых, владимирцы были обижены, не получили управы и потому, естественно, возбуждали сочувствие в каждом человеке, в котором не угасло чувство правды, во-вторых, владимирцы были правы еще потому, что обратились к законным князьям, законным по старшинству и по распоряжению Юрия Долгорукого, тогда как ростовцы не обратили никакого внимания на эту законность. Следовательно, здесь двоякого рода отношения — отношения к старшему городу и отношения к князю. Отношения эти сталкиваются в данном случае, и обязанность историка обращать одинаковое внимание на обои отношения и смотреть, какие из них и при каких условиях возьмут верх.

Что касается собственно княжеских отношений, то г-н Сергеевич следует взгляду г-на Погодина: князья воюют, захватывают волости друг у друга, как владельцы, не имеющие никаких отношений между собою. Читая книгу г-на Сергеевича, мы видим себя среди каких-то зверей, а не людей, всегда чувствующих потребность оправдывать свои действия. Отвергая родовые отношения между князьями, г-н Сергеевич, естественно, старается отвергнуть господство этих отношений и в обществе. Он, разумеется, обходит молчанием известия о крепости родового союза в XVI и XVII веках; он выставляет статью Русской Правды о наследовании, где говорится, что имущество смерда, не оставившего сыновей, переходит к князю, но понятно, что в Правде разумеется имущество смерда безродного, потому что при общем родовом владении не может быть и речи о наследстве, ибо не может быть речи об отдельной собственности. Но любопытно, что г-н Сергеевич, ища в Русской Правде доказательств против рода, позволил себе обойти первую статью — о родовой мести. С знаменитым местом летописи, где так ясно указывается господство родового быта у славян («живяху кождо с родом своим на своих местах» и пр.), также г-ну Сергеевичу много хлопот. При исследовании о вече ему нужно было скрыть то, что слово это, *вече*, имеет обширное значение; теперь относительно рода ему надобно показать, что слово *род* имеет обширное значение, значит и происхождение, и народ, но из этого ничего не выходит, ибо оно означает также и то, что мы разумеем под именем рода. Видя это, г-н Сергеевич решается на отчаянное средство и говорит: «Каждый полянин мог иметь свой род *единственно* в смысле семьи». Но где доказательства? Их нет. Разве принять за доказательство непосредственно следующие слова автора: «Общее владение братьев и других родственников могло встречаться и в древнейшие времена. Есть даже основание думать, что тогда оно должно было встречаться чаще, чем теперь. При отсутствии развитой правительственной власти частному человеку для самосохранения необходимо было вступать в какие-либо частные союзы; союз с родственниками представляется самым естественным». Смысл кажется ясен: обстоятельства времени были таковы, что условливали необходимо стремление к родовому союзу, к его поддержанию; следовательно, каждый полянин мог иметь свой род *единственно* в смысле семьи!

Неумолимый летописец преследует нас со своим родом. Говоря об усобицах, возникших между славянами по изгнании варягов, он говорит, что род встал на род и «воевати почаша сами на ся». Как же рассуждает г-н Сергеевич? «Восстали, — говорит он, — не разные роды один на другого, а члены одного и того же рода (т. е. происхождения), дети — на родителей, братья — на братьев. Это только применение к явлениям своего времени хорошо известных летописцу слов евангелиста Марка: предаст же брат брата на смерть и отец чада, и восстанут чада на родители и убиют их». Г-н Сергеевич забывает, что летописец никак не мог иметь в виду слов евангелиста, ибо хорошо знал, что побуждало к такой страшной усобице, о которой говорится в Евангелии, и хорошо знал, что причиною усобицы между славянами было отсутствие правды, а это условие не могло повести к тому, чтоб восставали чада на родителей и убивали их; отсутствие правды ведет именно к тому, что отдельные роды в своих столкновениях прибегают к самоуправству, решают дело оружием.

Есть еще любопытные примеры обращения г-на Сергеевича с источниками. Летописец говорит следующее об Андрее

Боголюбском: «Выгна Андрей епископа Леона из Суздаля и братью свою погна Мстислава и Василька и два Ростиславича сыновца своя, мужи отца своего передниии. Се же створи хотя самовластец быти». Г-н Сергеевич говорит: «*Самовластец* употреблено здесь по отношению к другим князьям, внукам и младшим сыновьям Юрия, оно означает собственно *единовластителя*, в противоположность разделению волости между несколькими князьями, не заключая в себе никакого указания на самый характер власти». Конечно, так, если пропустить слова: «Мужи отца своего передниии», как делает г-н Сергеевич, но если оставить эти слова, то выйдет, что князь, изгоняющий влиятельных бояр, стремится не к единовластию, а к самовластию. Притом, как хорошо известно г-ну Сергеевичу, мнение о самовластии Андрея Боголюбского основано не на одном приведенном месте летописца: о характере Андрея свидетельствуют князья-современники, которые жалуются, что Андрей обращается с ними не как с родственниками, а как с подручниками; наконец, о характере Андрея свидетельствует смерть его, побуждения, которые заставили убийц решиться на свое дело, неслыханное прежде на Руси.

Под 1174 годом летописец говорит: «Приглашася Ростиславичи к князю Андрееви, просяче Романови Ростиславичу княжить в Киеве». Г-н Сергеевич говорит: «Можно подумать, что Андрею принадлежит право раздавать русские княжения. Из предыдущего мы видели, что Андрей, как князь сильной Владимирской волости, мог в союзе с другими князьями овладеть Киевом и ограбить его, но и это только в том случае, когда на его стороне было более союзников, чем на стороне киевского князя. Лучшего же права он не имел. Обращение к нему Ростиславичей есть не что иное, как предложение ему союза, одною из целей которого долженствовало быть доставление киевского стола Роману. Подобное же выражение находим еще под 1202 годом: „Слися к свату своему, к великому князю Всеволоду, — говорит Роман Мстиславич своему тестю Рюрику, — и аз слю к нему и молимся ему, дабы ти Киев опять дал“, т. е. дал в силу того фактического преобладания, которое принадлежало сильному владимирскому князю, а не в силу верховного права». Мы не слыхивали, чтоб делались предложения о союзе в виде мольбы о пожаловании чего-нибудь, но дело не в этом. Г-ну Сергеевичу хочется доказать, что в древней Руси признавалось только право сильного, а не какое-нибудь другое *лучшее* право. С этою целью он заботливо исключает все известия о том, что князья признавали это лучшее право. Так, он не упоминает о том, что Ростиславичи не признавали за Андреем одно право сильного, что они признавали это право и за собою, потому что вооружились против Андрея; но за последним они признавали еще другое право — право родового старшинства, по которому они считали его себе отцом и обращались к нему так: «Мы называли тебя отцом себе, мы до сих пор почитали тебя, как отца, по любви». Такое же право было и за великим князем Всеволодом, который сам свидетельствует о своем праве, говоря Ростиславичам: «Вы назвали меня старшим в своем Владимировом племени».

Что признавалось это право, по которому князья должны были занимать столы не захватом, а вследствие родового старшинства, неопровержимым свидетельством служат приведенные в летописи слова великого князя Ярослава I сыну его Всеволоду: «Аще ти подаст Бог приять власть стола моего, *по братьи* своей с правдою и не с насилием, то да ляжеши у гроба моего». Как же г-н Сергеевич разделывается с этим местом летописи, которое он спрятал в длинном примечании, где говорится о завещаниях московских князей? «Так как это место, — говорит г-н Сергеевич, — находится в посмертной похвале Всеволоду, написанной очень дружественной ему рукой, то скорее надо думать, что оно сочинено самим летописцем для оправдания совершившихся событий». Но отчаянное средство помочь не может: если бы даже и позволительно было предположить, что летописец неизвестно для чего выдумал слова Ярославовы, то его свидетельство нисколько не теряет своего значения, ибо он мог высказать только представление о правде, какое господствовало в современном ему обществе.

№ 1
ПЛЕМЯ ВЛАДИМИРА ЯРОСЛАВИЧА:

РОСТИСЛАВ
ум. 1066 г.

- РЮРИК
  ум. 1092 г.
- ВОЛОДАРЬ
  - ВЛАДИМИРКО
    ум. 1152 г.
    - ЯРОСЛАВ
      жен. 1150 г. на Ольге,
      доч. Юрия Долгорук.;
      ум. 1187 г.
      - ВЛАДИМИР
        жен. 1166 г. на Болеславе,
        доч. Святослава Всеволодов.; ум. 1198 г.
        - сын, жен. на Феодоре, доч. Романа волынск.
      - ОЛЕГ НАСТАСЬИЧ
  - РОСТИСЛАВ
    - ИВАН БЕРЛАДНИК
      ум. 1161 г.
      - РОСТИСЛАВ
        ум. 1189 г.
- ВАСИЛЬКО
  ум. 1124 г.
  - ИВАН
    ум. 1141 г.
  - ГРИГОРИЙ

№ 2
ПЛЕМЯ ИЗЯСЛАВА ЯРОСЛАВИЧА:

- МСТИСЛАВ
  ум. 1068 г.
  - РОСТИСЛАВ
    ум. 1093 г.
- ЯРОПОЛК
  ум. 1086 г.
  - ЯРОСЛАВ
    ум. 1102 г.
  - ВЯЧЕСЛАВ
    ум. 1104 г.
- СВЯТОПОЛК
  жен. на половчанке
  1094 г.;
  ум. 1113 г.
  - МСТИСЛАВ
    ум. 1099 г.
  - ЯРОСЛАВ
    жен. 1112 г. на доч. Мстислава Владимир.
    Мономашича; ум. 1123 г.
    - ЮРИЙ
      жен. 1144 г. на доч. Всеволода городенского
      - ИВАН
        упом. 1168 г,
      - ЯРОСЛАВ
        упом. 1184 г.
      - СВЯТОПОЛК
        ум. 1190 г.
      - ЯРОПОЛК
        жен. 1190 г.
      - ГЛЕБ
        ум. 1196 г.
    - ВЯЧЕСЛАВ
      упом. 1127 г.
  - БРЯЧЕСЛАВ
    род. 1104 г.;
    ум. 1127 г.
  - ИЗЯСЛАВ
    ум. 1128 г.

Князья пинские, неизвестно чьи дети:

- ВЛАДИМИР
  упом. 1204 г.
- АЛЕКСАНДР ДУБРОВИЦКИЙ
  упом. 1224 г.
- РОСТИСЛАВ
  упом. 1228 г.

№ 3
ПЛЕМЯ СВЯТОСЛАВА ЯРОСЛАВИЧА:

ГЛЕБ ум. 1078г.

РОМАН ум. 1079 г.

ДАВЫД ум. 1123 Г.:

ОЛЕГ ум. 1115 г.

ЯРОСЛАВ ум. 1129 г.

а) Племя Давыда Святославича:

СВЯТОСЛАВ упом. 1142 г.

ВСЕВОЛОД жен. на княжне польской 1124 г.

РОСТИСЛАВ ум. 1120 г.

ВЛАДИМИР жен. 1144 г. на доч. Всеволода городенского; ум. 1151 г.

- СВЯТОСЛАВ жен. 1159 г. на доч. Андрея Боголюбского; ум. 1166 г.

б) Племя Олега Святославича:

ВСЕВОЛОД жен. на доч. Мстислава В.; ум. 1146 г.

- СВЯТОСЛАВ жен. 1143 г. на доч. Василька полоцкого; ум. 1194 г.
  - МСТИСЛАВ жен. 1181 г. на свояченице Всеволода III Ясыне; ум. 1224 г.
  - ВЛАДИМИР жен. 1178 г. на доч. Михаила Юрьевича
  - ГЛЕБ жен. 1183 г. на доч. Рюрика Ростиславича
    - МСТИСЛАВ упом. 1239 г.
  - ВСЕВОЛОД жен. 1179 г. на доч. Казимира польского; ум. 1215 г.
    - МИХАИЛ
    - АНДРЕЙ
  - ОЛЕГ ум. 1204г.
    - ДАВЫД жен. 1190 г. на доч. Игоря Святославича
      - МСТИСЛАВ род. 1193 г.
- ЯРОСЛАВ род 1139 г.; ум. 1198 г.
  - РОСТИСЛАВ род. 1174 г.; жен. 1188 г. на Всеславе, доч. Всеволода III
  - ЯРОПОЛК упом. 1214 г.
- ВЛАДИМИР ум. 1201 г.
  - РОСТИСЛАВ упом. 1192 г.

ИГОРЬ ум. 1147г.

СВЯТОСЛАВ жен. в Новгороде 1136 г.; ум. 1164 г.

- ОЛЕГ жен.: 1) на доч. Юрия Долгорукого 1150 г.; 2) на доч. Ростислава Мстиславича 1163 г.; ум. 1180 г.
  - СВЯТОСЛАВ род. 1166 г.
- ИГОРЬ ум. 1202 г.
  - ВЛАДИМИР род. 1170 г.; жен. на доч. Кончака половецкого 1188 г.; ум. 1212 г.
    - ИЗЯСЛАВ упом. 1255 г.
    - ВСЕВОЛОД упом. 1206 г.
  - ОЛЕГ род. 1174 г.
  - СВЯТОСЛАВ род. 1176 г.; жен. на доч. Рюрика Ростислав. 1188 г.
  - РОМАН ум. 1211г.
- ВСЕВОЛОД ум. 1196 г.

ГЛЕБ ум. 1138 г.

- ИЗЯСЛАВ ум. 1133 г.
- РОСТИСЛАВ упом. 1144 г.

ИВАН ум. 1148 г.

в) Племя Ярослава Святославича:

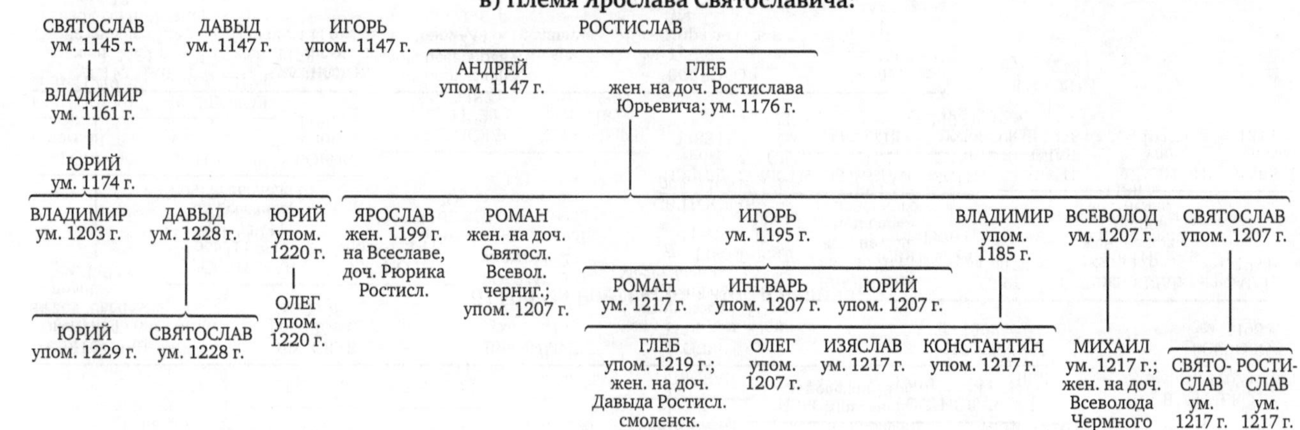

а) Племя Мстислава Владимировича:

- ВСЕВОЛОД жен. 1123 г. на доч. Святосл. Давыдов. черниговского; ум. 1138 г.
  - ИВАН ум. 1128 г.
  - МСТИСЛАВ ум. 1168 г.
  - ВЛАДИМИР упом. 1136 г.
- ИЗЯСЛАВ ум. 1154 г.
  - МСТИСЛАВ ум. 1170 г.
    - РОМАН жен.: 1) на доч. Рюрика Ростисл.; 2) на неизвестной; ум. 1205 г.
      - ДАНИИЛ
      - ВАСИЛЬКО
    - ВСЕВОЛОД ум. 1195 г.
      - АЛЕКСАНДР
      - ВСЕВОЛОД упом. 1211 г.
    - СВЯТОСЛАВ ум. 1171 г.
  - ЯРОСЛАВ упом. 1175 г.
    - ИЗЯСЛАВ ум. 1196 г.
    - ИНГВАРЬ упом. 1220 г.
      - ЯРОСЛАВ упом. 1227 г.
      - ИЗЯСЛАВ ум. 1224 г.
    - ВСЕВОЛОД жен. на Малфриде Юрьевне туровской 1166 г.
    - МСТИСЛАВ упом. 1226 г.
      - ИВАН ум. 1226 г.
  - ЯРОПОЛК жен. 1164 г. на доч. Святосл. Ольговича; ум. 1168 г.
    - ВАСИЛЬКО упом. 1167 г.
- ЯРОПОЛК упом. 1149 г.
- СВЯТОПОЛК жен. на княжне моравской 1141 г.; ум. 1154 г.
- ВЛАДИМИР род. 1132 г.; ум. 1171 г.
  - РОСТИСЛАВ упом. 1190 г.
  - МСТИСЛАВ упом. 1173 г.; жен. на доч. Святосл. Всевол. черниговского
  - ЯРОСЛАВ упом. 1182 г.
    - РОСТИСЛАВ род. 1193 г.; ум. 1198 г.
    - ИЗЯСЛАВ род. 1190 г.; ум. 1198 г.
  - СВЯТОПОЛК упом. 1192 г.
- РОСТИСЛАВ ум. 1168 г.

б) Племя Ростислава Мстиславича:

- РОМАН жен. 1149 г. на доч. Святосл. Ольгов.; ум. 1180 г.
  - ЯРОПОЛК упом. 1176 г.
  - МСТИСЛАВ ум. 1224 г.
    - СВЯТОСЛАВ упом. 1219 г.
    - ВСЕВОЛОД упом. 1219 г.
  - БОРИС упом. 1180 г.
    - ВСЕВОЛОД упом. 1214 г.
- РЮРИК жен.: 1) на половчанке 1162 г.; 2) на Анне, доч. Юрия туровского; ум. 1215 г.
  - РОСТИСЛАВ род. 1172 г.; жен. 1187 г. на Верхуславе, доч. Всеволода III; ум. 1218 г.
  - ВЛАДИМИР род. 1187 г.; ум. 1239 г.
- ДАВЫД род. 1140 г.; ум. 1197 г.
  - ИЗЯСЛАВ упом. 1183 г.
  - МСТИСЛАВ ум. 1230 г.
  - КОНСТАНТИН ум. 1218 г.
  - МСТИСЛАВ род. 1193 г.
- СВЯТОСЛАВ ум. 1170 г.
- МСТИСЛАВ жен. на доч. Глеба рязанского; ум. 1180 г.
  - МСТИСЛАВ ум. 1228 г.
    - ВАСИЛИЙ ум. 1218 г.
  - ВЛАДИМИР упом. 1217 г.
  - ДАВЫД упом. 1214 г.

в) Племя Юрия Владимировича Долгорукого:

- РОСТИСЛАВ ум. 1151 г.
  - МСТИСЛАВ жен. 1176 г. на доч. новгородск. боярина Якуна Мирославича; ум. 1178 г.
    - СВЯТОСЛАВ род. 1176 г.
  - ЯРОПОЛК жен. 1175 г. на доч. витебского князя Всеслава; упом. 1181 г.
- ИВАН ум. 1147 г.
- АНДРЕЙ ум. 1174 г.
  - ИЗЯСЛАВ ум. 1163 г.
  - МСТИСЛАВ ум. 1172 г.
    - ВАСИЛИЙ род. 1171 г.
  - ЮРИЙ жен. на грузинской царице Тамаре; упом. 1172 г.
- ВАСИЛЬКО ум. 1149 г.
- МИХАИЛ ум. 1176 г.
- ЯРОСЛАВ ум. 1166 г.
- ВСЕВОЛОД жен.: 1) на Ясыне Марии; 2) на доч. Василька витебского 1209 г.; ум. 1212 г.
  - КОНСТАНТИН род. 1185 г.; жен. 1196 г. на дочери Мстислава Романовича; ум. 1218 г.
    - ВАСИЛЬКО род. 1209 г.; жен. 1227 г. на доч. Михаила чернигов.; ум. 1237 г.
    - ВСЕВОЛОД род. 1210 г.
    - ВЛАДИМИР род. 1214 г.
  - БОРИС род. 1187 г.; ум. 1238 г.
  - ГЕОРГИЙ род. 1187 г.; жен. на доч. Всеволода Чермного 1211 г.; ум. 1237 г.
    - ВСЕВОЛОД род. 1213 г.; ум. 1237 г.
    - МСТИСЛАВ ум. 1237 г.
    - ВЛАДИМИР ум. 1237 г.
  - ЯРОСЛАВ род. 1191 г.; жен.: 1) 1206 г. на половчанке; 2) на дочери Мстислава торопецкого
    - ФЕОДОР род. 1219 г.; ум. 1233 г.
    - АЛЕКСАНДР
  - ВЛАДИМИР род. 1193 г.; жен. 1215 г. на доч. Глеба чернигов.; ум. 1229 г.
  - СВЯТОСЛАВ род. 1196 г.
  - ИВАН род. 1198 г.
  - ГЛЕБ ум. 1189 г.
- ГЛЕБ жен.: 1155 г. на доч. Изясл. Давыдов.; ум. 1171 г.
  - ИЗЯСЛАВ ум. 1184 г.
  - ВЛАДИМИР род. 1157 г.; жен.: 1180 г. на дочери Ярослава черниговского; ум. 1187 г.
- СВЯТОСЛАВ ум. 1174 г.
- БОРИС ум. 1159 г.
- МСТИСЛАВ жен. 1155 г. в Новгороде на доч. Петра Михалковича
  - ЯРОСЛАВ ум. 1199 г.

№ 5
ПЛЕМЯ ИЗЯСЛАВА ВЛАДИМИРОВИЧА ПОЛОЦКОГО:

БРЯЧИСЛАВ
ум. 1044 г.

ВСЕСЛАВ
ум. 1103 г.

|
ВСЕСЛАВ
ум. 1001 г.

РОГВОЛОД
упом. 1127 г.

СВЯТОСЛАВ
упом. 1140 г.
|
ВАСИЛЬКО
упом. 1132 г.

РОМАН
ум. 1116 г.

ДАВЫД
упом. 1103 г.; жен. на доч. Мстислава Великого
|
БРЯЧИСЛАВ
упом. 1127 г.
|
ВАСИЛЬКО
упом. 1180 г.

ГЛЕБ
жен. на доч. Ярополка Изяславича;
ум. 1118 г.

РОСТИСЛАВ
упом. 1140 г.

БОРИС
ум. 1128 г.
|
РОГВОЛОД
жен. 1143 г. на доч. Изясл. Мстисл.

Сыновья Василька: ВСЕСЛАВ упом. 1166 г.; БРЯЧИСЛАВ упом. 1158 г.; ВОЛОДАРЬ упом. 1159 г.

Сыновья Брячислава: МИКУЛА; АНДРЕЙ упом. 1180 г.

МИКУЛА
|
ВСЕСЛАВ
упом. 1180 г.

Сыновья Глеба: ВСЕВОЛОД упом. 1158 г.; РОСТИСЛАВ упом. 1158 г.; ВОЛОДАРЬ упом. 1159 г.

РОСТИСЛАВ
|
ГЛЕБ
упом. 1158 г.

Сыновья Рогволода: ВСЕСЛАВ упом. 1160 г.; ГЛЕБ упом. 1180 г.

№ 6
ПЛЕМЯ ВЯЧЕСЛАВА ЯРОСЛАВИЧА:

БОРИС
упом. 1078 г.

№ 7
ПЛЕМЯ ИГОРЯ ЯРОСЛАВИЧА:

ДАВЫД
ум. 1112 г.
|
ВСЕВОЛОДКО
жен. на доч. Мономаха Агафье 1116 г.;
ум. 1141 г.

НЕИЗВЕСТНЫЙ
|
МСТИСЛАВ
ум. 1116 г.

Сыновья Всеволодко: БОРИС упом. 1151 г.; ГЛЕБ упом. 1167 г.; МСТИСЛАВ упом. 1168 г.

Таблицы, хронологически относящиеся к тому 3, помещены редакцией в конце 1 тома, поскольку они отчасти иллюстрируют общую концепцию С. М. Соловьева и могут быть полезны при чтении 1 и 2 томов.

СОДЕРЖАНИЕ

«Великие историки»
Выходит 2 раза в месяц
Выпуск № 2 (2), 2015

Научно-популярное издание

Соловьев Сергей Михайлович

ИСТОРИЯ РОССИИ С ДРЕВНЕЙШИХ ВРЕМЕН
Том второй

Главный редактор *Е. А. Трофимов*
Ответственный за выпуск *Б. Шалтаев*
Художественный редактор *Е. Саламашенко*
Технический редактор *Е. Траскевич*
Корректоры *В. Волынский, П. Залесский*
Верстка *М. Залиева*

Подписано в печать 07.04.2015. Формат издания 60×90 1/16. Печать офсетная.
Усл. печ. л. 30,0. Тираж 15 030 экз. Заказ № м1468 (K–Sm).

Издатель ООО «Торгово-издательский дом «Амфора».
197110, Санкт-Петербург, наб. Адмирала Лазарева, д. 20, литера А.
www.amphora.ru, e-mail: secret@amphora.ru

Отпечатано в филиале «Смоленский полиграфический комбинат»
ОАО «Издательство «Высшая школа».
214020, г. Смоленск, ул. Смольянинова, д. 1.
Тел.: +7 (4812)31-11-96. Факс: +7 (4812)31-31-70.
E-mail: spk@smolpk.ru. http://www.smolpk.ru